COLLECTION FOLIO

Nina Yargekov

Double nationalité

P.O.L

L'auteur a bénéficié d'une bourse
Hors les Murs – Stendhal de l'Institut français
et du soutien du Centre national du Livre
pour l'écriture de cet ouvrage.

www.pol-editeur.com

Nina Yargekov est née en 1980, un 21 juillet, soit le même jour qu'Alexandre le Grand, mais 2 336 années plus tard.

Elle promet de défendre du mieux qu'elle peut les couleurs de la lettre Y, dont elle est une des rares représentantes.

Nina Yargekov est née à l'étranger, en France.

Elle aime la tarte citron meringuée, les boîtes de rangement et surtout le Code civil, qui est son œuvre de fiction préférée.

ARRIVÉE

« Pourquoi, lorsque, au marché, un “camelot” virtuose, à grand renfort de mots et de gestes, glorifie la sardine française pour dénigrer la portugaise, m’éloigné-je, vexée ? Je ne suis pourtant pas l’objet de cette critique – qu’est-ce que les Russes auraient à voir là-dedans ? Mais, dénigrant la sardine portugaise, c’est moi qu’on a heurtée, mon âme. C’est elle qui m’a écartée du cercle des autochtones, me prenant par le bras avec plus d’autorité encore que mon ange gardien ou un gardien de la paix – légère différence tout de même. »

Marina Tsvetaeva[1]

1. Marina Tsvetaeva, « Le Chinois », in *Récits et essais*, *Œuvres*, t. II, Seuil, 2011, p. 243.

1

Il y a quelque chose qui cloche aux Galeries Lafayette. Vous examinez l'éclairage, détaillez les vendeuses, humez la température. Parmi les clients, quantité de touristes, on doit être au printemps ou en été pour qu'ils soient si nombreux, d'ailleurs votre tenue en apporte confirmation, vous êtes vêtue d'une jupe courte et d'un chemisier sans manches. Vous voyez des parfums, des mascaras, des laits pour le corps et des saucissons. Pris isolément, chaque élément vous semble d'une normalité irréprochable, pourtant l'ensemble est comme atteint d'une déformation étrange et très disgracieuse, le plafond est trop bas, les étiquettes posées de travers, la musique de fond dissonante, et puis le saucisson, vous ne sauriez le démontrer d'une manière résolument scientifique, cependant vous avez l'intuition qu'il n'est pas réellement à sa place au rayon parfumerie. Le mystère des systèmes holistes, le tout est plus que la somme de ses parties, l'atomisme logique est une impasse intellectuelle. Vous levez les yeux à la recherche de la coupole aux vitraux et vous comprenez, vous n'êtes pas aux Galeries Lafayette mais dans la boutique détaxée d'un aéroport, zut vous aviez confondu, on admettra à votre décharge qu'en termes d'ambiance cela se ressemble un brin. C'est donc pour cela que vous avez une valise, vous vous demandiez aussi ce que vous fabriquiez à tirer ce parallélépipède rectangle derrière vous.

Vous fouillez dans votre sac à main et y découvrez deux passeports, deux téléphones, deux porte-monnaie, deux cartes bancaires, deux trousseaux de clefs ainsi qu'une lingette rince-doigts. Seul objet à se présenter à vous sous la forme d'un exemplaire unique, la lingette rince-doigts suscite immédiatement votre attention, et aussi, il vous faut l'avouer, votre sympathie, cela bien que l'idée d'entretenir une relation privilégiée avec cet article d'hygiène des mains vous semble tout à fait exotique. Vous remarquez que son emballage ne présente aucune trace d'usure, qu'il est d'un blanc immaculé, que sa surface est lisse et sans pliure, qu'en résumé, vous n'avez pas affaire à un piteux sachet grisâtre traînant au fond de votre sac depuis plusieurs semaines mais à une pimpante pochette qui y a de toute évidence été placée il y a quelques heures à peine. Comme vous n'imaginez pas être du genre à vous promener délibérément avec une lingette rince-doigts, en effet malgré les indéniables zones d'ombre qui entachent pour l'heure certains pans de votre biographie, vous avez la farouche conviction de ne pas être de ces personnes, fort respectables au demeurant, qui glissent des lingettes rince-doigts dans leur sac avant de partir en voyage en prévision d'une éventuelle impossibilité d'accéder à un point d'eau, ne serait-ce que parce que vous ignorez absolument où cela s'achète, des lingettes rince-doigts, vous avez beau sonder votre esprit, la seule image qui vous vienne est celle d'une hôtesse de l'air qui en distribue aux passagers d'un avion, il ne paraît pas faire de doute que celle que vous avez en votre possession vous a été précisément remise à bord d'un avion, probablement un avion dont vous venez de descendre, ce qui signifie que vous n'êtes pas ici pour embarquer mais parce que vous débarquez. Conclusion, vous n'avez pas à vous soucier de rechercher le vol que vous êtes supposée prendre maintenant car vous êtes déjà arrivée, cet aéroport n'est pas votre lieu de départ mais votre destination finale, la lingette en témoigne. Ce qu'il reste à déterminer en revanche, c'est s'il s'agit d'un voyage aller ou d'un retour, c'est-à-dire si vous rentrez chez vous ou si vous entamez un séjour à l'étranger.

Vous songez que vous devriez aller aux toilettes, qu'il y a quelque chose d'intrinsèquement hospitalier dans des toilettes, que partout dans le monde les toilettes, même les plus sales ou les plus délabrées, sont une zone d'immunité sociale, un asile universel, un refuge toujours rassurant, du moins pour les femmes, vous ignorez à dire vrai si les hommes aussi considèrent les toilettes comme des coulisses où ils peuvent aller souffler, se retirer un instant pour relâcher leurs muscles et se retrouver avec eux-mêmes sans devoir craindre d'être faibles, gauches ou ignorants, et vous êtes si enthousiasmée par votre projet que vous le mettez immédiatement à exécution. À l'intérieur du cabinet lui-même, vous ne trouvez pas d'autre vocable que cabinet, est-ce qu'on ne dit pas plutôt cabine de toilette, vous avez comme un doute, disons dans les sanitaires à proprement parler, l'examen du sac en papier destiné aux serviettes hygiéniques usagées vous apprend que celui-ci est un produit de la marque Aéroports de Paris, ce dont vous déduisez très savamment que vous êtes en France, renseignement utile mais qui ne vous surprend qu'à moitié, l'un des deux passeports trouvés dans votre sac étant français, vous vous doutiez bien que vous aviez quelque chose à voir avec ce pays.

Vous profitez de votre présence dans ce lieu clos pour réaliser en toute discrétion une rapide palpation de votre personne. Vous effectuez de légères pressions des doigts, minutieuses et méthodiques, en commençant par les zones corporelles directement accessibles, ceinture abdominale, creux lombaire, aisselles, pour procéder ensuite à une exploration complète en allant du haut vers le bas. Vous hésitez un instant, mais tant qu'à faire, vous transformez l'opération en fouille à corps, comprendre orifices inclus, c'est un tantinet humiliant cependant comme vous en êtes l'unique témoin, vous vous en remettez sans difficulté, et puis si vous représentez une menace pour la sécurité publique, autant que vous soyez tout de suite au courant. Au final : pas d'arme, pas d'objet contondant, pas d'explosifs, tout va bien en somme. Et pas non plus de coussin de rembourrage dans votre soutien-gorge, c'est une bonne nouvelle, vos seins ne vous paraissaient déjà pas très gros vus d'en haut, cela vous aurait fait mal au cœur qu'il y en ait encore moins que prévu.

Dans l'espace salle de bains, si l'on peut nommer cela ainsi, c'est-à-dire là où il y a des lavabos et un grand miroir, vous pouvez à loisir observer votre reflet et vous familiariser avec votre apparence physique. Vous constatez que vous êtes très grande, environ 75 % de la hauteur sous plafond, que vous avez un diadème scintillant sur la tête et que vous portez un maquillage charbonneux noir pailleté bleu. D'un côté, vous vous imaginiez plus distinguée, la femme française n'est-elle pas supposée être d'une élégance discrète et raffinée, or la fille qui vous fait face est à la fois vulgaire et excentrique, le diadème en particulier vous perturbe passablement, surtout que vos poignets sont également ceints de bracelets de force, la juxtaposition des deux vous fait l'effet d'un déguisement de princesse guerrière. D'un autre côté, vous vous trouvez un air extrêmement noble et parfaitement classique, vos traits sont réguliers, vous vous tenez droite, il émane de votre personne une sorte de dignité perpendiculaire, et aussi une forme de tristesse, ce qui n'est peut-être que passager, quoi qu'il en soit vous avez subitement la sensation que votre sang, ou votre culture, ou votre nation, en tout cas votre groupe d'appartenance ont quelque chose de grand, de beau et de singulier, vous ne savez pas quoi exactement, mais cela renforce votre conviction de ne pas appartenir au clan mesquin et calculateur des gens qui mettent des lingettes rince-doigts dans leur sac avant de partir en voyage, tandis que vous traverse au même moment une impérieuse envie de vous rouler dans les foins au soleil couchant sur de déchirants trilles de violon. D'un troisième côté, et l'existence même d'un côté supplémentaire vous déconcerte un peu, vous envisagiez de vous arrêter à deux, plus vous vous observez et plus il vous apparaît que selon les standards français, toutefois est-il correct de vous autoévaluer en référence aux standards français, vous n'en êtes pas certaine compte tenu de la présence d'un passeport yazige dans votre sac, votre jupe est trop transparente, votre chemisier trop près du corps, votre bouche trop rouge et vos yeux trop lourdement maquillés, pour parler franchement vous ressemblez à une prostituée, du moins au cliché de la prostituée, il vous importe d'introduire mentalement la nuance car vous êtes contre les préjugés et les stéréotypes sur les prostituées, vous avez bien conscience du fait que la réalité est complexe et qu'il y a des prostituées qui ne s'habillent pas comme on penserait que s'habillent les prostituées.

Après réflexion, il vous vient que vous pourriez aussi bien réellement être une prostituée, cela expliquerait pourquoi vous avez pris tant de précautions, à l'instant, pour évoquer les habitudes vestimentaires des prostituées. Pourquoi en effet ces ménagements à l'endroit de personnes qui ne peuvent pas vous entendre, les prostituées ne sont pas dans votre tête que vous sachiez et vous avez bien le droit, en votre for intérieur, de tenir à leur sujet le discours qui vous chante. Il est naturellement essentiel, d'une manière générale, de faire preuve d'esprit critique, de réinterroger les prénotions, cependant il convient de choisir avec soin les mesures de prudence dont on s'encombre, il faut savoir faire ce tri douloureux, et en l'occurrence, vous auriez été mieux avisée de vous en tenir au constat, je ressemble à une prostituée, déconstruire les stéréotypes sur les travailleuses du sexe n'est sans doute pas l'urgence du moment. A contrario si vous êtes directement concernée tout prend sens, vos scrupules ne sont pas inutile gaspillage de salive cérébrale mais saine expression de votre dignité personnelle. Vous procédez à quelques essais pour mettre l'explication à l'épreuve, les prostituées sont des nymphomanes, les prostituées sont un remède contre la misère sexuelle, les prostituées protègent la société contre le viol, mais vous n'avez pas encore formulé l'esquisse de l'ombre du contour de ces propositions que vous en avez la nausée, pourtant ce ne sont que des lieux communs, la piste de la prostitution se confirme. Cette perspective vous réjouit, non pas que dans l'absolu, ce soit la profession que vous auriez spontanément choisi de vous attribuer, mais parce qu'elle vous permet de faire un magistral bond en avant concernant votre histoire d'aller ou de retour : une prostituée ressortissante d'un pays d'Europe de l'Est qui arrive en France, c'est forcément un voyage aller, c'est dans ce sens-là que cela se passe. Et déjà vous entrevoyez le déroulé des événements, vous êtes à Paris pour une à deux semaines, cela s'appelle une tournée de prostitution, en quelques jours vous gagnerez ici plus que là-bas en plusieurs mois, vous êtes relativement consentante ou en tout cas résignée, vous avez besoin d'argent, vous recevrez les clients dans un hôtel, 250 euros la passe d'une heure, 150 euros la demi-heure et 50 % pour le proxénète, parfois les clients seront violents mais on s'en sort toujours, vous penserez à votre crédit immobilier et aux cadeaux à offrir, chez vous personne ne le saura c'est l'avantage de le faire à l'étranger, et que vous parveniez si bien à vous projeter achève de vous convaincre que votre hypothèse mérite d'être prise au sérieux. À moins que vous ne soyez une prostituée en vacances, après tout les prostituées ont bien le droit de prendre des vacances et Paris est une destination touristique renommée, vous seriez venue voir la tour Eiffel, l'Arc de triomphe et le Louvre, on peut être une prostituée et désirer faire du bateau-mouche, vous êtes contre les clichés sur les prostituées comme on le sait, il est idiot de penser qu'une prostituée qui voyage, c'est forcément pour raisons professionnelles. Hélas il y a une faille dans ce tableau, vous n'avez pas inclus votre passeport français dans l'histoire, si vous en êtes ressortissante vous connaissez déjà la France forcément, d'ailleurs vous avez une vision trop nette de la tour Eiffel pour n'y être jamais allée personnellement. Quant à la prostitution, cela ne tient pas non plus, si vous êtes française vous n'avez aucune raison de vous prostituer, c'est un pays riche où les femmes sont chic, et de toute façon vous avez les seins trop petits pour faire une prostituée crédible. Ou alors vous êtes une ancienne prostituée, vous veniez faire des tournées de prostitution à Paris, raison pour laquelle vous êtes en mesure d'en décrire le fonctionnement, et vous avez rencontré un Français qui vous a épousée, d'où l'acquisition de la nationalité française et une opération de réduction mammaire pour rompre symboliquement avec votre passé, d'où aussi une certaine continuité dans vos choix vestimentaires, votre mari aurait été déçu par un changement de style trop radical, et d'où enfin ce souci de ne pas froisser les prostituées encore en exercice en véhiculant sur elles des stéréotypes stupides. Cette fois-ci tout y est, vous avez casé l'intégralité des éléments d'information en votre possession.

Vous sortez des toilettes et trouvez un siège où vous installer afin de jeter un œil au contenu de votre valise, vous avez pour dessein de quitter ce terminal aéroportuaire dans un avenir proche toutefois il vous semble qu'avant de vous présenter au contrôle douanier, il serait judicieux de savoir ce que vous transportez, parfois les gens qui se promènent avec deux passeports ont des choses à cacher. Une fois assise, vous faites deux découvertes, qui d'une certaine manière convergent vers une même méta-découverte. D'une part, cette nouvelle position vous offre une vue foncièrement inédite sur vos chaussures, qui sont des escarpins à coupe étroite, qui sont impeccablement cirés, qui ont l'air en cuir et qui pourtant ne sont pas en cuir, c'est une certitude alors que la différence est quasi imperceptible à l'œil nu, et soudain vous comprenez que vous ne les avez pas choisies par hasard, vous évitez volontairement les produits animaux. Vous pensez, si le reste pouvait me revenir aussi facilement ce serait merveilleux, cependant avant même d'avoir tiré sur ce fil cérébral, avant d'avoir, c'est un exemple comme un autre, envisagé qu'en particulier, vous aimeriez beaucoup savoir ce que vous comptiez acheter dans la boutique que vous avez prise pour les Galeries Lafayette, vous corrigez votre erreur, plus exactement vous anticipez votre regret de vous être trompée, vous avisant que ce qui s'est produit à l'instant n'est pas le retour à la surface d'un souvenir jusque-là oublié mais la simple convocation d'une donnée qui n'avait jamais disparu, qui était parfaitement disponible, qui était à portée de main : c'est juste que vous n'aviez aucune raison, tant que vous n'aviez pas posé les yeux sur vos chaussures, d'actualiser la proposition, je ne porte pas de cuir ni ne mange d'animaux, vous aviez d'autres priorités, et puis si on passait sa vie à se réciter tout ce qu'on sait sur soi-même on n'en sortirait plus. D'autre part, en attrapant votre valise, vous vous apercevez que celle-ci porte un autocollant comme on en appose sur les bagages au moment de l'embarquement, il est à moitié déchiré mais vous parvenez tout de même à lire, vous auriez pu faire l'économie de l'examen détaillé du sac à serviettes hygiéniques puisque l'information fournie est ici plus complète, *départ IASSAG LFT 1A 12 : 25 arrivée PARIS CDG 2F 15 : 05*, vous avez donc pris l'avion en Yazigie, là encore vous vous en doutiez légèrement au regard de vos documents d'identité, au moins vous en avez désormais la preuve, étant tout de même précisé qu'il serait plus correct de parler de faisceau d'indices faisant présumer le fait <départ depuis Iassag> plutôt que de preuve, il vous tient à cœur d'être rigoureuse dans votre expression mentale, qu'il y ait ou non des prostituées dans votre tête. Vous relevez que Iassag est mal orthographié sur l'étiquette, non pas qu'il y ait une faute, c'est conforme à la graphie internationale, mais plutôt qu'en yazige, cela s'écrive tout à fait autrement, voilà encore une information qui était en libre accès dans votre mémoire. En somme, que vous ignoriez qui vous êtes et où vous allez n'est pas si grave, vous savez un tas d'autres choses très utiles.

Vous en aviez presque oublié votre valise, pour le coup les requêtes que vous soumettez à votre esprit restent sans réponse, vous n'avez aucune idée de ce qu'elle peut contenir, toutefois pour les mêmes raisons qui vous ont conduite à vouloir l'ouvrir, à savoir la possibilité que vous ayez commis ou soyez sur le point de commettre une infraction passible d'emprisonnement, vous décidez de ne pas y toucher, si vous êtes une trafiquante de drogue, le mieux est encore que vous ne soyez pas au courant, cela vous donnera un air plus naturel au moment de passer la douane. D'autant plus qu'à bien y regarder, cet accoutrement ressemble à s'y méprendre à une couverture, quoi de plus efficace en effet pour dissimuler une activité illégale que de suggérer l'existence d'une autre activité illégale, la prostitution à moitié avouée par votre tenue tapageuse comme arbre cachant la forêt du trafic de stupéfiants, voilà qui serait une habile manœuvre de diversion, c'est comme les magiciens, ils attirent le regard d'un côté de la scène pour que personne ne pose les yeux là où cela se passe vraiment. Aussitôt vous réalisez que dans cette hypothèse, ce n'est probablement pas dans votre valise que se trouve la drogue mais plutôt sur votre propre personne, plus précisément à l'intérieur de votre poche stomacale puisque vous savez déjà que vous n'avez ni sachet de cocaïne scotché sous l'aisselle ni bonbonne d'héroïne insérée dans le vagin. Et dans ce cas, il ne vous reste qu'à prier pour que celui qui a confectionné les contenants ait bien fait son travail, votre vie tient à l'étanchéité des capsules, vous feriez mieux d'aller sur-le-champ vous dénoncer. Soudain, vous êtes assaillie d'images de radiographies de l'estomac, 356 grammes dans le corps, 671 grammes dans le corps, 998 grammes dans le corps, une vraie petite fortune, malaises, hospitalisations, chirurgie en urgence et interrogatoires à l'unité médicolégale, des médecins mal à l'aise et des officiers de police polis, vous êtes en bout de chaîne, le gros poisson ce n'est pas vous, réduction de la peine encourue si vous fournissez des informations utiles aux autorités judiciaires, faut-il risquer qu'on s'en prenne à votre famille, de toute manière vous n'échapperez pas à la prison. Comme pour la prostitution, vous en savez trop long, il y a des détails qu'on ne peut pas connaître sans avoir vécu ces scènes. Mais non, vous ne pouvez pas être inconséquente au point de récidiver, vous êtes une fille rationnelle : si vraiment vous l'avez fait dans le passé, il est impossible que vous soyez de nouveau en train de transporter de la drogue, vous ne retourneriez pas à l'unité médicolégale pour tout l'or du monde. Alors cela doit être le contraire : vous avez été mule il y a quelques années, cela s'est mal fini et en sortant de prison vous vous êtes reconvertie dans la prostitution, c'est bien moins risqué.

Vous passez la douane sans encombre malgré votre diadème scintillant qui est un instant suspecté d'être une contrefaçon, fausse alerte c'est un modèle original ou du moins inconnu en France, et vous vous retrouvez à l'extérieur de la zone réservée aux voyageurs. Visiblement, personne ne vous attend, ni mari, ni proxénète, ni trafiquant de drogue. Il vous manque assurément quelques éléments de contexte, et sans contexte point de compréhension digne de ce nom, toutefois vous trouvez assez vexant que personne n'ait daigné venir vous chercher, sans compter que cela vous aurait permis de savoir où vous êtes supposée aller maintenant. Vous espérez vivement que c'est un retour en France et non un aller, un aller sans personne pour vous accueillir c'est absolument déprimant, comme si les gens s'en fichaient que l'on fasse le déplacement spécialement pour venir dans leur pays.

Vous restez un instant plantée là puis entreprenez d'examiner de nouveau le contenu de votre sac à main dans l'espoir d'y trouver une adresse, une carte de visite, quelque chose qui vous apprendrait où vous comptiez loger pendant votre séjour en France, ou bien, si c'est votre pays de résidence habituelle, où se trouve votre appartement ou votre maison. Évidemment, il n'y a rien sur les trousseaux de clefs, en même temps il faudrait être abrutie pour mettre son adresse sur son trousseau de clefs. Vos téléphones sont éteints, vous préférez ne pas risquer de les bloquer en vous trompant de code. Vous secouez vos passeports afin de vérifier qu'aucun papier ne s'y est glissé, en revanche vous vous gardez bien de les examiner, ce serait extrêmement louche, les gens normaux ne lisent jamais leurs papiers d'identité, ils sont déjà au courant des informations qui y figurent. Dans le porte-monnaie que vous identifiez comme étant le français car il contient des euros, tandis que l'autre est rempli de couronnes yaziges, vous trouvez suffisamment d'argent pour vous payer deux ou trois nuits à l'hôtel, et à défaut de meilleure option, vous vous mettez en quête d'un taxi.

2

Vous jetez votre dévolu sur un chauffeur de taxi à la mine renfrognée, dans votre situation il paraît plus prudent de voyager avec un professionnel discret qui ne vous posera aucune question embarrassante. Cependant vous constatez vite que vous vous êtes gravement méprise, l'homme n'a pas du tout la psychologie taciturne, dès que vous lui avez demandé de vous conduire dans un hôtel miteux mais pas trop, manière de dire que vous recherchez l'équilibre optimal entre respect de la réglementation sur la salubrité des locaux à sommeil et caractère modéré du coût de la nuitée, il s'anime et ne s'arrête plus de parler, l'air revêche manifestement était une feinte, sans doute essayait-il de se composer un visage typiquement français afin d'attirer des clients touristes en désir de pittoresque. Vous conservez votre dignité, il arrive à tout un chacun de commettre des erreurs de jugement, tels sont les aléas de la méthode empirico-déductive, et vous vous concentrez pour adopter l'attitude d'une fille sereine qui n'a rien à se reprocher.

Sans le savoir, le chauffeur de taxi vous communique d'emblée un renseignement capital sur vous-même : vous n'êtes pas une vraie Française. Là-dessus il est formel, d'ailleurs il ne vous pose pas la question, il ne vous demande pas si vous n'auriez pas de petites origines, si d'aventure vous ne viendriez pas d'une région un tantinet éloignée de la France, si vous ne seriez pas expatriée de longue date, culturellement compliquée ou un brin cosmopolite sur les bords, non, il le pose, il le postule, il le présume irréfragablement, pour lui vous êtes étrangère c'est l'évidence même, ce n'est pas ce qui l'intéresse, ce qui l'intéresse c'est de quel pays, ah oui d'Europe mais de l'Est il l'aurait parié, vos pommettes hautes bien sûr et puis vous êtes tellement grande aussi. Quant aux parangons de la statistique qui soutiendraient qu'asseoir la vérité de votre personne sur l'opinion spontanée d'un unique artisan taxi est épistémologiquement irresponsable, que si vous tenez à savoir comment on vous perçoit, il conviendrait d'envoyer votre photographie à un échantillon représentatif de la population française, vous répondriez, s'ils existaient ces rabat-joie, ce qui n'est pas le cas puisque vous êtes simplement une fille au regard ahuri installée sur la banquette inconnue d'une voiture inconnue et qui réfléchit toute seule dans sa tête, toutefois vous êtes également une fille polie qui répond aux objections qu'on lui adresse, y compris celles émanant de gens inexistants, que l'avis du chauffeur de taxi est un avis d'expert vu qu'il est étranger vu qu'il est algérien. Or en tant que tel, il est nécessairement doté de solides compétences en identification de ses semblables, entre camarades immigrés on se repère, on se flaire et on se débusque, on perce à jour même le plus assimilé de ses congénères, on ne se laisse pas impressionner, on voit le costume mal ajusté, la poudre aux yeux on connaît on utilise la même. Bref, c'est officiel, votre citoyenneté française est une surcouche administrative, vous êtes une métèque. Vous êtes enchantée, voilà qui confirme l'hypothèse élaborée dans les toilettes de l'aéroport, il est si doux de découvrir qu'on avait raison, et pour marquer le coup, vous tracez un grand tableau sur l'écran de votre cortex, sans équerre il n'est pas facile de faire des lignes bien parallèles, et inscrivez mentalement une dizaine de signes + au crédit de la proposition *je suis une immigrée yazige devenue française par mariage (peut-être après avoir été prostituée) mon mari n'a pas daigné venir me chercher à l'aéroport alors que je m'étais habillée supersexy pour lui faire plaisir j'attends de pied ferme qu'on s'explique là-dessus salaud salaud je te déteste*, oui c'est un brin longuet toutefois la rigueur scientifique s'accommode mal des énoncés simplistes.

Le chauffeur vous raconte l'Algérie, celle de sa jeunesse, un temps long mais révolu, et celle de ses vacances, contemporaine mais discontinue, hachurée, découpée en bribes. Vous l'écoutez d'abord distraitement, l'Algérie vous vous en crissez assez franchement, vous préféreriez qu'il vous dise comment il imagine votre mari, est-il beau et grand et fort, vous offre-t-il des fleurs et des chocolats, mais précisément parce que vous n'êtes pas attentive au fond de son propos, vous êtes progressivement happée par les inflexions de sa voix, par ses silences, par ses scansions et par ses rythmes, qui charrient comme, c'est dans le ventre c'est dans la poitrine c'est dans le cœur, qui charrient comme, c'est l'exil c'est le retranchement c'est la brûlure, est-ce vraiment ce que vous y entendez, c'est la mésaventure de n'être pas soi de n'être pas l'autre soi de n'être qu'un seul soi d'avoir perdu arraché l'autre voie présent non advenu version pliée de l'histoire c'est le renoncement, et dans les modulations de cette prosodie vous décelez également comme une complicité naissante entre vous, comprenant ou croyant comprendre, vous ne pouvez jurer de rien dans votre état, qu'il ne lui déplairait pas de rencontrer chez vous un écho approbatif, la marque d'une communauté de destin, qu'il lui agréerait que vous lui signifiiez que oui, vous faites comme lui partie du groupe des immigrés qui viennent d'un pays tout pourri comparé à la France.

Vous êtes effarée, non par l'idée d'être dans le camp des gros nuls, vous aviez déjà bien noté que la Yazigie n'était pas ce qu'on pourrait appeler une grande puissance mondiale, mais parce que vous réalisez qu'entre vous et votre mari français, il y aura toujours un terrible fossé. Ce que vous partagez présentement avec le chauffeur de taxi, cette appartenance au *Nous* des gens de peu d'importance, des perdants, des minables, des désargentés, des mal sapés, des arriérés en jogging, des restés sur le quai, cette connivence des ploucs de la planète, des laissés-pour-compte, des sans voix, des sans poids, des qu'on oublie de prévenir, des qu'on n'écoute pas, des vaincus perpétuels, jamais vous ne le partagerez avec votre mari. Malgré le secours, la fidélité et l'assistance, jamais il ne connaîtra ce sentiment que quoi qu'on fasse, on vaut moins que les autres, pour un Français c'est impossible, la France est grande et fringante, sa dernière véritable défaite remonte à 1871 et Paris est la capitale de la haute couture. La hiérarchie géopolitique ronge votre communication de couple, vous êtes mariée mais profondément seule.

Afin de ne pas briser la belle harmonie avec le chauffeur de taxi, lui au moins s'intéresse à vous, lui au moins peut vous comprendre, vous mettez vos problèmes conjugaux entre parenthèses et entreprenez de répondre à sa requête implicite. Il vous a fait don de son récit sur l'Algérie, à votre tour de lui parler de la Yazigie, c'est la moindre des politesses entre immigrés de rang inférieur. Cependant, pour une raison qui vous échappe, voilà une bien mystérieuse facette de votre personnalité, vous vous surprenez à lui décrire une Yazigie méditerranéenne, avec la mer et le soleil, des médinas et des rues en pente, des balcons forgés et des orangers. Ce qui n'est que pure invention, non pas à cause de votre amnésie, mais parce qu'il n'y a ni mer ni orangers en Yazigie, c'est un minuscule État enclavé entre la Pologne et l'Ukraine avec beaucoup de pommes de terre et aucun littoral, cela vous vous en rappelez parfaitement. Toutefois, comme votre interlocuteur n'est pas vraiment au clair avec la géographie de l'Europe de l'Est, vous pouvez tranquillement faire remonter la mer Adriatique jusqu'au niveau de la Slovaquie, que vous effacez au passage, rien de personnel c'est juste qu'il fallait bien creuser quelque part pour laisser passer l'eau, et vanter la beauté sans pareille des plages et des palmiers yaziges sans risquer d'être démasquée. Vous le faites d'autant plus volontiers que vous n'avez pas l'impression de mentir mais plutôt d'évoquer une autre réalité, une réalité qui n'est pas et qui cependant aurait pu être, qui pourrait être et qui est donc conditionnellement, il existe assurément un monde potentiel où la Yazigie est un grand empire s'étendant de Bucarest à Ljubljana et de Tirana à Cracovie, là-bas bien sûr qu'il y a la mer, bien sûr qu'il y a des palmiers, rendre compte d'une vérité optative n'est pas un crime. Un instant votre estomac se serre : dans vos veines coule le sang d'un peuple privé de thalassothérapie.

Vous jetez un œil au rétroviseur intérieur et voyez que les yeux du chauffeur de taxi se sont embrumés, qu'une ride est apparue sur son front. La fraternelle communion est consolidée, il a compris qu'au fond vous étiez pareils lui et vous. Comme quoi ce qui compte c'est l'intention, ce qui compte c'est le chant, peu importe qu'on mente sur quelques détails, vous aussi vous portez en vous la déchirure des exilés. Oui vous la portez en vous, et vous savez en parler, et vous aimez en parler, au point que vous avez la sensation d'être une professionnelle de la nostalgie, d'avoir été formée, ou programmée, ou formatée pour parler aux étrangers de leur étrangeté, pour les faire vibrer, pour les faire pleurer de larmes chaudes qui réconfortent car elles soulagent, pour les faire accoucher de leur douleur. Après votre installation en France vous seriez donc devenue psychologue spécialisée en traumatologie de la migration, vous organisez des thérapies de groupe où chacun hulule sa brûlure étrangère. Ou bien vous travaillez à la préfecture, votre mission est de recevoir les demandeurs d'asile et de les émouvoir si fort, cher Monsieur rappelez-vous les saveurs les couleurs les odeurs les paysages les fêtes les musiques pouvez-vous vraiment vivre loin de votre magnifique terre natale réfléchissez bien, de leur inoculer un mal du pays tellement insoutenable qu'à la fin de l'entretien ils se précipitent d'eux-mêmes dans un avion, après tout c'est une méthode plus douce et plus humaine que les expulsions. Mais non, ce serait trahir votre histoire personnelle que d'œuvrer à l'éloignement des étrangers. Mais si, ou plutôt mais non au carré, en réalité vous ignorez comment il convient de formuler la métaopposition, c'est rendre service aux candidats à l'immigration que de leur donner à voir la profondeur de la blessure qu'ils sont sur le point de s'infliger. Qu'ils prennent la mesure du prix à payer.

Encouragée par le regard brillant de votre compagnon de route vous vous enhardissez, vraiment on jurerait que vous êtes née pour chanter l'exil, votre voix se fait plus grave et votre verbe plus poignant, vous donnez à votre propos un tour plus ouvertement mélancolique, puisant pour ce faire dans les œuvres complètes d'Enrico Macias qui soudain envahissent votre esprit, *non vous n'avez pas oublié, bien que votre vie ait changé, le silence est une façon d'aimer*, et peu à peu entre vos mensonges sur les palmiers yaziges et la vérité de votre déchirure la frontière se brouille, et peu à peu vous commencez à vous pénétrer d'un authentique regret d'avoir dû quitter l'Algérie. Il vous prend l'envie de proposer au chauffeur de taxi de chanter ensemble *la France de mon enfance n'était pas en territoire de France, perdue au soleil du côté d'Alger, c'est elle la France où je suis né*, comme c'est beau, vous n'en revenez pas qu'il existe une si magnifique chanson et qu'en plus elle soit stockée dans votre cerveau, ces paroles sont la seule chose au monde susceptible de combler le trou que votre départ d'Algérie a creusé dans votre cœur, oui vous chanterez ensemble, et vous pleurerez ensemble, et vous vous prendrez dans les bras, et vous sortirez une bouteille, et vous trinquerez à l'Algérie éternelle, et vous aurez dans la bouche le goût métallique des plaies qu'on conserve toujours béantes, qu'on refuse obstinément de soigner car on ne survivrait pas à leur cicatrisation, mais au dernier moment vous faites volte-face et ravalez votre proposition. En effet il vous revient subitement que *La France de mon enfance* fait référence à l'Algérie française, qu'il y a eu comme une guerre d'indépendance ensuite et que vous ignorez absolument si Enrico Macias et les artisans taxis étaient dans le même camp, que partant de là il serait plus sage de vous abstenir, on ne sait jamais, c'est peut-être un sujet sensible, vous pourriez commettre un impair. De toute manière vous vous trouvez beaucoup trop excitée pour une amnésique qui vient à peine de reprendre ses esprits, vous êtes tout agitée et échauffée, on dirait une truie sur le point de mettre bas et qui a pris du retard dans la confection de son nid.

Vous changez habilement de sujet et interrogez le chauffeur sur les conditions d'accès à la profession de taxi. Tandis qu'il vous enseigne les subtilités de la réglementation applicable à l'octroi des licences, vous présentez silencieusement vos excuses aux truies, vous savez pertinemment qu'elles ont d'excellentes raisons d'être agitées avant de mettre au monde leurs petits, ce bien légitime affairement pré-partum est tout à leur honneur, en aucun cas vous ne vouliez les offenser, qu'elles soient assurées de votre respectueuse considération. Quand de nouveau vous vous concentrez sur votre interlocuteur, la ride sur son front s'est effacée, ses yeux sont redevenus secs, il est en train de s'insurger contre le relèvement de la TVA sur les transports. Grande est sa colère à l'endroit du gouvernement, mais moins que votre déception. Vous êtes heurtée par la grossièreté de ses préoccupations, c'est comme si après la scène du balcon Roméo était rentré chez lui pour beugler devant un match de football. Certes, c'est vous qui l'avez lancé sur un sujet trivial, toutefois vous n'imaginiez pas déclencher une telle métamorphose, on se plaint on se plaint alors qu'on vit mieux que la majorité des gens sur cette planète, cet homme manifestement a des soucis français qu'il appréhende avec un esprit français. Ainsi donc, il est algérien par intermittence, quand cela lui chante, sa terre natale il y pense puis il oublie. Bravo la fidélité, bravo l'amour constant de la patrie. En même temps, et l'on saluera ici votre capacité à l'autocritique constructive, vous n'êtes pas non plus une irréprochable patriote. N'avez-vous pas, il y a quelques minutes, affirmé en votre for intérieur que la Yazigie était toute pourrie, qu'elle ne comptait pour rien à l'échelle internationale ? Le simple fait de vous remémorer ces considérations vous emplit de honte, bien sûr que c'est une réalité, bien sûr que la Yazigie tout le monde s'en fout là-bas c'est quoi c'est rien, cependant était-ce une raison pour le penser aussi ouvertement, il était peu élégant de remuer de la sorte le couteau dans la plaie. Au passage, vous auriez également pu faire preuve d'un peu plus de tact, là, juste à l'instant, c'est stupide, vous ajoutez à l'humiliation en précisant *tout le monde s'en fout là-bas c'est quoi c'est rien*, et pourquoi pas aussi allons-y gaiement, la Yazigie pourrait bien crever la gueule ouverte que personne en Europe ne lèverait le petit doigt, mais ce n'est pas vrai, si chaque fois que vous songez à votre honte vous en remettez une couche vous continuerez à vous brutaliser vous-même jusqu'à la fin des temps. Car c'est bien cela, la honte, le résultat d'une violence dont l'auteur et la victime ne font qu'un, quelle fantastique découverte psychanalytique, et en l'occurrence vous vous êtes blessée, oui vous vous êtes blessée dans votre orgueil yazige. Et quel orgueil. Il se déroule en vous, il se déploie, il n'en finit pas, c'est un grand et bel orgueil, noir et brillant, c'est un étendard dans la tempête, le drapeau des seuls contre tous, des résistants, des indépendants, des loyaux jusqu'à la mort, des qui ne baissent pas les yeux, des qui ne marchandent pas, des vainqueurs de principe, des méritants escroqués, des qui auraient gagné brillé triomphé si les autres n'avaient pas triché ; c'est le cri de ralliement d'un peuple valeureux qui a tenu bon malgré tous les revers et qui n'a jamais négocié, plutôt se briser le dos que courber l'échine, plutôt le massacre que l'armistice, les roseaux c'est pour les traîtres toujours debout toujours ; c'est le souffle des justiciers, des fidèles et des inconsolables, des créanciers de l'Histoire, des qui n'oublient pas, des qui attendent leur heure, des qui ont pour eux l'autorité de la revanche qui viendra ; et c'est aussi, il convient de l'admettre, le ciment d'une armée de champions d'échecs, de médaillés Fields et de logiciens visionnaires, en effet chez vous les Yaziges le génie de la survie se double du génie tout court, le pays est petit mais l'intelligence mathématique y est très concentrée. Lorsque vous êtes bien gonflée d'orgueil, attention tout de même au syndrome de la grenouille, vous décidez d'absoudre le chauffeur de taxi ; le juger à l'aune des critères yaziges était injuste, en tant qu'Algérien il a bien le droit de ne pas être totalement dévoué à son pays, si l'Algérie fait preuve de laxisme envers ses rejetons c'est son affaire, vous n'avez pas à vous en mêler.

Durant le reste du trajet, le chauffeur vous parle de quantité de choses touchant à quantité de domaines, parfois en rapport avec l'Algérie, parfois pas du tout, pendant que vous vous contentez de quelques rassurantes relances pour lui signaler que vous l'écoutez toujours, vous savez faire cela merveilleusement bien au demeurant. C'est que de votre côté, vous profitez de son discours volubile et hétéroclite pour évaluer l'état de vos capacités cognitives et vérifier que votre amnésie se limite bien à votre histoire personnelle – comme on le voit, vous avez fini par saisir tout le potentiel heuristique d'une conversation superficielle avec un inconnu. Les résultats sont on ne peut plus encourageants, vous êtes manifestement en parfait état de fonctionnement, à aucun moment vous n'avez la sensation qu'il vous manque quelque chose d'important pour comprendre son propos. Vous ne cessez au contraire de vous émerveiller des trésors de connaissance qui peuplent votre mémoire : vous savez ce qu'est une agrafeuse, un enseignant à la retraite et une procédure de recouvrement de créances, vous connaissez Jupiter et Platon, la photosynthèse et l'équinoxe de printemps, vous êtes en mesure d'évaluer la valeur locative d'un studio parisien, de distinguer l'anthracite du gris souris ou encore de visualiser Britney Spears sans cheveux. Naturellement, rien ne vous prouve qu'il n'existe pas dans votre cerveau des zones d'ombre dont vous n'auriez pas encore conscience, il faut être confronté à l'objet de l'oubli pour faire le constat de l'oubli, c'est tout le caractère vicieux de la chose, et il convient donc de rester sur vos gardes, néanmoins devant l'impossibilité de passer les six prochains mois à jouer au Trivial Pursuit, en effet vous avez d'autres projets, au hasard localiser votre domicile et retrouver votre mari, la méthode du contrôle aléatoire avec confrontation à un échantillon de sujets tirés au sort par le chauffeur de taxi vous paraît constituer une solution relativement satisfaisante. Il ne vous déplairait pas de continuer à jouer au jeu des connaissances, de l'écouter encore dire oxyde de zirconium, prix hors taxe, baptême de montgolfière et cancer du poumon, il faut admettre que c'est une expérience très valorisante, vous parvenez à vous représenter le sens de tant de mots que vous en avez la tête qui tourne, cependant la voiture s'arrête devant la façade décrépite d'un hôtel-restaurant du XXe arrondissement parisien tandis que votre compagnon de route reprend sa mine renfrognée, vous êtes arrivée à destination.

3

Vous pénétrez dans le hall de l'hôtel-restaurant d'un pas fanfaron, c'est l'esprit encore vivant des intrépides guerriers yaziges qui vous porte, et vous vous dirigez droit sur le réceptionniste afin d'étaler devant lui l'intégralité des billets de banque en votre possession. Qu'il n'aille pas croire que vous n'avez pas les moyens, ce n'est pas parce que vous venez d'un pays plus pauvre que la France que vous n'êtes pas digne de loger dans son établissement. Toutefois, dans la mesure où vous ignorez comment s'appelle cette chose où vous envisagiez de poser vos billets, si la scène se déroulait dans un bar le terme comptoir serait parfait, vous décidez de les agiter sous son nez, l'effet est strictement le même et au moins, de la sorte, vous évitez d'entrer en contact physique avec un objet que vous êtes incapable de nommer avec précision, autant faire l'économie de cette très désagréable sensation.

Oui vous voulez une chambre pour la nuit entière, non ce n'est pas pour y recevoir des clients, non vous ne proposez pas non plus de massages en Yazigie toutes les femmes s'habillent ainsi, oui oui oui c'est un pays qui se trouve en Europe, en effet c'est assez petit mais avant c'était très grand et pour information au XIIe siècle on y programmait déjà en SQL – telles sont vos réponses aux questions posées par le réceptionniste, qui finit par vous demander une pièce d'identité d'un air affligé, mais qu'il s'afflige pour lui-même, s'il croit que le minitel va renaître de ses cendres il se met le doigt dans l'œil. Vous lui tendez votre passeport yazige en détournant ostensiblement la tête afin de bien lui signifier que vous n'êtes pas du tout intéressée par les informations qui y figurent car vous n'êtes pas du tout une amnésique n'ayant pas encore eu l'occasion de consulter ses titres officiels, il ne sera donc pas nécessaire de prévenir la police ou l'asile psychiatrique, vous êtes une inoffensive agnelle. Il fronce les sourcils, seriez-vous beaucoup plus vieille que vous n'en avez l'air, pourvu que vous n'ayez pas dépassé la trentaine, puis il vous rend votre passeport et vous confie une clef. Vous le remerciez chaleureusement et le rassurez, vous serez une cliente irréprochable, vous venez d'un pays très propre, et vous vous dirigez vers l'ascenseur avec majesté.

La clef remise par le réceptionniste donne accès à un cagibi privatif garni d'une moquette jaune et rêche, c'est votre chambre, bienvenue à Paris Ville Lumière. Sur le seuil de votre sinistre logis vous avez une brève absence, qu'êtes-vous supposée faire à présent ? Ah oui, vous êtes enfin au calme, c'est donc le moment idéal pour fouiller votre valise et examiner vos passeports, vite une loupe et une pipe à opium. Avec un peu de chance vous figurez dans l'annuaire et demain vous êtes chez vous, Ulysse n'a qu'à bien se tenir, votre épopée à vous se termine bientôt. Mais avant toute chose, vous allez retirer vos escarpins en faux cuir, en effet il est hors de question de marcher sur la moquette du dedans avec des semelles ayant touché le dehors, vous n'êtes pas une sauvage, bon sang de jus de navet. L'opération commence dans la joie, se déchausser est comme planter son drapeau, cela permet de se sentir chez soi en terre étrangère, mais s'achève dans la stupeur podale : les semelles de vos chaussures indiquent pointure 42, et s'il n'y avait que cela, vos pieds, vos pieds, ils sont horribles, deux cyclopes difformes avec d'énormes pouces qui vous fixent comme pour vous pétrifier. Il faut reconnaître que c'est un coup dur. Vous vous efforcez néanmoins de les regarder avec affection, ou du moins avec courtoisie, après tout ils font partie de vous et il serait injuste de les rejeter sans même avoir tenté de faire leur connaissance.

Face à votre valise votre cerveau buissonne en hypothèses éparses, allez-vous y découvrir une mèche de cheveux de votre mari un traité de géométrie non euclidienne un portrait de votre grand-mère un devis de chirurgie esthétique du pied un poster dédicacé d'Enrico Macias une fiche de paie de la police secrète yazige, nonobstant la qualité intrinsèque de chacune de ces propositions le mieux serait encore de tirer sur la fermeture éclair, de toute manière l'espionnage est invérifiable, les agents secrets transportent rarement leur lettre de mission avec leurs petites culottes. Vous soulevez le couvercle de votre valise, c'est un coquillage qui s'ouvre, c'est une boîte noire qui va révéler ses secrets, cependant vous comprenez vite que le paquet-cadeau était beaucoup plus intéressant que le cadeau lui-même, il n'y a là-dedans que des tenues affriolantes, un jogging vert fluo, une paire de sandales à paillettes et une trousse de toilette. Rien d'illégal, en somme, ce qui ne vous surprend guère, plus vous apprenez à vous connaître et plus vous vous faites l'effet d'une fille dotée d'une probité sans faille. Et rien non plus qui vous permette de remonter la piste de votre existence : ni agenda, ni carnet d'adresse, ni carte de visite. C'est la valise d'une fille qui n'écrit rien, qui ne lit rien, c'est un bagage sans mots. Il y a quand même un cahier, vous bondissez du cœur en le saisissant, fausse alerte il est tout neuf, d'après le ticket de caisse vous l'avez acheté à l'aéroport de Iassag ce matin même, et il est définitivement vierge, personne n'a pensé à y inscrire un message afin de vous faire part de son soutien moral. Cela prouve au moins que c'est votre première amnésie, que ce n'est pas un trouble chronique, sinon vous vous seriez préparé un mémo ou une feuille de route, vous vous seriez laissé un courrier explicatif, et l'un de vos proches, au hasard votre mari, serait venu vous chercher à l'aéroport.

Votre amnésie, au demeurant, ne vous inquiète pas outre mesure, jusqu'à présent vous vous débrouillez à merveille, et quel sang-froid aussi, vraiment c'est une grande chance d'être tombée sur une fille de votre trempe. Peut-être devriez-vous, tout de même, vous en inquiéter quelque peu, voire vous interroger sur sa cause, parfois on oublie ce qui est encombrant, parfois on oublie ce qui est insupportable, et puis qui sait si bientôt vous ne serez pas confrontée à un problème insoluble, qui sait si bientôt on ne vous posera pas une question dont vous aurez oublié la réponse, hein pardon mais qui vous parle ? Oh, c'était l'une de vos pensées, une pensée très bizarre d'ailleurs, qui ressemblait à une branche carbonisée – d'habitude, vos pensées sont verdoyantes et pleines de vitalité, mais celle-ci était comme morte. Vous chassez l'importune, pour l'aspect médical de la chose vous verrez plus tard, l'urgence du moment est de consulter vos passeports afin de vous identifier, toutefois en s'envolant, la pensée carbonisée laisse dans son sillage une drôle d'idée, comme un événement potentiel qui ne se produit pas mais pourrait se produire, comme une hypothèse d'hypothèse aux termes de laquelle il se trouverait, dans le cahier vierge, une feuille pliée en quatre, qui serait une lettre de votre grand-mère, qui vous enjoindrait de résoudre un problème.

À bien y regarder, l'idée n'est pas si farfelue : vous auriez séjourné en Yazigie pour passer du temps avec vos parents et grands-parents qui forcément habitent là-bas tandis que vous vivez en France avec votre mari français, votre grand-mère vous aurait confié une lettre avant votre départ, mon cœur de polynôme tu la liras à ton arrivée, tu verras tu comprendras tout, et vous l'auriez pliée en quatre puis glissée dans le cahier afin qu'elle ne s'abîme pas. Dans sa lettre elle vous rassurerait, ne t'inquiète pas ma bissectrice dorée si tu as tout oublié c'est parce que j'ai versé une substance amnésiante dans ton yaourt de soja, elle vous expliquerait la situation, tu es dans un jeu dont tu es l'héroïne joyeux anniversaire ma coupole décagonale, elle vous confierait une mission, tu dois retrouver ton domicile par tes propres moyens ci-joint une carte et une boussole, j'ai prévenu ton mari c'est pour cela qu'il n'est pas venu te chercher à l'aéroport. Voilà une bien séduisante hypothèse, vous devriez envisager d'écrire des scénarios pour Hollywood, dommage qu'elle soit infirmée par l'impitoyable épreuve du réel : vous avez beau secouer le cahier dans tous les sens, étrangement la lettre de votre grand-mère n'y est pas.

Tant mieux, car il faudrait les consulter, ces passeports, dehors la nuit est tombée, si vous voulez pouvoir joindre les renseignements téléphoniques dès ce soir il serait de bon ton de vous activer. Sans compter qu'en l'état actuel de votre situation, un rebondissement heureux serait tout à fait le bienvenu : votre valise ne vous a rien appris, il ne vous reste que peu d'argent, vous n'avez personne chez qui aller, en un mot s'il ne se produit pas quelque chose très rapidement, demain vous aurez le choix entre soit aller voir la police, au risque de déclencher une guerre mondiale si jamais vous êtes une espionne en mission secrète, soit entamer un processus de marginalisation sociale qui vous conduira inexorablement au sans-abrisme, aux maladies infectieuses et à la démence précoce. Vous convenez que vous avez bien raison, vous avez eu tort de vous éparpiller ainsi, puis après vous être félicitée de votre honnêteté intellectuelle, savoir reconnaître ses erreurs est la clef du succès, vous sortez vos deux passeports de votre sac à main.

Vous commencez par le passeport yazige. Vous écarquillez les yeux. Si vous n'étiez pas déjà au courant, c'est qu'être installée dans votre propre cerveau constitue un avantage indéniable pour suivre au plus près l'actualité de vos pensées, vous en déduiriez que vous êtes frappée d'étonnement. Votre nom serait-il celui d'une célébrité, d'une actrice ou d'une gymnaste médaillée, mais non vous vous seriez déjà reconnue dans le miroir, mais si enfin il y a des célébrités sans visage, il faut arrêter d'être négative comme cela. Vous vérifiez, dans le passeport français, si l'objet de votre étonnement s'y trouve confirmé, mieux vaut croiser les sources on n'est jamais trop prudent, et non non non ne froncez pas les sourcils sans quoi vous allez encore vous mettre à digresser, cela dit si vous pouvez juste vous permettre une modeste observation, l'envie de froncer les sourcils suggère plutôt la contrariété, seriez-vous atrocement moche sur la photographie, aviez-vous une avilissante coupe au bol il y a quelques années, mais chut à la fin ce n'est pas du tout le moment d'effectuer l'analyse de vos expressions faciales, l'heure est grave, c'est le désespoir et la désolation, un char soviétique est braqué sur vous, hein mais qu'est-ce que c'est que cette histoire de char, ce n'est absolument pas ce que vous vouliez penser.

Vous êtes née en France, à Lyon. C'est ce qui figure dans le passeport yazige. Et c'est aussi ce qui est indiqué dans le passeport français. Quelques renseignements complémentaires se trouvent dans le passeport yazige. *Cause de la nationalité yazige : père et mère Yaziges de naissance. Observations : le jugement de l'ancienne République populaire de Yazigie, en vertu duquel les père et mère de l'intéressée ont été déchus de leur citoyenneté yazige pour émigration clandestine, est déclaré nul et non avenu.* Dans le passeport français, il n'y a pas de renseignements complémentaires. Cependant il est assez clair que vous êtes française de naissance et non par mariage : si votre mari n'était pas à l'aéroport, c'est tout bonnement parce que vous n'avez pas de mari. À part cela, vous vous appelez Rkvaa Nnoycig et vous avez trente et un ans, c'est un nombre premier à défaut d'être un nombre qui commence par un deux.

Née en France c'est nul c'est nul c'est nul. Vous trépignez de rage, mais avec dignité bien entendu, un cadeau d'adieu de votre dignité yazige sans doute. Immigrée yazige c'était beau, c'était romantique, vous étiez une énigmatique princesse de l'Est, vous brûliez du feu de la déchirure, vous étiez droite et inflexible, votre cœur battait au rythme du tragique destin de la Yazigie, c'était d'une classe suprême, avec un effet de mystère et de rareté, et paf cruel revers, vous êtes une Yazige en toc, une immigrée de deuxième génération, une Française d'origine yazige, autant dire une Française tout court, quand on est née à Lyon on est française et vos origines yaziges on s'en fout, tout le monde a des origines étrangères en France on n'a pas le temps de s'occuper de chaque cas particulier on est beaucoup trop nombreux.

Vous n’avez jamais vécu en Yazigie. Aucune fêlure, aucun arrachement, aucune mélancolie. Le déracinement, c’est l’histoire de vos parents. Pas la vôtre. Si vous avez trouvé de la nostalgie dans votre tête, c’est simplement parce que vous avez été élevée par des immigrés, ils vous l’ont déposée en consigne mais elle ne vous appartient pas. Vous aurez appris à leur contact, par mimétisme, à contrefaire leur mal du pays, peut-être même que c’est ce qu’ils attendaient de vous, qu’ils vous ont tacitement encouragée en ce sens, afin que vous deveniez pour eux un miroir qui rassure et qui console, après tout c’est nettement plus économique qu’une psychothérapie. Si cela se trouve, le chauffeur de taxi avait la même moustache que votre père et hop, enclenchement du programme automatique, viens papa viens je vais te réciter les trucs que tu racontes quand tu as trop bu quand tu écoutes de vieilles chansons quand tu reçois une lettre de là-bas viens on va pleurer ensemble ça te nettoiera le cœur tu verras. Une faussaire de la nostalgie.

Vous vous asseyez sur le bord du lit et vous essayez de prendre un air très mignon. La nation yazige ne voudrait-elle pas vous reprendre ? Vous serrez votre passeport yazige contre votre cœur. Vous le trouvez comme amaigri. Oui, on dirait qu’il a les flancs creusés. Alors que le français, lui, est gras et épais comme une saucisse de Lyon. Ou de Toulouse. Vous ne savez pas trop, la charcuterie n’est pas exactement votre rayon. Vous embrassez votre petit passeport yazige, vous êtes définitivement perdue pour la Yazigie, vous n’avez pas fait exprès de naître en France, on vous a posée là vous n'avez pas choisi, pardon les pommes de terre et les mûres sucrées du mois d'août, pardon les meules de foin et les routes cabossées, pardon les éclipses solaires et la neige jusqu'aux genoux, pardon les sangliers et l'eau-de-vie d'abricot, vous êtes obligée d'être française le sol vous a avalée, en France on s'intègre, on s'agrège, on devient particule parmi les particules, c'est le grand robot mixeur républicain.

Vous connaissez votre nom et pourtant vous êtes plus anonyme que jamais, vous vous diluez dans la grande masse du peuple français. C'est bien trop vaste pour vous la France, cela vous rend invisible, vous avez la sensation d'avoir disparu. Noyée dans la foule vous n'existez plus, vous n'avez plus aucun trait distinctif, plus aucun caractère singulier. Si ce n'est vos horribles pieds. Voilà, vous êtes une Française avec d'horribles pieds. Cela donne follement envie de faire votre connaissance.

Ni yazige ni immigrée, non vraiment la pilule ne passe pas. Par contre, s'il y a bien quelque chose, ou plutôt quelqu'un, que vous ne regrettez absolument pas, c'est votre mari français. Il y avait en effet quelque chose de foncièrement humiliant dans vos rapports, vous pouvez le penser librement à présent que vous savez qu'il n'existe plus. Parce que devoir sa nationalité à un homme cela crée un rapport hiérarchique forcément, après on se sent obligée, on se sent tributaire, on accepte des choses qu'on ne devrait pas. Et puis le mari français, vous le voyiez venir avec ses airs de grand seigneur, à considérer qu'il était votre créancier à vie, à croire que vous étiez sa propriété, c'est grâce à qui que hein n'oublie pas d'où tu viens et la lessive aussi, ah mais quel soulagement d'avoir échappé à cela. À ce compte-là mieux vaut encore un authentique mariage blanc, que le législateur vous pardonne cette offense, le contrat est clair on en connaît les termes et une fois la somme versée c'est soldé c'est terminé, il n'y a pas un type qui vous fait payer jour après jour ce qu'il pense vous avoir offert, quelle poignante prodigalité vraiment, et qu'il ne vous a pas offert, la nationalité par mariage n'est pas un cadeau des maris, ils croient avoir cette faculté mais non, c'est l'ordre public, c'est le Code civil, dans l'histoire le mari n'a rien fait d'autre qu'être français, c'est un peu léger comme acte d'amour. Vous êtes une femme libre, votre citoyenneté française vous ne la devez à personne, présentement vous ne savez pas trop quoi en faire mais au moins c'est une histoire entre la France et vous, il n'y a pas un gros dégueulasse qui s'en mêle.

Vous tentez de vous remettre en ordre. Vous écartez vos pensées les plus encombrantes, vous louvoyez, vous enjambez, vous rampez, et après avoir franchi de nombreux obstacles, vous finissez par arriver dans un coin à peu près tranquille de votre tête. Il y a forcément en vous un sentiment d'appartenance à la France, le tout est d'en trouver la clef d'entrée. Il faut aller de l'avant, vous êtes une amnésique dans un hôtel miteux, votre mari doit être en train de s'inquiéter. Mais non enfin, vous n'avez plus de mari, combien de fois faudra-t-il que vous vous le répétiez. Vous notez sur votre tableau d'hypothèses mental : *je suis une Française de France et je n'ai pas de mari*, ainsi vous ne referez plus l'erreur, vous devez économiser votre énergie cérébrale. Quant à votre mari, au revoir et adieu, qu'il ne songe pas une seconde à essayer de vous reconquérir. Et si d'aventure vous avez quand même un mari, après tout le fait que vous soyez française ne vous empêche pas d'avoir un mari, les Françaises aussi convolent, pas pour la nationalité mais par amour, eh bien le vôtre, cela lui fera les pieds de vous attendre un peu, il n'avait qu'à venir vous accueillir à votre arrivée, quand on aime sincèrement sa femme on ne l'abandonne pas de la sorte dans un aéroport hostile. Vous raturez la mention, *je n'ai pas de mari*, et vous ajoutez : *si j'ai un mari ne pas oublier de lui faire une scène pour l'aéroport (mais pas trop, parce qu'au fond, on sait tous les deux qu'on s'aime)*.

Vous regardez votre passeport français. C'est donc lui, votre vrai passeport. Le yazige n'est qu'un accessoire de mode, une coquetterie héritée de vos parents. Comme vos nom et prénom, typiquement yaziges, mais n'ayant en réalité qu'un caractère cosmétique. Bon. La France, c'est tout de même assez joli. Il y a les châteaux de la Loire, il y a les cathédrales. Et surtout il y a la mer. Oui, la mer, les marées basses, les marées hautes, la baie de Somme, la Bretagne, les oiseaux, les phoques, et puis la thalassothérapie, les remous, les massages, les enveloppements, est-ce qu'il ne faudrait pas plutôt dire océan d'ailleurs, un océan est-il une mer ou sont-ce deux choses différentes, mystère de la pensée classificatoire, qu'importe, c'est ce grand bidule avec des vagues qui est si beau parce que rien ne coupe la vue. D'accord, cela c'est la France pour les vacances, mais pour la vie, c'est autre chose.

Si vos parents sont venus ici, c'est peut-être parce que c'était réellement mieux. Vous interrogez vos connaissances mobilisables au sujet de la Yazigie communiste de la fin des années 1970. Vous voyez : un taux de suicide record, des écoutes téléphoniques, un alcoolisme généralisé, et des journaux dans les salles de bains. À cause de la pénurie de papier-toilette, on s'essuyait chaque jour avec le journal de la veille, ce qui était également l'occasion de se torcher avec la photo du secrétaire général du Parti communiste en toute impunité. Ensuite, vos parents partent, ils s'installent en France, et quelques années après, vous venez au monde sur le territoire français. Et grâce au droit d'asile, puis au droit du sol, enfin aux deux combinés probablement, vous grandissez en France. C'est une vie meilleure. La démocratie et du papier hygiénique à volonté. Oui, il faut reconnaître que la France a été sympa. Vos parents, elle n'était pas obligée de les accueillir, mais elle l'a fait, parce que c'est la patrie des droits de l'homme et que c'est un pays généreux. Et crac.

Vous avez trouvé la brèche, vous exultez, la voilà la porte d'entrée, vous vous engouffrez dedans, pas dans la porte mais dans la brèche évidemment, chut c'est un moment solennel, vous êtes sur le point de succomber à un puissant élan de reconnaissance, vous courez à toute allure dans votre forêt cérébrale, mais oui, la France a été votre moelleux berceau, votre mère adoptive, sans prendre ombrage du fait que vous étiez un produit d'importation, elle vous a nourrie et éduquée en lieu et place, par délégation de pouvoir si l'on peut dire, de la Yazigie, toutefois votre élan un instant suspend son vol car vous réalisez que vous avez extrapolé plus que de raison, une naissance n'est qu'une naissance, vos parents étaient peut-être simplement en vacances en France lorsque l'heureux événement est inopinément survenu, et qu'on ne vienne pas vous opposer que Lyon est une option surprenante pour des congés d'été, vos père et mère sans doute étaient des libres penseurs affranchis de la tutelle des guides touristiques, néanmoins malgré cette brèche dans la brèche vous reprenez le cours de votre élan à l'endroit de la France, ce grand géant un peu pataud qui a bien voulu prendre dans ses bras massifs la petite fille de chez les ploucs, qui sans rien attendre en retour a mis un sol sous ses pieds et un toit au-dessus de sa tête, qui lui a donné des livres par milliers et des écoles pour apprendre, qui l'a enveloppée de son regard chaud et l'a observée grandir, cependant qu'en parallèle vous contre-attaquez de nouveau, c'est une bien touchante histoire que voilà mais les parents étant yaziges la culture familiale et les os et les tissus de la peau sont yaziges, quand bien même la petite fille aurait grandi en France qu'elle serait retournée vivre en Yazigie, il n'y a qu'à regarder le contenu de la valise est-ce qu'une Française se baladerait avec des sandales à paillettes, alors dans un dernier sursaut vous songez que cet amour entre la France et la petite fille est d'autant plus beau que c'est un amour libre et sans chaînes, et dans un autre dernier sursaut vous concluez que dès le choix du prénom les dés étaient jetés le lien inexorablement noué, vous êtes une Yazige née à l'étranger et non une Française de parents étrangers, à moins que ce ne soit le contraire ou l'inverse, vous avez oublié la différence entre les deux termes, et ainsi s'entortillent vos pensées les unes autour des autres, et ainsi s'entremêle votre souffle avec votre propre souffle, jusqu'à ce que vous vous laissiez tomber sur la moquette jaune et rêche et qu'il vous revienne, juste avant de sombrer dans un sommeil lourd, que vous aviez le projet d'appeler les renseignements téléphoniques, visiblement ce sera pour demain car déjà vous vous êtes endormie, on admettra que vous avez eu une rude journée.

4

Le lendemain, c'est-à-dire aujourd'hui, les marqueurs temporels sont de petites créatures extrêmement sensibles au point de vue depuis lequel on les envisage, vous vous réveillez avec un atroce mal de dos, vous vous promettez de ne plus jamais vous endormir sur une moquette jaune et rêche et vous mangez des tartines à la confiture de fraise au petit déjeuner de l'hôtel, finalement c'est un établissement tout ce qu'il y a de plus correct, vous avez même droit à un thé. Les autres clients trempent leurs tartines dans leur boisson chaude, ce qui vous horripile au plus haut point, vous avez envie de leur faire remarquer que c'est un lieu public, qu'il serait de bon ton qu'ils arrêtent de s'adonner à cette pratique monstrueuse, qu'il n'y a vraiment que des Français pour se comporter d'une manière aussi dégoûtante, qu'ils ont déjà la réputation de préférer le parfum au savon et que par voie de conséquence ils n'ont peut-être pas besoin d'aggraver leur cas, toutefois votre pensée, qui était partie dans la direction que l'on voit, change soudain d'avis et pivote sur son axe, tourbillon magie triple boucle piquée, vous faisant désormais apparaître qu'il n'y a en réalité rien de répréhensible dans le fait de tremper ses tartines dans sa boisson chaude, que ce n'est puni par aucune loi, qu'il y a même un côté délicieusement régressif à transformer son pain en éponge molle et tiède, et partant de là, vous vous y mettez aussi, d'abord juste avec un petit bout de tartine, puis vous vous enhardissez, et maintenant vous faites exactement comme les autres clients, vous trempez allègrement tartine sur tartine, et vous redressez votre buste, et vous êtes fière, et vous avez la sensation de vivre un grand moment de communion nationale, dans la salle vous faites tous la même chose en même temps, c'est parce que vous êtes tous français, et vous êtes complètement transportée par cette eucharistie républicaine. Voilà, c'est réglé c'est plié, vous avez la preuve que vous êtes parfaitement intégrée dans la société française, jamais une Yazige ne tremperait ses tartines dans son thé, non, pas juste intégrée, mais d'identité française, née en France et grandie en France, et culturellement française, il faut arrêter de vous rendre malade avec cette folie des hypothèses, il est louable d'envisager toutes les éventualités mais parfois les choses sont simples, la solution la plus évidente est la bonne, née en France et donc française, pourquoi chercher plus loin.

Vous remontez dans votre chambre et attrapez le téléphone pour appeler les renseignements. Naturellement, vous ne révélez pas que vous vous recherchez vous-même, cela pourrait être suspect, et tant que vous n'êtes pas absolument assurée de ne pas être une espionne frappée d'amnésie, mieux vaut ne pas attirer l'attention sur vous, dites donc n'aviez-vous pas justement décidé d'en finir avec les hypothèses fantaisistes, certes il est vrai mais déclencher une nouvelle guerre mondiale vraiment vous préférez ne pas prendre le risque, ce serait trop lourd à porter. Vous feignez donc habilement d'avoir perdu les coordonnées d'une cousine éloignée, c'est trop bête vous ne retrouvez plus son numéro et comme c'est bientôt son anniversaire vous souhaiteriez lui envoyer une petite carte, cela se pratique entre cousines éloignées n'est-ce pas, en revanche vous ne savez pas trop dans quelle ville elle habite présentement car elle déménage tous les deux mois à cause de son mari qui est dans les services secrets mais chut vous en avez déjà trop dit, bref si une recherche sur l'ensemble du territoire national était possible, cela vous rendrait bien service. Là-dessus, on vous communique une adresse, et une seule, oui que votre cousine s'appelle Rkvaa Nnoyeig est bien pratique, c'est un tantinet compliqué à épeler mais pour retrouver son adresse c'est idéal, elle ne risque pas d'avoir des homonymes.

Votre domicile présumé est situé boulevard Voltaire à Paris, vous avez donc emménagé dans la capitale, tant mieux, quitte à être française autant être parisienne, c'est plus franc et plus net, sans compter que depuis votre hôtel c'est nettement moins loin que Lyon, il suffit de prendre le métro et de descendre à la station Charonne. C'est précisément ce que vous faites, sauf que vous avez un petit accident mental à la sortie de la station. En effet, tout occupée à affûter vos arguments en vue de vos retrouvailles avec votre mari par amour, qu'il comprenne bien que ce n'est pas à vous de vous excuser d'arriver avec un jour de retard mais à lui de se faire pardonner de ne pas être venu vous accueillir à l'aéroport, vous en oubliez que vous portez des sandales à paillettes dotées de très hauts talons, ce qui n'est pas la chaussure la plus adaptée à la manœuvre que vous êtes en train d'amorcer, à savoir soulever votre grosse valise pour la faire passer par-dessus le tourniquet métallique du métro, résultat vous manquez de vous tordre la cheville et vous vous mettez à pester contre vos pieds, vous aviez justement choisi les sandales à paillettes dans l'espoir d'initier un rapprochement avec eux, vous croyiez qu'ils se sentiraient flattés d'être ainsi mis en lumière, mais devant la première difficulté c'est la défection podale la plus complète, quelle ingratitude ; là-dessus votre valise retombe lourdement au sol, vous tentez de la faire passer par en dessous mais elle se coince dans les branches du tripode, et face à ce nouvel ennemi vous avez une soudaine illumination, si Don Quichotte était parmi nous il s'attaquerait aux tourniquets du métro qu'il prendrait pour des extraterrestres ayant colonisé la terre ; or c'est exactement à cet instant-là, alors qu'entre votre projet de scénario pour Hollywood, vos pieds et votre mari, vous êtes déjà complètement débordée, que surgit dans votre champ de vision une plaque commémorative comportant le mot Algérie. Dans l'état d'indisponibilité psychique où vous êtes, cette nouvelle information vous plonge dans la plus grande confusion, vous prenez peur, vous vous méfiez, la dernière fois qu'on vous a parlé d'Algérie vous avez fini toute rouge avec l'envie de vous soûler en pleurant le soleil perdu de Constantine, mais vous brûlez aussi d'en savoir plus, qu'est-ce que c'est que cette histoire, que s'est-il donc passé avec l'Algérie, on admettra que c'est là une curiosité bien naturelle à l'endroit d'un pays avec lequel vous avez noué un lien si fort, que vous avez aimé si intensément pendant les quelques minutes où vous êtes devenue algérienne, et qui de surcroît se trouve être le pays des chansons d'Enrico Macias, si bien que sous l'effet de ces forces contraires, l'esprit divisé en deux parties parfaitement égales, vous ne cessez de regarder la plaque puis de détourner le regard puis de regarder la plaque puis de détourner le regard, une fois, deux fois, dix fois, et subitement votre esprit se fige, se gèle, c'est le calme plat. Tout est blanc. Quelqu'un agite une clochette. Un char d'assaut passe à la lisière de l'horizon. Vous tendez le bras pour le toucher, il est trop loin.

Vous reprenez vos esprits, vous clignez des yeux, vous êtes désormais face à la plaque – les circonstances dans lesquelles vous avez finalement réussi à franchir le tourniquet métallique resteront probablement à jamais recouvertes d'un épais voile de mystère. Vous hésitez encore à lire, trop tard vous avez lu : manifestation, paix en Algérie, neuf morts, répression, 1962. Ah, vous le saviez bien, qu'il y avait eu une guerre en Algérie, comme quoi vous avez été bien avisée de ne pas chanter *La France de mon enfance* au chauffeur de taxi.

Les gens meurent et après cela fait des plaques,

celle-ci est extrêmement mal rédigée donc l'effet n'est pas optimal, on ne comprend absolument rien à l'histoire, toutefois c'est une bonne chose quand même, voilà un message d'espoir pour les usagers du métro : ne lâchez rien les gars, ne lâchez rien. Il faut rester droit toujours debout toujours, les roseaux c'est pour les gros nazes. Sans compter que ces Parisiens assurément ne sont pas morts pour rien, la mort d'innocents c'est toujours une bonne publicité, cela a dû faire avancer la cause de l'Algérie, ou de la paix en Algérie, enfin bref, ce qu'ils défendaient.

Neuf morts pour une plaque d'environ un mètre carré cela fait dans les onze décimètres carrés par mort innocent. S'ils n'avaient été que quatre ou cinq, la plaque aurait-elle été moitié plus petite, pour respecter la proportionnalité ? Est-ce la surface par mort innocent qui fait référence, ou est-ce une taille de plaque standardisée ? À moins qu'il n'y ait plusieurs formats de plaques, un mètre carré jusqu'à dix morts innocents, deux mètres carrés de onze à vingt morts innocents, et ainsi de suite, ce qui serait une solution pragmatique mais inéquitable puisque la surface allouée à chaque mort innocent serait fonction de l'effectif global de son équipe.

Passe un groupe de voyageurs, on vous bouscule, on vous lance des regards hargneux, vous gênez tout le monde avec votre grosse valise poussez-vous donc et cessez de vous émouvoir des morts de Charonne. Mourir pour ses convictions est magnifique vous exclamez-vous intérieurement, et c'est comme la naissance d'une vocation, vous aussi vous voudriez mourir pour vos convictions, vous voudriez et vous pourriez, oui vous pourriez debout le poing tendu dire je donne ma vie pour, mais pour quoi au fait ? Alors là aucune idée, il faudrait que ce soit beau et juste bien entendu mais après vous êtes ouverte, jeune femme amnésique cherche engagement vibrant étudie toute proposition. Sauf que ce n'est pas *magnifique*, parce que *magnifique* ne convient pas du tout, dans votre espace mental c'est la révolte généralisée, il faut un autre mot, un mot riche et épais qui rende justice au sang courageux au cortège des âmes inflexibles, un mot infatigable qui martèle si les corps tombent les idéaux restent notre humanité jamais vous ne l'aurez, un mot chaussé de bottes ailées qui cuirasse et réconforte ne lâchez rien la compromission ne vaut pas la peine d'être vécue, plutôt risquer que renier car si ce qui compte ne compte plus il n'y a plus rien à sauver pas même la vie. Et la révolution, oui, la révolution commence lorsque bascule la balance Roberval, c'est son travail, et qu'on décide que le risque de changer le monde vaut bien celui de la mort.

Vous êtes éblouie, la France est le pays des sentinelles humanistes, l'air que vous respirez depuis votre naissance est celui de l'indignation, de la résistance et du courage moral, depuis des siècles les Français s'insurgent, protestent et manifestent contre l'oppression sous toutes ses formes, c'est un peuple qui se lève et qui dit non chaque fois que la dignité humaine est bafouée. Pas d'une voix unanime bien entendu, le pays est beaucoup trop grand pour que tout le monde y pense la même chose en même temps, élaborer une position commune quand on est si nombreux est impossible, mais toujours des voix se font entendre pour sauver l'honneur, non pas seulement de la France, mais de l'humanité tout entière. Car c'est cela qui est en jeu, la résistance parfois échoue dans son combat immédiat mais toujours elle sauve l'honneur universel, plus tard les historiens ne pourront pas écrire : ils ont laissé faire, ils ont fermé les yeux, ils n'ont rien dit. Et les manifestants de la plaque, c'est ce qu'ils ont fait, ils n'étaient pas algériens et pourtant ils sont allés, au risque de leur vie, dans la station Charonne pour dire, nous défendons la paix en Algérie.

Tandis que vous pliez la jambe gauche afin de transformer astucieusement le talon pointu de la sandale à paillettes en arme défensive contre les voyageurs hargneux qui continuent à affluer dans votre dos, vous vient l'idée troublante et extrêmement désagréable que parmi les gens de la plaque pouvaient se trouver des gros cons. Rien en effet ne permet d'affirmer que tous les manifestants pour la paix de l'univers sont moralement irréprochables, l'être humain n'est pas un monolithe et il en va probablement de même pour les extraterrestres. Quant aux victimes tout court, c'est encore pire, on peut être une victime innocente et une ordure, un criminel, un escroc – nom d'une cuisse de caribou mais c'est terrible, le statut de victime ne lave pas les fautes de la personne, quelle atroce révélation.

Morts pour leurs idées. Non. Morts à cause de leurs idées, la mort n'était pas leur projet. D'ailleurs savaient-ils, ce matin-là, en nouant les lacets de leurs chaussures, savaient-ils qu'ils risquaient leur vie, et s'ils l'avaient su, seraient-ils allés manifester ? Sans doute n'ignoraient-ils pas l'existence d'un risque, sortir de chez soi pour raisons politiques est toujours un brin périlleux, cependant le risque à combien l'évaluaient-ils sur une échelle de 1 à 10, peut-être à 2 ou 3, au pays des droits de l'homme ils se sentaient en confiance forcément. Alors ce sont plutôt les gens d'après, ceux qui ont manifesté après Charonne qui sont les plus courageux, parce qu'eux avaient été avertis, attention le décès par manifestation ça n'arrive pas qu'aux autres, et laçaient donc leurs chaussures en pleine conscience du risque pris. À moins qu'après Charonne le risque ne soit justement devenu beaucoup plus faible, sûrement que c'était une sorte de bavure policière, partant de là les forces de l'ordre auront reçu des consignes, chers collègues notre quota de violences illégitimes a été épuisé merci de vous tenir à carreau jusqu'à la prochaine décennie. C'est tout à fait indécidable, le monde est d'une inépuisable complexité.

Mais que fabriquez-vous devant cette plaque à la fin alors que votre domicile vous attend, pourquoi vouloir à tout prix démontrer qu'ils n'étaient pas des héros, êtes-vous à ce point envieuse, vos chances de figurer un jour sur une plaque commémorative sont indubitablement très minces, que pour vous consoler, vous cherchiez absolument à démolir leur réputation ? Et soudain vous comprenez, ce n'est pas du tout une plaque pour les victimes leur personnalité leurs motivations on s'en fout, c'est une plaque pour la France : vous vous tenez devant une blessure nationale. C'est une plaque qui dit ici nous avons bafoué nos valeurs, ici nous sommes devenus fous, ici nous nous sommes comportés comme tous ceux que nous condamnons, ici la société française s'est blessée et elle a été blessée et elle a honte et le fer de la honte c'est elle-même qui se l'est planté dans la cuisse, et pour soigner sa honte elle a posé une plaque qui est un pansement sur la plaie qui est juste en dessous, non vous n'allez pas tenter de dévisser la plaque pour vérifier, cessez de faire la mariole dans votre tête vous savez pertinemment que votre pensée n'était pas à interpréter au pied de la lettre.

Vous saluez la plaque d'un discret signe de la main, qu'elle sache bien que vous êtes une amie humaniste et que vous trouvez admirable le travail de mémoire auquel elle contribue, il est courageux de s'exposer de la sorte au regard des passagers de la ligne 9, vous n'ignorez pas que c'est difficile, mais qu'elle ne baisse pas les bras, qu'elle garde toujours à l'esprit qu'elle est le visage de la France forte qui affronte et assume ses fautes passées, puis vous quittez la station de métro en songeant qu'entre votre grosse valise et votre intérêt pour une vieille plaque, tout le monde a dû vous prendre pour une touriste.

5

Vous marchez sur le boulevard Voltaire, quelle adresse française, quelle adresse éclairée, vous vous reconnaissez bien là, le choix de votre domicile est déjà un engagement pour la vérité et la justice, il est bien normal que vous soyez dans le camp des plaques commémoratives. Vous marchez sur le boulevard Voltaire, donc, tout illuminée par le XVIIIe siècle français, les châteaux de la Loire et Robert Badinter, quand subitement vous entendez une voix. Accoutumée à converser avec vous-même plutôt qu'avec des êtres de conscience résidant en dehors de votre cerveau, vous ne réalisez pas immédiatement que la voix provient de l'extérieur, puis vous avez un doute, puis le doute s'efface, puis vous comprenez, on vous hèle, on vous appelle, quelqu'un crie, eh coucou Rkvaa eh coucou Rkvaa. Vous vous retournez brusquement, attention à ne pas vous abîmer les cervicales de précieuses connexions nerveuses y sont logées, et apercevez un clochard avec un gros chien affublé d'un bandana aux couleurs de la Yazigie. Vous êtes horrifiée, non par le clochard, qui semble être relativement en forme, et pas non plus par le bandana, bien que l'idée que du poil de chien tout dégoûtant soit en contact avec le beau drapeau de la Yazigie aurait pu être, en d'autres circonstances, de nature à vous scandaliser, mais par la posture du clochard : il est à genoux. Il mendie à genoux. Qu'un humain s'humilie de la sorte, si bas plus bas à terre dans une posture de soumission, c'est trop de violence pour votre petit cœur pétri d'idéaux égalitaristes. Alors, c'est peu glorieux toutefois vous avez vos faiblesses comme tout le monde, vous feignez de ne pas l'avoir vu et vous poursuivez votre chemin. Vous reviendrez plus tard, il connaît votre prénom donc pourra assurément vous fournir quelque renseignement sur vous-même, mais pour l'heure, vous trouvez plus judicieux d'aller vous blottir dans les bras de l'homme qui vous connaît le mieux au monde, celui qui saura vous consoler de cette misère, de ces gens à genoux, de l'injustice fondamentale qui règne sur la Terre, celui qui, peut-être, pourra même vous dire que vos pieds sont beaux, vous avez nommé, votre mari par amour.

Vous ouvrez la porte de votre appartement au moyen de l'un des deux trousseaux de clefs trouvés dans votre sac, formidable vous êtes donc à la bonne adresse, et vous vous annoncez, coucou chéri je suis rentrée, je souffre d'un léger trouble de la mémoire mais ne t'inquiète pas tout va bientôt rentrer dans l'ordre, vous êtes une adepte de l'ingénieuse tactique du salami comme on l'aura noté, une mauvaise nouvelle doit être annoncée tranche par tranche et non d'un bloc, ainsi l'interlocuteur s'habitue progressivement au lieu de faire une vilaine réaction de rejet. Cependant vous êtes forcée de constater, déprimant résultat de la visite exploratoire de votre habitat, que votre logement est radicalement dépourvu de mari, il n'est caché ni sous le lit ni sur le balcon et aucun effet personnel masculin ne signe la cohabitation avec un homme, il n'y a ici que des rouges à lèvres et des culottes ventre plat. Et comme si cela ne suffisait pas, votre décoration intérieure a un cruel message pour vous : les chaises de camping et la planche avec tréteaux en guise de bureau ne suggèrent qu'assez faiblement une situation patrimoniale compatible avec la thalassothérapie, adieu enveloppements d'algues, affusions dynamiques et drainage marin.

Un instant vous reprenez espoir, que vous êtes étriquée de la norme sociale, pourquoi un mari, pourquoi pas une épouse, mais oui, les jolies ballerines bleu nuit sur l'étagère à chaussures de l'entrée ne sont pas nécessairement les vôtres, nous vivons une époque moderne il convient d'en finir avec cette vision hétérocentrée de la relation de couple. Mais en fait, non : votre imaginaire érotique est désespérément hétérosexuel, là-dessus votre stock de données mobilisables est absolument formel. Vous êtes célibataire. Vous êtes seule. Vous êtes un bébé photon perdu dans un champ électromagnétique, qui a froid, qui a faim, qui est orphelin. L'avantage, c'est que vous allez pouvoir vous auto-perquisitionner en toute quiétude.

Vous êtes méticuleuse et néanmoins efficace, en même temps la surface à explorer n'est pas non plus immense, votre appartement est un deux-pièces de 25 mètres carrés environ et vous n'y découvrez ni coffre-fort ni passage secret derrière la bibliothèque, juste des meubles en contreplaqué qui se laissent fouiller avec la plus parfaite docilité. Le seul récalcitrant aurait pu être votre ordinateur, vous l'allumez le cœur battant, va-t-il y avoir un code d'accès, vous fermez les yeux longtemps longtemps longtemps vous ne voulez pas savoir, vous ouvrez les yeux ouf il n'y a pas de code, c'est presque décevant, vous auriez bien aimé pourtant jouer à craquer votre propre mot de passe. Au final, quelques heures après être entrée dans votre appartement, vous êtes toujours aussi célibataire, vous êtes toujours une Française née de parents immigrés, toutefois votre vision de votre existence s'est grandement affinée – c'est une chance que d'avoir été frappée d'amnésie dans une société scripturale, nul besoin d'aller voir le chamane du village afin qu'il vous révèle la vérité de votre existence, vos quittances de loyer et vos relevés de points de retraite parlent d'eux-mêmes.

Vous êtes traductrice-interprète de profession. La chose est assez claire, votre curriculum vitae, vos notes d'honoraires, vos e-mails professionnels, tout concorde. Bon. Au moins vous savez pourquoi vous êtes si bien renseignée sur la vie des prostituées et des mules : vous êtes spécialisée dans le domaine juridique et vous travaillez régulièrement sur des affaires de proxénétisme et de trafic de stupéfiants. Vous exercez surtout en France, mais vous avez quelques clients en Yazigie, vous y aviez justement une mission il y a trois jours, cela explique donc votre voyage récent. Parce que sinon, traductrice-interprète, quel manque d'ambition. La petite fille bilingue qui se lance dans les langues, on salue la prise de risque, on applaudit le défi que la barre est placée haut on tressaille on défaille va-t-elle y arriver va-t-elle réussir, vraiment cela va être difficile à atteindre comme objectif. Vous vous êtes contentée de recycler ce que vous avez acquis sans effort, le français parce que vous avez grandi en France, le yazige parce que c'était la langue parlée à la maison, et en juxtaposant les deux vous avez décidé que c'était déjà bien suffisant pour faire votre vie, pourquoi vous fatiguer à apprendre de nouvelles choses. Alors qu'avec votre bel esprit rationnel, vous auriez pu devenir mathématicienne. Vous auriez obtenu la médaille Fields, vous auriez posé en crinoline dans des magazines branchés, vous auriez eu tous les hommes à vos pieds. Les hommes français apprécient les femmes intelligentes, ils ne cherchent pas à se rassurer en se choisissant des partenaires ayant une position sociale moins élevée, c'est le pays de l'égalité. Quel gâchis. Et puis être traductrice, être interprète, c'est être celle dont on ne remarque le travail que quand il est mal fait, voilà un très mauvais choix stratégique en termes de développement personnel, c'est un coup à se retrouver avec des trous dans son estime de soi.

Vous parcourez quelques-unes de vos traductions, ah oui quand même c'est assez pointu, et ce faisant vous réalisez que vous parlez le français et le yazige. Jusqu'à présent vous croyiez, c'est un tantinet pompeux mais après tout, rien ne sert de minauder intérieurement, il n'y a personne d'autre que vous dans votre tête et vous commencez à vous cerner quelque peu, vous croyiez, donc, user du langage universel de la raison. Eh bien absolument pas, il existe deux systèmes d'expression dans votre cerveau, et votre pensée se coule dans l'un ou dans l'autre, elle est tour à tour l'un ou l'autre, rien n'est antérieur ou extérieur ou caché dans la doublure secrète, votre discours mental est un discours verbal, les idées ne sauraient naître nues car le langage n'est pas leur vêtement mais leur substance, quelle magnifique citation apocryphe pour une dissertation de philosophie, sinon il y avait aussi les mots sont les briques de la maison de l'entendement, c'est au choix.

Forte de cette prise de conscience, Adam et Ève probablement ont ressenti quelque chose de similaire lorsqu'ils ont connu qu'ils étaient nus, vous procédez à de multiples essais dans votre tête, et hop une assertion en français, cela cliquette comme un réfrigérateur des années 1980, et hop une proposition en yazige, cela réchauffe le cœur comme de la purée de châtaignes, vous ne vous en lassez pas, il est extrêmement amusant d'avoir deux émetteurs radio dans le cerveau. Vous êtes ébahie devant la dualité de votre espace mental, qui tient d'un bloc malgré la radicale différence morphologique entre les deux langues, français textuel d'une part, yazige mathématique d'autre part, vous en prenez conscience tout en l'énonçant, il est tout de même curieux que cela ne vous ait pas interpellée plus tôt. Il y a néanmoins une chose qui vous contrarie, à savoir la découverte de la version française de votre nom, ou plus exactement l'écoute française de votre nom yazige : vous pensiez vous appeler Rkvaa Nnoyeig (en yazige dans votre pensée), sauf que pas du tout, en réalité vous vous appelez Rkvaa Nnoyeig (en français dans votre pensée). Toutes ces consonnes à la suite dans votre prénom, c'est effroyablement laid. Vous vous le répétez, Rkvaa Rkvaa Rkvaa Rkvaa Rkvaa, quelle horreur mais quelle horreur. Et d'ailleurs pourquoi cette solution, pourquoi l'officier de l'état civil a-t-il noté Rkvaa (en français dans votre pensée) alors que vos parents ont forcément dit Rkvaa (en yazige dans votre pensée), avait-il une dent contre votre famille, entendait-il dès le jour de votre naissance ruiner à jamais vos chances de rencontrer l'amour, quel homme en effet voudrait dire *je t'aime Rkvaa*, c'est la quinte de toux assurée, si ce n'est le reflux gastrique. Vous examinez votre légitime questionnement, vous avez l'intuition que quelque chose ne tourne pas rond. Mais si, cela est irréprochablement rond, bienvenue dans le monde merveilleux du bilinguisme, et vous avez également trouvé la clef de l'énigme : Rkvaa Nnoyeig est la transcription phonétique de 121 417 π, c'est la graphie yazige de votre nom, cependant comme vous réfléchissez à l'oral vous pensez Rkvaa Nnoyeig et non pas 121 417 π, épeler toutes vos pensées serait extrêmement fastidieux, personne ne s'amuse à cela du reste. Une transcription phonétique, quelle absurdité. D'autres solutions auraient été possibles pourtant, π est le nom de famille yazige le plus courant, 121 417 signifie Coquelicot-perdant-son-dernier-pétale, partant de là Fleur Martin aurait constitué un honorable compromis, une traduction à la fois plus fidèle et moins nocive pour la gorge. Quoi qu'il en soit, tout fonctionne à merveille, vos compétences linguistiques sont intactes, votre amnésie ne vous empêchera pas d'exercer votre profession.

Heureuse nouvelle, car vous ne paraissez rien avoir d'autre dans votre vie que votre travail, si on vous l'enlève vous décédez socialement. Ainsi, dans votre appartement aucun élément ne suggère la pratique d'un sport ou d'un quelconque loisir, sur vos étagères il ne se trouve que des dictionnaires et des ouvrages juridiques, et à en croire les feuilles gondolées à côté de votre baignoire sabot, même quand vous prenez votre bain vous préférez lire des articles de traductologie plutôt que de vous plonger dans un bon roman. Quant à votre inscription dans le tissu social, c'est un brin inquiétant, d'après votre correspondance électronique vous vous tenez seule au milieu d'un vaste cercle, c'est-à-dire que vous avez de nombreuses connaissances mais aucun proche, ni prétendant ni confidente ni grand frère protecteur ni cousine adorée, votre seule pseudo-copine est une traductrice allemande que vous n'avez pas vue depuis trois ans, *désolée Ursula mais encore une fois je vais devoir annuler notre déjeuner, ces tarés d'ultranationalistes yaziges ont encore agressé un Tsigane, enfin un être humain que leur esprit malade perçoit comme un Tsigane, bref du coup je me tape toute la traduction des rapports de police pour l'ONG qui est sur l'affaire, c'est assez glurps comme tu imagines*, et en effet vous imaginez assez bien, hélas vous les imaginez même très bien ces imbéciles avec leurs croix gammées et leurs casques de la Waffen-SS qui au lieu d'aller faire des jeux de rôle grandeur nature, ce qui satisferait tout autant leurs fantasmes de virilité conquérante mais leur éviterait de se ridiculiser sur le plan argumentatif, visiblement personne n'a eu la miséricorde de leur expliquer que les nazis considéraient les Yaziges comme racialement inférieurs et qu'entre la glorification du Troisième Reich et la théorie de la supériorité de l'os yazige il y avait comme une légère incohérence, vont tabasser les plus faibles et les plus pauvres d'entre les Yaziges. En substance, votre activité professionnelle est la seule chose qui vous relie aux autres, ce qui naturellement n'est qu'une rikiki miette de souci au regard du renouveau fasciste en Europe, de la faim dans le monde et du sort des moines tibétains, mais n'en reste pas moins perturbant. Ah, et vos parents sont morts. Une grosse Renault contre une vieille Lada, un carrefour mal éclairé de Lyon, alors que vous aviez vingt-cinq ans.

Lorsque vous le découvrez à la faveur d'une enveloppe kraft portant l'inscription *papa maman affaires rendues par la police*, vous vous efforcez de vous émouvoir de ce terrible coup du sort, cela est supposé créer un choc traumatique que de perdre brutalement ses père et mère, toutefois en l'absence de souvenirs communs ils sont pour vous des inconnus, face à leur carte de piscine municipale vous ne parvenez pas à pleurer, par contre c'est drôle sur la photographie on jurerait qu'ils ont le même jogging vert fluo que celui trouvé dans votre valise. Cette tragédie automobile est du reste largement compensée par la présence, sous votre lit, de dix grosses boîtes à archives ayant manifestement appartenu à vos parents. Vous rendez grâce à leur minutie, chaque boîte contient plusieurs chemises étiquetées selon les règles de la classification décimale en usage dans les bibliothèques, ainsi vous n'avez pas besoin de tout éplucher pour savoir où chercher leurs diplômes (boîte n° 3, cote 378 : Société > Éducation > Enseignement supérieur), leurs recettes préférées (boîte n° 6, cote 641 : Technologie > Économie domestique > Cuisine yazige) ou encore l'historique de leur situation administrative (boîte n° 3, cote 323 : Société > Droit > Séjour des étrangers). Sans compter que certains choix sont riches de sens, par exemple ils ont classé vos dessins de maternelle représentant des hiboux borgnes en beaux-arts plutôt qu'en troubles de la perception chez le jeune enfant, vos parents assurément vous ont aimée et valorisée, voilà donc d'où vous vient cette confiance tranquille qui guide vos pas depuis l'aéroport. Vous décidez d'observer une minute de silence cérébral en leur mémoire, l'exercice est plus retors qu'il n'y paraît cependant vous finissez par trouver la parade : vous vous concentrez pour réfléchir en hindi et le tour est joué, votre prose mentale se bloque face à l'obstacle, en hindi vous êtes muette, en hindi vous n'avez pas de mots, que vous êtes maligne décidément, quel dommage pour la médaille Fields.

Familialement parlant il vous reste une grand-mère, elle vit en Yazigie. Vous avez des oncles et des tantes, des cousins et des cousines, tous vivent en Yazigie. Vos relations avec ces gens se résument à quelques cartes postales sporadiquement échangées. Et encore, le faible intérêt qu'ils vous témoignent semble leur être venu sur le tard, alors que vous étiez déjà adulte. Pendant votre enfance pas une seule fois ils ne vous ont souhaité votre anniversaire, pas une seule fois ils n'ont écrit à vos parents pour demander de vos nouvelles ; dans les boîtes à archives, la chemise 155.98, correspondance intrafamiliale, est tristement vide. Restés en Yazigie, ils auront été envieux de la vie occidentale de vos parents qui buvaient du Coca-Cola en avant-première, voire blessés par ce qui pouvait être interprété comme un abandon. Ensuite c'était fichu, vous aviez grandi au loin dans un pays étranger, ils ne vous connaissaient pas. Il y a eu une reprise de contact mais c'était pour la forme, par politesse, ou parce qu'ils avaient besoin d'un hébergement pour leurs vacances à Paris. Rien en commun, rien à vous dire. Ou bien c'est encore plus grave, vous êtes d'une famille de chauvins, de stressés identitaires, de revanchards panyaziges, vu la prévalence du nationalisme au sein de la population yazige vous avez une chance sur deux pour que ce soit le cas, et alors non seulement ils vous prennent pour une handicapée mentale incapable d'abstraction, pauvre cousine Rkvaa qui a grandi en subissant l'influence néfaste d'une langue illogique comme le français, sûrement qu'elle pense que jouer aux petits chevaux est une prouesse intellectuelle, sûrement qu'elle ne sait même pas réfléchir en base 12, mais en plus ils vous appréhendent comme une traîtresse, infidèle cousine Rkvaa qui se croit supérieure parce qu'elle habite dans un pays où il y a la mer, elle s'amuse à la plage pendant que nous pleurons l'héritage sacré de nos ancêtres, elle sautille dans les vagues pendant que nous luttons pour faire valoir nos droits sur nos territoires perdus. De toute façon c'est simple, à l'exception notable des Polonais à l'endroit desquels ils éprouvent une curieuse affection, les Yaziges considèrent toutes les nations européennes comme des ennemis historiques qui, non contents de l'avoir combattue et charcutée avec un sadisme grandissant au cours des siècles, se préparent à l'éradiquer définitivement de la surface de la Terre. Par jalousie, parce qu'ils sont trop intelligents. Alors que bon, pour qu'un pays fasse l'objet d'un complot international, il faut déjà que ses ennemis sachent le situer sur une carte, c'est plus pratique pour les bombardements. Surtout que la Yazigie c'est vraiment très petit, il est nécessaire de viser avec la plus grande précision, sans quoi ce sont les voisins qui prennent.

Sur une photographie jaunie où elle se trouve et où vous ne vous trouvez pas, en effet vous vous tenez indubitablement à l'extérieur de l'image, vous toisez durement votre grand-mère, celle qui est toujours vivante et qui est la mère de votre père. Peut-être qu'elle a eu mal de voir son fils quitter le pays, peut-être qu'elle a eu le cœur brisé à l'idée de ne jamais revoir son enfant, dans les années 1980 on ne pouvait pas savoir que le Mur allait tomber si vite, cling-cling quel bruit cela fait un mur qui tombe, mais vous le faire payer était dégueulasse, vous étiez sa petite-fille ce n'est pas rien, eh bien justement c'était rien, vous ne comptiez pour rien, pas une lettre pas un mot gentil pas un cadeau, vous n'existiez pas. Le pire est qu'elle était institutrice, les enfants des autres elle voulait bien s'y intéresser, leur enseigner les secrets des flocons et des coccinelles et des signaux sinusoïdaux, tandis que vous rien du tout. Et aujourd'hui deux cartes postales par an pour se donner bonne conscience, *Joyeux anniversaire ma fonction affine*, *Bonne fête mon dodécaèdre étoilé*, mais ciboire de plâtre à bulles qu'ils arrêtent avec leur crispation identitaire, tu n'es pas yazige tu n'existes pas, c'est insupportable. Toutefois votre colère, qui est laide comme toutes les colères dictées par l'amertume, qui imprime à votre esprit des plissures et des froncements, ne s'est pas encore pleinement déployée que déjà surgissent dans votre paysage mental de petites pensées bienveillantes, qui bientôt se rassemblent et entreprennent de lisser la colère, de défroisser l'amertume, c'est la compassion humaniste qui arrive, une sincère compassion douce et chaude et un peu triste, les Yaziges sont un tout petit peuple avec de grandes frustrations, un tout petit peuple rongé d'être un tout petit peuple, un jour ils apprendront à s'accepter tels qu'ils sont et ils iront enfin de l'avant, c'est comme vous et vos pieds, on n'est pas toujours conforme à ce qu'on aimerait être.

Au demeurant sur un point votre famille a raison. Vous n'êtes pas yazige. Tout ce que vous découvrez au cours de vos fouilles le confirme. Il n'y a qu'à voir vos placards, les vêtements y sont certes bon marché, mais sobres et élégants, vous avez indéniablement le style hexagonal. Ou bien votre ordinateur, la langue de votre système d'exploitation est le français et vous avez mis des galets bretons en fond d'écran. Ou encore le miroir de votre salle de bains, oh et puis non, pourquoi vous lancer dans une plaidoirie, personne ne vous accuse de ne pas être française que vous sachiez, trop tard vous êtes coincée, abandonner votre démonstration maintenant serait inélégant et même barbare, vous la condamneriez à claudiquer dans cet état d'inachèvement jusqu'à la fin des temps. Votre famille a raison, donc, de vous considérer comme française. Ils ne sont pas dupes. Oui vos os sont yaziges cependant la conscience nationale est faite de conscience comme son nom l'indique, et non pas de tissus conjonctifs solidifiés. Oui vous avez conservé la langue, on vous l'a donnée vous n'alliez pas non plus la jeter, c'était gratuit et cela vous a permis d'obtenir des points supplémentaires au baccalauréat. Oui vous vous rendez régulièrement à Iassag pour votre travail et y possédez même un pied-à-terre acquis grâce à l'héritage de vos parents, avec cette somme vous n'auriez même pas pu vous payer une place de parking à Paris. Mais votre famille l'a bien compris, vous êtes Rkvaa de France, culturellement française jusqu'au bout des ongles, et que vous fassiez l'effort de vous déguiser en prostituée lors de vos missions d'interprétation en Yazigie n'y change rien, d'après vos e-mails à votre expert-comptable qui s'étonne de trouver des cuissardes parmi vos dépenses professionnelles, c'est une stratégie de *personal branding* pour ne pas avoir l'air exagérément française devant les avocats et notaires yaziges pour lesquels vous travaillez.

Pour être parfaitement rigoureuse dans votre autoportrait, et l'on sait comme vous êtes prompte à dégainer votre plumeau dialectique pour faire la guerre aux énoncés approximatifs, vous n'avez sans doute pas été française d'emblée. Née en France de parents yaziges, vous avez vraisemblablement commencé par être une petite fille étrangère, pour devenir ensuite une petite Française avec des parents étrangers. C'est que vos père et mère ont eu beau vous parler yazige, vous faire baigner dans la culture yazige, vous faire lire et jouer et chanter et courir en yazige, allant même jusqu'à vous faire baptiser au temple calviniste yazige de Paris alors qu'ils étaient de fervents athées, vous leur avez échappé, vous vous êtes francisée, on ne peut lutter contre l'école de la République, les vins de Bourgogne et les marinières, qui grandit en France devient français, c'est la dure loi de la socialisation, le contexte triomphe toujours. À en croire vos bulletins scolaires sous cote 372 et 373, vous avez basculé vers l'âge de neuf-dix ans, c'est à cette époque en effet que disparaissent les appréciations faisant état d'un manque de vocabulaire *la maman étrangère refuse de parler le français avec sa fille je préconise un rendez-vous avec la psychologue scolaire*, d'une syntaxe fantaisiste *expression écrite chaotique calquée sur le yazige (enfin je suppose je ne le parle pas) Rkvaa doit accepter qu'elle vit en France*, ou encore de graves lacunes en culture populaire *autoriser l'enfant à regarder la télévision française pourrait l'aider à s'intégrer si*

Rkvaa est isolée c'est aussi parce qu'elle ne partage aucune référence commune avec ses petits camarades. Et ensuite c'est terminé, plus rien ne vous différencie des autres, vous êtes absolument française, vous êtes absolument normale, et aujourd'hui vous trempez vos tartines dans votre thé et vous habitez boulevard Voltaire.

Le contexte triomphe toujours. Mais uniquement si l'on y a infusé dès l'enfance. Arrivés à l'âge de vingt-cinq et vingt-sept ans, vos parents avaient sans doute été culturellement imperméabilisés, les us et coutumes de la patrie des droits de l'homme leur paraissaient grossiers et malséants, la France leur avait offert l'hospitalité sous la forme d'un certificat de réfugié couleur beige rosé et en contrepartie ils se plaignaient des crottes de chien dans les rues, des lourdeurs administratives ou du manque d'éducation de la population, *l'autre jour Rkvaa a invité trois de ses camarades à la maison et une seule a enlevé spontanément ses chaussures, eh bien je te le donne en mille, c'était une Vietnamienne*, voilà le genre de remarques qui figure sur les copies carbone des lettres qu'ils envoyaient à leurs amis yaziges, et dans lesquelles toujours, toujours, ils écrivaient *Eux les Français* et *Nous les Yaziges*. Ils étaient comme ces gens invités à une table généreusement garnie qui pendant tout le repas se focalisent sur la nappe froissée, sur la trace de gras au rebord du verre ou sur la vaisselle dépareillée, la France certes n'est pas parfaite toutefois à s'arrêter sur des détails ils se sont rendus aveugles à l'essentiel. Résultat, ils passaient leur temps à pleurer leur vie yazige, ils ont mis quinze ans à apprendre correctement le français, *mais heureusement Rkvaa est là pour nous aider, elle est si parfaitement bilingue notre fleur d'oscilloscope.* Eh oui. Comme bon nombre de fils et de filles d'immigrés, vous avez été victime du syndrome d'abus linguistique précoce : vous relisiez leurs courriers administratifs, vous corrigiez leurs fautes de français, vous les accompagniez au guichet de la caisse d'allocations familiales. Ils vous exploitaient, ces pelures d'ions. Et bonjour la concurrence déloyale, si les gens s'habituent au travail gratuit des enfants après forcément ils rechignent à dépenser de l'argent pour le même service, mais bon vous ne pouviez pas savoir que vous nuisiez aux intérêts corporatifs de vous-du-futur alors ça va, vous vous pardonnez.

Lorsque vous avez achevé vos explorations – il ne reste guère que les archives de vos parents, beaucoup trop volumineuses pour être dépouillées en une seule fois –, vous mettez votre tableau d'hypothèses à jour, *je suis une traductrice-interprète célibataire à cause de mon prénom, le miroir de ma salle de bains n'est pas très propre et je ne parle pas l'hindi*, et vous savourez votre confort mental, vous êtes certes esseulée mais très maligne, par contre cessez de vous torturer avec la médaille Fields.

6

Bon eh bien voilà. Vous êtes arrivée. Vous êtes rentrée. Il est 17 heures. C'est toujours la même journée. Vous consultez vos soldes bancaires, vous payez votre loyer, vous récupérez les codes pin de vos téléphones, vous répondez à vos e-mails professionnels. En somme, vous reprenez possession de votre vie. Vous êtes chez vous, tout va bien. Et maintenant ? C'est tout ? Il ne se passe rien ? Vous aviez cru avoir disparu, mais en réalité vous n'aviez manqué à personne, votre amnésie est un non-événement. Vous pourriez, à la rigueur, aller consulter un médecin. Qu'il vous ausculte, vous soigne si c'est possible. Mais à quoi bon retrouver la mémoire, si vous n'avez personne avec qui partager vos souvenirs ?

Pour vous donner de la contenance devant vous-même, en effet vous ne savez plus trop quoi faire et ce désœuvrement est un humiliant rappel de votre condition de traductrice esseulée, vous sortez faire quelques courses. Vous achetez du pain, du vin et du tofu aux fines herbes, n'y aurait-il pas quelque chose de bizarre ou d'inhabituel dans cette énumération, ainsi qu'un basilic en pot et un gigantesque paquet de cacahuètes, cela n'a aucune importance, mais si enfin les cacahuètes c'est la vie, mais non il est absurde de vous mettre à composer une ode à la gloire des cacahuètes, concentrez-vous plutôt sur le clochard qui vous hèle de nouveau, eh coucou Rkvaa eh coucou Rkvaa, c'est le moment de prendre une décision cruciale. Vous hésitez, il est votre dernière carte non retournée, votre dernière chance de découvrir que vous avez une vie intéressante. Si cela se trouve vous êtes agent secret et le clochard aussi, le bandana sur le chien est un signe de reconnaissance, vous travaillez ensemble sur une affaire de terroristes panyaziges et le gouvernement l'envoie pour vous épauler. Ou bien vous vivez une folle romance avec un homme politique traqué par les paparazzi et par mesure de précaution vous communiquez exclusivement par l'intermédiaire du clochard, auquel vous confiez vos billets doux. Tant que vous ne lui aurez pas parlé tout sera encore possible. Tant que vous ne lui aurez pas parlé vous pourrez tout imaginer. Allez du nerf, une désagréable vérité vaut mieux que le plus beau des rêves.

Vous faites la connaissance de Hdlsko, quarante-huit ans, clochard parisien depuis dix ans. Il a quitté la Yazigie suite à son divorce, a voyagé un peu partout en Europe, s'est appauvri à chaque étape, et a finalement atterri à Paris. Il affirme adorer la France mais sur son réchaud il cuisine exclusivement yazige, son chien s'appelle Grand-amiral-qui-vengera-la-nation-bafouée et il ne parle pas un mot de français parce que c'est beaucoup trop compliqué cet idiome de farfelus, sans compter qu'il ne voudrait pas risquer de contaminer sa précieuse langue maternelle, prunelle de ses yeux, moelle de ses vertèbres, par l'apprentissage d'une langue étrangère. Tout cela, il vous le raconte spontanément, vous ne lui avez posé aucune question, vous êtes allée le voir et il s'est mis à débiter son discours de présentation de manière mécanique ; ses phrases sont préfabriquées, c'est la répétition d'un récit de soi dont la forme s'est figée depuis longtemps. Sinon il n'avait rien de spécial à vous dire, pas de message à vous communiquer, c'est juste que si vous aviez quelques euros cela lui rendrait bien service, entre Yaziges on doit se serrer les coudes pas vrai. Vous avez probablement eu la faiblesse d'aller lui parler un jour à cause du bandana sur le chien et voilà, vous êtes démasquée, il connaît vos origines et vous hèle à chaque fois qu'il vous voit. Grave erreur. D'autant plus qu'il insiste, sous-entendant que vous êtes parfois extrêmement généreuse, mais qu'il vous lâche à la fin, ce n'est pas parce qu'il est yazige qu'automatiquement vous allez vous sentir concernée par ses problèmes, qu'il trouve un autre argument. Vous lui expliquez obligeamment qu'il a tort de se mettre à genoux, que pour sa gouverne la France est le pays de l'égalité, qu'il n'obtiendra rien par le chantage affectif et que s'il veut espérer sortir de la rue il doit commencer par se respecter lui-même car il est un humain, puis vous tournez les talons et regagnez votre appartement.

Vous êtes seule avec un basilic en pot pour toute compagnie. Un charmant basilic du reste, avec des feuilles avenantes et un parfum délicat. Même les clochards ne vous adressent la parole que par intérêt. On prétend que les sans-abri souffrent d'un manque de lien social, que le plus dur ce n'est pas la pauvreté mais l'isolement, quelle bonne blague, vous auriez été d'accord pour être son amie, pour lui donner des cours de civilisation française ou l'aider dans ses démarches administratives, mais non, il était totalement focalisé sur l'argent. Vraiment ce n'est pas très, oh, ah, mais oui, vous savez ce qui serait de nature à réconforter votre petit cœur meurtri : la musique d'Enrico Macias. L'instant d'après, vous êtes assise devant votre ordinateur, vous regardez une vidéo du *Mendiant de l'amour* et vous pleurez pleurez pleurez. Dans le public les gens agitent des foulards. Vous aimeriez être parmi eux. C'est beau un groupe qui vibre. Et quelle bête de scène, Enrico. Qu'il est sexy. Ensuite vous mettez *La France de mon enfance*, qui est la plus belle de toutes les chansons du monde, *Malheur à celui qui blesse un enfant*, qui est assez niaise mais quand même il y a un truc, et *Les Gens du Nord* qui est très, bon il n'est sans doute pas nécessaire de poursuivre sur cette voie, manifestement vous n'êtes pas exactement dotée des compétences requises pour devenir critique musicale. Par contre, c'est atroce, dans les commentaires sous les vidéos, les gens insultent Enrico Macias. C'est un torrent de haine, on le traite de tous les noms, on sous-entend qu'il a trahi l'Algérie, et bien d'autres choses encore. Les mots sont durs, c'est de la rage cinglante, ils en parlent comme du dernier des salauds, et pour vous c'est un monde qui s'écroule, chaque insulte est une claque, comment peut-on s'en prendre de la sorte à un si fabuleux chanteur ? Il y a tout de même quelqu'un qui se dresse vaillamment contre la meute déchaînée : « Il est plus algérien que toi sale fils de pute va ! » Bizarrement cela ne vous console qu'assez peu.

Vous relisez les commentaires. Oh là là vous ne comprenez rien. C'est quoi un Harki ? C'est quoi le décret Crémieux ? C'est quoi l'OAS ? Vous vous documentez sur ces termes, sur la guerre d'Algérie, sur l'affaire de la station Charonne. Vous manquez de vomir en lisant un article de *L'Express* du 15 février 1962 reproduisant des témoignages détaillés de certains manifestants. C'est la douche froide. *Je croyais me retrouver dans ce wagon qui nous conduisait à Buchenwald.* Pauvre petite plaque, son fardeau est beaucoup plus lourd que vous ne l'imaginiez. Non c'est trop affreux, mieux vaut cesser d'y penser. Quant à la guerre d'Algérie, plus vous en lisez, moins vous comprenez. C'est horriblement compliqué cette affaire. Vous avez la sensation d'être une handicapée, vous faites une grave résistance cognitive, pling-pling c'est le bruit de la guerre d'Algérie qui rebondit contre les parois internes de votre tête, vous avez beau lire et relire, vous ne fixez pas les données, les informations s'effritent, il manque un liant, vous êtes incapable d'appréhender le déroulé des événements et les intentions et les acteurs, il y a trop de nœuds et d'entrelacs et de mots inconnus, non vraiment malgré votre bonne volonté et même votre acharnement, élaborer une pensée sur la guerre d'Algérie est hors de votre portée. Toutefois vous sentez. Vous sentez l'odeur du sang et l'odeur de la blessure. Vous sentez le tranchant du métal et la tension des sutures. Il y a un gros problème avec la guerre d'Algérie. Un vieux gros problème très infecté. Ne serait-ce que les tortures. Alors que Voltaire, la sentinelle, Voltaire déjà disait que la torture non. Et vous êtes absolument d'accord, la torture cela ne va pas du tout. Mais vraiment pas du tout du tout. Certes vous n'y comprenez rien à cette guerre d'Algérie, vous n'avez pas le contexte, pas les enjeux, votre posture est dénuée de toute scientificité, mais dans votre cerveau vous trouvez une certitude : rien ne justifie la torture. Rien jamais. Parce que Voltaire. Parce que non. Parce que Jean Améry si réellement il faut ajouter quelqu'un. C'est non négociable. C'est un menhir axiologique. Vous n'en démordrez pas. Quel qu'ait été le contexte, et comme vous êtes une rhéteuse généreuse et loyale, vous voulez bien postuler qu'il ait été complexe, qu'il y ait eu des torts des deux côtés, mais peu importe, peu importe, la torture : non. Et puis la colonisation. Un grand pays comme la France, qui avait déjà la mer, qu'avait-il besoin d'aller occuper d'autres territoires ? Des territoires avec des gens dessus en plus, pas des territoires vides. Ah la colonisation, vous êtes contre aussi, que ce soit bien clair, si un jour il y a un référendum sur la colonisation, vous voterez non. Il ne faut pas aller embêter les autres ainsi. Ce n'est pas admissible. Vous êtes, comment dit-on déjà ? Oui, anticolonialiste, c'est le terme. Donc les colonies, non. Chacun reste gentiment chez soi, cela vaut mieux pour tout le monde. Enfin, pour ce qui est d'Enrico Macias, vous refusez formellement de le mêler à ces histoires. C'est un artiste, ce qui vous intéresse, ce sont ses chansons. S'il a enfreint la loi, qu'on lui fasse un procès, sinon qu'on le laisse tranquille. Voilà votre position.

Votre ordinateur visiblement n'a pas bien supporté la guerre d'Algérie, il refuse obstinément de réagir aux stimuli externes et l'écran est devenu bleu. Vous le redémarrez, qu'il ne s'inquiète pas, c'est comme une séance de piscine tonique avec jets lombaires, il en sortira vivifié. Le redémarrage n'étant pas une opération excessivement passionnante, vous le laissez faire tout seul comme un grand. Vous tournicotez dans votre appartement, vous regardez derrière les meubles, vous soulevez les coussins. Sait-on jamais. Vous examinez un carré de linoléum, n'y aurait-il pas une cachette secrète en dessous ? Vous passez le doigt, vous appuyez, vous toquez, vous grattez, vous tirez, et tout d'un coup cela se déchire. Sauf que ce n'est pas le linoléum mais votre esprit, c'est peut-être la perte successive de vos deux maris, c'est peut-être le contrecoup de ne pas être une immigrée, c'est peut-être le choc de voir Enrico Macias insulté, quoi qu'il en soit vous tombez, vous tombez dans un profond désespoir aux parois lisses, rien pour vous accrocher, rien pour vous rattraper, mais c'est quoi cette existence, pourquoi cet isolement, ce n'est pas du tout ce que vous imaginiez.

Vous vous ébrouez, vous sortez du puits. Votre solitude n'est pas une affaire d'isolement, votre carnet d'adresses déborde, on vous invite à des dîners professionnels, à des pots de départ, à des inaugurations. Vous n'êtes pas peu entourée, vous vous étouffez d'entourage où vous voulez quand vous voulez. Mais l'entourage, c'est la décoration, l'agrément, les petits branchages verts qui accompagnent les tulipes dans le bouquet. Or chez vous, il n'y a pas de tulipes. C'est une histoire de socle qui manque. D'arrière-fond. De filet. Si vous tombez, vous tombez. Combien de personnes pouvez-vous appeler en pleine nuit pour dire j'ai été agressée j'ai peur s'il te plaît viens chez moi. Combien de personnes pouvez-vous appeler au petit matin pour dire au secours un incendie je suis en pyjama sur mon palier est-ce que tu peux m'héberger. Aucune personne. Vous n'avez pas de filet. Pas de famille. Famille à l'étranger et vie à l'étranger. Toute votre famille est à l'étranger. Ou bien : vous êtes l'unique membre de votre famille à vivre à l'étranger. Une diaspora, mais seule. Unique représentante de votre mini-diaspora familiale. C'est un trop petit pays, bien trop petit. Bizarre et intrigant, mais si petit. Petit comme un chaton malade, comme un tout petit chaton dans un tout petit cercueil. Que fabriquez-vous ici en France, déliée, éloignée, sans famille ni amis ?

Vous cherchez les couleurs, vous cherchez Wittgenstein, apprendre à parler est apprendre à penser, c'est l'histoire d'une fille qui apprend à parler deux langues d'un même coup son cerveau s'est-il fendu, cependant tout cela vous vous en fichez, oui vous vous en fichez des classifications, des formes de vie et des balais-brosses, car en ouvrant un livre vous venez de découvrir une vieille carte postale avec un animal très mignon, votre cœur fait un bond, c'est la petite taupe, vous la reconnaissez, mais oui, la petite taupe, le dessin animé tchèque, vous êtes certaine, absolument certaine d'avoir adoré la petite taupe dans votre enfance, vous avez des fourmis dans les jambes, l'air est chaud dans votre poitrine, c'est un souvenir, un vrai souvenir, imprécis et diffus et pourtant si merveilleux. Vous vous précipitez sur votre ordinateur, il est de nouveau opérationnel, et vous visionnez des épisodes en ligne, la petite taupe s'essaie à la photographie, la petite taupe gagne les championnats du monde de water-polo, la petite taupe fabrique une montgolfière, et ainsi de suite, avec des ballons rouges, de l'herbe verte et des parapluies violets.

Vous commandez une petite taupe en peluche auprès d'une boutique en ligne, cela vous aidera à réveiller votre mémoire peut-être, non c'est un prétexte, la vérité c'est que vous mourez d'envie d'avoir une petite taupe rien qu'à vous, cela procède d'une logique souterraine, vous n'avez aucune explication rationnelle et vous ne vous en portez pas plus mal, qu'on nomme cela un impératif catégorique si cela chante à on, pour votre part vous vous en foutez royalement. Vous regardez encore des épisodes, la petite taupe éteint un incendie criminel, la petite taupe est gynécologue-obstétricien, la petite taupe fait acquitter un hérisson prévenu de vol en réunion, et déjà vous vous sentez beaucoup moins seule, la petite taupe est comme un filet, un très mince filet dans votre existence. Vous trinquez à la santé de la petite taupe, et vous visionnez d'autres épisodes encore, et progressivement vous plongez dans une douce ivresse, c'est votre enfance retrouvée ou le vin rouge, vous ne vous souvenez pas concrètement des épisodes et pourtant quelque chose en vous remue, c'est le ventre qui se serre et c'est le cœur qui bat fort et ce sont les poumons qui s'ouvrent, quelque chose qui vous rassure et vous console et vous réchauffe la peau – à moins qu'il ne s'agisse simplement de la chaleur dégagée par votre ordinateur, en effet vous venez de vous endormir à votre bureau, la tête posée sur votre clavier, vos bras enlaçant tendrement votre unité centrale.

RETOURS

« Dans une gare de Galicie, deux Juifs se rencontrent dans un train. “Où tu vas ?” demande l’un. “À Cracovie”, répond l’autre. “Regardez-moi ce menteur !” s’écrie le premier furieux. “Si tu dis que tu vas à Cracovie, c’est bien que tu veux que je croie que tu vas à Lemberg. Seulement, moi je sais que tu vas vraiment à Cracovie. Alors pourquoi tu mens ?” »

(rapporté par) Sigmund Freud[1]

1. Sigmund Freud, *Le Mot d’esprit et sa relation à l’inconscient*, Gallimard, coll. « Folio Essais », 1992, p. 218.

7

Le lendemain, soit le surlendemain de votre arrivée à l'aéroport, soit encore et toujours aujourd'hui, c'est le charme discret des déictiques lesquels sont réutilisables à l'infini, vous vous réveillez comme vous vous étiez endormie, c'est-à-dire la tête posée sur votre clavier et la colonne vertébrale dessinant une courbe de type scoliotique, à ceci près que la douce ivresse s'est transmutée en sentiment d'être un ver de terre unijambiste recouvert de fistules purulentes. Vous fermez les yeux et vous cachez votre visage entre vos mains, vous ne voulez pas être cette fille qui est si seule qu'elle en est réduite à se souler en compagnie d'un personnage de dessin animé, pas de chance vous n'avez pas exactement le choix.

Lorsque vous rouvrez courageusement vos yeux, cela après avoir écarté vos mains de votre visage évidemment, vous n'êtes pas idiote non plus, vous constatez qu'une fenêtre est apparue dans votre plafond, que votre porte d'entrée est à l'horizontale, que du linoléum recouvre l'un de vos murs. Vous espérez un instant que l'axe du globe terrestre se soit renversé de 90 degrés au cours de la nuit, survivre à une catastrophe astronomique sans précédent aurait constitué un défi stimulant, vous êtes déjà en train de compter vos bocaux de haricots rouges pour savoir combien de temps vous pourriez tenir, mais non, fausse alerte, c'est simplement que votre cou est bloqué en flexion latérale gauche, vous êtes victime d'un banal torticolis.

Vous vous traînez jusqu'à votre salle de bains en vous visualisant à l'envers, si la Terre était transparente les Néo-Zélandais contempleraient la plante de vos pieds toutefois vue depuis Pluton êtes-vous droite ou penchée, vous songez avec un effroi grandissant à l'infinité des galaxies et à tout ce qu'on ignore, à tout ce que vous ne saurez jamais, que fabriquez-vous sur cette planète, l'horizon cosmologique il y a quoi après, si on effaçait l'univers un autre viendrait-il prendre sa place, si bien qu'une fois arrivée vous vous agrippez fermement à votre lavabo de peur de vous décoller du sol et de partir voguer vers la stratosphère – l'attraction terrestre rien ne vous prouve que vous pouvez lui faire pleinement confiance, dans un monde où les protons prennent des décisions personnelles l'impossible n'est qu'une contre-intuition.

Solidement arrimée à votre lavabo vous examinez votre visage défraîchi dans le miroir, ressemblez-vous à votre mère, ressemblez-vous à votre père, vous ne savez pas trop. Dans les archives de vos parents il y avait quelques notes manuscrites, comme des bribes de journal intime, de réflexions personnelles. Ils y décrivaient leur arrivée en France, les démarches administratives, les insectes dans leur chambre meublée, le contrôle de leurs dépenses au centime près. Il y avait quelques photographies aussi, toujours les mêmes, vos parents en jogging dans la forêt en automne, et vous avez vite compris ce que contenaient leurs sacs plastique. Des châtaignes. Pour la dignité c'est très fonctionnel les châtaignes, nous collectons ces jolis fruits à coque luisante pour nous amuser, c'est notre sortie du dimanche d'autres vont au cinéma nous c'est la promenade en forêt, une fois ramassées bien sûr nous les consommons il serait idiot de les laisser pourrir toutefois accéder à de la nourriture gratuite n'est aucunement notre motivation, nous ne sommes point des miséreux. Ensuite les choses se sont améliorées, quand vous êtes née ils avaient des revenus décents et même un logement avec un vrai bail, dès lors vous n'avez aucune raison de vous apitoyer sur leur sort, en choisissant de migrer dans un pays riche ils ne pouvaient ignorer qu'ils y deviendraient des pauvres. Et puis c'est leur histoire, pas la vôtre.

Vous serrez toujours votre lavabo fort fort fort cependant vous vous demandez bien pourquoi, entre dériver parmi les déchets spatiaux ou dans votre appartement quelle différence, à la Terre rien ne vous attache, rien ne vous relie, vous n'avez de comptes affectifs à rendre à personne. Vous prenez une grande inspiration et vous lâchez votre vasque de céramique, prête à vous envoler dans le vide, mais il ne se passe rien : vous venez de rater votre suicide galactique. Tant mieux, car au dernier moment vous avez regretté votre geste, réalisant que vous morte personne ne se serait occupé de votre basilic en pot, pourtant il est une plante délicate et sensible, il a besoin d'être arrosé tous les jours, il aurait été injuste de le condamner lui aussi.

Vous vous empressez d'aller vérifier s'il va bien, rien d'alarmant mais vous notez tout de même une légère déshydratation à laquelle vous remédiez aussitôt. Vous restez à son chevet, vous savez que les basilics sont extrêmement réactifs, et effectivement, au bout d'une demi-heure environ, ses tiges se sont redressées, ses feuilles se sont raffermies. Vous êtes tellement émue et soulagée que déjà c'est la fin de votre épisode dépressif, adieu méchantes idées noires voici venu le temps des licornes et des arcs-en-ciel. Ainsi vous pouvez servir à quelque chose, avoir un rôle, une utilité, une fonction. Ainsi il existe un être végétal qui a besoin de vos bons soins, naturellement cela ne suffit pas à remplir une vie mais c'est un excellent début, on se réjouira de votre capacité à vous concentrer sur le verre à moitié plein, un coach en développement personnel n'aurait pas dit mieux.

Vous profitez de vos bonnes dispositions pour réaliser une analyse forces-faiblesses de votre situation, mais en excluant les faiblesses histoire de garder le moral, oui c'est une version un brin personnelle de l'illustre outil stratégique. Une amnésie, à bien y regarder, et vous y regardez minutieusement, tournant et retournant le phénomène dans tous les sens, est l'occasion idéale de prendre un nouveau départ. Les gens qui ont leurs souvenirs sont sujets à la peur, au stress et aux tensions, ils sont obligés de recourir aux stages de raja yoga, au jeûne en forêt ou à la retraite monastique dans l'espoir d'introduire un moment de rupture, mais dès que la parenthèse est refermée, ils replongent, et de nouveau ce sont les listes de courses, les insomnies et les aigreurs d'estomac. Tandis que vous, qu'est-ce que vous êtes tranquille, aucun fantôme ne vous hante, aucun secret de famille ne vous ronge, vous êtes complètement disponible pour partir en quête du bonheur durable. Il n'est donc pas question de vous enliser dans un attentisme complaisant, l'heure est venue d'adopter une attitude proactive, vous allez voir ce que vous allez voir.

Vous agitez les mains, vous tournez sur vous-même, vous prenez votre élan intérieur et vous vous donnez le top, c'est à vous de jouer. Oui vous allez tout changer, vous êtes une tablette de cire intacte une feuille blanche un tableau d'ardoise virginal, merveilleux fantastique quelle chance inouïe infini est votre nuage de potentialités c'est la liberté sans entraves, euh non la liberté sans entraves ce serait contraire à la Constitution française, donc la liberté tout court sous-entendu dans les limites prévues par la loi, ce qui est déjà sensationnel, ce n'est pas grave ne vous laissez pas impressionner, poursuivez poursuivez, oui vous allez tout changer, vous allez jardiner vos possibles, vous allez apprendre la salsa cubaine et faire du saut en parachute et militer pour la fin de la guerre d'Algérie et entamer une reconversion professionnelle, vous serez épanouie et resplendissante et vous siroterez des cocktails multicolores en compagnie de vos innombrables amis avec lesquels vous échangerez des regards complices en riant pendant que vos cheveux soyeux onduleront en boucles régulières, et vous rencontrerez un homme à la fois rassurant et mystérieux et musclé et intelligent et vous sortirez un DVD intitulé *La Méthode simple pour en finir avec la solitude* et vous serez encore plus heureuse. Mais en premier lieu, vous allez consulter un médecin. Si votre amnésie est due à une tumeur au cerveau, il serait dommage de ne pas être mise au courant : savoir que vos jours sont comptés constituera un fabuleux moteur pour mettre en œuvre votre projet de changement de vie.

Vous entreprenez de réactiver votre ordinateur qui s'est mis en veille pendant la nuit, coucou c'est le matin, coucou j'ai besoin de consulter les pages jaunes pour trouver un cancérologue spécialisé dans les amnésies, mais il ne réagit pas. Vous appuyez longuement sur le bouton d'alimentation et cette fois-ci vous restez à votre bureau au cours du redémarrage, il a peut-être un problème à se bloquer ainsi tout le temps. Diverses informations défilent à l'écran et soudain vous voyez, ah ben ça alors, bravo vous faites extrêmement bien l'étonnée, non mais vous êtes sincèrement étonnée, oui c'était bien le sens de votre remarque autoscopique pourquoi tant de susceptibilité, et soudain vous voyez, donc, que votre ordinateur vous propose le choix entre deux systèmes d'exploitation. Il y a celui que vous connaissez déjà, et qui est le système par défaut, et un autre, pour lequel vous pouvez opter si vous le souhaitez, bien sûr que vous le souhaitez, il s'agit d'un programme de conception yazige réputé pour son infaillible stabilité, votre ordinateur ne s'en portera que mieux.

Le système yazige vous propose de vous connecter en tant que 121 417 π, quelle heureuse coïncidence c'est justement vous-même, et grâce à cette nouvelle porte d'entrée dans votre disque dur vous accédez à des données rigoureusement différentes de celles découvertes hier. Vos pupilles se dilatent, votre pouls s'accélère, ici tout est inédit et coloré et chatoyant, abracadabra vous possédez une seconde adresse e-mail avec dans vos archives 5 475 messages reçus et envoyés, c'est un palais aux murs incrustés de pierres précieuses un coffre-fort garni de microfilms une doublure d'imperméable gris représentant une Peugeot 403, vous avez donc une face cachée une vie secrète une partie immergée, finie la traductrice esseulée votre enquête sur vous-même est rouverte vous n'aurez peut-être pas besoin d'apprendre la salsa cubaine, une révolution scientifique est en marche. À condition bien entendu d'interpréter correctement l'abondant matériau que vous avez sous les yeux.

Après un premier tour d'horizon, vous vous tapez mentalement sur le front, par les 67 satellites de Jupiter vous aviez raison depuis le début, vous le saviez vous le saviez que vous étiez agent secret et bêtement vous avez écarté l'hypothèse, par contre vous taper mentalement sur le front, n'est-ce pas une fort curieuse opération ? En effet, si l'on admet que le siège des activités cérébrales est la tête, son exécution impliquerait que votre esprit soit capable, depuis l'intérieur de son contenant, d'aller en frapper l'extérieur, ah non c'est impossible, donc vos pensées ne logent pas uniquement dans votre cerveau, mais où habitent-elles alors, flottent-elles tout autour de vous, et si oui à quelle distance, ont-elles le droit de changer de pièce, de traverser la rue, voire de prendre l'avion, oh vous avez peut-être, sans le savoir, une pensée qui est actuellement en train de se promener dans Central Park, il y a sûrement du vent aujourd'hui à New York car vous avez un peu froid, félicitations vous venez de terrasser cinquante années de théorie cognitiviste. Afin de retrouver exactement votre état d'esprit initial vous vous tapez de nouveau sur le front, et donc, oui très bien c'est cela vous tenez l'intention, incroyable vous êtes agent secret, vous l'avez pensé tant de fois sans jamais y accorder un réel crédit et pourtant c'est vrai c'est vrai c'est vrai, traductrice-interprète c'est une couverture pour avoir l'air limitée sur le plan intellectuel en réalité vous suivez les activités d'une nébuleuse d'ultranationalistes yaziges parmi lesquels vous vous êtes infiltrée, les résultats du balayage visuel des archives de votre seconde adresse électronique sont sans équivoque, les messages sont truffés de termes comme *nation* et *patrie* et *os yazige* et *frères d'outre-frontière* et *bave putride des chiens occidentaux* et *un Yazige jamais ne s'agenouille*. Alors que vous réalisez avec angoisse que votre amnésie est probablement due à un empoisonnement, ces gens-là sont capables du pire et s'ils vous ont démasquée il est déjà miraculeux que vous soyez vivante, vous entendez un bruit sourd : vous venez de tomber de votre chaise. C'est qu'au lieu de vous frapper en pensée vous vous êtes assené un vrai coup sur la tête, c'était une erreur de ligne de commande, vous avez oublié l'adverbe *mentalement* lorsque vous vous êtes ordonné de vous taper de nouveau sur le front. Au passage, vous êtes drôlement musclée pour avoir si facilement réussi à mettre par terre une grande autruche comme vous, à moins que ce ne soit l'inverse, vous êtes peut-être complètement branlante, vous vacillez au moindre coup. Et encore un petit détail : votre idée première, à l'aéroport, ce n'était pas espionne, mais prostituée en route vers une tournée parisienne, vous vous souvenez ?

Vous rassemblez votre courage et vous vous réinstallez devant votre écran d'ordinateur. Afin de vous familiariser avec la psychologie de vos assassins, vous décidez de vous concentrer sur les messages qu'on vous envoie, pour ceux que vous rédigez vous-même vous verrez plus tard. Comme les archives sont volumineuses, vous ne lisez qu'un courrier sur trente et un en commençant par l'année dernière, c'est un choix totalement arbitraire mais compte tenu de la gravité de la situation, vous fermez pudiquement les yeux sur cette horrible barbarie méthodologique.

Vous n'êtes pas encore arrivée aux messages les plus récents que déjà vous devez vous rendre à l'évidence, vous n'êtes pas du tout agent secret, au revoir joli rêve tu étais si doux, servir la France vous emplissait d'une telle fierté pourtant, d'ailleurs l'empoisonnement vous en auriez été positivement ravie vos réticences naturellement n'avaient rien de sérieux, *Morte pour les Renseignements généraux* en lettres gothiques cela aurait fait une sublime plaque sur la façade de votre immeuble. Sauf que non. À présent que vous avez lu en intégralité quelques-uns des messages que l'on vous adresse, vous voyez bien que votre seconde boîte à lettres électronique n'a aucune vocation professionnelle, elle vous sert simplement à recevoir des nouvelles de vos amis yaziges et des membres encore vivants de votre famille, notamment de votre grand-mère qui manifestement ne prépare aucun attentat, son truc c'est plutôt le tricot, elle possède même un blog où elle affiche ses dernières créations – son écharpe de Möbius en laine de mouton gris est une merveille. Quant à la teneur des messages que vous recevez, elle est finalement d'une irréprochable banalité, il convient de replacer dans le contexte, un peu d'irrédentisme, de patriotisme, quelques lamentations sur le destin tragique de la Yazigie, tout cela n'a rien d'extraordinaire, les vrais excités du nationalisme sont autrement plus virulents. C'est juste que vous avez légèrement surréagi, tout ce vocabulaire de l'identité nationale est tellement étranger à la culture française irriguée d'universalisme bienveillant que bêtement vous y avez vu la marque d'une pensée extrémiste. Peu importe, car la grande et merveilleuse nouvelle, c'est que vous n'êtes pas une grosse nulle à la dérive, vous avez des proches qui vous aiment, qui vous écrivent régulièrement, qui s'impatientent de vous voir, *Rkvaa ma chérie topologique j'ai entendu à la radio que des Arabes et des Noirs incendiaient des voitures dans tout Paris est-ce que tu es vivante téléphone-moi vite*. Tout cet amour interculturel, vous en êtes bouleversée. Ils vous incluent, ils vous englobent, ils vous traitent comme l'une des leurs. Vous l'étrangère, celle qui a grandi au loin. Quelle tristesse que 1 800 kilomètres vous séparent de votre grand-mère adorée. Voilà donc pourquoi vous êtes traductrice-interprète, cela vous permet d'aller en Yazigie aux frais de vos clients – certes, vos séjours sont courts, environ deux ou trois jours une fois par mois, toutefois cela vous donne l'occasion de rendre visite à votre famille. Autrement, vous n'auriez pas les moyens d'y séjourner plus d'une ou deux fois par an. Sans compter que dans cette hypothèse, il vous serait impossible de voyager. De prendre de véritables vacances. Avec la mer, la plage, les vagues. Sinon tout va bien, il n'y a rien qui vous chiffonne ?

Vous reprenez vos lectures, vous furetez, vous lisez un message par-ci, un message par-là, vous passez aux courriers dont vous êtes l'auteure, vous transgressez la règle des trente et un messages, vous voyagez dans le temps, vous êtes traversée du doux frisson de l'interdit, mais tout cela ne dure pas très longtemps car au bout de quelques minutes, peut-être cinq ou dix, vous ne sauriez être plus précise car vous n'avez pas songé à chronométrer, arrive un moment où, entrevoyant la survenance imminente d'une nouvelle chute depuis votre chaise de bureau jusqu'au sol, vous vous allongez docilement sur le linoléum afin de vous éviter la brutalité d'un atterrissage mal contrôlé. Comme quoi, exposée à un risque de douleur physique vous optez sans réfléchir pour la soumission et la coopération, bravo la force morale, bravo l'esprit de résistance, heureusement que Vichy c'est terminé, vous rien qu'à la vue d'une paire de ciseaux vous auriez dénoncé tous vos voisins. Ha. Née à Lyon où Jean Moulin n'a pas parlé mais le courage moral pas trop votre tasse de thé apparemment. Au demeurant, vous coucher était absolument inutile, cela n'adoucit en rien la déception, ou la colère, ou l'anxiété, vous n'avez aucune idée de la manière dont vous êtes supposée réagir, au sein de vos connaissances mobilisables vous ne trouvez aucun exemple de situation comparable, dès lors vous êtes totalement perdue, vous ne savez pas fonctionner sans mode d'emploi.

Il y a deux aspects, deux dimensions.

Vous pourriez donc réfléchir en deux parties.

Cela vous donnerait l'air organisée devant vous-même.

Or être organisée, c'est bien.

(C'est une crise souterraine de folie classificatoire ?)

De plus, cela vous permettrait de garder le plus embarrassant pour la fin. Histoire de vous ménager un peu.

(Quel courage, décidément.)

(C'est de la rétention d'information !)

(Et New York, Central Park, c'est sympa au fait ?)

Première partie. Dans vos messages, vous écrivez *Nous les Yaziges* et *Eux les Français*.

La fille qui correspond avec les Yaziges, c'est-à-dire vous-même, sauf que présentement vous tenez à introduire une distance entre cet inquiétant être épistolaire et votre authentique vous-du-dedans, eh bien cette fille-là s'affirme, se revendique, se déclare yazige. Totalement, foncièrement, inflexiblement. Ce n'est pas seulement qu'elle laisse passer les sorties chauvinistes, les amalgames, les contrevérités historiques. Elle approuve, elle applaudit, elle surenchérit, elle se fait plus royaliste que le roi et se paie même le luxe de donner des leçons. En parallèle, elle ne perd pas une occasion de dénigrer la France, ce gros pays ramolli de la conscience historique où fortuitement elle a vu le jour et qui ne représente rien pour elle, *les cathédrales sont jolies mais ne touchent pas mon cœur, elles ne sont que pierreries sur le manteau de la grande puissance occidentale, d'ailleurs eux-mêmes s'en fichent de leurs cathédrales, ils en ont trop, ils n'ont pas le temps de toutes les visiter, ils ne se rendent pas compte que c'est un privilège d'avoir des cathédrales, qu'il y a des gens qui aimeraient bien en avoir ne serait-ce qu'une seule… et les paysages, ils sont d'une beauté froide et sans âme, il n'y a que la Loire que j'aime bien, parce qu'à certains endroits elle a quelque chose de sauvage et de libre, mais alors la Seine, quel fleuve indigne, un petit ruisseau servile incapable d'inonder Paris.* Quant aux citoyens français, c'est le festival interplanétaire, ils seraient sales, incultes, malpolis, obsédés par les formulaires administratifs et surtout arrogants, alors là l'arrogance elle en fait des tonnes, il s'agirait d'un trouble collectif de la personnalité narcissique, la culture française s'autodéfinirait comme meilleure que toutes les autres, ce serait son cœur et son essence, son horizon indépassable, à tel point que les Français seraient métaarrogants, ils se féliciteraient de se penser supérieurs tout en enrobant la chose dans un discours mielleux, *il n'y a rien de pire que cette arrogance candide qui s'ignore d'être arrogance, qui se donne bonne conscience, qui ouvre de grands yeux étonnés, ah bon dire que Paris est la plus belle ville du monde cela vous blesse mais pourquoi donc ce n'est que la vérité, ah bon quand je vous rappelle que votre pays est en retard culturellement parlant cela vous blesse mais pourquoi donc ce n'est que la vérité, et le tout dans une syntaxe souvent si approximative que je dois faire mille efforts pour reconstituer, à partir des morceaux épars qu'il me jette à la figure, les grandes lignes de la pensée de mon interlocuteur.*

Bien qu'il ne soit pas définitivement impossible qu'une mystérieuse entité maléfique ait piraté votre messagerie, ainsi un extraterrestre pourrait avoir pris le contrôle de votre ordinateur depuis sa soucoupe à énergie thermonucléaire, les voyages interstellaires c'est rudement long on a besoin de divertissement pour occuper toutes ces années-lumière, auquel cas vous n'hésiterez pas à le traîner en justice pour usurpation d'identité et diffamation et méchanceté gratuite envers la France qui n'a pas mérité qu'on la salisse de la sorte, l'hypothèse la plus probable est que cette fille, ce soit vous qui l'ayez créée. Un personnage. Pour plaire et complaire aux Yaziges. Pour qu'ils vous aiment et vous acceptent.

Vous avez été bien naïve de croire qu'ils pouvaient s'intéresser à vous. Par quel miracle ? Vous l'étrangère, vous Rkvaa de France. La fille des traîtres qui ont claqué la porte, adieu et bonne chance pour la pénurie de papier-toilette, nous on se barre manger des châtaignes françaises. Cela aurait été trop d'ouverture d'esprit évidemment. De petites relations superficielles pourquoi pas, mais *Rkvaa grouille-toi de rentrer j'accouche bientôt, Rkvaa on t'attend pour ouvrir les cadeaux de Noël,* impossible. Trop d'amour. Il fallait que vous soyez une des leurs. Et pour des raisons qu'il conviendra d'élucider dans un avenir proche, vous avez choisi de leur faire croire que c'était le cas.

Transition. (Pas de titre.) (C'est normal, on ne met jamais de titre aux transitions.)

Vous êtes toujours allongée sur votre linoléum. Vous remarquez qu'il y a des fissures dans votre plafond. Mariole identitaire n'est que la moitié de l'affaire. Qui à la rigueur, en y mettant un peu de bonne volonté interprétative, aurait pu passer pour une amusante expérience scientifique (« Le pouvoir de la flagornerie nationaliste sur l'esprit des petits peuples d'Europe orientale », par Rkvaa Nnoyeig, *Revue française de psychologie sociale*). Ou pour une légitime vengeance à l'endroit de votre grand-mère qui vous a royalement ignorée durant toute votre enfance (ma pauvre vieille équerre moisie j'en ai rien à foutre de toi j'ai juste joué la comédie pour que tu t'attaches et qu'ensuite je puisse te briser le cœur MOUHAHA). Sauf que non. Ou alors vous mettez en œuvre des moyens vraiment disproportionnés.

Deuxième partie. Sous votre plume, la Yazigie est un *Ici* et la France un *Là-bas*.

Vous croyez d'abord qu'il s'agit d'une forme de pudeur, de discrétion. Face à vos correspondants, vous éviteriez d'évoquer trop souvent votre vie parisienne. Vous déformeriez le calendrier par le récit, étirant deux journées à Iassag en une lettre de plusieurs pages, condensant plusieurs semaines françaises en trois phrases expéditives. Puis vous comprenez que c'est autre chose. Une autre chose à la fois plus simple et plus inquiétante. Vous leur faites croire que vous habitez en Yazigie. Que vous y êtes installée. Que vous y avez votre domicile permanent. Touchée par la grâce nationale ou entendant l'appel pressant des champs de pommes de terre, vous auriez choisi de *rentrer* dans un pays où vous n'avez jamais vécu, rikiki patrie mais si belle si belle, *chaque jour je bénis celui où j'ai pris cette décision, enfin je me tiens debout parmi les miens, sous mon drapeau et dans ma langue satinée, le yazige est un bain aux huiles essentielles, une douche purificatrice pour mon esprit*.

Quand et comment vous auriez atterri là-bas, cela vos archives électroniques ne vous l'apprennent pas, en effet votre déménagement fictif remonte à une période antérieure à l'achat de votre ordinateur. Dans vos messages les plus anciens, votre *retour* est déjà mis en scène comme événement passé, comme un projet réalisé. Cela a pu commencer après l'achèvement de vos études supérieures, que vous admettez avoir accomplies en France. Ou plus tard, dans les quelques mois qui ont suivi la mort de vos parents. Quoi qu'il en soit, cela fait plusieurs années que vous faites semblant d'habiter en Yazigie.

Dans cette perspective, vous vous autoconstituez des preuves au moyen de messages paraissant avoir été rédigés à Iassag, dans lesquels vous simulez une présence physique sur place, vous inventant des activités, faisant le récit de vos journées, *aujourd'hui j'ai nagé 18 kilomètres à la piscine hyperolympique de l'île Saint-Archimède, hier soir j'ai vu* Reconquête des trois ports *au cinéma des Martyrs, lundi je dois passer au Ministère de la lumière nationale*, veillant toujours à émailler votre propos de quelques détails réalistes, le verglas sur lequel vous avez failli vous casser la figure, un problème de desserte sur telle ligne de bus, le plat du jour de tel restaurant local – ce qui est somme toute facile, entre la météo du jour, le trafic routier, les programmes de cinéma et les menus des restaurants, sur internet tout est à portée de main pour que vous puissiez, depuis le XIe arrondissement parisien, vous fabriquer un quotidien yazige comme si vous y étiez réellement. Mais évidemment, puisque vous n'y êtes pas et qu'il vous faut des prétextes pour expliquer pourquoi vous ne vous montrez que si rarement, vous jouez à la dame très occupée, tantôt vous avez une énorme traduction à terminer, tantôt votre chaudière est tombée en panne, tantôt vous avez trouvé une tourterelle blessée qui nécessite des soins urgents, *mille pardons j'aurais voulu venir mais cette nuit j'ai malencontreusement vomi sur le paillasson de ma voisine alors je lui ai proposé de garder sa fille ce soir pour payer ma dette d'honneur.* Bref, vous êtes toujours prise, empêchée ou bloquée, comme c'est pratique. Le reste du temps, c'est-à-dire quand vous ne feignez pas de vous trouver en Yazigie, vous reconnaissez être à Paris, mais vous le maquillez en déplacement professionnel. Alors, dans des messages enflammés, vous expliquez comme ces séjours français sont toujours trop longs, *loin de notre patrie je dépéris mon cœur se calcine je ne suis que l'ombre de moi-même*, comme Paris est une ville inhospitalière, *ici ce qu'ils appellent « piscines » ce sont des baignoires publiques installées dans des caves insalubres le funeste charbon du désespoir recouvre mes poumons*, comme vous n'en pouvez plus de ces Français prétentieux qui écorchent systématiquement votre nom, *aujourd'hui encore une fois un illettré m'a demandé si le yazige s'écrivait en cyrillique, le plus tragique étant que ce misérable puceron, pardon les pucerons, pensait me faire plaisir, voilà le génie français dans toute sa splendeur*. Vous ne vous résigneriez à ces affreux séjours que par sollicitude envers ceux de vos compatriotes auxquels il vient l'idée saugrenue de violer la loi française, *je n'ai pas le cœur d'abandonner ces malheureux que je vois dans les commissariats, être arrêté par la police est en soi une expérience éprouvante, alors si en plus on ne comprend pas la langue, cela devient insoutenable.* Quelle bonne blague. Si réellement vous teniez à aider les délinquants yaziges, vous n'auriez jamais commencé à travailler pour la police française : l'absence d'interprète est le joker inespéré de l'étranger interpellé, sans interprète pas de garde à vue, on le relâche dans la nature. En France, on n'enferme pas les gens sans leur avoir notifié leurs droits dans une langue qu'ils sont en mesure de comprendre, c'est le pays des droits de l'homme.

Au final, et il s'agit de la **conclusion**, ce qui signifie qu'il vous faudra bientôt faire preuve d'une certaine autonomie cérébrale, vous ne pourrez plus vous appuyer sur une architecture de pensée prédéfinie, les deux aspects de la mystification forment de toute évidence un système. D'une part, le *retour* était assurément nécessaire du point de vue de la cohérence interne du personnage : vu comme vous détestez la France, la quitter était une sage mesure de préservation de votre équilibre mental. Enfin, de l'équilibre mental de votre double fictif, pour le vôtre vous réservez votre jugement. D'autre part, l'identité yazige rend le *retour* plausible et concevable. Le concept d'immigration est inconnu en Yazigie, il n'y a pas de schéma, de modèle pour le penser. C'est une terre d'émigration massive, tous ceux qui ont un tant soit peu d'ambition partent dès que possible, et quand ce n'est pas possible, ils se suicident, ce qui après tout n'est qu'une autre manière de quitter le pays. Mais personne ne s'installe en Yazigie. Sauf les Yaziges de l'étranger. Qui *reviennent*. Qui *rentrent*. Au point qu'il est syntaxiquement impossible d'immigrer en Yazigie. En yazige, *Yazigie* se dit à-la-maison. Or on ne peut pas entrer à la maison : soit j'entre dans une maison, soit je rentre à la maison. La vérité démographique est dans la langue, la Yazigie est un territoire qu'on ne peut pénétrer que sur le mode du retour, sauf si l'on est un char soviétique mais alors c'est très différent, les véhicules blindés généralement ne s'embarrassent pas de formalités administratives, leur projet n'est pas de déposer une demande de titre de séjour. En somme, attention petit oiseau préparez-vous à prendre votre envol, vous avez effectivement une double vie. Mais pas du tout comme les espions. Plutôt comme les imposteurs. Au revoir et bonne chance.

Votre liberté architecturale recouvrée vous embarrasse un brin, dans votre esprit c'est la cohue, vous êtes complètement perplexe, d'une perplexité étrange et feuilletée qui se régénère constamment. Vous voyez bien, comment ne pas le voir, qu'il conviendrait de vous inquiéter sérieusement pour votre santé mentale, il n'est pas normal de s'inventer une fausse vie, de mentir et de manipuler de la sorte, pour lutter contre la solitude affective il existe des moyens autrement moins immoraux. Car le mensonge vous le condamnez sans réserve ni ambiguïté, le mensonge c'est un panneau stop, c'est un feu rouge avec un agent de police juste à côté, il y a même des douaniers dans les buissons au cas où vous transporteriez de la cocaïne, le mensonge c'est comme la torture et la colonisation, vous êtes absolument contre. Position que naturellement vous êtes en mesure de justifier. 1) Le mensonge c'est du sabotage. En leur racontant n'importe quoi sur la France, vous privez les Yaziges de la possibilité de se faire une opinion éclairée. Vous trafiquez leur entendement. C'est une offense à la raison, une violation des règles du débat loyal. 2) Dire le faux c'est maltraiter ses propres pensées. Leur imposer de se déguiser. Les pensées aspirent au vrai. Les pensées sont vraies. Elles ont les soirées costumées en horreur. 3) Mentir est inutile. Que valent les paroles et l'amour et les liens si pour les obtenir vous altérez le discernement. Si vous n'avez pas la vérité, vous n'êtes rien. La vérité est le ciment, elle est patiente et endure tout, coucou les Corinthiens. Et pourtant malgré les grands principes dans votre petit cœur loge aussi une délicieuse fierté, quel travail d'orfèvre, quel souci du détail, il faut être drôlement intelligente pour mener à bien une telle mystification, on dirait Arsène Lupin en fille ! Oh oui, Arsène Lupin, l'homme aux mille pseudonymes à qui aucune énigme ne résiste, à la fois séduisant et torturé et mystérieux, hein mais il n'y a aucun rapport, euh certes certes mais tout de même, la virtuosité intellectuelle, la planification rigoureuse, la ruse et l'anticipation, tout ça tout ça. Il n'en reste pas moins que ça fait un peu psychopathe, votre truc.

Vous regardez vos pieds.
Vous regardez le basilic.
Ce sont vos deux points de repère.
Vous ne vous comprenez pas.

Pourquoi avez-vous besoin de ça ? C'est comme un jeu vidéo ? C'est une sorte de drogue ? C'est une manière de rêver ? De fuir la réalité ? De vous raconter une belle histoire ? C'est sûr c'est une belle histoire, la fille que vous feignez d'être est heureuse, bien plus heureuse que vous. Évidemment que cela fait envie. N'importe qui aurait envie. Après vingt-cinq années de séparation les émouvantes retrouvailles. On dirait un scénario pour Hollywood. Une orpheline redécouvre son nouveau pays qui en fait a toujours été le sien sauf qu'elle n'en avait pas conscience cette cruche et opportunément cela lui permet de recoudre son arbre généalogique. Mélodrame porteur d'un message d'espoir pour tous les enfants d'immigrés : si tu as raté ta vie dans ton pays natal, pas de panique, tu as encore une chance de la réussir dans le pays de tes parents.

Tout cela pour une belle histoire. Que s'est-il donc passé ? C'est la mort de vos parents ? Vous avez été traumatisée ? Vite une famille à tout prix ? Dans ce monde en pleine mutation les liens de sang il n'y a que ça de vrai ? Besoin impérieux de soutien relationnel ? Votre royaume pour une grand-mère ? Et tant pis pour les mensonges ? C'est tellement fou. Vous seriez folle ? À la rigueur ce serait mieux. Plus facile à accepter. Moins vexant. Il n'y aurait plus le problème de l'amour-propre. Parce que c'est minable quand même d'aller racoler en Yazigie pour avoir un semblant de vie sociale. D'accord mais pourquoi seriez-vous devenue folle ? Chez vous tout est si bien rangé. Vous êtes très ordonnée du cerveau. Et puis on ne bascule pas dans la folie comme cela. Il y a tout un cheminement. Des étapes. Il faut des machins psychologiques. Des injonctions paradoxales. Un conflit inextricable. Des instructions contradictoires. Mets la robe rouge, mets la robe bleue. Je t'ordonne d'être libre. Vous, personne ne vous enjoint à rien. Puisque vous n'avez personne dans votre vie. Dans votre vraie vie. Celle qui est en France et qui est toute vide. Forcément vous passez vos soirées devant votre ordinateur à vous en fabriquer une fausse. Vous ne risquez pas de faire des rencontres. Si votre objectif était de lutter contre l'isolement social c'est une superbe opération. Excellent rapport coût-bénéfice. Félicitations.

Vous continuez à réfléchir. Vous envisagez un instant de réfléchir à ce que vous pourriez faire d'autre que réfléchir. Mais non. Vous êtes happée. Vous voulez comprendre. Résoudre l'énigme. Savoir pourquoi pourquoi pourquoi. Qu'est-ce que c'est que ce bordel ? Vous fabriquez des hypothèses en quantité industrielle. Vous devenez une usine à hypothèses. Vous tirez des rafales d'hypothèses. Vous êtes saturée d'explications divergentes. Tout se défend mais rien ne vous convainc. L'ombre d'une légère nausée plane au-dessus de vous.

Vous soulevez la lunette de vos toilettes, de la sorte en cas de rejet inopiné de votre petit déjeuner, tout sera prêt pour l'accueil de votre vomi. Une sonnerie se fait entendre, vous sursautez, vous ne pensiez pas posséder une alarme antivol intégrée dans la cuvette, ah non c'est votre téléphone français, extase d'ultraviolets, il existe dans ce pays des gens qui éprouvent l'envie de converser avec vous. Vous répondez d'une voix suave, allô Rkvaa Nnoyeig j'écoute, vous présenter est extrêmement rigolo, finalement votre nom n'est pas si horrible que cela. C'est une fonctionnaire du Ministère des finances, elle est dans tous ses états, alors vous n'avez pas reçu son e-mail, elle vous a envoyé un document à traduire, elle attend votre devis, c'est urgentissime, elle est au désespoir, votre prix sera le sien. Ses supplications vous causent un grand bonheur, depuis que vous vous connaissez c'est la première fois que quelqu'un manifeste un intérêt aussi vif pour votre personne, c'est comme un massage aux pierres chaudes, comme un soin de luminothérapie avec une douce musique. Vous voudriez qu'elle continue, qu'elle vous dise qu'elle ne vous a pas contactée par hasard, que vous êtes quelqu'un de très spécial à ses yeux, que vous êtes la seule à pouvoir la sauver, qu'elle remet son destin entre vos mains, que si vous acceptez de réaliser cette traduction elle vous aimera d'un amour éternel et indéfectible. Mais quand elle vous annonce qu'il s'agit de traduire un acte de vente d'engins pyrotechniques, votre sang ne fait qu'un tour, et le charme se rompt brutalement. Vous n'étiez que paix et amour, et voilà qu'elle vous propose des explosions, des morts et des blessés graves avec des couvertures de survie, de la pyrotechnie non mais pour qui vous prend-elle, vous condamnez la violence et la guerre et la colonisation, vous refusez de participer même indirectement à la fabrication d'une bombe, vous avez une morale et une éthique et une opinion trop haute de l'humanité pour concourir à son autodestruction, alors qu'elle aille se faire cuire un patin à glace, et shrock, vous lui raccrochez au nez.

Dans les contrées amorales de votre esprit, car oui il existe en vous des zones franches où les principes de droit commun ne s'appliquent pas, des voix s'élèvent et font valoir que vous étiez en position de force, qu'il vous aurait été possible d'imposer un tarif honteusement élevé, que vous auriez peut-être pu lui extorquer de quoi vous offrir une thalassothérapie. Partant de là, vous vous engagez dans un débat intérieur aux multiples ramifications, bulles et remous *versus* droiture morale, un capitalisme à visage humain est-il possible, n'est-on pas plus enclin à aimer son prochain lorsqu'on sort d'un bain aux algues. Il vous semble que ce sont là des questions cruciales, qu'elles condensent l'alpha et l'oméga de l'existence, qu'y répondre vous permettrait de guider la planète vers un avenir meilleur, mais comme dans votre grande sagesse vous savez qu'il convient d'abord de se connaître soi-même avant de chercher à devenir présidente du monde, vous mettez un terme à la controverse en proposant une sortie pragmatique : vous avez eu raison de refuser, car réaliser ce travail aurait été horriblement ennuyeux. Le consensus ne se fait pas attendre, même vos pensées les plus libérales-capitalistes en conviennent, la traduction est une activité de copiste multilingue, d'imitatrice besogneuse, de pasticheuse captive, il s'agit de mimer et de décalquer, de fabriquer des contrefaçons, de reproduire dans l'autre langue comme si cela avait été énoncé dans l'autre langue sauf que non, c'est la traductrice qui parle. En silence. Sous contrainte. Ligotée par le texte source. Condamnée à produire des discours mutiques, à exprimer sans jamais s'exprimer, à rédiger des écrits dont elle n'est pas l'auteure. Et l'interprétation orale est peut-être encore pire car le corps s'expose, on devient une doublure étrangère, une marionnette dont les propos sont dictés par autrui, il faut savoir déclarer avec assurance *bonjour je suis une prostituée* alors qu'on ne l'est pas du tout, on est interprète et on trouve un brin bizarre de dire, *mon chiffre d'affaires c'est surtout grâce à la sodomie, les clients français sont très demandeurs vous savez.* Bref, c'est pour les gens qui sont attachés à leur sécurité cérébrale, qui préfèrent qu'on leur prémâche leurs répliques, qui ne veulent pas prendre le risque de penser par eux-mêmes. Or vous, vous avez bien vu que vous aviez besoin de vous exprimer, de vous engager, de prendre place dans le monde. La traduction, ce n'est pas du tout adapté à votre profil psychologique.

Vous faites les cent pas, ou plus exactement les onze pas, c'est le maximum autorisé par la taille de votre appartement, quelle expression anticonstitutionnelle d'ailleurs les cent pas, il faut loger dans un palais pour pouvoir effectuer cent pas à la suite chez soi, et pour les autres c'est le trottoir, c'est la rue, dehors la plèbe pour faire les cent pas ce sera dans le caniveau, bravo le respect du principe d'égalité, cependant que bercées par vos allers et retours progressivement vos pensées s'arrondissent, se font souples et enveloppantes, elles enrobent et elles englobent, pourquoi choisir, pourquoi trancher, vous avez eu tort d'écarter la thèse de la folie au motif que vous étiez dotée d'un esprit rationnel, il n'y a là rien d'incompatible, il suffit de combiner les deux. Naturellement les petits dérangés, les humbles zinzins, les simples hurluberlus, les gentils tordus, les toqués bonhommes, les idiots candides sont brouillons et incohérents, désordonnés et inconséquents, mais les grands pervers, les déments flamboyants, les fous ambitieux, les superbes tarés, les aliénés triomphants, c'est autre chose, il est de notoriété publique que les authentiques psychopathes sont des personnes particulièrement méthodiques. Grâce à cette astucieuse cabriole booléenne – substituer le ET inclusif au OU exclusif est extrêmement fonctionnel, si une autre fois vous avez un problème de dichotomie, n'oubliez pas d'y repenser –, un spot s'allume, et la lumière se fait. D'une manière hypothétique comme de bien entendu.

Vous imaginez sans peine ce à quoi vous étiez exposée lors de vos séjours à Iassag. On vous prenait d'abord pour une Yazige de l'étranger, pour une émigrée, là-bas est-ce mieux qu'ici et pourquoi comment êtes-vous partie, est-ce l'amour les études le travail et sinon est-il vrai qu'il y a plein de Noirs dans le métro à Paris, en effet votre acte de naissance n'étant pas collé sur votre front, c'était la conclusion qui s'imposait spontanément. Cependant lorsque vous répondiez jamais partie grandi là-bas, les sourires se crispaient, les regards se détournaient. Ah. Oh. Mais vous ne vous sentez pas française quand même ? Ben si. Et là on se mettait à vous demander des comptes, à vous entretenir du destin tragique de la nation, à vous agresser à coups de cartes du XIe siècle représentant la Grande Yazigie, voilà Madame-la-Française à quoi ressemblerait notre pays si vous autres les Occidentaux ne vous étiez pas acharnés contre nous, cela fait juste neuf cent quatre-vingt-cinq ans que nous attendons vos excuses officielles c'est quand vous voulez, cela dit les films avec Louis de Funès sont plutôt sympas.

Alors peut-être qu'un soir où vraiment vous n'aviez pas le courage d'être française, c'est une charge lourde à porter que de devenir la vitrine d'un pays tout entier, d'être seule contre tous à défendre son honneur, vous avez fait croire au chauffeur de taxi qui vous conduisait depuis l'aéroport vers le centre-ville que vous *rentriez* de Paris, que votre aller à Iassag était un *retour*, la tour Eiffel voyez-vous est une sympathique petite construction mais aucun ailleurs ne vaut notre belle patrie, *there's no place like home* disait Drktty. Cela simplement pour avoir la paix. Ou pour plaisanter, après tout rien n'interdit de postuler qu'ayant surestimé les capacités de discernement de votre interlocuteur, vous n'ayez pas un instant imaginé qu'il puisse vous croire, l'ironie est un art subtil et très français. Or à l'occasion de ce qui n'était qu'un jeu innocent, faire une mauvaise blague à un chauffeur de taxi c'est pour du beurre sur le plan métaphysique, une course est un temps d'immunité morale, un moment hors du temps pendant lequel on a bien le droit de raconter quelques bobards, vous avez fortuitement découvert la puissance de votre verbe : il vous croyait sur parole. Ainsi, il vous suffisait de déclarer, moi qui connais la France je vous assure que la valeur d'un pays ne se mesure pas à sa superficie mais à sa droiture, moi qui suis bilingue je vous certifie que les traductions yaziges de Villon sont mille fois supérieures aux originaux, que déjà dans le rétroviseur intérieur ses yeux s'agrandissaient, que déjà son orgueil gonflait et enflait et débordait de toute part dans l'habitacle, tandis que vous vous surpreniez à jubiler à l'idée que c'était n'importe quoi, que vous n'en pensiez pas un mot, qu'un beau jour il allait comprendre que tout était faux et se trouver ridicule d'avoir pu croire, quelle folie, que la Yazigie pouvait être supérieure à la France, laquelle fait partie du G7 faut-il le rappeler, non ça va on est au courant, certes mais le répéter ne fait jamais de mal.

Au fond, c'est en la trahissant qu'on éprouve la solidité de la confiance d'autrui. Être crue lorsque vous disiez la vérité était banal et attendu, vous n'y songiez même pas, en revanche le mensonge vous révélait le pouvoir que vous exerciez sur l'esprit des gens, au sein duquel vous aviez la faculté d'implanter le faux sous couvert de vrai. Là-dessus, dans votre petit ego malmené par votre profession cela a été le feu d'artifice, vous qui étiez la fille de l'ombre, la voix des autres, soudain vous deveniez une dominante, vous étiez suprêmement charismatique, ce que vous affirmiez autrui le croyait sans chercher à le vérifier, c'était le triomphe narcissique le plus éclatant, et boum, l'implosion psychotique, la fracture du miroir, vous avez basculé dans l'omnipotence mégalomaniaque. Mais avec rigueur et méthode évidemment. Or comme c'était vraiment trop facile, berner des chauffeurs de taxi est une activité pour psychopathes de peu d'ambition, vous avez recontacté votre famille, c'était une autre paire de manches, on vous avait tout de même ignorée pendant vingt-cinq ans. Vous avez donc ourdi votre imposture rationnelle et vous êtes devenue très méchante, vous avez joué avec leurs sentiments, vous leur avez fait tourner la tête, vous leur avez dit tout ce qu'ils voulaient entendre, si bien que lorsqu'à l'occasion d'un séjour à Iassag vous leur avez annoncé votre *retour*, ils ont accueilli le serpent en leur sein, bienvenue petite brebis égarée nous abaissons devant toi le pont-levis du *Nous*, entre et viens te blottir contre les tiens, le peuple est clairsemé mais chaleureux tu verras. Ensuite vous êtes repartie en France et d'un même coup vous êtes entrée dans la zone, cet état de concentration extrême qui fait que plus rien d'autre ne compte, toutes vos soirées vous les consacriez à faire vivre votre personnage, à enrichir votre scénario, à anticiper les questions embarrassantes, et vous vous frottiez les mains d'être si brillante et puissante, de les tenir à coups de lettres, à coups de mots, de les coiffer au poteau sur leur propre terrain. Votre voix encore une fois était fausse, le *Je* encore une fois mentait, mais cette fois-ci, vous étiez aux commandes. C'était la revanche de la traductrice masquée, qui a souffert par la langue asservira par la langue.

Quelle magnifique hypothèse, vraiment vous vous êtes bien appliquée. Le seul petit problème, c'est que vous n'y croyez pas du tout. Vous voulez bien admettre que certains fous se trouvent dans l'ignorance de leur affection, mais il s'agit là de personnes qui dénoncent des complots, qui se prennent pour des personnages historiques, qui se proposent de sauver le monde. Tandis que vous, vous avez des aspirations d'une banalité affligeante, tout ce qui vous préoccupe est de vous marier. Ce qui prouve que vous avez parfaitement intériorisé les normes en vigueur dans votre société. Et qu'on n'aille pas croire que l'idée d'être un cas clinique vous révulse, au contraire, vous voyez sans peine les nombreux avantages qu'il y aurait à souffrir d'une pathologie si rare et singulière. Une maladie mentale insolite et c'est la célébrité assurée, sous la plume d'un grand psychiatre vous seriez devenue le cas Rkvaa N., vous seriez entrée dans l'Histoire, peut-être même qu'un biographe posthume aurait analysé votre supercherie identitaire comme une performance d'art brut, un happening épistolaire visant à questionner les tréfonds de l'inconscient collectif. Mais non. Vous êtes solide et bien charpentée de la santé mentale. Vous le savez. C'est une certitude. De toute manière, si réellement vous étiez folle, votre diagnostic lui-même serait frappé de nullité, les psychopathes en effet ne sont pas en mesure d'émettre des jugements valides sur des désordres mentaux. C'est un genre de paradoxe du menteur. Ainsi, vous ne pouvez pas penser *je suis une psychopathe*

non ne le pensez pas
trop tard vous l'avez pensé
horreur de silicate damocloïde

même si c'était pour penser qu'il ne fallait pas le penser
vous avez bel et bien pensé *je suis une psychopathe*
non ne le répétez pas
malheureuse
par les traîneaux de Saturne
si vous êtes folle vous ne l'êtes pas mais si vous ne l'êtes pas vous l'êtes mais si vous l'êtes vous ne l'êtes pas mais si vous ne l'êtes pas vous l'êtes mais si vous l'êtes vous ne

au secours
au secours

au secours
au secours
c'est une machine à laver maléfique qui vous essore c'est une aiguille à tricoter de Creutzfeldt-Jakob qui vous perfore c'est une horloge coincée entre l'heure d'hiver et l'heure d'été qui vous dévore, votre vie défile devant vos yeux, comme vous ne disposez que de trois jours de souvenirs c'est extrêmement rapide ce qui est pour le moins révoltant, les autres mourants ont droit à un long métrage mais pour vous c'est rien juste quelques miettes, puis dans un ultime effort vous vous tournez vers le basilic, adieu ami végétal il faudra être fort, tant que mon cadavre n'aura pas été découvert personne ne t'arrosera, tiens bon et pardonne ma trahison, ma défection. Et là, il se produit un miracle, le basilic vous sauve la vie : vous l'avez arrosé, vous vous êtes souciée de lui, donc vous êtes capable d'empathie, donc vous n'avez pas le profil pour être une psychopathe. Plus d'incertitude, plus de paradoxe. Et hop, vous vous extirpez de la boucle, cela non sans avoir pris le temps de recoiffer vos pensées, ce qu'on pourrait interpréter comme la manifestation d'une vaine coquetterie cérébrale, toutefois vous laissez à on le soin de s'étouffer avec ses jugements à l'emporte-pièce, des pensées désobligeantes ce n'est pas ce qui manque par ici. Pour cette fois-ci vous vous en tirez bien, cependant vous feriez mieux de rester sur vos gardes.

Vous ouvrez une fenêtre, vous buvez un verre d'eau, avoir failli mourir vous inquiète fort fort fort, êtes-vous certaine que tout va bien, ouvrez la bouche et tirez la langue pour voir, parvenez-vous à lever les bras en récitant l'alphabet à l'envers, les traumatismes parfois ne produisent pas des effets immédiatement perceptibles vous pourriez avoir des séquelles latentes, non mais répondez quoi vous vous faites un sang d'encre. Vous insistez, vous avez subi un grave choc psychologique, vous avez sûrement besoin d'en parler, mais non enfin il suffit avec ces manières sirupeuses d'infirmière pour bébés chimpanzés vous n'êtes pas en sucre, ah ben si quand même, une fille gentille comme vous, tellement sensible, tellement empathique, la preuve vous faites montre d'une si grande sollicitude envers vous-même.

Vous plissez les paupières d'une manière bizarre, n'y aurait-il pas une sorte de tautologie là-dedans, cependant comme vous êtes quelque peu fatiguée par vous-même, vous décidez de sauter la case autocritique constructive et vous vous proposez une action rationnelle en finalité. Au lieu de vous torturer quant aux causes de votre imposture, le plus simple serait d'y mettre un terme. Plus d'imposture, plus de problème. Et vous pourriez enfin partir à la recherche d'un mari. Ce n'est pas qu'il serait urgent de quitter la catégorie statistique des célibataires mais un peu quand même, vous avez trente et un ans, chaque minute qui passe et vous perdez en plasticité neuronale, vos capacités cognitives se dégradent, et forcément vous devenez moins séduisante, moins attirante, les hommes n'aiment pas les cerveaux ramollis, ils les préfèrent lisses et fermes.

Vous allez écrire à votre grand-mère et lui révéler toute la vérité. Que vous habitez à Paris. Que vous aimez la France. Vous lui expliquerez que vous avez voulu tisser des liens familiaux, que bêtement vous avez menti, que vous le regrettez. Certes, ils ne vous le pardonneront pas. Ils vous détesteront, ils seront profondément offensés. Ils ne diront rien, à vous ils ne diront rien, ils sont trop fiers, et même ils répondront fort bien, nous en prenons bonne note, il n'y a pas de mal. Mais dans le silence il y aura la blessure. Elle a menti en yazige, elle a déguisé la langue nationale, elle l'a maltraitée. Et l'histoire viendra grossir les rangs des innombrables arguments à l'appui de l'intrinsèque fourberie occidentale.

Pour autant, vous dévoiler reste la plus raisonnable des solutions. Il y a quelques heures à peine vous croyiez être seule au monde, vous étiez à deux doigts de vous jeter dans l'espace interstellaire, alors ce ne sera pas excessivement douloureux. Plus vite vous le ferez et plus vite vous serez en mesure de tourner la page. Cela aura été une brève parenthèse. Vous aurez eu une famille pendant une matinée. Vous pourrez y repenser plus tard, si un jour quelqu'un vous dit, toi tu ne peux pas comprendre tu n'as pas de famille, vous serez en mesure de rétorquer, eh bien si si si figure-toi qu'un mardi matin de 10 h 12 à 11 h 48 j'ai eu une famille qui m'aimait, je suis une femme d'expérience, bien qu'orpheline je sais ce que cela fait d'être familialement enracinée.

Vous commencez votre lettre.

Vous la recommencez.

Vous la recommencez encore.

C'est plus difficile que vous ne l'imaginiez.

Vous allez briser le cœur de votre grand-mère.

Elle fera une crise cardiaque.

Vous aurez sa mort sur la conscience.

Et si vous sortiez plutôt déjeuner ?

Vous pourrez lui écrire après.

(Bravo le courage moral encore une fois.)

(Oh ça va, c'est de l'empathie.)

(La Statue de la Liberté est époustouflante, et cette vue, mais cette vue, c'est d'enfer.)

Un déjeuner en extérieur, excellente idée, être saine d'esprit cela se fête, il convient de trinquer à votre équilibre mental. Sans compter que vous éloigner de votre ordinateur vous fera le plus grand bien, vous déprendre de l'immédiateté de votre découverte vous permettra de dépassionner vos pensées. Or des pensées qui défilent dans le plus grand calme c'est précisément ce dont vous avez besoin, cela vous évitera de verser dans la sensiblerie. En effet vous vous voyez venir, pauvre mémé yazige elle aura le cœur brisé, vous étiez le soleil de sa vie et l'étoile de son âme, et si vous attendiez sa mort avant de faire votre *coming out*. Hors de question. Avec tous ces médicaments modernes qui permettent aux vieilles personnes d'allonger artificiellement leur durée de vie, vous risqueriez d'en avoir pour dix ou vingt ans. À la rigueur, si vous aviez l'assurance qu'elle n'en a plus pour longtemps, pourquoi pas. Elle terminerait sa vie dans la béatitude. Elle n'apprendrait jamais que tout était faux. Eh dites donc, ne seriez-vous pas, l'air de rien, en train de poser les jalons moraux du meurtre de votre grand-mère ? Allez, dehors, sortez prendre l'air, enfilez vos chaussures, prenez vos clefs, fermez votre porte, voilà c'est bien, vous voyez dans votre cage d'escalier déjà l'atmosphère est beaucoup plus sereine, déjà l'idée d'assassiner votre grand-mère pour lui éviter de mourir d'une crise cardiaque à la lecture de votre lettre tombe en petites miettes grises – c'est une image, ne cherchez pas les miettes autour de vous, qu'est-ce que vous êtes premier degré parfois.

8

Une fois dehors vous exercez votre liberté constitutionnelle d'aller et de venir en effectuant cent pas, deux cents pas, mille pas à la suite sur les trottoirs du XIe arrondissement parisien, personne ne vous arrête, personne ne vous ordonne de faire demi-tour, vous pourriez aller jusqu'à Strasbourg si vous vouliez, vous pourriez passer en Allemagne si vous vouliez, bon vous ne voulez pas car vous portez vos jolies ballerines bleu nuit et si vous marchez jusqu'à Francfort elles seront bonnes pour la poubelle, mais ce qui compte est le principe, l'idée de cette puissance ambulatoire. Le droit de se déplacer on ne s'en félicite pas assez, il faudrait créer une fête de la libre circulation pour célébrer ce fabuleux droit de l'homme, les gens marcheraient sans logique apparente dans les espaces publics, ils effectueraient des huit et des cercles et des losanges afin de savourer le plaisir de libre-circuler, ils seraient déguisés en abeilles et bourdonneraient d'aise, parfois se cogneraient les uns contre les autres, parfois se serreraient dans les bras, ce serait une joyeuse cohue républicaine avec du vin rouge et des brochettes de tofu grillé, quel merveilleux projet d'animation urbaine vous devriez le soumettre à la mairie de Paris, par contre évitez d'en parler aux associations de sans-papiers, cela pourrait être mal pris.

Vous passez devant une grande vitre teintée, vous levez un bras, la silhouette dans la vitre lève également un bras, vous vous faites un signe, hello c'est vous, non ce n'est pas vous c'est votre reflet tant pis, c'est la première fois que vous avez l'occasion de vous regarder en pied, vous n'allez pas la rater pour une sombre histoire de caverne platonicienne. Vous vous approchez, vous levez l'autre bras, vous sautillez, et vous voir vous agiter de la sorte, si grande avec deux bras et deux jambes, vous autoattendrit complètement, vous êtes un animal humain, une primate avec un squelette osseux, une mammifère avec des poils et des réflexes, vite un marteau pour vous taper sur la rotule. Vous vous découvrez dans votre généricité, comme un exemplaire, un spécimen, un individu à l'intérieur de l'espèce humaine qui est à l'intérieur de l'ordre des primates qui est à l'intérieur de la classe des mammifères et ainsi de suite, c'est un infini emboîtement de poupées russes, vous pouvez vous ranger dans d'innombrables groupes, vous avez un lien avec les moutons et les souris et les canards et même les courges butternut. Comme quoi vous savez rester à votre place, vous n'oubliez pas que vous êtes un élément de l'écosystème. Un élément avec des ballerines bleu nuit. Il en faut aussi, c'est bon pour la diversité biocénotique. Dire que vous avez failli vous prendre pour une psychopathe mégalomaniaque. Alors que pas du tout. Vous êtes tellement modeste. Vous avez conscience d'être une privilégiée. Parce qu'être née humaine est une grande chance. Surtout de nos jours. Vivre sous la forme d'une lapine installée près d'une autoroute ou d'une vache laitière dans un élevage industriel aurait été nettement plus stressant par exemple. D'ailleurs si vous aviez été une vache laitière vous seriez déjà morte, trente et un ans convertis en âge bovin cela ferait de vous un individu trop peu rentable, aucun exploitant digne de ce nom n'accepterait de vous garder, une vieille vache comme vous, qui ne produit que quelques litres de lait par jour, qui a un torticolis et des troubles de la mémoire en plus, ah non hein même si elle est mignonne avec sa robe châtain clair et qu'elle sait beugler en deux langues il faut l'envoyer à l'abattoir, on n'est pas un centre de loisirs pour ruminants ici.

Vous poursuivez votre promenade tout en continuant également à cheminer dans votre entendement, c'est une merveilleuse harmonie entre vos jambes et vos pensées, on dirait un spectacle de natation synchronisée. Au sein de votre esprit le terme *privilégiée* provoque une agitation, privilégiée d'être née humaine fort bien mais est-ce vraiment tout, vos pensées dansent autour du terme *privilégiée*, l'examinent, le questionnent, tu ne serais pas un mot important toi des fois, tu ne serais pas un indice clef toi des fois, certaines se blottissent contre lui, mettent le nez dans son manteau de fourrure, car le terme *privilégiée* est habillé très chic forcément, purée de protons mais c'est horrible s'il porte de la fourrure, vous n'êtes pas du tout d'accord pour la fourrure, c'est bien la peine d'être végétarienne si c'est pour héberger dans votre tête des participes passés substantivés vêtus d'une chose aussi barbare que la fourrure. Vous retirez délicatement son manteau de fourrure au terme *privilégiée*, bien sûr que la fourrure c'est joli, bien sûr que c'est agréable, mais tant de souffrance derrière, non vraiment ce n'est moralement pas défendable la fourrure, qu'il ne vous en veuille donc pas, vous face à la fourrure vous voyez le sang, vous entendez les cris – oh il est tout nu en dessous pardon vous ne vouliez pas, non ça va ça va il n'y a pas de mal cela ne le dérange pas le moins du monde. Avec le terme *privilégiée* qui désormais se tient sur votre écran mental dans le plus simple appareil vous discutez cause animale, vous lui faites un petit cours, il existe des poissons ultra-intelligents, les dindes sont très affectueuses, les vaches laitières ont une vie atroce, les poussins mâles de la race des pondeuses sont broyés vivants, cependant comme vous êtes un peu agressive, il prend peur et il s'enfuit, arrêtez de le culpabiliser ainsi ce n'est pas de sa faute toutes ces histoires et puis manger de la viande est naturel la preuve les hommes préhistoriques, mais après réflexion il revient, il a eu le temps de visionner deux cent quarante-huit vidéos en ligne sur les abattoirs, il a réalisé que vivre comme les hommes préhistoriques impliquerait de jeter son smartphone, il a découvert qu'il adorait les haricots et les lentilles, bref il est totalement convaincu, si l'on ne mange pas les handicapés mentaux il convient de ne pas non plus manger les animaux c'est une question de cohérence, et aussitôt il procède à un réagencement radical de son mode de vie, il ne consommera plus aucun produit animal, le véganisme est l'avenir de l'humanité éclairée, en tant que vocable d'élite il se doit d'être à la pointe du progrès moral. Quant au côté luxe et paillettes pas de souci, de nos jours il existe d'élégants et fort coûteux sacs à main en faux cuir, il pourra donc continuer à se distinguer socialement. Là-dessus il s'éclipse, non qu'il ait soudainement été saisi de honte de se trouver nu devant vous, il vous le répète, vraiment il n'a aucun problème avec cela, au contraire, il passe toutes ses vacances dans des campings naturistes, ce qui du reste prouve qu'il n'est pas si snob, qu'il n'est pas toujours en train de jouer au golf ou de voler en hélicoptère, non, c'est plutôt qu'il a hâte d'aller faire du shopping à Londres pour se racheter une garde-robe exempte de produits animaux – il reste le terme *privilégiée* ne l'oubliez pas, vous ne pouvez pas non plus attendre de lui qu'il devienne subitement décroissant ou anticapitaliste, il y a des limites à tout.

Vous marchez toujours, vous réalisez que dans l'exercice de votre liberté d'aller et de venir vous avez effectué une boucle, vous êtes de nouveau devant votre immeuble. Vous n'avez manifestement pas le caractère migratoire, vous êtes si attachée à votre domicile que vous refusez de vous en éloigner de plus de 200 mètres, quelle aventurière. Vos parents c'était le contraire, ils ont tout abandonné mis les voiles, ils ne craignaient pas le risque. Si cela se trouve, pour quitter la Yazigie communiste ils ont traversé des fleuves à la nage, se sont cachés dans des camions frigorifiques, ont rampé dans la forêt pour échapper aux balles. Vous avez été conçue en France mais il s'agissait d'une émigration conjugale, dans leurs bagages il y avait vous, l'idée de vous, une potentialité de vous. S'ils étaient restés vous auriez vu le jour là-bas, vous n'imagineriez pas un instant que vous auriez pu être française. Sauf bien sûr si par le truchement du jeu des si, la fille née en Yazigie que vous auriez pu être songeait, ah si mes parents étaient passés à l'Ouest quelle vie palpitante j'aurais eue, je n'aurais même pas idée que j'aurais pu grandir dans ce pays tout pourri, sauf bien sûr si j'avais joué au jeu des si et que j'avais eu une pensée émue pour moi-même au conditionnel, ah ben ça alors incroyable c'est justement le cas, allô coucou vous êtes là coucou vous vous entendez ?

Le monde extérieur se rappelle à votre bon souvenir sous la forme d'un banc qui vous percute durement au niveau des genoux. Vous êtes scandalisée par tant de violence gratuite, et pour bien montrer à cette brute de mobilier urbain que vous ne lui pardonnez pas, vous vous asseyez sur un plot juste à côté. C'est extrêmement inconfortable, vous êtes en équilibre sur une seule fesse et vous êtes obligée de contracter les cuisses, mais il est hors de question d'accepter quelque service que ce soit de la part d'un banc aussi agressif. Vous le regardez d'un air de défi tout en vous efforçant de reprendre le cours de vos réflexions, cependant vous avez comme un léger problème de paysage mental, dans votre tête vient d'apparaître une forêt de divans revêtus de pics métalliques avec au centre un puits empli de gélatine verte. Bon. Vous auriez préféré une clairière avec des biches et des papillons blancs toutefois comme vous n'avez guère le choix, vous vous approchez du puits. Il déborde de cette substance tremblotante. C'est un énorme bloc de gélatine atrocement visqueuse. Vous plongez les mains dedans. Vous en extirpez un vieux parchemin aux bords abîmés, *cette enfant a inopinément surgi sur le territoire français en sortant du corps de sa mère immigrée*, voilà ce qui est inscrit dessus. Alors alors, vous avez compris le message ou vous allez encore essayer de vous réfugier dans une dissertation en deux parties ?

Sur votre plot vous blêmissez, du moins il vous semble, vous n'avez pas de miroir de poche pour vérifier. Ce que vous avez imputé aux Yaziges, leur rejet, leur amertume, leur volonté de couper les ponts avec la Française que vous êtes, n'était probablement que l'expression de votre propre malaise. Vous auriez dû naître là-bas, logiquement vous auriez dû naître là-bas, vous êtes française par accident, cela ne vous a rien coûté, vous n'avez aucun mérite, les seuls qui aient été agissants dans cette affaire ce sont vos parents. Et vous n'avez même pas été foutue de devenir footballeuse championne du monde ou chercheuse en astronautique afin de légitimer le cadeau de manière rétroactive, de montrer que votre infiltration dans le camp des puissants était dictée par des impératifs d'harmonie collective – pour ce bébé qui révolutionnera la science des fusées spatiales la France ce sera plus adapté, son talent sera plus à même de s'épanouir. Alors pourquoi cette ascension géopolitique, pourquoi le scandaleux avantage d'une vie dans un pays du G7, pourquoi pour rien, c'est l'arbitraire, le hasard, un caprice des Parques qui avaient bu un coup de trop au casino, et ce n'est pas parce que vous êtes du bon côté de la foudre qu'il ne faut pas vous sentir concernée. Certes, que vous soyez française n'est pas un scoop, mais bizarrement vous n'aviez pas bien saisi le côté grosse feignasse de privilégiée. Han. Découvrir que vous êtes née supérieure en droits. Vous qui êtes tellement égalitariste. C'est un coup dur. Pire que quand vous avez rencontré vos pieds.

Vous fermez un œil, de la sorte vous êtes en mesure d'apercevoir le bout de votre nez, finalement vous n'êtes pas si pâle. Vous fermez l'autre œil et rouvrez le premier. Vous recommencez. Le monde se décale à chaque fois. Grâce à cet exercice de sophrologie sauvage, vous prenez de la hauteur. Vous dédramatisez. Le malaise d'être née en France. Tout de suite les grands mots. Des enfants d'immigrés il y en a des tas. Ils s'en remettent très bien. Vous n'acceptez pas le cadeau. Vous culpabilisez. Vous cherchez l'arnaque. L'idée que vous auriez pu naître là-bas vous perturbe. La contingence, pas trop votre marotte. Ne jouez jamais au Loto, vous risqueriez de ne pas vous remettre d'avoir gagné. D'ailleurs vous avez commis une erreur de logique. Le contraire du mérite n'est pas la faute. Le contraire du mérite est le non-mérite. Donc née en France, aucun mérite d'accord, mais pas de faute non plus. On vous a posée là. Vous êtes née. C'est tout. Détendez-vous et profitez. Un privilège est une grâce, on peut l'accueillir sans se sentir endetté. Voire s'en réjouir, youyou merci les Parques et le croupier qui a lancé la bille de roulette, c'est tellement sympa de m'avoir propulsée à l'Ouest. Et puis vous n'êtes pas seule avec votre heureuse naissance sur les bras. Les enfants de Français ne sont pas différents de vous, eux non plus n'ont aucun mérite personnel à avoir vu le jour en France.

Vous manquez de tomber de votre plot. Une naissance en France est toujours un accident. C'est juste que vos parents étrangers rendent plus visible le caractère non nécessaire de la vôtre. Tous les Français de naissance sont des privilégiés. Pas uniquement vous. Pas uniquement les enfants d'immigrés. Pourquoi ne vous a-t-on pas prévenue ? Pourquoi n'est-ce pas inscrit sur votre passeport ? Les autres Français sont-ils au courant ? Chacun le sait mais personne ne s'en rappelle, voilà qui est étrange, mais c'est, mais c'est, mais c'est. Mille milliards de monocytes. C'est un privilège drapé dans une cape invisible ! L'oxygène vous manque, c'est une découverte capitale, vite il faut alerter la presse, il faut prévenir vos concitoyens, surtout ceux d'origine française, ceux d'origine occidentale. Vous vous levez d'un bond puis vous vous rasseyez. Tout va bien, c'est vous qui avez un train de retard. La France est supermaligne, elle a tout prévu. Si elle est une terre d'accueil, c'est aussi parce qu'elle a besoin des immigrés et de leurs enfants sur le plan philosophique. Craignant que certains Français, par exemple des Français qui seraient très pressés et qui auraient beaucoup de soucis, ne prennent pas toujours le temps de bien réfléchir, de bien distinguer les pays et les gens, et que partant de là ces certains Français vraiment tête en l'air se mettent à croire que lorsqu'un État est inférieur à la France, ses habitants pourraient ne pas être des humains absolument égaux aux Français, ce qui serait rudement idiot mais parfois quand on vient de perdre son travail ou qu'on est en plein divorce, on fait des raccourcis de ce type, elle a décidé de prendre les devants en invitant chez elle des étrangers de basse extraction. Parce qu'elle sait qu'eux n'oublient pas. Quand on est d'origine pourrie on n'oublie pas. Jamais. Grâce à eux, grâce à vous puisque *via* vos parents vous en êtes aussi, toujours en France on se souviendra du fait que personne n'a de mérite à être né où que ce soit.

Vous vous reconcentrez sur votre paysage mental. Face à de tels arguments, vous venez quand même de découvrir que les immigrés et leurs enfants étaient les gardiens de l'esprit de la nuit du 4 août 1789, la gélatine verte bat en retraite et finit par disparaître totalement tandis qu'au fond du puits apparaît une grande porte dorée, roulade magique salto arrière froissement de papier sulfurisé. Vous hésitez, il y a aussi ces divans à pics métalliques que vous n'avez pas encore examinés, renoncer à l'exhaustivité est toujours un déchirement, mais en entrouvrant la porte dorée vous apercevez une clairière avec des biches et des papillons blancs, quelle incroyable coïncidence, c'est exactement le vœu que vous aviez formé tout à l'heure, vous ne pouvez rater cela. Une fois arrivée dans la clairière qui se trouve sous la terre dans votre tête et qui est baignée de soleil, vous apercevez la mort de vos parents, les faire-part de décès, et sans doute le début de la comédie yazige, c'est en tous les cas l'hypothèse actuellement plébiscitée par vos pensées, sauf celle qui est en vacances à New York et qui s'en fiche royalement de vos histoires, elle est très occupée, elle visite Manhattan. Vous ronchonnez pour la forme, n'aviez-vous pas décidé de ne plus vous interroger sur vos motivations, toutefois vous cédez rapidement, irrésistible est l'attrait des papillons blancs.

Après l'accident de voiture vous avez forcément prévenu votre grand-mère, vous êtes polie vous respectez les conventions sociales, bonjour je suis la fille de votre fils qui est mon père et qui est mort écrabouillé dans sa vieille Lada je vous l'annonce voilà vous êtes au courant pour obtenir un échantillon de cendres merci de me faire un virement avec le montant des frais d'envoi. Ou bien, version plus délicate, gling-gling votre fils s'en est allé au ciel, je lui ai choisi un jogging disco pour son dernier voyage, les paillettes mauves dans le cercueil c'était ravissant, ci-joint une photographie n'hésitez pas à la diffuser elle est libre de droits. Vous auriez échangé quelques messages, comment ça va depuis la dernière fois ah non pardon on ne s'est jamais vues et si on se voyait, et elle vous aurait invitée à prendre le thé. Vous auriez sonné chez elle le cœur battant, vous aviez environ vingt-cinq ans et de grand-mère vous n'en aviez jamais eu, vous ignoriez absolument comment vous y prendre, une grand-mère doit-on l'entretenir de hockey sur glace de doctrine calviniste de jardinage amateur de peste bubonique ou de tri des déchets ménagers, quel est le degré d'intimité autorisé, peut-on parler de garçons d'amour voire de vibromasseur multivitesses spécial point G, ah non quand même pas quoique si elle a internet c'est qu'elle est moderne, mais lorsqu'elle ouvre la porte votre gêne s'envole, elle est si belle et naturelle avec un regard pétillant, elle vous sourit et vous comprenez qu'il n'y a jamais eu d'animosité, seulement la vie le hasard les destins séparés, tout est encore possible. Ou bien au contraire elle est sur la réserve, elle se méfie, qu'est-ce qu'elle me veut cette grande autruche française elle est beaucoup trop vieille pour que je la fasse sauter sur mes genoux, j'espère qu'elle sait jouer aux échecs au moins cela m'évitera de devoir lui faire la causette. Peu importe. Vous auriez fait connaissance, vous lui auriez confié vos projets immobiliers, il fallait bien meubler et le calcul de l'assiette de l'impôt sur les mutations à titre onéreux vous paraissait constituer un sujet de conversation relativement neutre. Grave erreur. Apprenant que vous alliez acheter un appartement à Iassag elle se serait écriée, formidable tu te réinstalles, formidable tu reviens parmi nous. Et paf, le malentendu fatal. Face à ses yeux brillants vous auriez totalement perdu vos moyens, pour elle c'était la trahison réparée, c'était l'histoire familiale réécrite, avec votre retour l'émigration de vos parents se transmutait en simple parenthèse, ce n'était donc pas un abandon pas un crachat pas un dos tourné, bien sûr que je rentre racine de mes os tu n'as quand même pas cru que papa maman entendaient s'éterniser en France, c'était juste pour quelques années juste un séjour linguistique de longue durée juste pour que j'apprenne une langue étrangère sans trop d'efforts, maintenant que je maîtrise suffisamment bien le français je rentre c'est logique entre-temps l'accident pas de chance mais eux aussi seraient rentrés s'ils n'étaient pas morts sois-en certaine certaine certaine je te le jure sur les chevaux argentés des nomades, et puis je suis là moi je reprends le flambeau, on jouera aux équations polynomiales on tricotera des bouteilles de Klein on écrira des poésies en Fortran cela te fait plaisir pas vrai pas vrai dis-le-moi, et votre grand-mère folle de joie dans mes bras ma chatonne de Schrödinger mon scarabée en boîte ma biche couronnée, dire que toutes ces années j'ai refusé de m'intéresser à toi on a tant à rattraper toutes les deux je te préparerai des feuilletés aux pommes de terre des tripes en protéines de soja texturées des glaces au lait de riz parfum pavot et dans ma maison toujours il y aura un gigantesque bol de cacahuètes à disposition rien que pour toi, et vous entrevoyant l'engrenage les complications vous hésitez au secours les projets la salsa les amis la recherche de mari puis vous n'hésitez plus, le bonheur d'une grand-mère vaut bien quelques heures par soir à vous documenter sur les avaries techniques du métro de Iassag, la salsa cubaine de toute manière est une danse affreusement inélégante, vous êtes une fille beaucoup trop classe pour secouer vos fesses en public.

Vous songez à la lettre à votre grand-mère. Si vous n'avez pas trouvé les mots, c'est que vous n'aviez pas la pensée. À présent vous les aurez. L'empathie, voilà un argument percutant. Désolée pour les mensonges, c'est parce que je suis dotée d'une grosse empathie. Je suis une fille excessivement sensible, je me bouleverse facilement. Je voulais te consoler, te raconter une belle histoire pour tes vieux jours. C'est mon côté philanthrope, j'ai sublimé mon sentiment de culpabilité d'être née française et je l'ai transformé en altruisme. Sinon il y a l'approche racinienne, je sacrifiais ma jeunesse, mes chances de rencontrer un aimé, en effet chère mémé note bien que si je suis célibataire c'est parce qu'être imposteur implique de ne laisser personne entrer dans sa sphère d'intimité, sans quoi le petit secret, ploc, il implose, cela dans le dessein de laver le crime de papa maman qui trahirent la Yazigie et toi avec. Hymen *versus* honneur, c'est un grand classique, elle saisira aisément. Les gens comprennent toujours mieux lorsqu'on leur propose de couler leur pensée dans un schéma narratif préexistant.

Votre estomac manifeste son agacement, c'est charmant ces petits brouillons de lettre toutefois ne lui aviez-vous pas promis un déjeuner, vous seriez bien urbaine de tenir parole, oui très juste, pardon l'estomac. Ah non hein vous n'allez pas vous mettre à parler à votre estomac il y a des limites à tout, mais où est le problème vous faites connaissance avec vos organes c'est normal, d'accord cependant ne perdez pas le fil, vous étiez en train de penser à votre grosse empathie. Ah bon ? Mais oui. Et le banc ? Quoi le banc ? Oui le banc, donnez-lui un coup de pied avant de partir, il vous a sauvagement agressée tout à l'heure, les coups reçus il faut les rendre, votre peau cicatrise mais votre cœur jamais. Et le truc sur l'empathie c'était quoi ? Vos excuses, ça vient ça vient, vous avez si faim que vous commencez à vous désorganiser. Donc. Pendant toutes ces années, votre grosse empathie a travaillé d'arrache-pied pour égayer la vie de votre grand-mère. Elle a certes usé de moyens peu honorables mais ses intentions étaient bonnes, cela s'appelle, cela s'appelle, mais oui, c'est un *mensonge par humanité*, vous venez de l'extirper du rayon philosophie de vos connaissances mobilisables. Si vous vous dévoilez, vous allez démolir l'œuvre de sa vie. Ce n'est pas très respectueux. Elle s'est donné tant de mal. En substance, vous avez de l'empathie pour votre empathie. Vous êtes métaempathique. Parfaitement. Dites donc, vous avez soudainement viré de bord, finie la condamnation ferme et sans réserve du mensonge ? Non c'est juste que. Non rien. Allez manger.

9

Assise à la table d'un restaurant libanais vous examinez le patron tout en dissimulant votre visage derrière un menu plastifié, c'est un habile subterfuge afin d'observer sans être observée, quelle championne de l'espionnage décidément, vous auriez dû faire deux trous au niveau de la liste des *mezzés*, cela aurait été encore plus discret. Il s'affaire derrière le comptoir, il est grand et brun et probablement libanais, qu'on vous pardonne ce hâtif postulat, c'est la faute du contexte qui a orienté votre jugement. Vous n'êtes pas rassurée de vous trouver en présence d'un immigré originaire d'un pays non occidental : avec votre grosse empathie, vous pourriez essayer de feindre d'être libanaise afin de le consoler de ne pas être né français. D'ailleurs n'est-ce pas ce que vous avez tenté avec le chauffeur de taxi ? À bien y regarder, vous avez plus ou moins essayé de faire semblant d'être algérienne. Vous êtes vraiment insortable.

Vous risquez un œil (les deux, en fait) par-dessus le menu plastifié. Le patron vous fait l'effet d'un oiseau exotique déplumé, il y a dans son attitude quelque chose de digne et de cassé, de sa personne irradie un radical abattement. Vous en devinez aisément la cause, vous êtes la seule cliente dans la salle, voilà donc un pauvre immigré qui a cru faire fortune en France et qui est au bord de la faillite. Une entreprise qui coule c'est un projet de vie qui s'effondre, ce sont des années de travail acharné qui partent en fumée. Vous manquez d'en avoir le cœur fendu, mais au dernier moment, le moment juste avant le schisme cardiaque sauf que finalement il n'a pas eu lieu, vous empoignez vigoureusement l'organe frondeur et l'obligez à se recoller, une cliente qui meurt dans un restaurant c'est une très mauvaise publicité, vous lui assèneriez le coup fatal.

Le patron vient prendre votre commande, son visage est fermé, son regard est sombre, il y a des poissons morts dedans. Vous écarquillez les yeux, vos cils touchent pratiquement vos sourcils, vous êtes drôlement souple des paupières dites donc. Son dépôt de bilan ce n'est pas seulement son rêve mais celui de toute sa famille qui se brise, il était parti en fanfaronnant, la France l'avenir radieux et la gloire retrouvée des Phéniciens, pour eux là-bas il est celui qui a réussi, celui qui a pris le risque d'avoir une vie meilleure, dire l'échec peut-être est pire que l'échec, il est assurément en pleine dépression réactionnelle. Sauf que non, vous étiez dans l'erreur abyssale, son établissement est en excellente santé, c'est lui-même qui vous le dit lorsque vous lui demandez si la restauration ce n'est pas trop dur avec la crise économique et la concurrence des fast-foods américains et les gens qui préfèrent garder leur argent pour financer des actions en faveur des moines tibétains. L'horloge devant vous indique 15 h 23, que le restaurant soit vide est effectivement assez normal, vous avez été victime d'un complot d'indices concordants qui en fait ne concordaient pas.

Vous échangez encore quelques mots, vous lui parlez d'une voix grave, vous lui souriez beaucoup, votre esprit est vif et aiguisé, vous êtes tendue et concentrée comme si vous étiez sur scène, comme si c'était à vous de jouer. Visiblement il y a quelque chose entre les étrangers et vous, vous avez quelque chose avec les étrangers – cela pourrait être une histoire de prononciation, vous avez été élevée par des personnes ayant un accent, même si vous parliez yazige à la maison vous avez dû souvent entendre le français déformé et maladroit de vos parents, alors par définition le français parfait c'était les autres, les institutions, l'école, les médecins, la sphère publique, tandis que la référence première, la normalité en quelque sorte, c'était l'accent. Hélas votre amitié naissante avec le patron risque de cueillir maigre ampoule, il répond poliment à vos questions cependant vous sentez que sa mystérieuse mélancolie l'enferme dans une forteresse affective.

Pendant que vous dégustez votre déjeuner, on pourra s'occuper utilement en s'interrogeant sur ce qui pousse certains restaurateurs étrangers à décorer leur établissement d'affreuses pièces d'artisanat *typique* que probablement ils refuseraient d'accrocher dans leur propre salon. Tel n'est pas le cas dans le restaurant de céans, ce dont on se félicitera, toutefois cet étrange phénomène est malheureusement assez répandu, dès lors la question conserve toute sa pertinence. Vous êtes bien d'accord, tiens vous êtes toujours là, ben oui où seriez-vous non mais franchement ? Vous êtes toujours là, donc, et vous venez de découvrir que loge en vous une haine absolue du folklore, vous avez horreur des paniers tissés, des assiettes peintes, des coussins brodés, des pompons multicolores, des perles scintillantes et des jeux en bois avec des poules qui font tac-tac, c'est de la momification culturelle, de la caricature identitaire, comme si les clients étaient des demeurés ayant besoin d'un aide-mémoire pour le cas où ils auraient un moment d'absence pendant leur repas, mais que suis-je donc en train de manger déjà, je regarde autour de moi, oh un pouf marocain, oh une table en fer forgé, j'en déduis que probablement il y a du couscous dans mon assiette, attention je vérifie, attention je regarde mon assiette, ah non c'était un tagine bon je n'étais pas loin, allez je m'accorde le point. Là-dessus vous avez une révélation flamboyante, les prostituées c'est pareil, exactement pareil, les cuissardes les minijupes le maquillage appuyé servent à surligner, surjouer, exacerber les codes de la féminité, probablement non pas pour rassurer les clients qui craindraient de ne pas avoir affaire à un individu femme, tiens mais qui est cette jeune personne qui me fait une fellation dans ma voiture ouf elle porte des cuissardes je ne suis donc pas homosexuel, mais plutôt pour leur signifier que le service proposé n'est rien d'autre qu'un numéro de folklore féminin dans le plus pur respect des traditions ancestrales. Vous n'en revenez pas, quelle découverte sémiologique de premier ordre, ainsi les assiettes peintes et les minijupes sont à ranger dans la grande catégorie des objets ayant vocation à fabriquer du *typique*. Et c'est donc, il serait malaisé de soutenir le contraire, sans doute ce que recherche la clientèle.

Lorsque le patron débarrasse votre assiette, les poissons dans ses yeux sont entrés en phase de décomposition, il y a des mouches qui volent au fond de ses iris, il est plus sombre que jamais. Et vous comprenez. Sa réticence à votre endroit. Sa méfiance grandissante. Il croit que vous êtes comme les autres. Il est blessé, oui il est blessé que les gens consomment sa cuisine sans se soucier de son pays, aujourd'hui mangeons libanais demain chinois la semaine prochaine indien, ce sont des goûts amusants et pas trop chers par contre les histoires qu'il y a dedans on s'en fout on est français on n'a pas le temps on est pressés et vive la mondialisation. Mais vous, vous êtes différente. Vous êtes d'origine pourrie, vous n'oubliez pas. Il ne peut pas le savoir, rien dans votre personne ne le signale, blanche et sans accent vous vous fondez dans la masse, vous êtes invisible, vous êtes indiscernable. Et cette discordance entre l'intérieur et l'extérieur vous est soudain odieuse et intolérable, vous y voyez comme une malformation, une répugnante difformité, un monstrueux mensonge physique, vous voudriez avoir la peau noire, les yeux bridés, les cheveux crépus, être dotée d'un signe distinctif, n'importe lequel pourvu que cela se voie, que cela vous différencie, tout comme vous est également odieux et intolérable le constat brutal que vous êtes irrémédiablement enchâssée dans la hiérarchie, que vous ne pouvez absolument rien contre elle, que c'est à juste titre qu'il suppose que vous êtes dans le camp adverse : gardienne de l'esprit du 4 août 1789 n'est qu'une fonction honorifique, la conscience du privilège n'abolit pas le privilège, l'ordre mondial des privilèges.

Vous le regardez sans rien dire. Un temps. Puis cela vrille dans votre cerveau, allez il faut tenter quand même, il faut essayer de rééquilibrer la hiérarchie, est-ce vraiment une bonne idée trop tard vous êtes lancée, vous êtes maladroite, vous lui racontez n'importe quoi, vous lui expliquez qu'avoir eu une enfance libanaise est une grande chance, que vraiment il devrait se réjouir d'y être né, en France l'individualisme l'égoïsme chacun pour soi et les klaxons dans les embouteillages, tandis que là-bas la solidarité les valeurs authentiques et les confitures des grands-mères, vous ramez vous patinez c'est le fiasco total, ce d'autant plus que vous êtes totalement à côté de la plaque, il vous coupe sèchement, Beyrouth est une ville extrêmement peu piétonne quant à son enfance libanaise pour votre gouverne c'était la guerre civile.

Vous retenez votre souffle.

La guerre.

Encore la guerre.

Ce n'est pas possible, chaque fois que vous rencontrez un étranger il y a une guerre en arrière-fond.

Le monde n'est-il donc que violence ?

Puis cela vous revient par bribes, sauf que ce n'est pas dans le rayon Moyen-Orient de vos connaissances mobilisables mais en théâtre, Wajdi Mouawad vous sauve la mise, au moins vous voyez dans les grandes lignes de quoi il est question.

La guerre civile.

Est-ce pire que la guerre d'Algérie ?

Vous êtes indécente, vraiment vous êtes indécente.

Hiérarchiser les guerres serait interdit ?

Prouvez-le, allez prouvez-le, que c'est interdit.

La guerre civile. Paupière retournée, conflit renversé, implosion nationale. Quand les frères et les sœurs se mordent jusqu'au sang. D'où les poissons morts dans les yeux du patron, qui étaient vivants et que la guerre aura tués.

Vous scrutez son visage et ses mains, vous cherchez des marques, des traces, des stigmates, vous êtes comme ces gens qui tentent de repérer le numéro sur le bras des rescapés d'Auschwitz, voyons voir ils tatouaient à gauche ou à droite déjà, mais c'est quoi ce voyeurisme, quelle perverse, arrêtez immédiatement. Et puis la guerre, bon c'est une chose terrible que la guerre, cependant ne comprenez-vous pas que cela change tout ? Il n'est pas venu en France pour faire fortune.

Subitement c'est le ravissement lumineux, vous êtes une rose qui s'ouvre, vous êtes une coccinelle qui s'envole, la guerre, c'est merveilleux la guerre, vous aimeriez lui sauter dans les bras, ainsi il est un RÉFUGIÉ, c'est fantastique, quelle poignante histoire, la France terre d'accueil, sanctuaire, asile pour les persécutés, que c'est beau. Naturellement, s'il avait été un migrant économique cela aurait été également fabuleux, migrant économique c'est très respectable, vous n'avez aucun problème avec les migrants économiques, si vous aviez une vie sociale vous auriez sûrement un bon ami migrant économique, toutefois il est vrai que RÉFUGIÉ il y a un côté romantique qui vous plaît énormément, le terme est faible, vous adorez adorez adorez, vous n'en pouvez plus, surtout que vous venez de vous souvenir du fait que vos parents aussi étaient des RÉFUGIÉS, et pas de n'importe quelle trempe, pas de simples victimes de guerre, statut qui en dépit de son caractère indéniablement tragique ne dit rien du courage moral de la personne, non, ils étaient des réfugiés politiques ayant fui la dictature communiste, vous avez même eu leur certificat couleur beige rosé entre les mains. Comment diable n'avez-vous pas saisi plus tôt la portée scintillante de cet élément de votre biographie familiale ? Réfugiés politiques, l'expression est un enchantement pour vos oreilles mentales, cela sonne comme un carillon magique, cela tinte comme une épée valeureuse, vous en avez des frissons de plaisir, vous vous pâmez, vous vos parents ils avaient le courage de leurs opinions, vous vos parents ils étaient des opposants, contrairement à la majorité silencieuse qui avait choisi de courber l'échine, de vendre son âme en échange de quelques avantages matériels, car c'était bien là le secret de longévité du communisme yazige, si l'on faisait mine d'adhérer au régime, si l'on se tenait à carreau, si l'on ne se mêlait pas des affaires publiques, on pouvait y mener une petite vie tranquille, mais vos parents non, non, et encore non, eux se sont dressés, se sont levés, ont résisté. Wow. Voilà qui vous propulse dans la même catégorie que Salman Rushdie. Enfin la fille de Salman Rushdie. Qui d'ailleurs n'est pas du tout un réfugié. Mais qu'importe, ce qui compte est le symbole, Salman Rushdie c'est la liberté d'expression ®. Au vu de ce qui précède, il va sans dire que le statut de réfugié politique décroche haut la main la médaille d'or de la migration, juste devant les réfugiés de guerre (médaille d'argent) et les réfugiés climatiques (médaille de bronze). Bien sûr les migrants économiques en quête d'une vie meilleure demeurent les bienvenus, la France est grande et généreuse et son métissage est sa richesse et les personnes originaires de pays démocratiques et/ou en paix sont très intéressantes aussi, mais il n'y avait que trois places sur le podium, désolée.

Vous serrez chaleureusement la main du patron libanais en lui glissant que sa présence à Paris est un bijou qui sublime la beauté culturelle de la France, en effet vous pressentez qu'il n'est pas encore prêt à accueillir votre joie qu'il soit un RÉFUGIÉ de guerre, c'est-à-dire un noble cousin au lignage à peine moins vertueux que le vôtre, et qu'il vaut mieux vous en tenir à de modestes félicitations généralistes, comme quoi vous possédez une maîtrise des codes sociaux niveau expert, vous êtes une fille parfaitement sortable, et vous quittez le restaurant avec un grand sourire. Dans la rue vous gambadez en égrenant fiévreusement, *mes parents étaient des chevaliers épris de liberté, je descends de l'aristocratie des migrants, je suis une princesse.* Prenez tout de même garde à ne pas vous cogner contre un poteau, un choc pourrait bien modifier l'agencement de vos idées.

10

De retour dans votre appartement, vous examinez votre basilic, est-il content, a-t-il encore soif, compte tenu de votre personnalité empathique il est bien naturel que vous vous intéressiez à votre prochain végétal plusieurs fois par jour. Vous constatez que tout va pour le mieux, ses feuilles se dressent amicalement, il semble être d'excellente humeur. Vous restez un moment à le détailler, vous suivez des yeux les ramifications de ses tiges, le dessin de ses nervures, cela vous fascine ce réseau qui n'en finit pas de se subdiviser, combien possède-t-il de veines au total, il faudrait une loupe pour le savoir. Quand de nouveau vous embrassez sa silhouette d'un regard plus global, vous lui trouvez un air si jovial et bon vivant que pour lui faire plaisir, vous versez le reste du vin rouge d'hier dans son pot, vous le voyez bien que c'est un basilic un tantinet porté sur la bouteille, certes l'alcoolisme des plantes aromatiques est un phénomène pour l'heure inconnu mais cela ne signifie rien, il suffit d'un contre-exemple pour renverser une théorie, que les malheureuses dindes inductivistes reposent en paix.

Au demeurant, vous ne seriez pas contre boire un petit verre vous aussi. Vous ouvrez vos placards, vous regardez sous l'évier, n'auriez-vous pas une réserve d'alcool quelque part, hélas vous ne trouvez rien, décidément cela manque de convivialité chez vous, il n'est pas étonnant que vous n'ayez aucun véritable ami français. Vous poursuivez vos recherches, vous jetez un œil sur vos étagères, pas de vodka cachée derrière le Code de la Sécurité sociale, pas d'eau-de-vie dissimulée derrière les douze volumes de l'encyclopédie juridique yazige, en revanche vous découvrez que derrière vos ouvrages de droit et de traduction se trouve une deuxième rangée de livres, et c'est précisément à ce moment-là, alors que vous n'avez pas encore eu le loisir de vous réjouir de posséder quelques textes qui ne soient pas directement liés à votre travail, c'est dommage parce que la biographie de Dalida vous auriez été contente, c'est une chanteuse extraordinaire, qu'en tâtonnant à l'aveugle vous renversez une pile, et vlan, vous vous prenez *Psychopathologie de la vie quotidienne* en pleine figure.

C'est peut-être le contenu du livre, c'est peut-être simplement le choc physique, quoi qu'il en soit au contact de cette somme d'actes manqués vous avez une atroce révélation. Vous enfouissez votre visage dans un coussin tout en poussant des cris d'éléphante pourchassée par des braconniers, han-han-han tout s'effondre, et subitement c'est aussi la fin de la théorie de l'imposture altruiste, impressionné par l'aura internationale de Sigmund Freud votre sens moral lâchement retourne sa veste, le *mensonge par humanité* appliqué à votre cas mais vous êtes tombée sur la tête dans votre tête, allez donc vous embrocher sur vos divans à pics métalliques.

Vous étiez au courant. Pour l'imposture yazige. Vous le saviez. Hier par deux fois vous avez évité de voir que vous possédiez un deuxième système d'exploitation. Comme par hasard vous avez fermé les yeux quand vous avez allumé votre ordinateur pour la première fois. Peur qu'il y ait un mot de passe. Mais bien sûr. Comme par hasard vous avez quitté votre bureau pendant le redémarrage après la guerre d'Algérie. Pour laisser faire l'ordinateur comme un grand. Mais bien sûr. Vous le saviez, oui vous le saviez, et vous ne vouliez pas que vous l'appreniez. Votre tentative d'auto-dissimulation implique que vous avez honte, elle est la signature d'un surmoi embarrassé par un comportement inassumable. Si vraiment il s'agissait d'une bonne action, si vraiment vos motivations étaient nobles, vous n'auriez pas cherché à vous induire en erreur. Eh bien c'est raté, les cachotteries c'est terminé, vous êtes démasquée.

Vous essayez de disparaître sous votre coussin, oui c'est vrai, oui vous l'admettez, le *mensonge par humanité* c'est lorsque la Gestapo toque à la porte et qu'on refuse de lui révéler qu'il y a des gens cachés dans la cave, pas quand on colporte d'odieuses calomnies sur la France pour séduire des gens fragilisés par un complexe d'infériorité géopolitique, vous avez été de mauvaise foi. Un peu. Beaucoup. Surtout qu'aux Yaziges vous ne leur rendez absolument pas service, au contraire vous les entretenez dans leurs délires, vous les empêchez de se forger une opinion éclairée, en leur resservant leurs stéréotypes sur un plateau d'argent vous les traitez comme des enfants qu'il ne faudrait pas contrarier. Non, la vérité, c'est que vous êtes une handicapée des relations sociales et que vous avez pensé qu'avec les Yaziges ce serait plus facile, forcément face à eux vous n'aviez nul besoin d'être intéressante ou cultivée ou douée pour raconter des anecdotes, il vous suffisait d'agiter votre passeport français, regardez j'avais la naissance la langue le titre et néanmoins défiant tout sens commun j'ai décidé de venir m'enterrer ici, pour qu'éblouis chavirés ils vous accueillent à bras ouverts, attention scoop cette année une citoyenne d'un pays du G7 s'est installée dans notre patrie nous l'avons rencontrée interview exclusive. Les pauvres. C'est horrible ce que vous leur faites. Ils sont si gentils. Ils vous aiment sincèrement. Ils vous donnent leur cœur sans hésiter, avec cette bonté naïve des gens incapables de malice.

Vous vous séparez de votre coussin avec regret, vous faites peur, toute cette colère, toute cette agressivité, est-ce bien nécessaire ? Oui c'est nécessaire, il faut agir, c'est une urgence, il faut assumer, il faut vous dénoncer, c'est comme la plaque de Charonne, il convient d'avoir le courage de donner à voir les vérités douloureuses, sinon on devient complice. Et il n'est pas question de cautionner de telles manœuvres frauduleuses, vous êtes une hors-la-loi, une délinquante, une dangereuse malfaitrice, vous trompez ces malheureux en leur extorquant une affection qu'ils ne vous auraient jamais donnée s'ils connaissaient votre vrai visage, *les Yaziges c'est le peuple qui te prouve que les études supérieures ne protègent pas contre la connerie, que tu peux lire du Villon le matin et te faire tatouer une croix gammée le soir, George Steiner aurait adoré*, voilà le genre de message que vous envoyez à Ursula votre copine traductrice, croyez-vous que votre grand-mère continuerait à vous adresser la parole si elle était au courant ? Quant au supposé bonheur que vous causeriez à cette dernière, ce n'est qu'un cache-misère conséquentialiste, devant les tribunaux tous les criminels affirment je voulais bien faire, mes intentions étaient bonnes, cet enfant je croyais sincèrement qu'il aimait la sodomie, vous n'avez même pas pour vous une justification un tant soit peu originale ou divertissante. De toute manière la réalité du bonheur causé importe peu, c'est à la France que vous devez rendre des comptes et en France l'escroquerie est punie par la loi. Et zbam, le Code pénal vous tombe sur la tête, pas en imagination mais pour de vrai, quelle merveilleuse conjonction entre l'extérieur et l'intérieur, à croire que vous aviez fait exprès de le laisser en déséquilibre sur le rebord de l'étagère. Par contre cette dichotomie entre vrai et imaginaire, c'est un brin passé de mode, vous ne trouvez pas ?

Vous tâtez votre crâne, rien de grave a priori, vous êtes en état d'être placée en garde à vue. Tant mieux, l'unité médicolégale c'est vraiment trop glauque, vous préférez encore la cellule de commissariat. Afin de vous donner du courage, une dénonciation n'est pas un geste à prendre à la légère, vous vous sentez quelque peu embarrassée, entre signalement et délation la frontière est mince, vous vous fustigez encore : vous outragez la parole officielle consignée dans les codes, vous bafouez les règles écrites par les représentants du peuple français, par votre comportement vous salissez la République, l'État de droit et l'histoire de France. Quand vous êtes définitivement convaincue du bien-fondé de votre autodénonciation, vous attrapez votre téléphone et vous composez le numéro du commissariat du XIe arrondissement. Mais au moment d'entendre la tonalité vous raccrochez précipitamment.

En effet, il vous est soudain apparu que votre légitime emportement contre vous-même pourrait bien ne pas trouver d'écho auprès des autorités judiciaires, que les mesures de rétorsion espérées pourraient bien ne pas être mises en œuvre. Vous avez raisonné dans un monde idéal, un monde où tout acte illégal serait systématiquement réprimé. Dans le monde réel, les magistrats sont débordés, les prisons sont surpeuplées, et parce que le Code de procédure pénale n'habite pas dans une tour d'ivoire, il a octroyé aux procureurs la faculté de ne pas toujours déclencher l'action publique, ils ont le droit de dire oh voilà une vilaine infraction tant pis on laisse couler allez au suivant, cela s'appelle l'opportunité des poursuites, et non vous n'allez pas vous lancer dans un débat sur les avantages et les inconvénients de ce système (bien qu'il convienne d'en saluer le pragmatisme) (tout en rappelant que la subjectivité des procureurs risque de favoriser arbitrairement certains coupables). En d'autres termes, votre affaire se présente extrêmement mal : sur l'échelle de la délinquance vous n'êtes qu'un petit poisson, vous n'agissez pas en bande organisée, vous n'avez blessé personne physiquement, il n'y a pour ainsi dire aucun préjudice matériel, bref le classement sans suite vous pend au nez. Et encore, le plus probable est que la police vous renvoie chez vous, chère mademoiselle bravo pour votre honnêteté toutefois sans vouloir vous froisser que vous mentiez à votre grand-mère ne nous intéresse qu'assez moyennement, et maintenant si vous permettez nous devons partir démanteler un réseau de trafiquants de reins prélevés à la scie sauteuse sur d'innocentes petites filles eskimo qui ne pourront plus jamais faire de bisous aux bébés phoques.

Vous ramassez votre Code pénal, vous le feuilletez, ses pages sont douces et aériennes, sobres et élégantes, avec tant d'infractions aux noms poétiques ou mystérieux, filouterie de carburant, création de gallodrome, édification de barricades, extorsion de secret, concussion par agent de l'État, distribution d'argent à des fins publicitaires, outrage public au drapeau tricolore, c'est la France que vous tenez entre vos mains, dans toute sa rigueur et toute sa fantaisie, fidèle à ses traditions et pourtant résolument moderne. Vous lisez la définition de l'escroquerie. Ça alors, on dirait bien que votre mystification n'entre pas dedans, manifestement il aurait fallu que votre entreprise ait pour objet de vous enrichir, de soutirer de l'argent, et de toute manière, il y a l'immunité familiale, l'escroquerie d'une grand-mère cela n'existe pas.

Vous poursuivez vos recherches, vous vous égarez en cours de route, ébahie de découvrir qu'uriner sur la voie publique est passible d'une amende (les Parisiens n'ont pas l'air très au courant), que l'empoisonnement n'est pas un homicide comme les autres, il a son petit article de loi rien que pour lui (un hommage à Catherine de Médicis sans doute), que les exhibitionnistes sexuels et les profanateurs de tombeaux risquent exactement les mêmes sanctions (*Éros* et *Thanatos*, les deux facettes d'une même médaille), ou encore qu'en cas d'enlèvement, libérer son prisonnier avant le septième jour permet de diviser la peine de prison encourue par quatre (une astucieuse incitation à la modération en matière de séquestration de son prochain). Nul n'est supposé ignorer la loi mais bonne chance quand même pour être au courant de tout, vous pourriez y passer des mois qu'il y aurait toujours des trous dans vos connaissances.

Vous revenez à votre cas. C'est à peine croyable, votre supercherie ne correspond à rien dans le Code pénal. Il manque toujours quelque chose, une circonstance particulière, un contexte spécifique. En lui-même, l'acte de mentir n'est pas réprimé. Vous en restez bouche bée. Qu'est-ce que c'est que ce vide juridique ? Ainsi rien n'oblige à la franchise ? Souvent l'altération de la vérité est nécessaire pour qu'une infraction soit constituée, cependant le mensonge tout seul, le mensonge tout nu, qu'il soit écrit ou oral, eh bien la France s'en fiche, elle n'en est pas décoiffée de l'ordre public. Vous n'êtes même pas une vraie délinquante. Juste une pauvre fille qui ment à sa famille.

La corporation des avocats vous salue, vous qui

n'êtes pas juriste, vous parcourez à la hâte le Code pénal et cela vous suffit à analyser la situation ? Allez allez, prenez immédiatement rendez-vous avec un pénaliste. Votre avocat vous reçoit toutes affaires cessantes, c'est l'intérêt de vivre des scènes dans sa tête plutôt que de se fatiguer à les exécuter réellement, les gens sont disponibles sur-le-champ, on n'est pas tributaire des problèmes de transports en commun, et en plus il fait toujours beau, ce qui permet de mettre une jolie robe plutôt qu'un imperméable informe. En un mot, tout est simple et fluide. Mais jusqu'à un certain point seulement. Car d'entrée de jeu, dès que vous lui avez expliqué que vous vouliez qu'il vous aide à faire reconnaître votre statut d'horrible délinquante qui a manipulé sa famille, votre avocat vous oppose qu'avant d'aller plus loin, il convient d'examiner les éléments de preuve. Pas de preuve, pas de condamnation, c'est passablement contrariant mais c'est la loi, qui est dure et implacable comme il suppose que vous savez. Or en l'espèce, tout reposera sur les messages échangés, vos aveux seront irrecevables puisque vous êtes amnésique. Et ces courriers électroniques, bof. Il pense que cela ne tiendra pas. À cause de Paul Ricœur. Le philosophe français. Vous connaissez ? Oui bien sûr répondez-vous, ce qui est faux, mais vous ne voudriez pas qu'il vous prenne pour une ignare, il est si brillant et cultivé cet avocat, ce qui est bien naturel, vous n'alliez pas confier votre dossier à n'importe qui. Bien entendu, il est également très beau, des yeux bleus, des fossettes et un corps d'athlète sous son costume gris anthracite. Les pénalistes ont cet avantage, ils courent partout, se rendent dans les prisons, les commissariats, les tribunaux, s'agitent pendant leurs plaidoiries, transpirent à cause de leur toge, résultat ils sont beaucoup plus musclés que les avocats d'affaires qui engraissent derrière leur bureau et s'empiffrent dans les cocktails mondains. Bon, pour le mariage avec votre fringant rossignol du barreau vous verrez plus tard, revenez-en à ses explications. Donc votre avocat, il vous regarde avec ses yeux bleus, vous êtes bien contente d'avoir mis une jolie robe, et il poursuit, Paul Ricœur, le récit comme opération de mise en concordance, vous voyez où il entend en venir ? Non ? Ne vous inquiétez pas, c'est assez simple. Raconter une histoire, vous explique-t-il, c'est prendre des faits et les combiner, les agencer, les organiser, ce qui équivaut à imputer des intentions, à proposer une interprétation, à suggérer une chaîne causale. Ainsi, vous qui travaillez de temps à autre pour la justice en qualité d'interprète, vous avez dû remarquer que ce qui se joue dans les salles d'audience, c'est un affrontement entre plusieurs récits : à partir des mêmes éléments, les gens racontent des histoires différentes, à charge pour les juges de choisir la bonne version, celle qui deviendra la vérité judiciaire. Eh bien lui, à partir des éléments que vous lui présentez, cette correspondance électronique, car oui il lit le yazige, mais aussi le coréen et le wolof, il adore les langues rares, il pense que votre analyse de la situation n'est qu'une version possible de l'histoire. Il en existe une autre. Toute différente.

Vous relisez votre correspondance française et votre correspondance yazige. Vous comparez, vous opérez des recoupements, vous tentez de reconstituer le calendrier de vos déplacements. Comme il n'est pas rare que vous prétendiez être à la fois à Paris et à Iassag, les zones d'ombre sont nombreuses, toutefois vos factures sont vos amies, manifestement vous ne mentez à personne concernant vos activités professionnelles. Face à deux récits divergents, il convient de commencer par identifier les points de concordance, ce qui est admis par tous est acquis, ce que personne ne critique est établi, *il n'est pas contesté que*, écrivent les magistrats dans leurs jugements quand ils veulent poliment signifier aux parties qu'ils ne vont pas s'amuser à examiner ce qui ne fait pas débat, ils ont encore 498 dossiers à traiter d'ici la fin de la semaine et aimeraient bien si possible éviter de décéder par ensevelissement, quelle ingénieuse façon de construire la vérité par la négative. Et vos petits Lego de certitude à vous, ce sont les lieux et dates de vos missions d'interprétation, qui exigent une présence physique. A contrario, les périodes consacrées aux travaux écrits restent douteuses, une traduction cela peut se faire n'importe où dans le monde, il suffit d'avoir un ordinateur et un pyjama. Au final, il apparaît que vous passez au moins une semaine par mois à Iassag. C'est déjà bien plus que ce que vous imaginiez. Et il s'agit d'une hypothèse basse. Peut-être que si vous refusez systématiquement les déjeuners proposés par Ursula, c'est parce que vous n'êtes quasi jamais en France ?

Une semaine par mois. Ulysse pendant vingt ans a

été loin d'Ithaque et jamais Ithaque n'a cessé d'être son domicile. Parce qu'il avait le souhait de rentrer. Parce que Pénélope l'attendait. Si elle avait changé les serrures cela n'aurait plus été chez lui. S'il avait décidé de rester chez les sirènes cela n'aurait plus été chez lui. Il voulait rentrer, elle voulait qu'il rentre, la conjonction de leurs volontés a maintenu intact le domicile. Pénélope c'est l'histoire d'une femme qui dit, mon mari habite toujours à Ithaque, certes il est présentement absent mais il va revenir et moi je veux qu'il revienne, je lui garde la place, j'œuvre à rendre son retour possible, d'où cette tapisserie vous connaissez le procédé je ne m'étends pas, mais tout de même, comprenez bien que ce n'est pas une vulgaire affaire de fidélité sexuelle, je peux bien coucher avec qui je veux et même faire des partouzes, par contre installer un autre homme dans notre maison impossible, parce qu'alors le *retour* d'Ulysse n'aurait plus de sens, parce qu'alors Ithaque ne serait plus chez lui, et de héros il se transmuterait en vagabond sans royaume.

Vous songez à toutes ces personnes qui passent la semaine à Paris pour le travail et rentrent chez elles uniquement le week-end. Dans leur maison elles n'y sont que deux jours par semaine et pourtant cela reste leur maison, personne n'en doute, on se plaint de leur absence on leur reproche la situation, je me tape toutes les corvées ménagères essaie de trouver un poste moins éloigné dis-leur que ta femme va leur planter une fourchette dans l'œil si tu n'as pas ta mutation, mais cela reste chez eux. Il y a aussi les incarcérés en prison, les alités à l'hôpital, les mobilisés au front, les internés en camp, les retenus en otage, les égarés dans la montagne, les naufragés sur une île déserte, stupeur plutonique voilà une foule de gens qui ne sont pas chez eux physiquement et qui pourtant. Le domicile est le lieu où l'on aimerait être, où l'on serait si on n'était pas empêché, où l'on rentre dès que possible. Or les obligations professionnelles c'est quand même un grand classique comme cause d'éloignement. Et pour une interprète, il est évident que venir travailler à Paris, à des tarifs français, est une opération rentable, bien plus rentable que d'exercer uniquement à Iassag.

Une semaine par mois. Quand bien même il ne s'agirait que d'une semaine par mois. Cela n'impliquerait pas nécessairement que vous n'habitez pas à Iassag. Habiter n'est pas résider tous les jours, se coucher dans le lit toutes les nuits, habiter est un choix, une intention, une disposition d'esprit. Les Yaziges vous attendent et vous réattendent, pour eux quand vous quittez Iassag c'est un aller, ils ont foi en votre retour, *que c'est long ta mission à Paris, quand rentres-tu enfin, il ne manque plus que toi.* Il suffit que vous considériez vous aussi que c'est chez vous pour que cela advienne, pour que la conjonction des volontés opère, pour que la double intention performative produise son effet. Et puis votre appartement yazige, c'est un 80 mètres carrés dans les beaux quartiers, vous avez vu des photographies dans votre ordinateur. En comparaison, votre appartement parisien, tout petit et tout moisi, suggérant une vie entièrement centrée sur le travail, vous devez admettre qu'il fait beaucoup plus pied-à-terre.

Ainsi cela pourrait être vrai. Aux Français, vous feriez croire que vous résidez à Paris, par intérêt professionnel, afin de paraître disponible, pour qu'on ne pense pas, ah celle-ci habite trop loin, rien ne sert de la contacter. Chez les interprètes c'est une pratique courante, on déclare être établi à Paris ou à Genève car c'est là qu'il y a du travail, mais en réalité on réside à Limoges ou à Bordeaux. Ce n'est même pas de la fraude, cela s'appelle la domiciliation professionnelle, ce n'est pas toujours bien vu mais cela n'a rien d'illégal. Si certains le font depuis Limoges, pourquoi ne le feriez-vous pas depuis Iassag ? Où vous auriez votre résidence habituelle, où vous rentreriez dès que vous le pourriez. Sur le principe, cela se tient. Sauf que la motivation. Qu'est-ce qui a bien pu vous passer par la tête pour vous exiler en Yazigie ? Si cela avait été uniquement pour le coût de la vie moins élevé, pour l'appartement avec parquet et moulures et la hauteur sous plafond adaptée à votre gabarit de grande autruche, vous auriez dit *je m'installe*, vous n'auriez pas fait tout ce cinéma.

Peut-être s'agit-il de l'exécution d'une obligation. Vos parents auront sournoisement profité de leur mort imminente pour vous extorquer un serment depuis leur lit d'hôpital, par ton plus beau jogging jure ma fille que tu vas *rentrer* à la maison, que tu vas réparer l'outrage, que tu vas t'occuper de ta grand-mère. Les mourants ont cet avantage, ils sont en position de force, on ne peut pas leur refuser grand-chose. Prise au piège vous auriez juré, et vous vous seriez retrouvée avec leur dette sur les bras. Ou bien vous ne trouviez pas votre place en France. Pas d'amis, pas de proches. Trop différente. Trop de langue maternelle yazige. Peut-être avez-vous sous-estimé la puissance de la culture familiale, peut-être que ce qui figurait sur vos bulletins de notes, vos difficultés à vous exprimer dans un français correct au cours des premières années de votre vie ont laissé en vous une marque indélébile, la conviction d'évoluer dans un décor, une scène où il faudrait simuler, feindre, jouer à être française sous peine d'être stigmatisée. Oui, la disparition des mentions problématiques, votre francisation à compter de l'âge de neuf-dix ans pourraient aussi bien signifier que vous avez appris à donner le change, que vous aviez assimilé les règles du jeu : étant vraisemblablement coincée en France encore pour un bon moment, vous avez estimé qu'il valait mieux la jouer profil bas. Sans compter qu'une petite fille yazige se doit de briller à l'école, il y a une tradition à respecter, or pour avoir de bonnes notes, le français était indispensable. Donc vous l'avez appris du mieux que vous pouviez. Mais cela restait une langue étrangère. Et ensuite, vous seriez *rentrée* dès que possible. Après l'accident de vos parents, parce que plus rien ne vous attachait à la France. À moins que vous n'ayez volontairement attendu leur mort afin qu'ils ne sachent rien de votre décision. En effet, votre installation en Yazigie, ne l'auraient-ils pas reçue comme une critique, une manière de leur signaler que vous désapprouviez leur venue en France, que vous entendiez défaire leur geste d'émigration, lui substituer un *retour* afin d'en annuler les conséquences ? Si dans leur esprit, vous faire naître et grandir en

France était une chance qu'ils vous offraient, un présent acheté au prix de mille souffrances, alors votre choix de *rentrer* équivalait à leur renvoyer le cadeau à la figure, leur faire savoir que leur projet avait été un échec total, que la France ils vous l'avaient donnée mais que vous n'en aviez que faire, et cela par leur faute, papa maman il ne fallait pas m'éduquer yazige si vous vouliez que la greffe prenne, vous pourriez réfléchir à ce que vous faites des fois. Et comme vous saviez que passé un certain âge on supporte assez difficilement de découvrir que sa vie a été une absurdité sans nom, que les sacrifices consentis n'ont servi à rien, vous avez poliment attendu leur décès. Eux morts, vous étiez enfin libre, et vous avez filé à Iassag avec votre héritage.

Plus vous y pensez et plus vous avez la conviction qu'entre vos parents et vous-même, il y avait probablement une grande distance. Il est très possible que vous ayez réellement désapprouvé leur choix de s'installer en France. Ils vous ont parachutée là, dans ce gros pays tout mou, sans vous demander votre avis. Au lieu d'être bien au chaud dans les écoles de Yazigie, vous vous êtes retrouvée en classe parmi des enfants étrangers, et le comble de l'affaire, c'est qu'aux yeux de ces derniers l'étrangère c'était vous, ils avaient pour eux la force du plus grand nombre, la normalité quantitative d'être français, vous aviez de quoi être déboussolée. On prétend qu'apprendre une deuxième langue dès l'enfance est une bonne chose, mais vous étiez peut-être monolingue dans l'âme, rien ne prouve que dans votre cas le bilinguisme ait été bénéfique. Le français, si mal fichu, si illogique, était une perturbation inutile pour votre bel esprit rationnel, que d'efforts vous avez dû déployer, chaque soir après l'école, pour ranger votre tête en yazige après le désordre que l'idiome hexagonal y avait provoqué. Vos parents ont décidé de devenir des immigrés, des étrangers, cependant avaient-ils le droit de vous imposer de grandir loin de votre patrie ?

De toute façon l'émigration, dans son principe même, vous n'êtes pas sûre d'approuver. N'est-ce pas là une forme discrète et néanmoins incontestable de colonisation ? Or vous êtes anticolonialiste, cela ne fait aucun doute, vous l'avez bien vu hier avec la guerre d'Algérie. Mais n'importe quoi, cela n'a rien à voir. Ben si quand même, la colonisation et l'émigration ont quelque chose de commun, comme une pomme et une orange, ce sont des fruits, c'est différent mais il y a une catégorie plus générale qui les englobe, bravo quel renversant sens de la didactique. Persiflez, persiflez, mais posez-vous la question : n'avez-vous pas déclaré mentalement *chacun reste gentiment chez soi, cela vaut mieux pour tout le monde* ? Appliqué à vos parents, votre énoncé signifie : ils auraient dû rester en Yazigie. C'est clair et net. Eh dites donc, vous extrayez le discours de son contexte, c'est de la malhonnêteté intellectuelle, vous savez bien que vous songiez à des situations où l'on emploie la force armée, où l'on cherche à dominer, à soumettre, à exploiter, à mettre sous tutelle des peuples considérés comme inférieurs, en un mot à des cas où l'intention est, nom d'un érable radioactif comment l'exprimer, où les colonisateurs sont les méchants et les colonisés les victimes, c'est pourtant simple, non ? Bah non. Bah si. Bah non. Oh ça va ça suffit vous vous en foutez, la question n'est pas la colonisation mais vos parents, celles qui ne sont pas contentes allez ouste à New York. Oui, Moscou cela ira très bien aussi, pas de problème, chacune se rend dans la ville de son choix, par contre le départ c'est maintenant tout de suite, allez allez allez on se dépêche au revoir et bonnes vacances. Donc. *Chacun reste gentiment chez soi*. Vous qui prétendez être rigoureuse, qui encombrez sans cesse votre réflexion de précisions inutiles, vous auriez pris le risque de produire un énoncé ambigu ? Ben voyons. Si vous affirmez *chacun reste gentiment chez soi* c'est que vous êtes contre l'émigration, contre l'immigration, assumez donc vos positions, y compris lorsqu'elles heurtent votre humanisme bien-pensant. Oh, c'est drôle comme vous vous étriquez de l'esprit dès que vous envisagez la possibilité d'être yazige, vous aviez remarqué déjà ? Mais absolument pas, *chacun reste gentiment chez soi* il n'y a rien d'étriqué, cela signifie à chaque peuple sa terre, à chaque nation sa maison, où est le problème ? Quoi qu'il en soit, *précision inutile* est un oxymore, une précision est toujours utile, c'est même sa raison d'être, s'il vous plaît.

Et subitement c'est l'illumination. Vous fermez le robinet de votre salle de bains (vous étiez en train de vous laver les mains) (comme quoi malgré les apparences vous faites des tas de choses que vous ne commentez pas dans votre tête), vous enfilez une paire de chaussures, vous dévalez les escaliers de votre immeuble et vous courez jusqu'à la station Charonne afin de vous poster devant la plaque.

C'est bien ce que vous pensiez. Vous ne ressentez rien. De la curiosité intellectuelle. De l'intérêt pour un fait historique. Une indignation de principe. Mais cela s'arrête là. Vous n'êtes pas concernée. Pas concernée de l'intérieur. Une vraie Française éprouverait de l'embarras. De la gêne. Elle aurait un nœud dans le ventre. Non seulement pour Charonne mais pour l'Algérie. Il lui tiendrait à cœur de manifester sa désapprobation. De tenter quelque chose pour réparer. Elle aurait envie de dire publiquement, pardon, nous la patrie des droits de l'homme, nous avons colonisé et nous avons torturé. Une vraie Française penserait, certes je n'étais pas née toutefois l'héritage historique est un pack indivisible, si je m'enorgueillis des Lumières je dois également assumer la guerre d'Algérie, on n'est pas au supermarché. Elle songerait aux corps profanés, aux décharges électriques, et le feu de la honte lui monterait aux joues, et elle serrerait les poings à l'idée que justice n'a pas été rendue, que des crimes ont été cachés sous le tapis. Tandis que vous, eh bien vous êtes détendue comme une poule au soleil, aucun afflux sanguin n'a irrigué la peau de votre visage, vos mains sont restées ouvertes et molles, dans une sereine nonchalance. Pour être claire, la guerre d'Algérie, rien à foutre. Du point de vue français, s'entend. Culpabilité zéro. Vous voulez bien vous intéresser aux Algériens, parce que dans votre cœur toujours il y aura un recoin doux et chaud avec des coussins moelleux brodés d'or et des tisanes à la mélisse pour les perdants, les personnages secondaires, les écrabouillés par les puissants, mais concernant la prise en charge de la partie française de l'histoire, inutile de compter sur vous. Les Français ont colonisé et les Français ont torturé, qu'ils se débrouillent avec, qu'ils se trifouillent la mémoire et qu'ils ouvrent leurs placards, qu'ils érigent des monuments et rédigent des discours, vous leur souhaitez bien du courage parce que manifestement il y a du travail. Et encore vous êtes gentille parce qu'au fond le problème français de la guerre d'Algérie c'est quoi, c'est un problème de gosses de riches embarrassés d'avoir du sang sur les mains, forcément l'arrachage des ongles dans les manuels d'histoire ça fait désordre à côté des encyclopédistes, c'est limite s'il ne faudrait pas les plaindre, pauvres chéris traumatisés d'avoir piétiné leurs idéaux mais c'est trop triste vont-ils s'en remettre vont-ils retrouver le sommeil et l'usage de leurs miroirs, et toutes ces victimes, là, qui demandent reconnaissance et remuent le couteau dans la plaie quel manque de tact vraiment, ohoho avez-vous noté avez-vous relevé ? Vous avez pensé, *les Français*. *Eux*. Pas *Nous*. Et ce détachement. Cette conscience tranquille face à la guerre d'Algérie. Vous ne vous en lavez pas les mains : pas besoin, elles sont naturellement propres. Donc vous n'êtes pas française. C'est imparable. Voilà la signature de Cendrillon sur le registre de l'hôtel, hein mais qu'est-ce que c'est que cette affaire, vous n'avez signé aucun registre à l'hôtel où vous avez passé votre première nuit. Eh détendez-vous ne cherchez pas toujours à tout contrôler, vous avez bien le droit, de temps à autre, de faire devant vous-même des allusions dont le sens vous échappe, c'est sûrement encore un coup de la pensée qui planche sur Ricœur.

Vous relisez le texte de la plaque. À bien vous scruter de l'intérieur, et personne ne doute du fait que vous y mettiez beaucoup d'application, que vous exploriez les emboîtements de votre architecture cérébrale avec rigueur, que vous ouvriez tous les tiroirs et souleviez toutes les trappes, que vous racliez minutieusement les murs et grattiez consciencieusement les sols, même les victimes de la guerre d'Algérie, vous vous en fichez un peu. Oui, vous seriez d'accord pour hululer quelques minutes en leur mémoire, pour leur adresser de synthétiques et néanmoins sincères condoléances, mais il ne faut pas pousser non plus, les siècles passés sont truffés de brutalités insoutenables, il ne serait pas raisonnable de passer votre vie à vous émouvoir de toutes les morts violentes de l'univers. Surtout que l'Algérie c'est loin ce n'est même pas en Europe, c'est extrêmement vaste et puis il y a du pétrole. Or le pétrole, vous devez admettre que cela vous déplaît fortement. Parce que le pétrole est profondément antiméritocratique, on peut être un petit pays insignifiant et soudain parce qu'on a du pétrole alors là le monde entier s'intéresse, alors là en cas de guerre c'est la coalition internationale et l'ONU et les couvertures des magazines, et pendant ce temps il existe de petits pays valeureux qui commencent par un Y et dont personne ne se soucie, oui bon d'accord vous êtes horriblement jalouse du Koweït. Bref, la guerre d'Algérie est une terrible tragédie toutefois s'il fallait classer les atrocités du monde par ordre de préférence, ce n'est qu'une hypothèse de travail bien entendu jamais vous ne vous amuseriez à user d'un procédé aussi cynique, elle viendrait loin derrière la deuxième guerre punique (Hannibal est tellement sexy), le génocide rwandais (les machettes c'est original) ou encore le massacre de Katyń (un parfum de manipulation). Ah non, vous vous êtes trompée, Katyń n'a pas sa place dans cet inventaire des abominations exotiques, Katyń n'est pas un événement lointain une photographie anonyme un mot sans résonance : Katyń est un massacre de Polonais.

Vous vacillez, c'est une douleur entre les côtes, c'est l'estomac qui se soulève, 1940, la forêt, les balles allemandes, les tireurs soviétiques, *nos frères polonais* ! L'élite d'une nation, un meurtre de masse, le mensonge pendant des décennies, et plus tard le crash de l'avion présidentiel tel un écho douloureux, votre cœur se fend, les Polonais, eux aussi tant de fois écartelés, opprimés et humiliés au cours des siècles, quel peuple digne, que de blessures endurées, et malgré les revers toujours le mot pour rire, toujours le verre pour trinquer, seuls parmi les Slaves, seuls parmi les Européens à comprendre et à épauler, Yaziges et Polonais compagnons d'infortune, nuits blanches et destins entortillés, main dans la main contre les oppresseurs, pour l'indépendance, la justice et la liberté – et aussi pour boire des coups, il est vrai.

Vous déboutonnez le haut de votre chemisier et vous vous adossez au mur carrelé de la station de métro, vous avez chaud, vous êtes toute chose, c'est tellement émouvant cette relation privilégiée que vous avez avec les Polonais. Vous touchez votre visage brûlant, han il vous faudrait un Polonais, vite un Polonais c'est une urgence, vous avez besoin d'un Polonais pour le serrer dans vos bras, pour sentir son parfum et les battements de son cœur et ses cheveux vous chatouillant le cou. Vous essayez de vous rappeler où se situe l'ambassade de Pologne à Paris, ce serait encore le meilleur endroit, cependant comme vous n'avez aucune idée de l'adresse, vous sortez dans la rue, vous scrutez les passants, à quoi cela ressemble un Polonais déjà, est-ce qu'un Polonais marche vite ou avec flegme, est-ce qu'un Polonais transporte ses achats dans des sacs plastique ou dans un filet à provisions, mais ce n'est pas possible, comment faire pour reconnaître un Polonais ? Vous faites des sourires, des signes de la main, personne ne vous répond, pas de Polonais à l'horizon, quelle désespérance, vous êtes toute seule, ébouriffée et hors d'haleine sur le boulevard Voltaire.

Pas de Polonais à l'horizon, par contre vous apercevez Hdlsko, et de le revoir est une claque magistrale, c'est la cendre de la trahison dans votre bouche, c'est la suie du désaveu sur votre front, vous avez été ignoble avec lui hier, voilà un compatriote en difficulté, un héros national qui malgré dix années passées à Paris a conservé sa langue maternelle intacte, et vous, misérable tôle surgelée que vous êtes, avez refusé de lui tendre la main. Vous fouillez dans vos poches, vous n'avez pas de liquide sur vous, vous courez jusqu'à un distributeur, mais non de l'argent c'est affreusement vulgaire, il pensera que vous voulez vous racheter une morale, et puis de l'argent c'est trop facile, l'argent ne coûte que de l'argent, il vous faut trouver quelque chose de réellement précieux. Saisie d'une idée lumineuse vous opérez un demi-tour, zut c'est la mauvaise direction à bâbord toute, vous repassez devant Hdlsko en courant, hardi paladin je reviens avec une offrande dans un instant, et vous galopez jusqu'à feu votre domicile où vous vous emparez de votre diadème scintillant, celui que vous portiez lors de votre arrivée à l'aéroport, précision superflue c'est votre unique diadème, objection rien n'interdisait d'imaginer que vous en possédiez d'autres, tiens c'est déjà terminé les vacances à New York, enfin à Moscou ? Le diadème, ce sera parfait, vous n'êtes pas une spécialiste mais il doit bien valoir deux ou trois cents euros, cela se voit que c'est du fantaisie haut de gamme, Hdlsko pourra le revendre, organiser une fête avec ses amis clochards, ou si tel est son souhait, se payer un retour en Yazigie. Vous faites un bisou au diadème, cela vous arrache le cœur de vous en séparer, il brille il est si magnifique, vous l'essayez une dernière fois, il vous va à ravir, il rehausse votre teint diaphane, il sublime vos cheveux qui se parent de mille feux, vous êtes une princesse – eh bien vous serez une princesse sans diadème, une princesse en sursis, ce sera votre juste châtiment.

Vous retournez auprès de Hdlsko et lui tendez triomphalement l'objet scintillant, un diadème pour un clochard quel geste fort et symbolique, dommage qu'il n'y ait pas un photographe caché derrière un lampadaire pour immortaliser la scène, en noir et blanc cela donnerait un cliché magnifique qui ferait le tour du monde sur les réseaux sociaux. Il accepte votre cadeau comme un bailleur qui encaisse un loyer, on dirait qu'il reçoit des diadèmes tous les quatre matins c'en est presque vexant, vous qui croyiez lui faire une fabuleuse surprise, manifestement c'est raté. Vous insistez pour qu'il l'essaie, il s'exécute de mauvaise grâce, mais oui cela lui donne un air ultra-glamour et en même temps insaisissable, en revanche avec la bouche fermée c'est mieux parce que le côté édenté casse un peu le tableau. Pour conclure la cérémonie de remise du diadème, vous lui expliquez qu'il en fait ce qu'il veut, qu'il est parfaitement libre de le revendre, qu'avec l'argent il peut s'acheter de l'alcool, même de la drogue s'il le souhaite, loin de vous l'idée de faire de lui votre débiteur, d'en profiter pour exercer sur lui une emprise. Toutefois, oui, il y a bien une chose qui vous ferait plaisir : qu'il se relève, qu'il cesse de mendier à genoux. Parce qu'un Yazige à genoux vraiment ce n'est pas possible, rien que d'y penser vous en saignez des vertèbres, et tandis que vous vous composez un visage accablé afin de surligner votre propos, il vous revient une citation tirée d'un vieux roman, *Yazige n'est pas duit à se courber et fleschir, quand bien même miséreux, culpable ou bien coustel en la gorge, jamais ne pose genou à terre, jamais devant personne*. Ah, cela a quand même plus de gueule que Montaigne qui s'agenouille devant les rois mais reste debout dans son entendement, genre je me soumets pour du beurre j'ai croisé les doigts de pied dans mes chaussures, on y croit on y croit. Pour toute réponse à votre requête anti-génuflexiale,

Hdlsko allume une cigarette puis regarde dans le vague. Vous en déduisez qu'il est très occupé dans sa tête, probablement qu'il est en train de se réciter une épopée lyrique ou de réfléchir à la résolution simultanée des vingt-trois problèmes de Hilbert, et vous décidez de le laisser tranquille.

11

Vous profitez du chemin du retour, ce n'est que la sixième fois de la journée que vous passez aux mêmes endroits tout est sous contrôle personne ne vous suit personne ne vous observe, pour reprendre votre destinée en main. Puisque vous êtes yazige, vous allez rentrer. Votre place est là-bas. Ccla suffit cette comédie, cela suffit la double vie. Et tant pis si apprenant que vous êtes établie en Yazigie, vos clients français tentent de renégocier vos honoraires à la baisse, vous tiendrez bon, vous ne céderez pas. Au seul motif que vous habitez dans un pays au PIB dix fois inférieur à celui de la France, votre travail aurait moins de valeur ? Non mais oh. C'est le même service, la même prestation. Réaliser une traduction ne prend pas moins de temps à Iassag qu'à Paris, et pour l'interprétation, vous vous fatiguez à faire le déplacement, vous devriez même facturer plus cher, c'est pénible l'avion, surtout depuis qu'il y a tous ces contrôles idiots et qu'on doit arriver quatre heures à l'avance afin d'avoir le droit de se déshabiller devant le personnel aéroportuaire. Les filles yaziges qui viennent se prostituer à Paris réussissent bien à travailler à des tarifs français, alors il n'y a pas de raisons. Solidarité ! Qu'on ne compte pas sur vous pour vous brader, la casse du marché ne passera pas par vous. Du marché des activités exercées par des prestataires de service yaziges de sexe féminin toutes professions confondues, il coule de source cristalline naturellement.

Vous dégainez votre carte bleue, crotte d'astéroïde elliptique, vous devez attendre d'être chez vous pour réserver votre billet d'avion, en outre votre appartement parisien n'est plus chez vous, peu importe, vous ne vous troublez pas et remettez votre portefeuille dans votre sac à main avec dignité. Ah. Votre dignité. Votre dignité yazige. Qu'il est bon de la retrouver. Chez les Hexagonaux il n'y a pas cette allégresse identitaire, dans le quotidien ils ne se réjouissent qu'assez peu d'être français. Vous autres les Yaziges chaque jour vous vous félicitez, vous vous émerveillez. Certes, vous pleurez beaucoup à cause du destin tragique de votre peuple, mais par rapport à la France, c'est plus intense. Les Français sont blasés, leur *Nous* est tout mou, y compris dans leur langue, la plupart du temps ils disent, en France *On* est comme ci, en France *On* fait cela. Quelle platitude. Ils s'impersonnalisent. C'est un tort, car être français est une grande chance. Mais ils ne sont pas au courant. À cause de leur universalisme. Ils se confondent avec l'humanité tout entière. Du coup, ils croient qu'être français est la normalité. Pourquoi s'en préoccuper ? Aux autres d'expliquer pourquoi ils ne le sont pas. Ils sont comme ces hommes inconscients d'être des hommes, ah bon se promener en short à 2 heures du matin sans avoir peur sans surveiller qui vient en face sans guetter le moindre bruit ne serait pas une expérience universellement partageable vraiment je suis étonné je ne comprends pas. Quand on est une femme on sait qu'on l'est. On s'en rend compte tout le temps. Eh bien plouc géopolitique c'est pareil. Impossible de faire abstraction.

Vous entrez dans le hall de l'immeuble qui n'est plus votre immeuble en prenant de profondes inspirations. L'air français dans vos poumons yaziges. Il entre et il ressort. Vous l'utilisez mais il reste étranger. Vous le pompez comme vous avez pompé les allocations familiales, la Sécurité sociale, la scolarité gratuite. Vous avez siphonné la France, cette andouille nucléaire, qui a cru qu'il suffisait d'aligner quelques chèques pour vous faire taire. Mais non. Vous n'êtes pas à vendre. Vous n'êtes pas comme ces enfants d'immigrés qui se francisent honteusement. Dire que vous avez failli vous faire avoir par les tartines de l'hôtel, alors que les tartines trempées dans le thé, c'est comme vos bulletins de notes, simplement la marque de votre capacité à vous fondre dans le décor hexagonal. Planquée en vous-même vous avez toujours été présente, vous n'avez jamais trahi. L'os. La nation. La langue. Si vous aviez attrapé le problème par ce bout-là vous vous seriez évité bien des errements. Le yazige est votre langue maternelle. Le français est une surcouche, un ajout. C'est en yazige que vous vibrez, c'est en yazige que vous avez vécu ce qui façonne une personnalité, les blessures l'enfance la découverte du monde. D'ailleurs vous l'aviez remarqué déjà, en yazige votre pensée est chaude et épaisse, presque granuleuse, tandis qu'en français elle est mécanique, distanciée, le français est une langue-outil, un instrument. En français les mots sont creux, en français mentir n'est rien car en français dire le faux n'est pas malhonnête, cela n'engage pas votre personne. En français vous pouvez bien raconter n'importe quoi, vous ne transgressez aucune règle, vous ne violez aucune obligation. Parce qu'en français ce n'est pas vous.

Comment avez-vous pu en douter ?

Eh bien, il y avait quelques contre-arguments.

Oh non, c'était une question rhétorique, il ne fallait pas y répondre, elle ne vous demandait rien, elle n'était que de pure forme, elle se suffisait à elle-même, ce n'est pas possible, attention vos certitudes, elles sont ébranlées, elles se fissurent, espèce de paquebot à pédales en fonte que vous êtes, pourquoi toujours tout prendre au pied de la lettre ? Vous vous récriez, vous n'êtes absolument pas un paquebot, vous êtes une furtive frégate qui vogue agilement parmi les flots de l'abstraction, en revanche, oui, vous vous sentiez tellement française, il y avait de l'intime conviction là-dedans, c'était fermement vissé à votre esprit. Et ces propos désobligeants que vous tenez sur la France dans vos lettres aux Yaziges, vraiment vous avez du mal à admettre que vous les pensiez réellement. Nom d'un panais cosmopolite. Si cela se trouve, on peut être française et ne pas se sentir concernée par la guerre d'Algérie. La proposition est audacieuse, pour ne pas dire extravagante, mais après tout, oui après tout, rien n'interdit d'imaginer qu'il existe des Français qui considèrent que la colonisation et les tortures ça va bien deux minutes mais c'est passé c'est terminé on ne va pas se flageller jusqu'à la fin des temps.

Face au retournement qui se profile vous freinez des quatre fers, vous en avez assez de changer sans cesse d'avis sur vous-même, à chaque fois il faut vous réagencer, vous réacclimater, c'est éreintant à la fin, vous n'aviez pas encore cicatrisé de la blessure de ne pas être une immigrée que vous vous transformiez en traductrice psychopathe avant de devenir une délinquante sans crime et maintenant vous êtes de nouveau yazige mais pas immigrée sauf que vous n'êtes plus si certaine, et en attendant vous n'avez ni le temps de vous réconcilier avec vos pieds ni celui de vous chercher un mari. Cependant c'est comme les nœuds sur les ficelles, plus on tire dessus et plus on les resserre, et déjà vous êtes partie, et déjà vous redevenez Française. Mais cette fois-ci, vous êtes une Française qui habite réellement à Iassag, on saluera votre effort pour lutter contre la routine cérébrale, se surprendre avec de nouvelles hypothèses est la solution idéale pour pimenter sa vie psychique. En effet, feindre de vivre à 1 800 kilomètres de chez vous serait complètement stupide, c'est bien parce que cela ne tient pas que toutes vos théories fondées sur cette interprétation se sont lamentablement effondrées les unes après les autres, ce qui au demeurant n'est que la preuve de votre honnêteté intellectuelle même si à force c'est un brin vexant. A contrario,

Française installée en Yazigie on comprend tout de suite : vous êtes une espionne en mission secrète. Traductrice-interprète est une position idéale, vous avez accès à des documents classifiés à des audiences secrètes à des échanges confidentiels, devant vous pas de mystères, on vous dit tout confie tout révèle tout, vous êtes *la doublure de l'ombre*, quel joli titre pour un scénario hollywoodien.

Espionne II, le retour de l'hypothèse à sensation. Une jauge de crédibilité presque vide, mais un si grand pouvoir de séduction. Être une fille lambda est dur à avaler, pas vrai ? Pauvre créature ordinaire que vous êtes. Voilà bien le problème avec l'amnésie, on peut tout imaginer, on peut tout projeter, et ensuite, il y a une certaine déception. Au fond, même prostituée, vous auriez préféré, au moins c'est singulier, au moins c'est original, il y a une charge symbolique forte, il y a du drame. Ah non, vous protestez, prostituée non, vous n'auriez pas eu les épaules, vous n'auriez pas su faire face. Parce que la prostitution, on croit qu'il s'agit d'ouvrir les cuisses tout en se concentrant sur les billets posés sur la table, toutefois ce n'est pas si simple, il faut de solides compétences en gestion de crise, il faut avoir du charisme et en imposer, ne pas paniquer sous la menace d'un couteau ou mettre dehors un type furieux de ne pas être parvenu à jouir durant le temps convenu n'est pas donné à tout le monde. Quant à l'espionnage, oui vous l'admettez, vous imaginer déchiffrant le code d'un coffre-fort pour dérober la recette de la bombe atomique ou sautant d'immeuble en immeuble vêtue d'une combinaison noire et moulante n'est pas désagréable, mais que l'idée vous plaise, vous flatte, que ce soit, allez, un fantasme de gamine, ne dit rien de la validité de la susmentionnée hypothèse. Qu'est-ce qui vous prouve que c'est faux ? Eh bien disons que vous n'avez pas l'air excessivement sportive, alors les sauts sur les toits, vous risqueriez de vous luxer la hanche, et puis la charge de la preuve vous incombe, que le non-espionnage ne soit pas démontré ne démontre pas l'espionnage, c'est un argument de pure mauvaise foi, ça va vous vous suivez toujours ? Oui à merveille vous vous remerciez, vous êtes même de plus en plus convaincue, agent secret est une profession qui vous irait comme un gant, pas dans sa version stéréotypée évidemment, il convient de se déprendre du cliché, depuis la chute du Rideau de fer l'espionnage européen a perdu en spectaculaire, finis les cascades, les parapluies bulgares et les chocolats explosifs, on se contente de s'observer gentiment les uns les autres, de se tenir au courant des activités de ses alliés de l'autre bloc qui n'est plus l'autre bloc, c'est une manière de se rassurer, de se déstresser, quand on sait qu'on peut avoir confiance en ses nouveaux amis on dort beaucoup mieux. Autrement dit, l'heure est désormais aux informateurs discrets, aux humbles bureaucrates, aux modestes rapporteurs, et vous, vous seriez un maillon de cette chaîne : Française installée à Iassag vous renseigneriez le Ministère de la défense sur les activités des Yaziges, vous seriez spécialisée dans la veille antiterroriste, la preuve cette traduction pyrotechnique qu'on voulait vous confier ce matin.

Après environ une seconde et demie de douce sérénité, laps de temps pendant lequel vous croyez enfin tenir une théorie viable, ladite théorie s'ouvre le ventre avec un sabre vert fluo et déroule devant vous ses longs intestins, ce qui dans sa culture (les théories habitent dans un royaume aux us et coutumes exotiques) correspond à une manière de vous signifier poliment que l'espionnage est susceptible de fonctionner dans un sens comme dans l'autre : vous avez postulé que vous travailliez pour la France mais vous pourriez aussi bien être agent double et travailler pour le gouvernement yazige auquel vous rapporteriez vos activités pour le gouvernement français, voire agent triple ou même quadruple et ainsi de suite jusqu'à l'infini, et non vous n'allez pas procéder à une énumération exhaustive car l'infini est infini comme son nom l'indique vous êtes priée de bien vouloir respecter les consignes de sécurité. Trop tard vous êtes lancée, agent sextuple, agent septuple, agent octuple, vous continuez de la sorte et aux alentours d'agent cent cinquante nonuple vous perdez le fil, à ce stade vous êtes agent tellement multiple que vous ne savez plus du tout pour quel gouvernement vous travaillez. Vous essayez de refaire les comptes, de vous représenter le contenu des rapports que vous adressez aux uns et aux autres, il suffit d'imaginer un miroir dans un miroir dans un miroir ce n'est quand même pas sorcier, cependant vous vous embrouillez, vous ne savez plus, les miroirs dansent devant vos yeux imaginaires qui sont dans votre tête qui est dans les miroirs, prenez garde une erreur de calcul est si vite arrivée, et progressivement vous êtes prise de vertige, un vertige qui peu à peu se diffuse et étend ses tentacules et s'empare de toute votre personne, qui insensiblement change de nature et se radicalise et se confond avec un autre vertige, beaucoup plus terrifiant, celui de l'infinie liste de toutes les femmes que vous auriez pu être, que vous avez été conditionnellement au cours de ces trois derniers jours, que vous étiez effectivement dans toutes les réalités de toutes vos suppositions et que pourtant vous n'étiez en même temps pas du tout.

Quelque chose vous pique les joues. C'est votre paillasson, vous avez dû tomber, ou bien vous vous êtes allongée. Il vous semble que vous êtes au bout du rouleau. Pas exactement au bout mais pas loin. Vous vous relevez vaillamment et vous entrez dans votre appartement, cela après avoir ouvert la porte au moyen de vos clefs – méthode un brin vieux jeu et néanmoins toujours efficace. Par acquit de conscience, vous examinez le texte qu'on vous avait envoyé pour traduction. Il s'agissait bien de pyrotechnie, mais rien de sérieux, seulement d'inoffensifs feux d'artifice. Évidemment. Circulez, aucune mission secrète à voir ici. Sans plus attendre, en effet pourquoi attendre lorsqu'on a pris une si salutaire décision, vous levez la main droite et prenez devant le basilic, que vous élevez pour l'occasion au rang de délégataire de la puissance végétale ayant compétence pour authentifier des actes, l'engagement solennel de ne plus jamais vous suspecter d'être une espionne. Stop. Vous êtes une fille ordinaire. Ce n'est pas une maladie, vous vous en remettrez aisément. D'ailleurs traductrice-interprète, ce n'est pas si mal. Vous êtes free-lance. Cavalière à la lance libre. Franche-tireuse. Indépendante. Une sorte de Carmen. Ah non hein, vous n'allez pas recommencer à vous laisser glisser sur la pente exaltée-dramatique. Les princesses et les licornes ne sont pas vos amies. Elles faussent votre jugement. Tenez, cette abracadabrante histoire de fidélité au yazige par exemple. Ne voyez-vous donc pas que la langue maternelle n'est qu'un mythe romantique qu'il serait urgent de déconstruire ? Certes, le yazige est votre première langue. Votre langue maternelle si cela peut vous faire plaisir. Mais une langue emmurée, domestique, qui ne se parlait qu'au sein de votre triade familiale. Lavabo, dentifrice, passe-moi le sel, sont probablement pour vous des termes originellement yaziges. La belle affaire. Vous n'êtes pas une oie sauvage, peu importe le son du premier mot entendu. C'est en français que vous avez été scolarisée. C'est en français que vous avez découvert les hommes préhistoriques, l'assolement triennal et l'art roman. C'est en français que vous avez appris à penser. D'où le caractère parfois tortueux de vos réflexions. Le français est une langue libre et baroque, elle ne craint pas la surcharge, l'accumulation, la dissonance.

Vous vérifiez vos passeports. À force, vous n'êtes plus sûre de rien. Mais oui, vous êtes bien née en France. Vous relisez aussi votre curriculum vitae. Il est rédigé dans les deux langues, ce qui prouve que vous servez la même version à tout le monde. Tous vos diplômes sont français. En poursuivant la lecture du document, vous remarquez l'étonnante apparition d'une nouvelle mention relative à vos compétences linguistiques – mention qui y figurait sans doute déjà hier, toutefois dans la mesure où vous n'y aviez pas prêté attention, subjectivement parlant vous vivez la chose comme un jaillissement magique. Sans compter qu'il serait fort inélégant de votre part d'insinuer que votre première lecture aurait été négligente. Bref. Sur votre curriculum vitae, il est indiqué *français A, yazige A, les deux langues sont parlées sans accent.* Cette précision sur l'accent. Quelle coquetterie. C'est comme si vous affirmiez, à l'écrit j'utilise des polices de caractères choisies avec soin, boucles élégantes et barres bien droites, mes traductions sont extrêmement jolies. On s'en fout. Ce qui compte ce sont les mots, ce sont les pensées. L'absence d'accent, c'est de la poudre aux yeux. Pour étayer cette idée que vous seriez une double A.

Chez les traducteurs et les interprètes, on classe les langues selon le niveau de maîtrise : A est une langue parfaitement maîtrisée, B est une langue maitrisée à un très haut niveau, C est une langue parfaitement comprise. Dans votre cas, le français est indubitablement une langue A. Puisque vous avez grandi en France, que vous y avez fait vos études. Pour le yazige en revanche, qu'il vous soit permis d'émettre quelques réserves. L'école, les enseignants, les manuels scolaires, les exercices, tout cela n'a aucune utilité c'est bien connu, vous rien qu'en écoutant vos parents parler, rien qu'en feuilletant leurs livres et en regardant des dessins animés, vous auriez acquis toutes les subtilités du yazige. Les règles de grammaire vous n'aviez pas besoin qu'on vous les apprenne, vous les déduisiez savamment des couinements de la petite taupe. Quel petit prodige. Et même en admettant que vous ayez effectivement atteint, toute seule, en France, le niveau d'une élève yazige de dix ou douze ans, il y a le problème des connaissances, du contenu. Le bilinguisme n'est pas magique, c'est facile à cinq ans, dix ans, quinze ans d'être bilingue, mes parents ont encore vomi dans le taxi, non je n'ai jamais fait l'amour mais avec toi j'aimerais bien, l'exprimer avec naturel et fluidité dans les deux langues ne constitue pas une grande prouesse, par contre merci de nous indiquer la valeur vénale du bien à la date du fait générateur de la créance de l'administration fiscale, ou encore souhaitez-vous chère madame faire valoir vos droits d'épouse commune en biens, bonne chance pour le sortir d'emblée tel qu'un natif l'aurait dit, oh eh bien ça alors vous avez réussi à le penser dans les deux langues sans difficulté, non mais vous trichez, le droit c'est votre domaine, vous avez forcément des automatismes. En substance, vous êtes français A et yazige B. C'est l'évidence même. Et pour impressionner vos clients, vous prétendez être une double A. Vous faites de même pour vos études. Vous avez effectué quelques séjours universitaires à Iassag et vous transformez cela en *double scolarité.* Bon. Après tout c'est le jeu, un curriculum vitae est une vitrine, on enjolive les choses.

Et subitement c'est l'illumination, eh oui encore une, décidément la journée est placée sous le patronage des vendeurs de lampes et luminaires, vous vous précipitez dans votre chambre à coucher, vous vous jetez à terre et vous extirpez les boîtes à archives de vos parents de sous votre lit. Vous trifouillez compulsez consultez. Et vous trouvez. Ce qui n'est pas nécessairement une bonne nouvelle bien qu'une telle interprétation soit également recevable, à dire vrai vous n'avez pas encore fait votre choix parmi la multitude d'émotions qui viennent de vous soumettre leur candidature aux fonctions d'humeur du moment. Pour aller droit au but, vous avez mis la main sur un paquet de lettres de votre grand-mère. Car il y en a eu. Beaucoup. Durant toute votre enfance. Bien sûr vous vous en réjouissez, formidable elle ne vous a donc jamais tourné le dos, vos échanges actuels ne sont que la continuation de vos relations passées, toutefois vous en êtes également agacée, depuis hier vous vous efforciez de vous reconstruire suite au traumatisme de son abandon, vous aviez même imaginé vos retrouvailles et aviez commencé un travail sur vous-même afin de lui pardonner, et en fin de compte c'était de l'énergie jetée par la fenêtre. Et puis c'était pratique d'être en colère contre quelqu'un, cela vous structurait.

Si vous n'avez pas découvert ces courriers plus tôt, c'est qu'ils étaient classés non pas sous cote 155.98, correspondance intrafamiliale, mais en 445.62 mathématiques comparées, 004.165 informatique médiévale, 823.18 contre-histoire intérieure. En effet, jamais votre grand-mère, qui était institutrice de profession comme on s'en souvient peut-être, mais uniquement si l'on est doté d'une excellente mémoire car vous n'y avez pensé qu'une seule fois, ne vous écrivait sans vous envoyer un cours à lire, un exercice à effectuer. Il lui tenait à cœur que sa petite-fille née à l'étranger ne sombre pas dans la misère culturelle. À tel point que quand vos parents et vous alliez à Iassag, elle se débrouillait pour que vous puissiez fréquenter son école. Ce n'est pas une scolarité yazige complète. Mais cela rééquilibre sérieusement les forces en présence.

*

Économie. *Tous les jours, une fête nationale, un deuil, un hommage anime notre capitale. Un voile noir recouvre les maisons, notre drapeau est en berne, et nous pleurons, oui nous pleurons nos révoltes écrasées, nos héros humiliés. À cause de tous ces jours fériés, il est évident que sur le plan économique, nous ne nous portons pas très bien. Les plus brillants d'entre nous émigrent, partant chercher meilleure fortune du côté des rivières américaines. Ils reviennent de temps en temps, lunettes de soleil et chaîne en or, et roulent des mécaniques dans les rues de Iassag. Certains créent des instituts, des fondations. Ils paient leur dette. Ils alignent. D'autres changent de nom, dédient leurs succès à leur pays d'adoption, oublient leur langue maternelle. Mais le jour de leur mort, tous renvoient leur dépouille chez nous, afin de se faire enterrer en leur terre natale. Résultat, les cimetières débordent ici.*

*

Dehors la nuit est tombée. Vous êtes toujours dans le local à usage d'habitation dont vous avez la jouissance en vertu d'un contrat de location de droit français. Naturellement vous étiez déjà au courant, c'était juste pour vous entraîner à penser d'une manière irréprochablement scientifique. Les mots sous leurs airs candidement descriptifs qualifient classent et jugent, utiliser *résidence principale* ou *pied-à-terre* serait déjà prendre parti, altérer le matériau, déformer l'enquête. Respect du principe de symétrie : ne jamais postuler à l'avance l'identité de la gagnante. Même si à l'heure actuelle vous avez un penchant, une préférence, qu'à dire vrai vous êtes convaincue d'y voir absolument clair, d'avoir tout compris, vous serez un poisson dans un ventilateur, un lotus en conserve. Car dans cinq minutes ou dans une heure, vous aurez mille contre-arguments. Désormais vous ne vous emballerez plus, vous vous draperez dans une vertueuse et clinique neutralité. Rien n'est joué. Les théories favorites aussi parfois se vautrent, un obstacle d'eau mal géré et hop, la médaille d'or revient à casaque grise à pois violets, une sombre hypothèse inconnue.

Vous avez lu et relu vos archives électroniques. Il vous est apparu que la bonne question, concentrez-vous bien c'est une étape capitale, vous êtes en train de poser votre problématique, n'était définitivement pas celle du temps passé ici ou là-bas. Vous naviguez incontestablement entre les deux pays. Peut-être est-ce une semaine trois semaines, peut-être est-ce quinze jours quinze jours, peut-être est-ce variable selon les mois, les périodes, les obligations professionnelles. Qu'importe le quantum de temps passé. Ce qui compte est le regard, le choix, la vérité. De quel côté êtes-vous ? Lorsque vous arrivez à Paris, vous racontez à votre famille votre horreur de la France. *Ici tout m'est étranger, les panneaux dans la rue, les gens et leurs regards. Le son de ma voix française surtout. Automate docile je tords ma bouche, les mots ne sont que bruit accidenté, piaillement sans substance. Je m'écoute avec écœurement, je voudrais déchirer mes vêtements étriqués. Le soir pour m'endormir je m'imagine leur taper sur la tête avec une poêle à frire, c'est la seule chose qui me calme.* Et cinq minutes après, toute guillerette, vous annoncez à Ursula votre joie d'être enfin rentrée. *Han ma caille écoute là-bas c'était la dépression collective, je suis tombée en pleine commémoration de je ne sais plus quelle abominable défaite du XIIIe siècle, il y avait des chevaux et des types en cotte de mailles partout dans la ville, du coup retrouver Paris quel bonheur.* Face au grand écart épistolaire, la bonne question est : à qui mentez-vous ? Laquelle est la vraie ?

Vous songez à cette énigme avec deux gardiennes, ou deux sœurs, dont l'une est une menteuse chronique tandis que l'autre dit toujours la vérité. Vous êtes en plein dedans. Sauf que la solution classique ne fonctionnera pas – solution que vous passez pudiquement sous silence cérébral car l'une de vos pensées vous signale qu'elle souhaiterait trouver seule, qu'elle déteste les spoilers. Vous avez eu beau chercher dans vos courriers, vous n'avez manifestement révélé la supercherie à personne. Ou plutôt si, mais dans la mesure où chacun des deux camps croit que vous êtes insincère avec l'autre camp, cela ne vous avance guère, trop de confidence tue la confidence.

Ainsi, chacune des deux filles que vous êtes, la vraie et la fausse, prétend que celle d'en face est un personnage. 1) Côté yazige. *Ce que mes oreilles subissent. Blanche et sans accent je passe pour une des leurs, devant moi ils osent, devant moi ils ne craignent pas de parler des étrangers. Je ravale ma fierté, je me mords la langue pour ne pas leur dire leurs quatre vérités. Mais je suis là. Et j'écoute. Et je mémorise. Un jour, quand j'aurai assez de matériau, je décaisserai. Ce jour-là, on rigolera bien.* 2) Côté français. *Tu me demandes pourquoi devant ma famille je n'assume pas mes opinions. Être frontale ne servirait à rien. Si je leur disais ce que je pense réellement, ils se braqueraient. Tandis qu'en allant dans leur sens, en faisant mine d'aller dans leur sens, je peux, en douce, distiller quelques idées progressistes, ébranler quelques-uns de leurs préjugés. Je plante des petites graines humanistes. C'est du pragmatisme bienveillant.* Française croyant accomplir une mission civilisatrice ou Yazige revancharde tapie dans l'ombre, ah il n'y a pas à dire, vous avez su sélectionner les plus nobles attributs de chacun des deux génies nationaux. Reste à savoir qui est qui.

Vous convenez de vous donner une semaine pour vous en sortir par vos propres moyens. Ensuite, vous irez consulter un médecin. L'hypnose, peut-être, serait susceptible de vous aider à retrouver vos souvenirs. Mais ce sera un dernier recours. D'une, un psychiatre est une personne ayant le pouvoir de faire interner son prochain. Si vous-même vous êtes prise pour une psychopathe, qui sait l'impression que vous feriez à un spécialiste des pathologies mentales.

Un malentendu est si vite arrivé. L'hôpital psychiatrique ce serait une catastrophe, vous deviendriez un légume, on vous obligerait à jouer aux dominos tous les après-midi, vous en auriez pour plusieurs années à creuser un tunnel avec une cuillère en plastique afin de vous évader. De deux, un médecin français aurait bien du mal à vous prendre au sérieux, née à Lyon donc française, allez au revoir madame et revenez donc quand vous aurez une vraie question. Cela créerait un épouvantable biais méthodologique. Pour un Français, concevoir qu'il est possible de naître dans un pays et d'appartenir à un autre groupe national est une grosse épreuve intellectuelle. Ce n'est pas de la mauvaise volonté, c'est un handicap cognitif qui trouve sa source dans la confusion qui règne, en français, entre les termes *citoyenneté* et *nationalité*, laquelle a probablement un rapport avec le trait d'union qui agrafe usuellement *État* et *Nation* dans l'idiome suspensé. En yazige la différence est limpide, d'un côté le statut juridique, les droits et devoirs vis-à-vis d'un État, d'une association de nature politique, de l'autre la conscience d'être un *Nous*, l'inscription dans une communauté de langue, de culture et d'histoire. Voilà qui clarifie notablement votre problème : vous avez deux passeports, c'est-à-dire non pas une double nationalité mais une double citoyenneté, la question étant de savoir dans laquelle des deux coquilles juridiques vous avez installé votre chair identitaire, quelle charmante métaphore gastéropodique. Et en allant voir un médecin yazige, attention vous venez de remonter d'un cran dans votre arborescence cérébrale, vous auriez un problème similaire, il serait si ému par votre possible fidélité nationale qu'il vous orienterait assurément sur ce chemin-là, chère mademoiselle vous avez le regard masochiste typique de notre peuple pleurez un coup pour voir, ah oui je confirme c'est flagrant ma sœur vite dans mes bras. L'idéal serait donc un médecin étranger. Encore que. Un Américain risquerait de vous appréhender comme française (solidarité G7), un Albanais comme yazige (club pays pourris). Et ainsi de suite. À chaque fois, les hiérarchies internationales parasiteraient le diagnostic. À bien y regarder, seul un praticien extraterrestre aurait le recul nécessaire. Depuis une planète éloignée, la géopolitique terrestre n'aurait plus aucune importance, il pourrait juger en toute impartialité. Traductrice amnésique cherche cabinet d'hypnose hors Voie lactée, ça promet d'être simple. En substance, on aura compris que si vous entendez différer la consultation médicale, c'est pour des raisons uniquement et strictement et exclusivement scientifiques. Et pas du tout, mais alors pas du tout parce qu'en vertu d'une vaine petite fierté cachée au fond de votre esprit, vous tenez absolument à vous prouver que vous êtes capable de triompher de l'énigme sans l'aide de personne, rien qu'à la force de votre cerveau

Pour finir, car même si cela ne fait que commencer, il serait raisonnable d'aller dormir prochainement, vous décidez de vous doter de l'accessoire indispensable de toute enquêtrice digne de ce nom : un journal de bord. De la sorte, vos pensées auront un lieu rien qu'à elles, cela leur fera plaisir sûrement.

Couchées sur le papier, elles pourront se détendre, elles ne seront plus obligées de se concentrer sans cesse sur ce qu'elles sont, de se répéter-répéter leur propre contenu par peur de s'oublier. Voilà qui va les délester, les décharger, et elles seront d'autant plus en forme pour la grande enquête identitaire qui les attend, qui vous attend, puisque dans l'histoire, vous êtes cheffe d'équipe quand même.

Vous attrapez le cahier à spirale qui se trouvait dans votre valise lors de votre arrivée et entreprenez d'y résumer les événements de ces trois derniers jours. Vous commencez par l'aéroport, l'examen du contenu de votre sac à main, votre autofouille à corps dans les toilettes, votre idée que vous pourriez être une prostituée. Vous êtes très embarrassée d'avoir postulé, et donc de devoir noter dans le cahier, *de toute façon j'ai les seins trop petits pour faire une prostituée crédible*, et un instant vous songez que vous pourriez ajouter quelque chose comme, *ah non zut c'était idiot bien sûr, les prostituées peuvent être dotées d'une poitrine réduite, je le sais pertinemment, c'était encore un stéréotype, je le regrette sincèrement, pardon les prostituées*. Personne ne le saurait, ce serait votre petit secret. Cependant vous tenez bon, vous ne flanchez pas : vous n'allez tout de même pas commencer à falsifier vos propres pensées.

À mesure que vous avancez dans la rédaction, vous constatez avec un ébahissement grandissant que chaque matin, le demain de la veille, qui est aussi l'hier du lendemain, se métamorphose en *aujourd'hui*. Naturellement vous aviez déjà eu ouï dire du phénomène, en tant que traductrice vous êtes bien renseignée sur le sens des mots et savez qu'*aujourd'hui* désigne non pas une date précise mais celle de l'énonciation, toutefois dans le cahier cela revêt une autre dimension, vous y voyez comme l'attendrissante incarnation d'un grand principe de justice, chaque journée ayant le droit de se nommer *aujourd'hui* une seule fois, et une seule, cela afin d'éviter que ce privilège ne soit réservé à l'élite du bottin temporel.

Vous imaginez les petites journées, les unes derrière les autres, formant une interminable file qui depuis la nuit des temps serpente devant un immense almanach. Chacune sait que tôt ou tard viendra son tour de porter le glorieux titre d'*aujourd'hui.* Certaines trépignent d'impatience, n'en peuvent plus d'attendre, crient au scandale, brandissent Max Weber et s'insurgent contre les dysfonctionnements de la bureaucratique moderne. D'autres préparent leur discours devant un miroir portatif, petits cailloux dans la bouche et traité de phonétique en main. Toutes attendent avec ferveur leur Grand Matin calendaire, leur triomphe synchronique. Vingt-quatre heures, et pas une de plus, où elles seront sur le devant de la scène, où elles brilleront de mille feux. Vous espérez de tout cœur qu'une cellule psychologique a été mise en place pour les accompagner dans l'après, car le retour à la vie normale doit être difficile.

Lorsque dans votre texte vous rejoignez l'instant présent, vous écrivez : *j'ai attrapé le cahier à spirale qui se trouvait dans ma valise lors de mon arrivée et ai entrepris d'y résumer les événements de ces trois derniers jours.* Vous ne pouvez résister à la tentation d'insérer, entre parenthèses après le mot cahier, la mention : *coucou le cahier oui c'est de toi que je parle.* Là-dessus, vous ajoutez également : *coucou le cahier oui c'est de toi que je parle quand j'écris « coucou le cahier oui c'est de toi que je parle ».* Vous relisez et vous écrivez encore : *coucou le cahier oui c'est de toi que je parle quand j'écris « coucou le cahier oui c'est de toi que je parle quand j'écris "coucou le cahier oui c'est de toi que je parle" ».* Vous gloussez, vous pourriez continuer longtemps ainsi, avec de plus en plus de guillemets, toujours plus de guillemets qui s'ouvrent et qui se ferment et qui s'ouvrent encore, vous ne vous arrêteriez plus, vous vous amuseriez beaucoup, ce serait une farandole de guillemets, une guirlande typographique à perte de vue, cela déborderait la page, puis le cahier, puis tout l'appartement, et au final Paris, la France et la planète entière seraient recouverts de guillemets tracés par vos soins, et là vous seriez surpuissante, vous auriez conquis le monde. Mais non. Vous voyez bien la pente savonneuse, les fractales et les boucles logiques vous avez déjà donné. Et cette fois-ci le basilic ne pourrait rien pour vous, il est 3 heures du matin, à cette heure tardive les végétaux normaux et équilibrés dorment depuis belle lurette. De toute manière il faut vraiment aller vous coucher. Alors vous refermez le cahier, vous reposez votre stylo, tant pis pour le jeu des guillemets. Comme vous êtes devenue raisonnable. Vous vous embourgeoisez. Quelle tristesse. Trente et un ans et plus aucune fantaisie. Hier encore vous n'auriez pas hésité. Cependant c'est fini. Vous n'osez plus prendre de risques. Tout cela parce que vous avez eu un léger malaise dans votre cage d'escalier. Que vous avez atterri sur votre paillasson. Une expérience malheureuse et c'est le repli sécuritaire le plus radical. C'est à cause de gens comme vous qu'il y a ces interminables contrôles dans les aéroports. Vous êtes sur la voie du dessèchement vital. Bientôt vous passerez vos journées à vérifier la date de validité du tuyau de votre gazinière. Oh ça va le harcèlement moral c'est juste que vous êtes physiquement épuisée, vous ne tenez plus debout. Littéralement. D'ailleurs vous allez vous coucher tout de suite maintenant. Forte de cette solide détermination, vous vous mettez immédiatement à ramper vers votre lit. Mais le chemin vous paraissant extrêmement long, vous faites une imprudente pause à mi-parcours. Résultat, vous vous endormez par terre, allongée à plat ventre sur votre linoléum gris. Dommage, vous n'étiez pas loin du but. Demain peut-être ?

12

Le lendemain, c'est-à-dire une journée qui s'avance avec superbe afin qu'on lui ceigne le front des lauriers du calendrier, qu'elle en profite bien car demain tout sera fini, elle passera aux oubliettes, sera comme une vieille chaussette, et plus personne, jamais, ne l'appellera *aujourd'hui*, vous vous réveillez étendue sur votre linoléum gris tel un amas d'antiques ossements en attente d'être trié. Vous vous contorsionnez, vous vous étirez, et quand vous avez recouvré l'usage approximatif de votre squelette, vous prenez un rapide petit déjeuner d'une neutralité exemplaire, trempant une tartine sur deux dans votre thé. Tant que vous ignorez qui vous êtes, il n'est pas question d'essayer de vous influencer, vous vous avez à l'œil.

Vous vous installez à votre bureau afin d'ouvrir officiellement votre enquête sur vous-même. Ou plutôt, la nouvelle phase de l'enquête. Peu importe, ne chipotez pas. Vous levez une armée de pensées, vous sélectionnez les plus musclées, les plus courageuses, et vous leur ordonnez de se mettre en formation de combat. Tortue ! Carré subaquatique ! Dentier nucléaire ! Cependant vous avez beau vous escrimer, rien n'y fait, votre esprit vous échappe, se détourne, glisse vers d'autres horizons. Laquelle est la vraie ? À qui mentez-vous ? Et si vous passiez plutôt la journée à vous documenter sur les champignons sauvages ? C'est fascinant les champignons, un monde énigmatique, un règne à part, ni végétal ni animal. Ils sont autres. Inclassables et mystérieux. Certaines espèces vénéneuses ne provoquent la mort que deux à trois semaines après l'ingestion. Fabuleuse arme entre les mains de qui nourrirait des rêves de crime parfait. Observation purement théorique, vous ne pourriez jamais assassiner personne, vous êtes beaucoup trop légaliste.

Vous plissez les yeux, c'est suspect cette affaire de champignons tout de même. D'où est-ce que ça sort ? De nulle part vous récriez-vous, que vous vous transformiez en tartex périmé si vous vous mentez, il n'y a là aucun message codé, aucun sens inconscient, vos pensées sont d'une curiosité plastique et bariolée, c'est tombé sur les champignons toutefois cela aurait pu être la théorie des jeux, l'éthologie des pieuvres ou la restauration de la démocratie à Athènes en 403 avant notre ère. Vaste est le monde, il y a tant à découvrir, chaque minute consacrée à autre chose qu'apprendre est une minute perdue. Ben voyons, depuis que vous vous connaissez pas une seule fois vous n'avez allumé la radio ou ouvert un journal et subitement vous vous découvrez un irrépressible appétit encyclopédique. Vous avez peur ? C'est normal, se lancer dans une enquête de cette envergure est intimidant. Mais ce n'est pas une raison, allez allez en avant à l'attaque vous devez tout lire tout mettre à plat tout clarifier c'est un ordre espèce de grosse feignasse goudronnée, oh ça suffit les cadences infernales les heures supplémentaires la pression à la productivité voilà trois jours que vous vous surmenez il va falloir vous calmer un peu.

Après avoir passé avec vous-même un accord syndical en vertu duquel vous ne travaillerez pas plus de huit heures par jour et aurez droit à des pauses consacrées à l'étude des champignons sauvages, vous vous attelez effectivement à la tâche. Vous commencez par vérifier si les informations en votre possession sont exactes. Vous téléphonez aux établissements d'enseignement où vous êtes supposée avoir été scolarisée, vous consultez les listings des associations professionnelles dont vous prétendez être membre, vous épluchez vos relevés bancaires pour vous assurer que vous vivez réellement de la traduction. Tout semble concorder. Tout semble normal. En fin de compte, mis à part le contenu de vos courriers électroniques, il n'y a rien de bizarre dans votre existence.

Vous sortez les archives de vos parents. Leur parcours et votre enfance, tout est là sous forme de factures d'électricité, de contrats de travail, de décisions administratives, d'actes de vente, de photographies, de lettres, de notes. Et si vous laissiez tomber l'enquête ? Encore ? Bravo le mental d'acier, la volonté de fer. Non mais sérieusement. Rien ne vous empêche de poursuivre votre vie dans l'état où vous l'avez trouvée en arrivant. Puisqu'il s'agit d'une pure affaire interne. Puisque votre insincérité est invisible à l'œil nu. Vous avez à disposition tous les éléments nécessaires pour incarner aussi bien la Française que la Yazige. Ignorant lequel des deux personnages est le double mensonger de l'autre, vous les interpréteriez avec une égale bonne foi, une égale conviction. Personne ne pourrait vous accuser de mentir, ce serait une comédie à l'aveugle. À chaque fois, vous auriez une chance sur deux d'être dans le vrai. Vous resteriez dans un état de superposition quantique, parfaitement l'une ou l'autre. Et donc innocente, naïve.

Vous riez aux éclats dans votre tête, vous n'étiez pas sérieuse évidemment, c'était pour vous divertir, pour inventer une issue alternative, une telle incertitude identitaire ce serait atroce, vous devez absolument lever le voile noir et épais et lourd et gênant qui vous recouvre. Ah bon ? Et pourquoi donc ? Vous balayez la question, quelle absurdité, quand on trouve un voile on le lève, c'est ce qu'il convient de faire, la chose est évidente, normale et naturelle, qu'est-ce que c'est que ces histoires, par contre *naturelle* vous le retirez, la référence à l'ordre biologique est l'argument le plus foireux de l'univers observable. Pourtant cela revient. Alors ? Vous l'avez cachée où, l'impérieuse nécessité de résoudre l'énigme de votre existence, elle est sous votre lit ? dans le bac à légumes de votre réfrigérateur ? au fond de la bouteille de vodka que vous avez achetée en douce hier avant de rentrer chez vous ?

Un effroi narcissique vous saisit. Vous devez

admettre, ô blessure d'amour-propre qui vous brûle le tympan tel le poison versé par la main du traître Claudius, que votre problème, tout le monde s'en fout. Le cas échéant, l'humanité survivra sans peine à votre béance identitaire, elle a quantité d'autres soucis : personne n'exige que vous leviez le voile, personne ne guette impatiemment l'annonce de votre vérité identitaire. Que vous soyez l'une ou l'autre est votre petit problème personnel, sur le plan galactique l'enjeu tend sérieusement vers le zéro. À ce compte-là, vous pourriez aussi bien passer vos journées à vous documenter sur les champignons sauvages, félicitations vous venez de vous rejoindre, quelle jolie boucle cérébrale. Et cric, un court-circuit, vous quittez le temps d'un bref délire tissé de briques jaunes et de chars soviétiques le chemin de la pensée organisée, puis vous revenez dans le siècle, tout va bien, il n'y a pas de quoi en faire une pièce montée.

Vos idées se remettent en place, il n'y a pas de nécessité, il n'y a pas de nécessité, qu'à cela ne tienne, vous ferez sans, vous vous en passerez, à bas la dictature de la nécessité, on peut très bien s'en sortir sans nécessité. La preuve, Ulysse est rentré à Ithaque et pourtant rien ne l'obligeait, il aurait pu rester chez les Lotophages, il aurait pu rester chez Circé, à maintes reprises il a été soumis à la tentation d'une terre accueillante où il fait bon vivre, où il aurait pu festoyer jusqu'à la fin des temps, une fois on lui a même offert l'immortalité, mais il a choisi le retour, non parce qu'on lui avait braqué un revolver sur la tempe mais parce qu'il savait qu'en oubliant de rentrer il s'oublierait lui-même, il cesserait d'être

Ulysse, il disparaîtrait des mémoires. Eh bien vous c'est pareil, si vous abandonnez vous vous abandonnez, c'est votre vie nom d'un radis en double file, pour vous c'est important or comme vous êtes vous c'est important pour vous et ce quelle que soit la vous que vous soyez, vous vous remerciez pour cette utile précision, mais de rien c'est toujours un plaisir. Cela dit, euh, à bien y regarder, attendu que vous n'avez pas la force de caractère d'Ulysse et qu'en plus vous êtes morte, enfin que votre mémoire est morte, ce qui en matière de navigation vers votre authentique vous-du-dedans revient au même, en tant que boussole vous êtes bonne pour la déchetterie municipale, si d'aventure une petite nécessité était disponible pour vous soutenir dans cette épreuve, ce ne serait pas de refus.

S'il y avait une loi interdisant la double nationalité, vous seriez coincée, vous seriez au pied du mur, on vous demanderait explicitement de prendre position. Dans son principe l'idée est bonne, il faut une injonction, une contrainte, une pression. Mais la prohibition de la double nationalité c'est beaucoup trop farfelu, même en rédigeant un faux projet de loi que vous colleriez sur le mur au-dessus de votre bureau vous n'y croiriez pas une seconde. Car jamais la France, déclamez-vous main posée sur la poitrine et regard fixé sur le toit de l'immeuble en vis-à-vis, c'est votre petit horizon à vous, jamais le noble pays de France, terre d'accueil, asile pour les opprimés, refuge pour vos parents qui fuirent la dictature, ne songerait à interdire à ses enfants d'ascendance étrangère de conserver un lien avec leur pays d'origine. Ce serait tellement mesquin. Tellement contraire à ses valeurs. Quant à la Yazigie, impossible également, le pays est orgueilleux mais lucide, interdire la double citoyenneté reviendrait à s'exposer au risque d'un effondrement statistique sans précédent puisque les Yaziges possédant deux passeports sont soit des émigrés, soit des minorités nationales d'outre-frontière, en un mot il s'agit de personnes vivant à l'étranger lesquelles pourraient bien, notamment pour des raisons pratiques, opter massivement pour leur autre citoyenneté. De toute manière être yazige est une affaire de conscience, l'amour de la patrie se passe aisément d'un bout de papier. Bon. Alors votre grand-mère. Elle vous aurait démasquée. Ou elle aurait des doutes, des soupçons. Elle vous aurait surprise en train de jouer au rami, ou pire, de lire une bande dessinée. Parce que les bandes dessinées, c'est pour les débiles mentaux, les indigents de la langue, les gens qui ont besoin d'images pour comprendre, incapables qu'ils sont de fabriquer eux-mêmes leurs propres représentations mentales. Un truc de Française, quoi. Et comme elle serait mourante, elle aurait absolument besoin d'en avoir le cœur net. Raison pour laquelle elle vous aurait écrit une lettre. Que vous vous empressez de rédiger.

« Choisis ton camp. Voilà, en substance, la sommation que je te fais depuis mon lit de mort d'où je guette, coiffée de ma plus belle perruque, l'arrivée du notaire municipal pour lui signifier mes dispositions de dernières volontés. Choisis ton camp, car je meurs dans ce petit pays insignifiant dont personne

en Europe occidentale n'est capable d'orthographier correctement la capitale tandis que tu te prélasses de l'autre côté du Rideau de fer, chez nos ennemis. Jusqu'à présent tu as manœuvré habilement, tu as su avec une dextérité exemplaire jongler entre les deux pays, mais je ne suis pas dupe. Choisis ton camp, car malgré toute l'affection que je te porte, il est hors de question qu'une étrangère recueille ma succession, alors comprends bien que ton nom ne sera inscrit sur mon testament qu'à la condition que tu rapportes la preuve de ta fidélité sans faille à notre nation. »

Vous pliez la lettre en quatre et la glissez machinalement dans le cahier à spirale qui vous sert désormais de journal de bord. Ce faisant, il vous revient que le premier soir, dans votre chambre d'hôtel à la moquette jaune et rêche, vous aviez imaginé qu'il pourrait y avoir un courrier de votre grand-mère intercalé dans ce cahier. Ainsi donc, vous aviez vu juste, vous avez prédit l'avenir. Wow. Un phénomène paranormal. Mais non enfin, espèce de pomme de terre galactique de permafrost, sur la chaîne logique vous inversez le rapport de cause à effet, c'est parce que vous avez déjà eu cette idée de lettre qu'aujourd'hui, à présent que vous possédez une lettre bien réelle, vous l'avez instinctivement rangée dans le cahier. Attention, vous commencez sérieusement à perdre les pédales, il serait temps de faire un break-champignon.

Tandis que vous lisez avec passion la fiche Wikipédia de la pholiote changeante, un champignon étonnant dont la couleur et la taille varient en fonction du taux d'humidité, la sonnerie de votre téléphone français se fait entendre. Vous hésitez à décrocher, l'appel est émis par Ursula (ou par quelqu'un qui utilise sa ligne), êtes-vous en état de converser avec une fille qui est supposée être votre amie, vous décidez arbitrairement que oui, l'urgence parfois impose de statuer sans examen au fond. Tout en l'écoutant parler (c'est bien Ursula) (encore que vous ne connaissiez pas sa voix) (cette femme a un accent) (normal elle est allemande), il s'agit de vous inviter à un déjeuner de traductrices qu'elle organise, c'est dans dix jours serez-vous à Paris, vous songez que vous pourriez tenter un coup de poker, la sonder pour savoir si elle vous a toujours trouvée sincère, quand vous évoquez la Yazigie y a-t-il une flamme qui brûle au fond de vos iris, cette histoire de mission civilisatrice est-ce crédible à son avis, mais vous éjectez l'idée du champ des possibles, ce serait prendre le risque d'instiller un doute, et après comment rattraper le coup si jamais vous êtes française, elle est votre unique amie parisienne. Concernant le déjeuner de traductrices, vous ne lui promettez rien mais essaierez de venir, en d'autres termes vous ne fermez pas la porte. À dire vrai, dix jours vous paraissent être une éternité, c'est plus du double de votre âge mémoriel, et depuis votre tournant sécuritaire vous évitez de penser à ce qui ressemble de près ou de loin à l'infini. Après avoir raccroché, vous constatez que vous avez reçu un SMS vous informant du fait que votre colis serait livré demain entre 08 h 00 et 12 h 00. Vous regardez votre téléphone d'un air dubitatif puis vous vous souvenez qu'avant-hier soir vous avez commandé une petite taupe en peluche sur une boutique en ligne.

*

Tourisme. *Le sang sur les trottoirs hélas se conserve assez mal, une petite pluie d'été et la rue est comme neuve, cependant les impacts de balles, ah les impacts de balles sur les murs de nos maisons ça oui ça résiste merveilleusement au temps qui passe, à condition bien sûr de ne pas rénover, mais ce n'est pas trop notre genre. Quant aux façades demeurées intactes, certains projectiles en effet se logèrent à l'intérieur des gens plutôt que dans les murs alentour, nous les agrémentons de jolis trous commémoratifs en tout point similaires à de véritables impacts de balles, cela afin d'assurer l'harmonie du cadre urbain. Les touristes occidentaux raffolent des profondes et folkloriques entailles de notre capitale, et c'est bien volontiers que nous leur proposons une petite cicatrice en guise de souvenir.*

*

Vos parents, la France. Quelque chose de l'ordre de la contrainte. Leur émigration, leur immigration, dans quel sens est-ce que cela se regarde, avait un caractère irréversible. Retourner en Yazigie était exclu, ils y auraient atterri en prison puisqu'ils étaient des dissidents. Ils s'étaient extraits de l'économie planifiée, ils s'étaient désolidarisés du prolétariat, et partant de là, ils n'étaient plus les bienvenus dans la marche vers le communisme radieux. Fort heureusement, la France leur avait offert l'asile politique. C'est du moins la version officielle de l'histoire, celle qui figure sur les vieux documents que vous êtes en train de consulter.

Vous passez le doigt sur les deux certificats de réfugié, timbre fiscal 10,00 francs, photographie noir et blanc, cachet *bénéficiaire de la Convention de Genève.* Votre père est châtain avec une grande barbe et une moustache et une chemise à fleurs, votre mère est brune avec de longs cheveux brillants et des yeux en amande, ils ont tous les deux l'air totalement ahuris et regardent sur le côté, pour éviter le flash peut-être, ou alors c'est l'embarras. Les cartes ont été délivrées le 14 février 1980, soit un peu moins de six mois après leur entrée en France, et elles vous donnent envie de pleurer, les deux n'ont absolument aucun rapport, c'est un cas manifeste de désolidarisation intellect-émotions. Une dernière fois, juste une dernière fois vous chuchotez, *c'est comme si j'étais la fille de Salman Rushdie*, cependant votre voix traîne, le souffle vous manque. L'obtention du statut de réfugié, le merveilleux *oui* de l'O-F-P-R-A, ces cinq lettres soyeuses qui font rêver tant de migrants, est comme recevoir un prix, gagner au Loto, être admis dans une école prestigieuse, cela signifie nous reconnaissons vos souffrances, restez parmi nous vous y serez en sécurité. Une élection. Puis vous repoussez les cartes avec dégoût. Depuis la desserte où il trône, le basilic agite des feuilles désolées, vous n'y êtes pour rien semble-t-il vouloir vous rappeler, d'ailleurs lui-même a un parcours assez similaire, s'il était doté de la parole il vous raconterait, certes mais quand même, bordel de missile à yaourt.

Votre bel avocat, le play-boy du barreau qui aime citer Paul Ricœur, surgit sur votre écran mental, il s'est transformé en spécialiste du droit des étrangers pour l'occasion, et il est très énervé, qu'est-ce que c'est que ce dossier de demande d'asile ? Il pointe du doigt le dossier de vos parents, et il roule des yeux, et il s'étrangle, et il est scandalisé. De toute sa carrière il n'a jamais vu une demande aussi inconsistante, il n'y aucun élément tangible, dans leur lettre vos parents brodent et racontent, bavardent et déblatèrent, mais uniquement des banalités sur le régime, rien qui les aurait directement concernés. Certes, ils y ont mis une certaine bonne volonté, ils en ont fait des caisses sur le système de parti unique, sur l'ombre menaçante de l'URSS, sur les activités de la police politique, au demeurant ce n'est pas inintéressant toutefois il ne s'agissait pas d'écrire un reportage sur la Yazigie communiste, ce n'est absolument pas ce qu'on leur demandait, ce qu'on leur demandait c'était de démontrer qu'ils étaient PERSONNELLEMENT victimes de persécutions. Le pire qu'ils aient trouvé, et encore, on sent qu'ils ont raclé bien au fond de leur mémoire, qu'ils ont fait mille efforts avant de s'en souvenir, c'est cette histoire avec votre grand-père maternel, qui était sous-directeur de la Bibliothèque nationale de Yazigie et qui se serait vu refuser le poste de directeur parce qu'il n'était pas membre du parti, ils n'en rapportent pas la preuve mais cela importe peu, le lien avec leur départ du pays est inexistant, sans compter que votre grand-père, cela ne l'a nullement empêché d'effectuer une brillante carrière et d'écrire quantité de livres de référence, il était donc loin d'être considéré comme un auteur subversif. Entre parenthèses, à l'occasion votre avocat lira *Histoire des bibliothèques en Union soviétique et dans les démocraties populaires* ou encore *La Petite Bible du bibliothécaire municipal*, sûrement que cela l'aidera à optimiser le classement des dossiers à son cabinet, parce que pour ne rien vous cacher, à l'heure actuelle c'est un bazar sans nom. Mais pour en revenir à vos parents, contre lesquels il ne nourrit évidemment aucune animosité particulière, il est ici en qualité de technicien du droit, il juge le dossier pas les gens, il veut bien croire que leur vie yazige ait été relativement pénible, ainsi leur liberté d'expression et un tas d'autres choses étaient limitées, et savoir qu'à l'Ouest les cinémas projetaient d'innombrables comédies hollywoodiennes tandis qu'eux n'avaient à se mettre sous la dent que d'atroces films soviétiques d'avant-garde avec une kolkhozienne qui passe l'aspirateur pendant deux heures sans dire un mot devait être passablement crispant, encore que le communisme ait aussi eu de bons côtés, figurez-vous que les médicaments étaient gratuits, que le chômage n'existait pas, que le système scolaire était performant, bref le tableau est somme toute plutôt nuancé, quoi qu'il en soit rien ne justifiait qu'ils obtiennent le statut de réfugié, même avec la meilleure volonté du monde il ne voit ni danger ni persécutions ni atrocités. Non, ce qu'il voit, ce sont de jeunes scientifiques ambitieux qui partent à l'aventure, qui rêvent de gloire et de fortune, qui refusent l'idée de moisir dans un petit pays insignifiant. Savez-vous que pas plus tard que la semaine dernière, il a défendu un monsieur qui avait dans le dos des cicatrices de coups de fouet longues comme son bras, et que sa demande a été rejetée parce qu'il avait eu le malheur de se contredire dans son récit ? Doit-il vous parler de tous ceux qui, emprisonnés, torturés, objets de tentatives de meurtre, craignant à chaque instant pour leur vie ou leur intégrité physique, se sont vu refuser le statut de réfugié parce que leur pays était considéré comme sûr, parce que quelques semaines en prison ce n'est pas si grave, parce qu'ils n'avaient pas de preuves ? Voulez-vous qu'il vous décrive cette couleur singulière, toujours la même, dont se teintent les yeux des demandeurs d'asile quand il leur annonce que cette fois-ci c'est terminé, toutes les voies de recours ont été épuisées ?

Ah et encore une chose, c'est toujours votre avocat qui parle tandis que vous vous recouvrez d'une honte grise et sèche, que vous vous enfoncez dans une cuve emplie de gravats, que vous avez de plus en plus de mal à respirer, regardez les vieux passeports de vos parents, ils avaient obtenu un visa de sortie pour séjourner côté Ouest. Si vous en doutiez encore, cet élément suffit à lui seul à mettre en échec toute hypothèse de persécution politique, les régimes communistes aimaient serrer fort contre leur poitrine leurs brebis idéologiquement égarées, et par voie de conséquence, jamais des opposants, ou des personnes suspectées de l'être, n'auraient obtenu le droit de quitter le pays. Le Mur, ou le Rideau, ces zones truffées de mines, avec des miradors armés de mitrailleuses, des chiens et des alarmes, servait à empêcher les gens de partir, de sortir, de quitter l'Est, il sait que vous le savez il vous le rappelle à vous de voir ce que vous en ferez. À propos de Mur, il a une anecdote, tenez-vous bien, le 8 mars 1989 un type essayant de fuir l'Allemagne de l'Est en montgolfière s'est écrasé au sol, et il est mort. Le 8 mars 1989. Vous réalisez ? Comme quoi même à quelques mois de la fin les gens ignoraient que la fin était proche. Étaient prêts à risquer leur vie. C'est dingue, non ? Vous ne souriez pas ? Vous n'aimez pas les faits divers, les morts absurdes ? Lui cela l'amuse, il a l'humour grinçant. Oh mais déridez-vous, ce sont de vieilles histoires, la mode des montgolfières germaniques est passée, désormais ce sont plutôt les bateaux en Méditerranée.

Votre avocat vous examine avec inquiétude, il voit que vous êtes toujours dans votre cuve emplie de gravats, que vos cheveux sont gris de poussière, que vous ne bougez plus du tout. Il s'approche, vous n'allez pas vous noyer dans cette benne à ordures au moins ? Non non répondez-vous d'une voix fluette, toutefois s'il pouvait vous aider à vous en extirper, vous ne seriez pas contre, comme il l'aura noté il n'y a pas d'échelle. Il vous tend un bras, vous sortez des gravats. Il vous époussette, vous tapote l'épaule, allons allons le plus dur est passé, l'heure est venue d'entamer la phase de dédramatisation. Vous ne vous êtes tout de même pas imaginé que vos parents étaient des fraudeurs ? Qu'ils avaient escroqué la France ? Si ? Oh là là mais vous avez une lecture beaucoup trop légaliste de la situation, la vérité n'est pas dans la Convention de Genève mais dans son application, les règles du jeu de l'asile évoluent à travers les interprétations qui en sont faites, elles sont souples et joyeuses, elles ondulent selon le contexte, elles chatoient selon la lumière du moment. Ne soyez donc pas naïve au point de croire que les fonctionnaires ayant validé ce dossier miteux n'aient pas compris de quoi il retournait. Autre époque autres mœurs, aujourd'hui naturellement une telle demande ne passerait plus, mais en 1980 cela n'avait rien d'exceptionnel, les migrants venus de l'Est bénéficiaient d'un bonus guerre froide, leur choix de passer à l'Ouest était comme une petite victoire, une confirmation de la supériorité du modèle démocratique-capitaliste, du coup leur dossier était traité avec bienveillance et décontraction. Et vos parents avaient le profil idéal, ils étaient excessivement diplômés, ce qui était d'autant plus flatteur, d'autant plus satisfaisant, le monde libre adorait piquer au bloc communiste ses éléments les plus brillants, regardez chez vous c'est tellement pourri que vos élites intellectuelles se barrent, et vous savez quoi, on les accueille à bras ouverts. De toute façon, croyez-en un homme d'expérience, les diplômes sont toujours un bon point dans ce type d'affaires, non seulement parce qu'un étranger a d'emblée l'air plus sympathique quand il est ingénieur ou journaliste, cela lui donne une allure française, on se dit qu'il s'intégrera facilement, a contrario berger des montagnes ou tailleur de pierre cela passe moins bien, cela fait trop folklorique, mais aussi parce que profession intellectuelle *et* victime de persécutions à l'oreille cela fonctionne, on adhère spontanément, et surtout cela maintient à bonne distance le soupçon de la migration économique qui pèse invariablement sur les pauvres et les illettrés. Bref, la demande d'asile de vos père et mère est en effet une vaste blague si on la juge à l'aune des textes de loi, mais c'était un jeu de dupes, la France était parfaitement consentante.

Vous déglutissez, alors c'était, alors c'était, alors c'était un asile politique *de complaisance* ? Les merveilleux yeux bleus de votre avocat s'illuminent, il mouline joyeusement des bras, il sourit avec ses irrésistibles fossettes, mais oui, de complaisance, par analogie avec facture de complaisance, attestation de complaisance, pour se rendre agréable on ferme les yeux on signe un papier qu'on ne devrait pas, vous avez tapé dans le mille petite traductrice, on voit que votre travail est de trouver le mot juste, si un jour il a un problème de vocabulaire, il vous consultera. Avec plaisir répondez-vous en battant des cils, en humidifiant vos lèvres, par contre petite traductrice quel horrible sobriquet, on dirait qu'il vous prend pour une cruche, vous n'êtes pas du tout d'accord, lorsque vous aurez terminé votre enquête vous vous marierez lui et vous, le sait-il ? Non il ne le sait pas, il a pivoté sur lui-même et s'est éclipsé avant la fin de votre phrase, tant mieux, c'était beaucoup trop direct comme approche, ce n'est pas ainsi qu'on séduit un homme voyons.

Vous tentez de vous consoler de la perte de votre statut de fille de réfugiés politiques en vous intéressant à votre grand-père, celui qui était une pop star de la science des bibliothèques. Aujourd'hui encore, ses livres traitant de l'opération de classification des documents dans les espaces physiques se trouvent assurément dans des bibliothèques où ils sont précisément rangés en fonction de l'organisation préconisée en leur sein même. Voilà qui est fabuleusement réjouissant : la clef du système est dans le système et se soumet au système que pourtant elle ordonnance. Un peu comme si un candidat au droit d'asile avait mangé la Convention de Genève, bon appétit.

Vous abandonnez là votre grand-père, il est mort bien avant votre naissance paix à son âme méticuleuse, et vous en revenez à l'opération migratoire de vos parents. En Yazigie, ils étaient de gentils chercheurs dans de gentils laboratoires d'État. Le matériel était vétuste, ils s'ennuyaient ferme. Un jour d'août 1979, ils ont pris une tente, un réchaud à gaz et beaucoup de boîtes de conserve, et ils sont allés. Cap sur le monde libre. Ils ont campé sur la Côte d'Azur, ils ont mangé de la baguette française, ils ont trinqué au Coca-Cola, bon vous romancez un brin, vous brodez dans les zones d'ombre, mais en gros c'est l'idée. Ils avaient obtenu le droit de passer trente jours côté Ouest. Au 31e jour, les autorités yaziges ont constaté qu'ils n'étaient pas rentrés. Et paf, ils étaient devenus des dissidents. Voilà pour leurs faits d'armes. Pour leur combat politique. Pour leur acte de résistance. Néanmoins les conséquences étaient bien réelles, en Yazigie ils étaient désormais fichés comme ennemis du peuple et avaient été condamnés à une peine d'emprisonnement pour émigration clandestine. C'est ainsi que, en vertu d'un curieux plissement de la chaîne des causalités, leur départ qui n'était pas une fuite devant des persécutions avait provoqué ce qui était supposé en être à l'origine : la fausse histoire racontée à l'OFPRA devenait rétroactivement vraie, elle s'était en quelque sorte autoréalisée.

Avaient-ils prémédité leur coup, ont-ils simulé des vacances occidentales afin d'émigrer en toute discrétion ou ont-ils pris leur décision sur place, l'occasion fait le larron la France nous y sommes restons-y, vous ne le saurez probablement jamais. Quoi qu'il en soit, est arrivé un moment où ils ont estimé qu'en France, pays des droits de l'homme et des distillateurs dernier cri, leur talent serait plus à même de s'épanouir. Grave erreur. Car si vraiment ils ont obtenu l'asile grâce à leur formation universitaire de haut niveau, ce n'est qu'une hypothèse de votre avocat mais pourquoi pas, il convient d'en déduire que la France est complètement perverse, ou absolument inconséquente, en effet leurs diplômes, elle ne les a pas reconnus. Et dans la mesure où vos parents refusaient de revoir leurs ambitions à la baisse, les choses ne se sont pas très bien passées, *en Yazigie nous ne pouvions rien nous acheter car il n'y avait rien dans les magasins, ici nous ne pouvons rien nous acheter parce que nous n'avons pas d'argent, ce n'est pas une évolution très positive me semble-t-il*, ça c'était votre mère au dos d'un coupon de réduction inutilisé. Votre père c'était plutôt des choses comme, *dire que nous y avons tellement cru, tellement cru à leurs Lumières, à leur Révolution, ah vendre du rêve ça ils savent faire les Français mais la liberté, entre ici et le communisme c'est une différence de degré pas de nature, la barrière est quelques mètres plus loin, ici non plus il n'y a pas de vraie liberté.* On remarquera que chacun se conforme scrupuleusement aux stéréotypes du genre auquel il appartient, votre mère s'inquiète pour les courses et le budget domestique, votre père propose une analyse politique de la situation, quelle belle complémentarité.

Au bout de quelques années, ayant suivi d'avilissants cours du soir où on leur enseignait ce qu'ils savaient déjà, vos parents ont pu exercer un métier ayant un vague rapport avec leur formation initiale. Ils sont devenus techniciens de laboratoire. Ou laborantins, c'est la même chose. C'est-à-dire qu'ils étaient les, ah zut c'est un terme qui n'existe pas en français, tiens vous pensez en yazige, mais non justement vous pensiez en français et vous venez de passer au yazige, vous avez une réflexion linguistiquement mixée, ce qui vous permet de retrouver le terme, et donc, ils étaient les larbins, les troufions, voilà c'est troufion que vous cherchiez, ils étaient les troufions des grands chercheurs français, ils nettoyaient les paillasses, ils préparaient les éprouvettes, ils jetaient les gobelets après les pots de fin d'année, et pourquoi pas récurer les chiottes aussi. Peut-être que parfois tard le soir ils restaient, qu'en cachette ils faisaient des feux de Bengale aux flammes vertes et bleues, qu'ils soufflaient du verre aux formes merveilleuses, qu'ils corrigeaient les erreurs des démonstrations inscrites sur le tableau noir. Quelle humiliation. Il va sans dire que par rapport à toute la misère du monde c'était déjà très bien, mais qu'on vous permette un instant de vous lamenter sur vos parents déclassés, d'en avoir les os retournés, en Yazigie ils étaient, ils étaient, allez-y pensez-le, cessez de faire des manières, consciemment ou non ils appartenaient à l'élite intellectuelle, à ce qu'on appelle l'intelligentsia, leurs amis étaient universitaires, écrivains ou artistes, ils n'avaient pas de papier-toilette mais pour les revues de poésie et les places de théâtres ils se débrouillaient toujours, et en France ils ont tout perdu, ils n'avaient plus ni la langue ni les diplômes ni les codes ni le réseau, c'était la déchéance socioculturelle la plus totale (par contraste, hein) (sinon laborantin c'est formidable comme métier, vive les laborantins !).

Vous avez une pensée émue pour les femmes de ménage polonaises, qui aujourd'hui, en France, lavent les toilettes des Français tout en connaissant mieux Balzac et Zola que leurs employeurs, car en Pologne comme dans toute l'Europe centrale, on étudie les classiques de la littérature européenne avec bien plus de sérieux qu'en France. À ce propos, c'est l'occasion parfaite, il faut que vous vous disiez quelque chose. La Yazigie n'est pas un pays d'Europe de l'Est. Regardez donc une carte. La Yazigie c'est l'Europe centrale, la Mitteleuropa. Géographiquement médiane, elle a été orientalisée seulement du fait de sa récente satellisation soviétique. Dès lors, il serait de bon ton que vous cessiez de reprendre à votre compte cette grille de lecture erronée. Vous vous remerciez pour votre attention.

C'est bon, vous pouvez reprendre sur les femmes de ménage polonaises. Alors. Oui. En fait il n'y a pas que les Polonaises, c'est une chose générale, on vient d'un pays plus pauvre, on est une femme, c'est prostituée ou femme de ménage, sachant que prostituée ce n'est pas donné à tout le monde, il faut avoir des contacts, connaître un bon proxénète qui vous organise votre travail, qui vous propose un arrangement correct, bien sûr généraliser est très mal, vous irez rôtir dans l'enfer de la sociologie de comptoir, mais il n'empêche, les femmes de ménage bizarrement sont toujours étrangères et leur accent n'est jamais ni américain ni allemand, elles sont colombiennes, elles sont ivoiriennes, elles sont roumaines. Ah la Roumanie. Bon la Roumanie c'est compliqué, présentement vous n'avez pas le temps de vous étendre, vous avez encore une pile de documents à examiner, mais quand même la Roumanie, oui la Roumanie est l'exemple paradigmatique, s'il fallait choisir un pays pour symboliser l'asymétrie des relations entre la France et les pays pourris du monde ce serait la Roumanie, vos excuses aux Algériens qui probablement avaient également présenté leur candidature, vous avez une réflexion trop européenne sûrement, cependant la Roumanie c'est tellement, comment le formuler, c'est l'amour unilatéral dans toute sa splendeur, les Roumains, les élites roumaines, sont exceptionnellement francophiles, il n'y a pas de mots pour décrire leur attachement à la culture française, et en échange en France on n'est même pas capable de citer trois écrivains roumains, on connaît Ionesco parce qu'il a écrit en français, on connaît Cioran parce qu'il a écrit en français, et ? et ? et c'est tout. (Lucian Blaga !) (Ouf.)

Le fil juridique, ne perdez pas le fil juridique, prenez garde aux surinterprétations et lisez plutôt cette lettre de l'ambassade américaine de Lyon sur laquelle vous venez de mettre la main. Le document vous apprend que quelques mois avant votre naissance, vos parents avaient projeté de s'installer aux États-Unis. Sans doute avaient-ils décidé que le climat français ne leur seyait définitivement pas et qu'il vaudrait mieux aller nidifier dans les ormes de Central Park. Sauf que cela n'a pas été possible, leur demande de visa a été rejetée. Han. Choucroute aux pieds légers. Vous aviez déjà une première vous-fantôme, la Yazige de Yazigie que vous seriez devenue si vos père et mère n'avaient jamais quitté leur terre natale, en voilà une deuxième, une vous-américaine, une vous grandissant de l'autre côté de l'Atlantique. Une vous qui déteste le tabac, qui fait des *dates*, qui adore le magicien d'Oz. D'avoir échappé à cela est un chatoyant soulagement rétroactif, qu'on vous pardonne cet antiaméricanisme primaire, gratuit et dénué de tout fondement, c'est juste que grandir aux États-Unis vous n'auriez pas pu. Votre pensée new-yorkaise en revanche jubile, elle sautille dans tous les sens, elle se prend pour une visionnaire, grâce à elle vous avez déjà un pied là-bas, vous allez pouvoir réaliser le rêve de vos parents. Vous lui remettez illico les pendules à l'heure, que dans ses branchages tortueux elle n'enfante pas une seconde la possibilité d'une émigration aux États-Unis : un pays qui a édifié un

Mur, est-ce qu'elle se rend compte ? Ah ben voilà, finalement vous en aviez un, de problème, avec les États-Unis.

En somme, vos parents étaient administrativement coincés, enferrés dans un piège territorial qu'ils s'étaient eux-mêmes tendu. Venir en France avait été facile. En repartir l'était nettement moins. Retourner à l'Est était impossible à cause du 31ᵉ jour. L'Hyper-Ouest américain les avait snobés. La France restait leur seule option, l'unique pays où ils avaient le droit de résider. Quel joyeux fondement pour une histoire d'amour avec leur patrie d'adoption.

L'après-midi, vous avez achevé d'accepter l'idée que vos parents étaient des migrants économiques. Vous avez acquis une solide expérience de la déception au cours de ces derniers jours. Vous n'avez même pas eu besoin de regarder vos pieds. Qui de toute manière se contrecarrent de votre enquête identitaire, ils sont adhérents de l'internationale podale, orteils de tous pays unissez-vous, la voûte plantaire n'a pas de nationalité. Au demeurant, *fille de réfugiés politiques* est une vérité juridique, si cela vous chante vous pourrez continuer à le dire, euh non sans façons. D'accord, mais il n'en reste pas moins que c'est ainsi que commence votre propre histoire administrative, que vous avez globalement réussi à reconstituer.

Vous êtes née en France de parents yaziges, attention information exclusive, chut le rappel du contexte est le préalable nécessaire de toute entreprise biographique, cessez donc d'être sarcastique cela crée une mauvaise ambiance dans votre tête, lesquels étaient alors les heureux titulaires de cartes de séjour couleur rose saumon. Orange, peut-être. Rétine, longueur d'onde, perception, interprétation – dans le téléphone arabe chromatique, grande est la marge d'erreur. À la rubrique *nationalité*, lesdits documents indiquent *réfugié yazige*. Pas yazige tout court. Réfugié yazige est donc une nationalité. Intéressant. Quant à vous, vous n'aviez pas de carte de séjour. Si au sortir de la maternité votre couffin et vous-même n'avez pas directement atterri dans la soute à bagages d'un charter pour Iassag, c'est grâce à l'OFPRA. Qui vous protégeait de ses grandes ailes. Qui a dit, pas touche à ce nourrisson étranger. Abracadabra tour de magie juridique, vous qui n'aviez accompli aucune migration, qui n'aviez pas bougé de votre couffin, vous étiez assimilée à une persécutée en fuite. Vous étiez déjà en France mais mieux vaut deux fois qu'une, il convenait de vous y accueillir, de vous garantir que vous y seriez en sécurité. Vous la réfugiée immobile. La migrante du surplace.

Vous avez été naturalisée française à l'âge de cinq ans, on relèvera la forme passive. Au même moment que vos parents. Un tir groupé. Naturalisation, en botanique, cela signifie action d'introduire une espèce végétale dans un nouveau milieu, vous avez vérifié dans le dictionnaire. Vos père et mère ont effectué les démarches, vous avez été entraînée dans leur sillage. Vous ont-ils seulement demandé votre avis ? Viens surjective, viens et regarde la carte de l'Europe, à gauche les pays coloriés en bleu, à droite les pays coloriés en rouge, entre les deux cette grosse ligne noire avec des traits, les traits c'est des barbelés le sais-tu, les vêtements se déchirent et on a peur et on court et les chiens aboient, bon pour notre part nous avons quitté le pays au volant d'une Lada mais c'est une autre histoire, désormais nous devenons des citoyens bleus, qu'en dis-tu ? Vous n'en auriez rien dit naturellement, à cinq ans on n'a lu ni Marx ni Engels (équipe rouge), ni Aristote ni Tocqueville (équipe bleue), alors choisir son régime politique en pleine conscience, ce n'est pas possible. Sans compter qu'une telle alternative est pour le moins réductrice, il n'y a aucune raison d'exclure d'emblée la monarchie absolue de droit divin ou les chasseurs-cueilleurs de la course au meilleur modèle sociétal. Par contre la Grèce, oui la Grèce peut-être qu'elle vous aurait interpellée, en effet la Grèce, cette vieille courge dyslexique, s'était trompée de camp, sur l'antique carte des blocs elle est en bleu alors qu'elle se situe indubitablement plus à l'est que la RDA, qui était rouge. La RDA, avec un D comme *démocratique*, sauf que pas vraiment, c'est un faux ami mnémotechnique. À cette époque, la géopolitique manquait sérieusement de cohérence. Et pour ajouter à la confusion, le passeport français qu'on vous a remis quand vous aviez cinq ans, il était bordeaux. Rouge foncé, quoi. Le yazige qui par la même occasion était invalidé, c'est une supposition car vous ne l'avez pas trouvé parmi les papiers, mais à votre naissance vous ne pouviez être que yazige puisque vous n'étiez pas française, était bleu roi. Il y avait de quoi en perdre son arithmétique.

Un mois après la livraison des passeports hexagonaux, vous posiez pour la première fois vos orteils sur le sol yazige. Enfin c'est une image, vous aviez probablement des chaussures au moment de descendre de l'avion. Il ne fait aucun doute que la naturalisation, si vos père et mère l'ont demandée, ce n'était pas exactement dans l'optique de resserrer les liens avec leur pays d'accueil. Non. Paradoxalement, l'utilité première du passeport français était qu'il rendait enfin possibles les séjours en Yazigie. Où vos parents n'auraient pas pu entrer d'une manière légale (leur titre de voyage pour réfugiés était valable dans *tous pays sauf Yazigie*, manque de chance c'était le seul endroit où ils avaient envie d'aller), et où manifestement ils n'avaient pas envie de se rendre en rampant dans la forêt. Ou bien, s'ils avaient malgré tout réussi à y entrer, ils y auraient eu quelques ennuis pénitentiaires. Les choses étaient floues, avec le temps la dictature s'était amollie, vos parents eux-mêmes ne savaient pas trop ce qu'ils risquaient mais ce qu'ils ne savaient pas trop qu'ils risquaient ils préféraient ne pas le risquer : entre la possibilité de la prison yazige et la certitude de la liberté française, ils avaient une nette préférence pour la seconde option, comme quoi ils avaient quand même développé une sorte d'affection à l'endroit de leur patrie occidentale.

Une fois devenus français, vos parents pouvaient donc se rendre en Yazigie ni vus ni connus, hello nous sommes des touristes occidentaux qui visitons la Yazigie communiste, comme c'est pittoresque ces grands bâtiments bétonnés vraiment on adore, comme c'est rigolo ces tickets de rationnement on dirait des petits billets de Monopoly, oh oui nous avons des noms yaziges et nous parlons le yazige mais c'est un pur hasard, nous sommes de vrais Français, auriez-vous un peu de « champagne » s'il vous plaît ? Ils en ont bien profité : votre famille passait deux à quatre mois par an en Yazigie. Là-bas, vous alliez à l'école quand il y avait école, vous partiez en camp de vacances quand c'était les vacances. Il arrivait que les séjours yaziges vous fassent manquer plusieurs semaines d'école française. Voilà qui est rassurant : si vous ne connaissiez rien à la guerre d'Algérie, ce n'est pas parce que cet épisode est peu ou mal enseigné au pays des droits de l'homme, mais tout simplement parce que vous avez dû être absente pile au moment où cet incontournable événement historique était abordé. Dire que vous étiez à deux doigts d'imaginer qu'une grande nation comme la France pouvait être effrayée par ses propres fautes (crimes) (c'est un peu fort, crime, non ?) (non).

Lors des voyages en Yazigie, vos parents menaient une vie festive et luxueuse comparée à leur existence lyonnaise. Leurs relevés bancaires signalent leurs séjours à Iassag plus sûrement que des billets d'avion. En France ils trimaient et là-bas ils dépensaient tout. C'était la décontraction budgétaire la plus totale. Pour oublier leur émigration ratée. Ou pour flamber devant leurs amis, ils habitaient dans l'eldorado occidental après tout. Revoir la Yazigie après tant d'années d'exil c'était comment ? Est-ce qu'ils ont pleuré beaucoup ? Est-ce qu'ils ont fait des pèlerinages ? Est-ce que c'était comme si de rien n'était ? En tous les cas pour vous, c'était la construction précoce d'un réseau amical yazige couplé à du team-building de famille étendue. Ainsi vos parents avaient tendance à vous poser chez votre grand-mère et à partir vaquer à d'autres occupations que vous suspectez d'avoir eu un caractère trop alcoolisé pour être compatible avec le respect des intérêts d'une enfant mineure. Parfois aussi vous étiez chez une tante ou une amie de votre mère qui vous adoptait provisoirement, ce qui vous évitait de devoir aller mendier dans les rues de Iassag afin de trouver de quoi vous sustenter. Vous étiez une sorte de paquet, on vous trimballait, on vous déposait, on vous récupérait, viens surjective ce soir on t'emmène au théâtre voir *Serment sanglant* ensuite c'est une semaine chez mémé et après tu pars en camp de vacances avec le conseil populaire des docteurs en chimie moléculaire. Bon, cela a dû être formateur.

En 1989, dans un bruit dont vous ignorez toujours la nature exacte (zblang ? shtruck ? glourv ?), le Mur est tombé. Du côté de votre famille, aucun changement notable : les séjours en Yazigie s'allongent légèrement (les visas sont plus faciles à obtenir) mais pas de désémigration à l'horizon. Passent quelques années. En 1991, 1992, la Yazigie s'est stabilisée. Elle est une jeune démocratie agitée et impulsive, mais une démocratie tout de même. Toujours rien. Pourtant cette fois-ci vos parents ont le choix. Fini le piège territorial. Ils auraient pu rentrer. Mais non. Rigidification de la quarantaine ? Refus de perdre la face ? Effet de gel ? Plus on attend le bus et plus on l'attend, quand cela fait une heure qu'on poireaute repartir à pied revient à admettre qu'on avait pris la mauvaise décision, que l'attente était absurde, alors on persévère, on reste dans l'arrêt coûte que coûte. Ou bien ils ont réalisé qu'ils préféraient être des Yaziges de l'étranger, en exil l'amour de la patrie est toujours plus ardent.

Lorsque vous aviez quinze ans, le consulat yazige de France vous a notifié, à vos parents et à vous, qu'il était temps de venir chercher vos passeports bleus. Ce n'était ni une naturalisation ni une acquisition de la citoyenneté, mais quelque chose comme la restitution d'un passeport qui vous avait été confisqué ah non flûte en fait c'était une erreur. Les décisions administratives et judiciaires rendues sous le communisme ayant été annulées, on avait le plaisir de vous confirmer que votre famille n'avait jamais cessé d'être yazige, vive la divination juridique encore une fois. Histoire de changer, les démarches avaient été effectuées par vos père et mère, qui visiblement avaient décidé de vous offrir un nouveau passeport pour chacun de vos anniversaires se terminant par un cinq. Vous avez eu de la chance qu'ils meurent quelques jours avant que vous ne souffliez vos vingt-cinq bougies, sinon ils vous auraient sans doute fiancée de force avec un Polonais afin d'agrandir votre collection.

La France étant plutôt détendue sur le plan identitaire, votre nouvelle-ancienne citoyenneté yazige n'a posé aucun problème, n'a eu aucune incidence sur vos droits et devoirs de Française. Quant aux Yaziges, ils se fichaient et se fichent toujours éperdument de vos rapports juridiques avec la France, du moment que vous êtes des leurs ils sont contents, vous venez gonfler les statistiques démographiques. Il s'agit sans doute moins d'une double citoyenneté (il faudrait un unique passeport mentionnant les deux appartenances) que de deux citoyennetés juxtaposées qui s'ignorent l'une l'autre. Vous possédez pleinement les deux statuts, étant précisé que la priorité va au pays où se trouve votre personne physique : sur sol yazige vous êtes premièrement yazige, sur sol français vous êtes premièrement française. Ce n'est qu'en terre étrangère qu'il pourrait y avoir interférence ou concurrence, par exemple en cas d'attentat sur la plage pendant des vacances au Liban, pour le rapatriement lequel des deux consulats solliciter, vous n'en savez foutrement rien.

Vous tenez à vous faire remarquer que vous avez été d'une passivité totale dans cette histoire. À chaque étape, on a décidé pour vous. Vous n'avez rien demandé. Ni la naturalisation française. Ni la réintégration yazige. Vous avez eu les deux. On vous a bombardée de papiers d'identité. C'est mieux qu'apatride sûrement. Mais quand même, bonjour l'autodétermination souveraine, le droit à disposer de votre existence juridique. Et quelle inconscience de la part des États, aussi. On n'a même pas vérifié si vous étiez apte, si vous compreniez les conséquences, si vous étiez prête à respecter la loi commune. Pour adhérer à la Société française des Traducteurs, il est obligatoire de signer le Code de déontologie de la profession. De déclarer, j'ai la volonté de faire partie de votre groupe et promets d'être une traductrice gentille, consciencieuse et loyale. Les parents

– même s'ils sont traducteurs de profession – ne peuvent inscrire leur enfant de force. Vous pensez ça vous ne pensez rien.

Votre avocat en revanche, qui effectue un rapide crochet par votre cerveau avant de s'envoler pour l'île Maurice, c'est qu'il part ce soir en lune de miel, si vous aviez été plus attentive vous auriez déjà remarqué son alliance flambant neuve, cela vous aurait évité cette cruelle déception, en pense quelque chose, lui. Ainsi, il vous signale que la plupart de vos concitoyens sont dans le même cas que vous : ils sont devenus yaziges ou français sans avoir été consultés, sans exprimer leur volonté de devenir membres de la cité. Non que leurs parents aient accompli les démarches en leur lieu et place, cela c'est votre petite singularité biographique à vous, mais parce qu'il n'y a pas eu démarches. Vous le regardez avec surprise, pour les Yaziges d'accord, c'est le droit de l'os qui prime, la citoyenneté est transmise des parents aux enfants, comme un héritage, mais la France, le droit du sol ? Il pousse un soupir, le droit du sol, le droit du sol, mais c'est l'arbre qui cache la forêt le droit du sol, il serait temps que vous vous reconnectiez avec la réalité administrative au lieu de vous laisser éblouir par les grands principes, dans la pratique l'écrasante majorité des Français le devient à la naissance, par filiation. Un enfant né de parents français devient français, peu importe son lieu de naissance. Savez-vous qu'au début du XVIe siècle, un enfant de Français ayant vu le jour à l'étranger ne devenait pas français ? Ça c'était bien autre chose. Bon, il doit filer, au revoir et bonne chance pour la suite de votre enquête, lui part se prélasser sous les cocotiers. Vous lui souhaitez bon voyage avec un serrement au cœur, vous savez que vous ne le reverrez sans doute plus jamais, et quand il est parti vous vous sentez vide, vous ne pensez à absolument rien. Par voie de conséquence, vous ne songez pas une seconde au fait qu'un jour peut-être l'acquisition de la citoyenneté sera le résultat d'une démarche volontaire, d'un acte positif identique pour tous, qu'on soit immigré ou autochtone, métèque ou héritier. Tant mieux, car vous n'êtes pas là pour organiser une révolution, et puis pour vous qui avez été victime, euh pardon bénéficiaire d'une combinaison extrêmement favorable du droit de l'os yazige et du droit du sol français, critiquer l'état actuel du droit de la nationalité ça ferait vraiment fille ingrate. Rendez-vous compte, les deux peuples vous ont accueillie à bras ouverts, vous avez reçu en cadeau deux magnifiques coquilles juridiques en parfait état de fonctionnement. Reste à découvrir dans laquelle des deux vous avez installé votre chair identitaire. Vous l'aimez bien la métaphore des escargots, pas vrai ? (Oui.) (C'est mignon, non ?) (À Brooklyn, il y a des escargots qui boivent du Coca-Cola !)

Il est 18 heures. Vous vous félicitez, vous avez bien travaillé. Certes, vous n'êtes arrivée à rien, mais cela viendra. Vous êtes pugnace, dynamique et autonome. Vous n'avez aucune raison de vous inquiéter. Cela d'autant plus, ou d'autant moins, difficile de savoir ce qui est correct après une négation, vous feriez mieux d'user d'une discrète manœuvre de contournement, il n'y a absolument pas lieu de s'inquiéter, donc, surtout que, non eh bien tant pis, vous n'avez aucune raison de vous inquiéter tout court est une pensée déjà très satisfaisante.

Vous descendez faire quelques courses. Vous saluez Hdlsko avec envie, lui au moins n'a aucun problème identitaire, même son chien est yazige jusqu'au bout des pattes. Dans un magasin de produits biologiques, vous inspectez le rayon frais. Vous trouvez ce que vous cherchiez. Vous mettez la barquette en plastique dans votre panier. De retour à l'appartement, vous vous vernissez les orteils, vous aplanissez la terre du basilic, vous feuilletez la biographie de Dalida. Quelle femme éblouissante. Les artistes c'est transnational, vous avez le droit, ce n'est pas gênant en matière d'impartialité de l'enquêtrice.

Quand c'est vraiment le soir, vous vous faites couler un bain. En attendant que la baignoire se remplisse, vous consignez vos observations de la journée dans votre cahier. En relisant ce que vous avez écrit la veille, ou plutôt hier, ah c'est agaçant ces curseurs temporels qui ne se positionnent jamais comme il faudrait, quelque chose vous fait tiquer. Lorsque dans votre chambre d'hôtel vous avez découvert votre naissance française, vous avez pensé, *et paf cruel revers, je suis une Yazige en toc, une immigrée de deuxième génération, une Française d'origine yazige, autant dire une Française tout court.* Immigrée de deuxième génération, qu'est-ce que c'est que cette flétrissure lexicale ? Pourtant c'est dans le cahier, c'est donc que vous l'avez pensé. Vu d'aujourd'hui, peut-être parce que vous êtes plus au clair avec ce qu'implique une opération migratoire, vous comprenez que cela ne va pas du tout, que c'est d'une scandaleuse absurdité, qu'il est urgent de faire un grand ménage terminologique.

1. *Immigré* veut dire : qui a quitté sa terre natale A pour s'installer dans un pays d'accueil B. *De deuxième génération* suppose : même condition, mode de vie ou profession que les parents. Petit problème : l'enfant d'immigrés se trouve dans l'incapacité absolue de quitter le pays A pour le pays B.

2. À la rigueur, *immigré de deuxième génération* pourrait signifier né dans un pays B de parents originaires d'un pays A et parti s'installer dans un pays C. Donc il faudrait le réserver aux dynasties de grands voyageurs, papa maman pratiquaient le camping en yourte modulable et j'ai le même mode de vie, c'est un tour du monde familial accompli sur plusieurs générations.

3. *Immigré de deuxième génération* est utilisé par opposition aux primo-arrivants. L'enfant serait un secundo-arrivant : il est né dans le pays B mais attention, sa naissance est en soi un voyage, un franchissement des frontières. L'utérus de cette femme au gros ventre qui hurle avec un fort accent serait le pays A. La table d'accouchement serait le pays B. Quand la tête du bébé paraît, c'est l'émigration : il n'est pas encore né mais il est déjà en train de quitter sa terre natale, c'est qu'il est très fort ce bébé. Quand on le pose sur la table d'accouchement, c'est l'immigration : il vient d'arriver dans sa nouvelle patrie, salut à toi petit étranger.

4. Est-ce qu'on dirait *Sourd de deuxième génération* pour un enfant né entendant de parents Sourds ? Pourtant lui aussi a des parents bizarres et différents, avec une langue et une culture qui ne sont pas celles de la majorité, et qui les lui transmettent, partiellement ou intégralement.

5. Conclusion : *immigré de deuxième génération*, au vide-ordures discursif. Il convient d'utiliser enfant d'immigrés, ou personne d'origine étrangère. Ouais, tout ça pour ça. Javelot étincelant !

Au-delà de l'incontestable aporie logique, ce qui vous déplaît fortement dans l'expression précitée est qu'elle met sur le même plan les exilés et leurs enfants. Comme s'il n'existait entre eux qu'une différence de degré et non pas de nature. Les papas et les mamans immigrés fabriqueraient des bébés immigrés, ou immigrafons, lesquels deviendraient ensuite, par la force des choses, des immigrés adultes, mais un peu décolorés, un peu moins métèques, d'où la précision *de deuxième génération*. Non. Vous protestez vivement. Dans un cas il y a une fracture biographique. Un départ et une arrivée. Un avant et un après. Dans l'autre cas il n'y a que l'après sauf qu'un après sans avant ça n'existe pas c'est une paire interdépendante qui fonctionne par contraste. Et puis les exilés ça va bien deux minutes, les psychiatres sont fascinés par leurs traumatismes, les sociologues leur consacrent des brassées de colloques, les municipalités les célèbrent ils ont été si héroïques, les écrivains les mettent en scène leur douleur est tellement esthétique, il n'y en a que pour l'exil et le déracinement, il y en a marre de l'exil, on s'en fout de l'exil, le sujet a été épuisé qu'on passe à autre chose maintenant, au hasard à la situation des victimes collatérales, des enfants de l'ombre qui se sont retrouvés à grandir dans une bulle culturelle minoritaire, qui se sont tapé les hululements nostalgiques de leurs parents, qui une fois adultes sont pris en étau contraints de choisir entre l'os et le sol, entre toujours debout et les tartines dans le thé, alors qu'ils sont absolument innocents, n'ont rien fait rien demandé pas bougé, on les a balancés sur une terre étrangère avec des racines étrangères sur les bras. Enfin sous les pieds. Ou *via* des câbles souterrains. Bref, il est temps d'aller vérifier si la baignoire n'a pas débordé.

Vous ouvrez la barquette en plastique achetée au magasin de produits biologiques. Vous humez le parfum de la laitue de mer, cette algue bretonne souple et élastique, puis vous plongez les feuilles vertes dans l'eau du bain. Elles se déplient, elles se déploient. Ça sent le sel et l'iode. Vous vous glissez dans la baignoire avec délectation. Vous faites la baleine, vous meuglez en plongeant la tête sous l'eau. Vous faites aussi la crevette grise, l'oursin et la roussette. Vos imitations marines sont très convaincantes, à tel point que vous commencez à craindre de vous prendre les ouïes dans un filet de pêche, d'être harponnée par un chasseur sous-marin qui passerait dans votre baignoire. Message inconscient ? Angoisse de loyauté ? Peur de passer le reste de votre vie dans la peau du mauvais personnage ? Afin de chasser ces idées noires qui n'ont rien à faire dans votre cerveau en dehors de vos horaires de travail, vous vous concentrez bien fort pour réfléchir en hindi, la technique a déjà fait ses preuves. Progressivement vos pensées s'engourdissent, en hindi elles sont bloquées, en hindi elles sont bâillonnées. Vous êtes impeccablement relaxée. Même votre pensée new-yorkaise s'est assoupie, elle ronfle sur un siège du musée Guggenheim. Fort heureusement, vous possédez une baignoire sabot, position assise. De la sorte, quand vous vous y endormez, car vous vous y cndormez, vous ne vous noyez pas. Bonne nuit.

UNE PETITE TAUPE

« De tout temps et partout, celui qui savait plusieurs langues servait de truchement à ceux qui n'en avaient qu'une. Cela n'allait pas toujours sans danger puisque les vieilles chroniques rapportent qu'il arrivait aux interprètes d'être châtiés de leur double langage et de se voir arracher la langue pour les punir d'en avoir deux. »

Danica Seleskovitch[1]

1. Danica Seleskovitch, « Interprétation ou interprétariat ? », *Meta : journal des traducteurs*, vol. 30, n° 1, 1985, p. 19.

13

Le lendemain, soit l'après-demain de l'avant-veille, soit une journée qui non non vous n'avez pas le temps il faut que vous alliez ouvrir on vient de sonner chez vous, vous vous extirpez de votre bain en grelottant, vous courez jusqu'à votre porte, vous réalisez que vous êtes nue, vous effectuez un savant demi-tour, dérapage glissé, serviette, saut de chat, grand dégagé, porte, verrou, ouverture, c'est un homme, il est beau, il est grand, il a un sourire ravageur. Il vous tend un colis. Juste un livreur. Dommage. En même temps, vous aviez une feuille de laitue de mer dans les cheveux.

Vous arrachez le gros scotch sur le colis.

Il doit s'agir de la petite taupe en peluche que vous avez commandée l'autre soir.

Vous entrouvrez la boîte,

et à cet instant précis

la petite taupe devient Petitetaupe

miracle de l'agglutination.

Vous la sortez de sa boîte en carton, et dès le premier regard, c'est le coup de foudre. Vous voudriez la presser contre vous, lui mordiller les pattes, vous rouler sur le sol avec elle dans vos bras, la couvrir de baisers. Vous l'adorez, vos poumons éclatent, vos côtes tournoient, votre estomac décomprime, c'est trop d'amour, y a-t-il en vous assez de place, votre royaume pour Petitetaupe, c'est Petitetaupe chérie, c'est Petitetaupe en sucre, elle est un quartier d'orange confite sur un lit de crème de pistaches avec des pépites de polynômes dedans. Elle a un air à la fois malin et espiègle, elle est si merveilleuse, elle est la plus jolie du monde et aussi la plus bricoleuse et la plus musclée et la plus conquérante, ce n'est pas parce qu'elle est une taupe de sexe féminin que, hein, bon, vous êtes contre les stéréotypes, qu'ils concernent les prostituées ou les mammifères fouisseurs.

Vous discutez longuement, vous riez beaucoup, vous voulez tout savoir, d'où vient-elle, pourquoi a-t-elle atterri chez vous, restera-t-elle pour toujours, vous espérez que oui car elle est la plus belle chose qui vous soit arrivée de toute votre courte existence. Elle vous rassure, en équivalent âge humain elle n'a que huit ans, elle est beaucoup trop petite pour prendre son indépendance, par ailleurs elle a été envoyée chez vous parce qu'elle est orpheline, vous êtes sa famille d'accueil. Et sinon que pouvez-vous faire pour elle, a-t-elle faim, a-t-elle soif, faut-il que vous alliez lui acheter des lombrics et des cochenilles ? Non ne vous tracassez pas, elle sait se nourrir seule, en raison de son histoire tragique elle est particulièrement mature et de toute manière elle ne mange que des cacahuètes, par contre s'il était possible de lui confectionner un nid cela lui ferait bien plaisir, elle aimerait beaucoup avoir un petit endroit rien qu'à elle pour dormir au chaud. Vous opinez de la tête, un nid, mais certainement, mais naturellement, c'est la moindre des choses, vous ne voudriez pas qu'elle ait froid, qu'elle attrape une horrible maladie, qu'elle vive dans des conditions contraires à la dignité des taupes, et puis sa demande n'a rien d'excessif ou d'irréaliste, c'est complètement dans vos cordes. Vous attrapez son carton de voyage et vous y glissez un pull très doux, très moelleux. Vous le tapotez, vous l'arrangez, cela doit être douillet et confortable, elle a dit un nid, pas une cabane, pas une niche, il ne s'agit pas de lui donner l'impression que vous vous moquez d'elle. Ensuite, vous refermez le haut du carton et découpez une entrée en forme de cœur sur le devant, c'est quand même mieux qu'elle ait une jolie porte plutôt qu'un plafond ouvert. Pour finir, vous dessinez quelques princesses-licornes à la crinière étoilée sur les parois extérieures histoire d'ajouter une touche de fantaisie. Vous lui montrez le résultat, elle applaudit, elle est ravie, c'est encore mieux que ce qu'elle espérait, vous êtes drôlement gentille pour une humaine d'accueil.

Une fois que Petitetaupe paraît avoir pris ses marques, vous lui exposez votre situation, la double vie, la lettre de votre grand mère, l'urgence qu'il y a à décider si vous êtes agent double ou agent triple et pour quel gouvernement vous travaillez, euh non-espionne vous avez juré d'arrêter, bref il y a cette *bonne question*, laquelle est la vraie, des Yaziges ou des Français à qui mentez-vous. Elle comprend tout, elle comprend vite, condense en une phrase percutante ce que vous lui expliquez laborieusement en dix minutes, elle est sublimement intelligente, avec elle la problématique s'affine, les enjeux se précisent, et déjà vous frétillez d'impatience, vous êtes surexcitée, vous sentez que vous êtes sur le seuil d'un tournant épistémologique majeur. En parallèle, vous êtes fascinée par la pensée de votre jeune interlocutrice, qui est joyeuse et souple, qui s'incarne dans une langue riche et ingénieuse, pour une taupe de huit ans elle manie le yazige avec une extraordinaire dextérité, à tel point qu'à certains moments, il vous semble qu'elle le maîtrise mieux que vous. Car vous discutez en yazige évidemment. Puisqu'elle est yazige. Certes, le personnage de dessin animé nommé petite taupe est tchèque. Mais la vôtre, elle, est yazige. C'est comme ça. Et elle s'appelle Petitetaupe.

Naturellement, vous n'ignorez pas qu'elle est une amie imaginaire, vous êtes en mesure de distinguer le dedans de votre tête du reste du monde, vous n'êtes pas une psychopathe. Ainsi, vous savez pertinemment que c'est par le truchement de vos cordes vocales qu'elle s'exprime. D'aucuns diraient, qu'est-ce que c'est vilain, que vous la faites parler « telle une marionnette », cependant vous vous en contrefichez, tout comme vous vous contrefichez de l'idée qu'il existe probablement un terme scientifique pour désigner votre comportement, après la perte successive de ses deux maris et son échec à séduire un avocat ancien pénaliste reconverti dans le droit des étrangers une amnésique seule dans un appartement avec un basilic en pot pour unique compagnie a recours à un objet transitionnel pour se rassurer, parce que les cliniciens en blouse blanche avec leur manuel de taxinomie des troubles mentaux sous le bras, ils ne connaissent pas Petitetaupe, ils ne savent pas comme elle est adorable et qu'on ne peut que l'aimer d'un amour fou et inconditionnel, votre main à couper que n'importe quel psychiatre se liquéfierait devant Petitetaupe, ne résisterait pas à ses yeux malicieux, à son petit nez rouge, à son rire de clochette, et à son mystère, aussi, car on ne peut la cerner tout à fait, ce qui la rend encore plus fabuleuse.

Regonflée par la nouvelle tournure des événements, vous avez hâte de vous remettre à votre enquête. Mais avant tout, il vous tient à cœur de présenter le basilic à votre petite invitée, au demeurant vous faites une bien piètre hôtesse, l'étiquette aurait commandé que vous commenciez par là. Vous conduisez Petitetaupe devant votre colocataire végétal, qu'elle le regarde bien, il n'est pas *un* basilic mais *le* basilic, il est un véritable ami, au niveau de la communication cela manque un tantinet de fluidité cependant vous avez tissé des liens forts, il est un peu comme la rose du Petit Prince, elle connaît le Petit Prince ? Bah oui elle connaît, elle l'a lu en première année de maternelle, ah d'accord pardon, vos excuses, vous n'êtes pas encore bien au clair avec la scolarité des taupes. Petitetaupe s'approche du basilic, le salue, lui chatouille les feuilles, déclare qu'en effet il est gentil, qu'elle l'apprécie déjà, qu'il fera un excellent référent paternel, puis se tourne vers vous avec de grands yeux étonnés. Vous habitez avec lui depuis trois jours et vous n'avez pas encore compris, krouik-krouik ? Euh, vous n'avez pas encore compris quoi ? Elle ménage quelques secondes de suspense.

Et vous annonce : le basilic, il est polonais. Elle est formelle, ses feuilles bruissent dans une palatalisation proto-slave typique, avec un soupçon d'accent cachoube qui laisse penser qu'il doit être originaire de Poméranie. Vous examinez le basilic, ah mais oui, jarnifleuron des mers arctiques, à présent qu'elle l'a formulé c'est flagrant, il a tout à fait le style polonais.

Vous installez Petitetaupe sur votre bureau et lui expliquez que vous devez travailler maintenant. Si cela l'amuse elle peut participer, toutefois ce n'est pas une obligation, qu'elle se sente totalement libre, loin de vous l'idée de vous appuyer sur elle, de mettre sur ses épaules une charge trop lourde, d'ailleurs vous n'auriez peut-être pas dû lui parler de votre enquête, elle n'a que huit ans, elle doit rester insouciante, s'adonner à des activités de son âge, les enfants humains qu'on contraint à grandir trop vite deviennent des adultes un peu bizarres, un peu incomplets, qui font des choses d'enfant sauf que c'est trop tard, pour les taupes c'est sûrement pareil. Ne soyez donc pas si inquiète, vous répond-elle de sa petite voix aiguë, elle en a vu d'autres, elle a une histoire tragique comme vous savez, et votre problème identitaire elle trouve cela rigolo, par contre là tout de suite elle voudrait dessiner. Vous lui tendez une feuille de papier, non pas besoin, elle dessine toujours dans sa tête, pas vous ? Euh si si bien sûr, enfin cela dépend, il vous arrive également d'utiliser un support externe, c'est l'âge que veut-elle. Et sinon elle va dessiner quoi ? D'abord une centrifugeuse horizontale à cycle continu, après elle verra, sans doute des supercordes enroulées en quarante-six dimensions. Ah super, alors bon dessin à elle !

De votre côté, vous décidez de procéder à une évaluation comparée des avantages et inconvénients de vos deux identités, cela dans l'espoir de reconstituer le cheminement qui a pu être le vôtre, l'hypothèse étant qu'il convient de ne pas exclure l'hypothèse que vous ayez opéré un choix rationnel en valeur ou en finalité voire les deux combinés, bravo pour cet énoncé limpide, essayez de mieux laver vos pensées la prochaine fois. Cela vous prend deux bonnes heures pour un résultat peu satisfaisant, non seulement parce que tout se discute, aussi bien le choix des catégories dans le tableau à double entrée que vous avez construit que les réponses dans les cases, et naturellement vous ne vous gênez pas pour tout discuter, mais également parce que vous avez la sensation d'envoyer la Yazigie à l'abattoir, un si grand pays contre un si petit, les comparer cela a-t-il vraiment un sens ? Si c'était France-Allemagne ou Yazigie-Monténégro à la limite pourquoi pas, mais là c'est franchement grotesque, les dés sont pipés, l'arbitre soudoyé, malgré vos efforts désespérés et pour rééquilibrer le match, pour injecter des produits dopants dans les cuisses des joueurs yaziges et mettre des cailloux dans les chaussures de l'équipe française, c'est couru d'avance, il n'y a aucun suspense. De votre embarras vous déduisez que vous avez probablement opté pour la Yazigie, vous êtes une fille sensible aux injustices géopolitiques, vous ranger du côté d'une nation forte n'aurait eu aucun sens, des deux pays c'est incontestablement la Yazigie qui a le plus besoin de vous. Tourner le dos à une généreuse terre d'accueil n'est certes pas très joli

		FRANÇAISE	YAZIGE
VIVRE DANS LE PAYS	Conditions de vie au quotidien	Appartement petit, crottes de chien dans la rue, cherté de la vie	Piscine olympique, opéra peu onéreux, fruits merveilleux
	Lieux pour rencontres amicales	Files d'attente administrations publiques, grèves et manifestations	Commémorations historiques, défilés paramilitaires
	Potentiel matrimonial	Hommes peu habitués aux femmes mesurant 1,85 m ou plus	Choix de partenaire limité du fait de la population réduite
	En cas de projet artistique	Accès à une carrière internationale plus facile	Âme déchirée plus propice à la création
	Risques médico-sociaux	Désaffiliation sociale, maladies cardiovasculaires, diabète	Délire de persécution géopolitique, alcoolisme, suicide
	Sécurité sur le territoire	± 3 400 morts par an sur les routes de France métropolitaine	Aucun risque de guerre ou d'attentat, personne ne sait où c'est
BONHEUR NATIONAL	Ancêtre(s) de votre peuple	Gaulois ? Francs ? Burgondes ? Romains ? Homo Erectus ?	Jésus-Christ (n'a pas été prouvé de manière totalement scientifique)
	Fierté scientifique	Marie Curie (née polonaise), Georges Charpak (né polonais)	Tous les prix Nobel sont d'origine yazige (mais personne ne le sait)
	Monuments historiques	Impossibles à visiter, beaucoup trop de touristes	Statues soviétiques délabrées, ruines de toutes époques
	Avenir radieux de la patrie	Peu d'espoirs d'expansion territoriale (annexion Wallonie ?)	La Yazigie ne pourra rétrécir davantage, l'optimisme est de mise
	Qui a le plus besoin de vous ?	Si vous partez, il n'y aura plus aucune interprète yazige à Paris	Votre grand-mère sera si heureuse de vous avoir près d'elle
	Le point de vue du surmoi	Abandonner un peuple si généreux ? qui vous a tant donné ?	Abandonner un peuple si mal en point ? dont personne ne se soucie ?

mais bon, pour la France vous perdre c'est quoi, une piqûre de moustique et encore, avec ou sans vous elle se porte comme un charme, en revanche eux là-bas qui s'en soucie ? Si même ses rejetons de l'étranger l'abandonnent, il n'y a plus d'espoir pour la Yazigie, la balance démographique qui déjà saigne de mille plaies finira par rendre l'âme et le peuple disparaîtra pour toujours. Oui, l'équité assurément dicte que vous soyez yazige, que vous ayez choisi d'être yazige. Bon eh bien voilà, l'enquête est terminée, c'était rapide en fin de compte. Tsss, quelle tricheuse. Allez hop hop hop creusez encore, il y a quelque chose de boiteux dans ce sillon. Et effectivement : si vous avez sciemment choisi d'être yazige par souci de ne pas ajouter aux inégalités géopolitiques, ou par sentiment de culpabilité, vous êtes navrée de vous le signifier si abruptement toutefois ce ne sont là que les deux facettes d'une même cloche en fonte, alors c'est que vous vous forcez à être yazige pour des raisons morales, que ce n'est donc pas votre véritable identité, qu'il y a un secret dans le secret. Vous auriez décidé que si un jour vous étiez démasquée, vous jureriez vos grands dieux que vous êtes yazige, mais en réalité vous seriez une Française feignant d'être une Yazige feignant d'être une Française. C'est une pose afin de vous donner une allure cérébralement sophistiquée ou réellement vous êtes incapable d'élaborer une réflexion dépourvue de miroirs gigognes ? Vous bottez en touche et vous vous tournez vers Petitetaupe, qui a fini ses dessins, qui a regardé votre tableau. Son avis est que dans le choix d'une identité les satisfactions morales ou les avantages pratiques ne pèsent pas dans la balance dans la mesure où il n'y a pas de balance mais un attachement qui se forme bien avant qu'on ait eu le temps de se poser la question de son intérêt. Par exemple, si on lui proposait de devenir une éléphante de savane ou une baleine bleue, ce qui serait nettement plus prestigieux que taupe, cela constituerait une ascension notable dans la hiérarchie sociale des animaux, eh bien elle refuserait, parce que loge dans son cœur la conviction inébranlable d'appartenir au peuple des taupes, de ne pouvoir être autre chose qu'une taupe, de former avec toutes les taupes du monde une communauté de destin, et jamais, jamais elle n'abandonnera ses congénères. Elle contracte ses griffes, elle baisse les yeux, elle frissonne. Vous la serrez dans vos bras, tout va bien Petitetaupe, tout va bien.

Le soir, en effet le soir aux doigts d'indigotier s'est déjà invité chez vous, caprice du temps qui aujourd'hui pédale à toute allure, Petitetaupe veut jouer, alors vous jouez. À des énigmes algébriques, à des exercices d'improvisation lexicale, à des opérations classificatoires. Notamment, vous pratiquez le jeu de la pensée englobante, qui consiste à remplacer un OU exclusif par un ET inclusif. La première joueuse propose deux termes habituellement appréhendés comme antinomiques, tandis que la deuxième doit trouver une définition qui permettra de les inscrire dans une même catégorie, de les faire procéder d'un même phénomène. Parfois c'est plutôt sérieux (communisme ou capitalisme > reposent sur un même postulat matérialiste qui réduit la vie sociale à l'économie), parfois beaucoup moins (cacahuète ou chips > sont adaptées à une alimentation végétalienne), en tous les cas vous vous amusez comme des folles. En fin de partie, pour la dichotomie réfugié *versus* migrant économique, Petitetaupe propose *personnes aspirant à une vie meilleure*. Vous protestez vigoureusement, un authentique réfugié ne change pas de pays pour avoir une *vie meilleure* mais parce qu'il n'a pas le choix, qu'il est une victime, qu'il subit sa situation. Aucun rapport avec la décision librement prise d'aller voir si l'herbe ne serait pas plus verte ailleurs. Cependant elle argumente si bien, plaide sa cause si habilement que vous finissez par lui accorder le point : la notion de *vie meilleure* comprend aussi bien *moins de bombes* que *salaire plus élevé*, sa réponse est donc parfaitement recevable, qu'il s'agisse de fuir le chômage ou une guerre civile, dans les deux cas on améliore son quotidien, et puis même en réduisant *vie meilleure* à sa dimension matérielle, ce qui est idiot mais puisque vous y tenez, eh bien cela fonctionne aussi, les conflits armés engendrent des problèmes économiques, le marché de l'emploi se contracte quand fleurissent les snipers, bref vous ne pouvez qu'abdiquer, et vous abdiquez. Ce qui ne vous empêche pas de maintenir que le degré d'urgence n'est pas le même – oui oui d'accord mais le jeu c'était d'englober et non pas de rappeler les différences. Là-dessus, Petitetaupe déclare qu'elle est fatiguée, avec le voyage, les émotions, elle a grand besoin de se reposer.

Tandis qu'elle s'endort dans son petit nid douillet,

et tout en vérifiant à une fréquence d'environ trois minutes et quarante secondes si elle ne serait pas en train de s'étouffer, de faire un affreux cauchemar, d'avoir une crise de panique nocturne, c'est normal d'être anxieuse c'est la première fois que vous êtes famille d'accueil, vous vaquez à quelques occupations vilement prosaïques. Vous consultez vos messageries électroniques, vous répondez à une amie yazige qui voulait avoir de vos nouvelles, vous envoyez un message à un client qui vous demandait un devis. Une fois n'est pas coutume, vous ne refusez pas la commande, et vous ne l'insultez pas non plus, voilà une sage décision, aux dernières nouvelles vous n'êtes pas en vacances et vous avez des factures d'électricité à régler dans deux pays. Par précaution, vous proposez un délai de livraison particulièrement long, c'est que vous n'avez aucune idée de la vitesse à laquelle vous traduisez, êtes-vous une rapide qui va à l'essentiel ou une perfectionniste qui fignole, bon euh d'accord la réponse était dans la question.

Plus tard, vous rédigez un rapide compte rendu de la journée dans votre cahier. C'est une habitude bien chevillée désormais. Au moment de vous relire, vous vous surprenez à songer que vous devriez peut-être ajouter que le livreur ayant sonné chez vous ce matin était noir. Sachant qu'il était indubitablement noir. Et c'est important ? C'est ce qui le définit ? Vous allez en déduire qu'il joue du tam-tam ? Qu'il est toujours joyeux ? Qu'il a un gros sexe ? Du calme du calme, tenez donc vos dauphins bien-pensants en laisse, c'est un problème d'implicite. De malentendu. Si vous faites abstraction de ce que vous savez du livreur et que vous vous concentrez sur la sommaire description *il est beau, il est grand, il a un sourire ravageur*, eh bien vous visualisez spontanément un homme blanc. La marque de ses chaussures, sa coupe de cheveux, la forme de son nez restent indéfinies, mais sa peau, en l'absence de précision, devient blanche dans votre image mentale. C'est l'option par défaut. Le silence mobilise le blanc. Du moins dans votre esprit. Sûrement qu'il existe un tas de gens moins obtus que vous. Est-ce parce que la scène se déroule en France ? Un livreur noir à Paris ce n'est pas exceptionnel pourtant. Il aurait été question d'un sénateur ou d'un sociétaire de la Comédie-Française, postuler le blanc aurait pu passer pour une forme de réalisme statistique. Mais là. Ou bien c'est parce que vous êtes vous-même blanche ?

Vous prenez une feuille de papier blanc et vous vous rendez dans votre salle de bains. Face au miroir, vous examinez votre visage et le comparez à la feuille de papier. Grâce à cet astucieux protocole de contrôle chromatique, il vous apparaît que vous n'êtes absolument pas blanche. Vous seriez plutôt quelque chose comme rose clair avec des reflets verts. Le livreur n'était pas non plus noir, du reste. S'il fallait définir sa couleur de peau, vous diriez marron moyen, ou brun. Mille milliards de pots de plumes, les Blancs ne sont pas blancs, les Noirs ne sont pas noirs. L'univers entier était probablement déjà au courant, cependant pour vous c'est une prodigieuse découverte. Félicitations, vous venez d'accomplir votre émancipation visuelle, vous êtes optiquement libérée. Désormais vous serez en mesure de voir les véritables couleurs de peau. Compétence qui ne vous servira sans doute à rien dans votre enquête, mais il ne faut pas toujours juger à l'aune de l'utilité à court terme, le développement personnel c'est important aussi.

Vous retournez voir Petitetaupe. Elle dort profondément. Rêve-t-elle qu'elle gambade dans son ancien terrier ? Qu'elle mange des cacahuètes ? Qu'elle revoit ses parents morts ? L'idée de la laisser seule pour sa première nuit vous broie les intestins, votre cheminement vers la paix intérieure trouve là ses limites. N'osant ramener son petit nid dans votre chambre à coucher, cela pourrait la réveiller, cela pourrait lui causer un profond traumatisme, vous décidez de dormir sur la chaise à côté d'elle. Encore une fois vous passerez la nuit ailleurs que dans un lit, mais au moins cela aura été un choix.

14

Les cinq jours suivants, c'est-à-dire les sixième, septième, huitième, neuvième et dixième journées de votre courte vie psychique, lesquelles se nomment toutes aujourd'hui à un certain moment, vous ne vous en étonnez plus, vous êtes rompue à l'art de la chronologie désormais, s'écoulent dans une studieuse routine. Les matinées sont consacrées aux travaux de traduction. Les après-midi aux investigations menées dans le cadre de votre enquête. Et le soir, c'est quartier libre, sachant qu'en général, vous en profitez pour débriefer.

Petitetaupe, le basilic polonais et vous-même formez un trio de choc. Une équipe soudée dont le ciment est votre commune volonté de lever le voile qui recouvre votre identité. Il va sans dire qu'au sein de votre petite escouade, la relation entre Petitetaupe et vous-même a un statut privilégié puisque le basilic, pour des raisons évidentes d'altérité phénotypique, n'est pas toujours en mesure de participer aux conversations. Avec lui c'est un rapport différent, moins cérébral. Cela dit, il est très expressif.

Vous parvenez de mieux en mieux à décrypter ses humeurs, ses demandes, ses envies. Quelquefois vous tentez de lui parler dans sa langue, il n'y a pas de raison qu'il soit le seul à faire des efforts de communication. Alors vous vous postez devant lui, vous tordez vos bras, vous penchez la tête sur le côté, vous essayez de prendre un air végétal et feuillu. Il est bien connu qu'imiter les locuteurs natifs est un des meilleurs moyens d'apprendre un idiome étranger. Avec Petitetaupe en revanche, ce sont des discussions à bâtons rompus. Elle est bavarde et curieuse, elle a un avis sur tout, elle a mille projets qu'elle vous expose avec enthousiasme.

De temps à autre, Petitetaupe disparaît. Par un passage secret qui s'ouvre depuis le placard sous votre lavabo, elle se rend à l'École des Animaux Orphelins de l'Union européenne. La première fois qu'elle s'absente, vous êtes affolée, vous la cherchez partout, vous retournez votre appartement, jusqu'à ce que finalement vous la retrouviez sur le carrelage de votre salle de bains et qu'elle vous explique comme une fleur qu'elle était en classe, qu'aujourd'hui elle a fait un exposé sur la géodynamique des enveloppes supérieures, que demain elle a un contrôle sur la grande insurrection des abeilles ouvrières, qu'elle adore jouer à la marelle quantique pendant les récréations. Vous êtes furieuse, elle aurait pu vous prévenir, vous étiez morte d'inquiétude, ce n'est pas un hôtel ici jeune animal. Elle s'en étonne, jamais vous ne lui avez demandé si elle était scolarisée quelque part, elle n'avait donc aucune raison de vous en parler, si vous ne posez pas les bonnes questions ce n'est pas de sa faute. Ainsi donc elle est une machine, un ordinateur froid et sans âme, si vous ne lui soumettez pas la requête idoine elle passe sous silence des informations essentielles ? Non ce n'est pas cela, pardonnez-lui, elle ne voulait pas vous faire de peine.

Vous n'êtes pas sûre d'avoir tout bien compris, mais en gros, elle est en CM1. Ce qui ne l'empêche pas de préparer un doctorat en topologie algébrique. Oui, il s'agit d'un système éducatif un peu différent de celui des humains. Sa maîtresse s'appelle Madame Ânesse, dans sa classe il y a toutes sortes d'animaux orphelins, surtout des espèces menacées dont les parents sont morts à cause d'une marée noire ou du braconnage, cependant elle a aussi quelques camarades bovins ou ovins dont la famille entière a été décimée dans les abattoirs. Bien entendu, dans la salle de classe les animaux marins disposent chacun d'une baignoire d'eau salée afin de pouvoir écouter les leçons sans risquer de se dessécher. C'est une école très moderne, elle a été conçue par un illustre architecte, tout y est modulable, ergonomique, fonctionnel. L'emploi du temps de Petitetaupe est assez variable, toutefois vous lui faites pleinement confiance, elle a l'air de se débrouiller à merveille.

Au sein de votre appartement règne donc une amicale harmonie, entre vous trois l'entente est parfaite, ou presque. Il n'y a guère qu'un seul réel point de friction, à savoir l'alcool. Petitetaupe déteste lorsqu'en fin de journée, le basilic et vous-même buvez une vodka ou deux afin de vous détendre. À chaque fois qu'elle vous voit vous servir un verre, elle menace d'appeler les services sociaux, de vous dénoncer comme famille d'accueil indigne, de demander de toute urgence à être placée dans un autre foyer. Dans ces moments-là elle devient toute rouge, tape sur un coussin avec ses petits poings, vous regarde avec des yeux pleins de larmes. Vous n'avez pas le droit de boire en sa présence, vous explique-t-elle en trépignant, elle est psychanalytiquement traumatisée par l'alcool, rien que l'odeur elle peut pas elle peut pas elle peut pas. En effet, si elle est orpheline, vous n'avez pas oublié qu'elle était orpheline, bah non quand même, et donc ? Eh bien il se trouve que son père est mort écrasé par un tracteur tandis qu'il ramassait des feuilles dans le champ attenant au terrier familial. Le chauffeur n'était pas ivre. Par contre sa mère n'a pas bien supporté la perte de son mari et a noyé son chagrin dans le jus de maïs fermenté. Un jour, elle a fait un coma éthylique et elle s'est étouffée en régurgitant. Lorsque Petitetaupe a trouvé son corps inerte dans le tunnel principal de leur galerie souterraine, elle en a presque éprouvé du soulagement, tant la vie avec une taupe ivre du matin au soir avait été un cauchemar. Elle en a ramassé, des vomis. Elle en a écouté, des chansons d'ivrogne. Du coup, le basilic polonais et vous-même, qui n'êtes aucunement dépendants, vous arrêtez quand vous voulez, vous maîtrisez votre consommation, êtes obligés de boire en cachette, lorsque Petitetaupe fait la sieste, ou bien quand elle est à l'école.

Traduire ne vous apprend rien quant à votre éventuelle préférence concernant le français ou le yazige pour la simple et bonne raison que traduire est autant une affaire de langues que le chant lyrique une affaire de larynx : pour donner un récital, être doté de cordes vocales en état de marche n'est pas inutile toutefois c'est loin d'être suffisant. Traduire est un travail de labour. Chaque texte doit être examiné et retourné mille fois avant d'être prêt à se laisser transposer en langue étrangère. La traductrice est une hyperlectrice soupçonneuse, une contrôleuse paranoïaque qui repousse le sens commun, rejette les évidences, ne croit que ce qu'elle a vérifié. Il ne s'agit pas de manier des vocables mais des pensées, le mot à mot vous laissez cela aux fétichistes du lexique qui croient que la vérité est dans les dictionnaires bilingues. La vérité est dans l'intention. Et pour saisir l'intention il convient d'être armée. De se documenter le plus possible. De maîtriser non seulement le sens exact des catégories juridiques mais aussi le contexte d'énonciation. Face à un acte notarié vous lisez tout sur la vie des notaires, leur origine sociale leur formation leur habitus professionnel, de la sorte vous êtes en mesure d'être en empathie avec le notaire auteur du document, vous pouvez le comprendre, vibrer avec lui, et pour finir porter sa parole vers l'autre langue. Bon, avec cette technique vous n'êtes pas très productive évidemment, mais cela vous est égal, vous apprenez tant de choses fascinantes. Un avis d'imposition devient une invitation à découvrir la forêt mystérieuse du droit fiscal. Une lettre de licenciement se transforme en une randonnée historique parmi les luttes sociales du siècle passé. Une plainte pour vol est l'occasion d'écouter une série de douze conférences sur « politiques pénales et opinion publique : une postmodernité funambule ». Autant dire que vos pensées encyclopédistes, celles qui se passionnent pour les champignons sauvages mais qui en réalité s'intéressent à tout, sont aux anges. On l'aura deviné, vous êtes en pleine lune de miel professionnelle.

Pour ce qui est de votre enquête, vous avez radicalement changé votre fourchette d'épaule. Adieu raisonnements abstraits, spéculations intellectuelles et dialectique éthérée, vous êtes entrée de plain-pied dans l'ère de l'expérimentation clinique. C'est le triomphe éclatant de l'empirisme, des essais pratiques, des mises à l'épreuve émotionnelles. Ainsi, vous vous exposez à divers stimuli patriotiques – images d'archives, coupures de presse et autres ressources disponibles sur internet –, et vous notez vos accélérations cardiaques, tenez registre du tressaillement de vos paupières, scrutez le tremblement de vos mains. Vous espérez que ces observations vous permettront de déterminer de quel côté penche votre cœur.

Essais France

Le sport tricolore ne vous remue pas une patte de canard, face aux vidéos d'exploits français vous restez de marbre. Vous bâillez d'ennui devant la finale de la Coupe du monde de football de 1998. Les victoires en natation ou en ski alpin suscitent en vous des commentaires aigris, trop facile d'être bons dans l'eau ou sur les pistes quand on a la mer et la montagne à portée de main, bande de privilégiés géographiques. Le cyclisme vous plonge dans une perplexité ontologique sans issue, quel intérêt d'organiser une course nommée Tour de France si ce sont toujours des étrangers qui gagnent ?

Face à des images de parades militaires, de cérémonies de remise de médaille, de fleurissement de tombes de soldats, vous n'êtes pas beaucoup plus emballée, les guerres françaises ne vous concernent définitivement pas, elles sont goutte d'eau sur une nappe hydrophobe, pluie fine sur un ciré jaune, flaque d'eau autour de bottes en caoutchouc, oui ça va on a compris la métaphore vous pouvez vous arrêter – oups, vos excuses, vous n'aviez pas compris qu'il s'agissait de dissimuler le fait que vous ne connaissiez pas le terme imperméable.

Quand vous passez aux grands intellectuels, après tout la France est en premier lieu le royaume de la pensée, vous découvrez avec horreur qu'il existe sur internet des gens selon lesquels Voltaire était un affreux esclavagiste. D'abord Enrico Macias copieusement insulté, maintenant Voltaire esclavagiste, n'y a-t-il donc rien de sacré dans ce pays ? Vous laissez tomber les biographies, ce que faisaient Victor Hugo ou Émile Zola de leur temps libre ne vous intéresse finalement qu'assez peu, sans compter que les arguments *ad hominem* manquent sérieusement de classe, et vous passez aux actes, c'est-à-dire aux écrits. Et immédiatement vous vous animez. Vous parcourez des lettres ouvertes, des prises de position publiques, des grands discours. C'est dense, c'est beau, c'est l'esprit français. Après concertation intérieure, vous élisez à l'unanimité deux discours à examiner de manière plus approfondie.

Il y a d'abord Robert Badinter devant l'Assemblée nationale française le 17 septembre 1981. Magnifique plaidoirie. Pulvérisation en règle de tous les contre-arguments. On sent l'avocat. Poisson dans l'eau. Inflexions de la voix. Usage du futur simple, *vous voterez l'abolition de la peine de mort*, ce n'est ni un souhait ni un ordre mais un constat, mes chers députés je vous ai enchâssés dans l'indicatif, mode de la certitude. Un excellent avocat. Trop parfait rhéteur peut-être ? Non vraiment vous ne voudriez rien penser de mal de Robert Badinter, si d'aventure Robert Badinter avait placé votre cerveau sur écoute, ce qui est peu probable mais on n'est jamais sûr de rien, qu'il sache qu'il n'y a en vous pour lui que respect et considération. Cependant vous regrettez les arguments pragmatiques. Les passages sur l'inefficacité, sur l'absence de corrélation entre peine de mort et courbe de la criminalité. C'était nécessaire sans doute, s'il l'a fait c'est que c'était nécessaire, il est malin, il connaissait son dossier, mais quelle tristesse qu'il ait été obligé d'aller sur ce terrain-là. Alors que l'efficacité on s'en fout. La peine de mort c'est non. On ne tue pas les gens. Mais après, dans la suite du discours ça va mieux, vous êtes rassurée, vous êtes soulagée, car dans la suite justement il dit, c'est un choix politique et moral. Il dit, la peine de mort est l'arme et le symptôme du totalitarisme. Il dit, que les familles éplorées réclament le trépas je l'entends mais la France refusera la loi du talion. Et il dit aussi, alors ça c'est rigolo, vous n'y auriez jamais pensé comme argument, il y a une part de subjectivité dans les décisions rendues et qui sait si d'aventure le racisme n'habiterait pas dans l'inconscient de certains jurés d'assises. Surtout, et c'est là qu'il est réellement grand, qu'il ouvre ses larges ailes, qu'il plane majestueusement, qu'il n'est plus Robert Badinter mais la voix de la France forte et humaniste, forte parce qu'humaniste, il dit, la culpabilité d'un criminel n'est jamais totale. C'est le rejet du monstre, de l'idée de monstre. Il n'est pas d'homme qui soit le mal incarné. Il n'est pas d'homme qu'on ait le droit d'expulser en dehors de l'humanité. Quels que soient ses actes. Quelle que soit l'horreur. Donc on le traite en être humain. Parce qu'il reste un être humain. Et ça c'est beau. Et là quand même vous versez une larme.

Ensuite il y a André Malraux. Ah. L'hommage d'André Malraux à Jean Moulin. Les cendres, le Panthéon, honnêtement vous vous en brossez les sourcils, vous détestez le style néoclassique, c'est trop tard les gars, ce ne sera plus jamais l'Antiquité. Et même la Résistance française, shplof. Vous n'avez rien contre les résistants, qui assurément étaient des gens valeureux, ou plus précisément des gens ayant accompli des actes valeureux, car si personne n'est le mal incarné, personne non plus n'est le bien incarné, l'énoncé est un brin désagréable, il empêche de se pâmer sans entraves devant les héros de la Seconde Guerre mondiale toutefois la rigueur intellectuelle n'est pas une boule à facettes en boîte de nuit, mettre l'ambiance n'est pas exactement sa fonction, et donc, vous ne nourrissez aucune hostilité à l'endroit des résistants, cependant dans le traitement, la mise en récit de la résistance il y a quelque chose qui vous agace profondément. La France avait perdu la guerre. Défaite incontestable. Armistice et tout. Genre à plat ventre. On s'écrase. On rampe. Et grâce à la résistance, aux histoires de France libre, et à toute la communication dessus, elle a réussi à s'incruster dans le camp des vainqueurs. On avait perdu mais en fait c'était pour du beurre, on est la France quand même on est des winners. Ce ne serait pas un peu de la triche ? Pendant ce temps, la Yazigie, qui s'était alliée avec l'Allemagne nazie, elle n'avait pas été contrainte, elle avait choisi, cela entre autres parce qu'on lui avait fait miroiter la récupération d'une partie de ses territoires perdus, eh bien elle a tenu bon. Jusqu'au bout. La droiture dans l'erreur. Loin de vous l'intention de banaliser, de minimiser la gravité du rapprochement avec le régime nazi, on ne s'allie pas avec des nazis, et si possible on ne leur adresse pas la parole. Toutefois il loge aussi une forme d'élégance dans cette fidélité témoignée au Troisième Reich. Voyant poindre la défaite, les membres de l'Axe retournaient leur veste les uns après les autres. Le bateau coule, vite passons chez les ennemis, avec un peu de chance ils seront reconnaissants, ils seront gentils avec nous. L'opportunisme de dernière minute, très peu pour les Yaziges. Nous coulons, fort bien, alors coulons. La parole donnée est plus sacrée que tout, qui la trahit se crache lui-même au visage. C'est marrant, le Liban et l'Algérie vous n'y connaissiez rien, mais la Seconde Guerre mondiale ça va. Du moins pour la partie Europe. Les trucs en Afrique par exemple, vous savez qu'il y a eu des trucs en

Afrique, que ça a joué un rôle important dans le destin de la France, mais quels trucs, mystère de purée de gommes cassées.

Malgré les réserves que l'on voit, malgré votre relative indifférence à la figure de Jean Moulin, sympathique homme à chapeau, assez séduisant il est vrai, aurait dû faire du cinéma, le discours d'André Malraux, c'est le bouleversement total. Vous le lisez et l'écoutez : avec ou sans la voix, couché sur le papier ou debout dans la bouche, la même force. Malraux dompte le français, de cette langue fantasque il tire un texte puissant, une tempête ciselée. Après, peut-être qu'en 1964, tout le monde s'exprimait comme ça, vous ne savez pas. Peu importe. Le texte d'André Malraux c'est le saisissement de l'estomac, l'incendie dans la gorge, vous pleurez pleurez pleurez, vous vous le repassez en boucle, vous l'écoutez encore et encore dire : *et même, ce qui est peut-être plus atroce, en ayant parlé*. Parce que oui, André Malraux a dit, *et même, ce qui est peut-être plus atroce, en ayant parlé*. Juste avant il a dit, *avec ceux qui sont morts dans les caves sans avoir parlé, comme toi*. Et juste avant encore il a dit, *entre ici, Jean Moulin, avec ton terrible cortège*. Si l'on sait réciter sa table de multiplication à l'envers, on aura compris que dans le cortège accompagnant symboliquement Jean Moulin, André Malraux a mis ceux qui avaient parlé. Sous la torture. Il n'a pas dit, seuls comptent ceux qui ont tenu. Il n'a pas dit, j'exige des héros sinon rien. Non, il a inclus, il a englobé. Même ceux qui n'ont pas trouvé la force sont des nôtres, font partie du *Nous* qui est ouvert, qui les accueille au même titre que les autres. Et la précision : *ce qui est peut-être plus atroce*. Quelle sensibilité. Dans ces six mots, il y a la bienveillance. La finesse de compréhension. *Ce qui est peut-être plus atroce*. Non seulement je ne vous condamne pas, je ne coupe pas en deux le peuple avec d'une part les héros et d'autre part les faibles, mais je dis que je sais les reproches, la honte, la douleur sur les épaules de ceux qui une fois capturés ont simplement fait comme ils ont pu. Je dis : parler sous la torture n'est pas une faute morale cependant je n'ignore pas les tourments qui s'abattent sur ceux d'entre nous qui, dans une situation extraordinaire, sont demeurés des hommes et des femmes ordinaires. Et là vous pleurez encore beaucoup.

Essais Yazigie

Les arts et traditions populaires yaziges suscitent en vous une étonnante tendresse. Sachant qu'en Yazigie, *populaire* ne renvoie pas à du folklore rigidifié pour touristes en mal de sensations typiques, les gens y pratiquent la broderie non coplanaire ou la gavotte basse-carpatique avec sincérité, pour leur plaisir personnel. Ainsi, vous contemplez avec ravissement des photographies de maisons paysannes avec toits de chaume, ordinateurs en bois sculpté, poteries à choix retardé. Vous esquissez quelques pas de danse devant une vidéo où des filles vêtues de cottes de mailles à paillettes font la ronde avec chacune une bouteille d'eau-de-vie en équilibre sur la tête, ah mais oui, lorsque vous vous tapez sur la cuisse avec une tasse de thé posée sur votre crâne cela vous fait quelque chose, il y a comme un doux plissement qui parcourt votre esprit. Dans le même sens mais en plus fort, vous êtes profondément émue à l'écoute de chants traditionnels de la Yazigie extérieure, celle des anciens territoires perdus. Plong-plong, *vent de printemps réveille les eaux, ô ma fleur ô ma fleur, tous les oiseaux versent leur sang, ô ma fleur ô ma fleur*, bon vous chantez un peu faux. Petitetaupe en revanche n'est pas du tout amatrice, elle pousse des cris stridents, vous supplie de revenir sur le chemin de la pensée raisonnable, pour elle qui estime qu'écouter de la musique est un acte de l'esprit, une pure contemplation intellectuelle face à la beauté des formes sonores en mouvement, cette soupe larmoyante est un supplice. Toutefois votre passion musicale est une impasse, d'ingénieuses expériences témoins vous apprennent en effet que les chants tsiganes, klezmers, bretons ou irlandais du Nord vous émeuvent tout autant. Ni plus. Ni moins. Pareil. Ce sont donc les mélodies déchirantes qui portent la voix des petits peuples, des petites nations sans État, qui vous touchent, et non pas spécifiquement la musique yazige, merci on avait saisi on n'est pas complètement demeuré non plus.

Les images de victoires sportives yaziges sont rares mais faciles à repérer, elles figurent toutes sur le site du Ministère de la fierté nationale. Quand vous les visionnez vous êtes transportée, vous jetez votre cerveau, vous êtes totalement premier degré, vous courez partout en faisant le V de la victoire, nous les gros nuls, nous les gros ploucs, nous sommes sur le podium ! C'est une joie simple et enfantine, un si petit pays sportivement victorieux c'est tellement bouleversant, rapportée à la population une médaille d'or yazige en vaut cent dix-huit françaises, en équité proportionnelle le peuple mathématique est la plus brillante des nations d'Europe. D'un autre côté si personne n'en a conscience, si personne ne salue le mérite, à quoi bon ? C'est comme l'Union européenne, la Yazigie en fait partie mais personne n'est au courant, il n'est pas rare qu'on oublie d'inviter le Premier ministre yazige aux sommets réunissant les chefs d'État des pays membres. En même temps vous comprenez que la tenue jean-marcel passe assez mal dans les intérieurs marbrés du Conseil européen. Bref. Lorsque vous vous intéressez aux défaites sportives, elles se trouvent également sur le site internet précité, l'émotion est encore plus vive et cependant retournée, ce n'est plus une effusion élémentaire mais une dentelle de douleur, votre pouls crépite, votre cœur se décroche et tombe au sol, les défaites c'est le déchirement, le si beau déchirement au goût de métal. L'histoire est toujours la même. De temps à autre émergent des sportifs exceptionnellement talentueux. Qui ont la force et le style. Qui innovent. Que tous les spécialistes donnent gagnants. Et qui ne gagnent pas. Parce qu'une chute de dernière minute. Parce qu'une faute d'arbitrage. Parce que toujours une injustice. Curieux comme le sport fait écho à la géopolitique, à la fable que les Yaziges se racontent à propos de leur histoire géopolitique, n'est-ce pas ? Un instant vous songez qu'il pourrait y avoir un effet de sélection, le Ministère de la fierté nationale aurait choisi de mettre en ligne les échecs sportifs dont le schéma narratif rappelle celui des multiples tragédies passées, chaîne incessante de revers entrelacés de revers. Partant de là, vous vous demandez s'il n'y aurait pas tout de même eu quelques échecs minables dans l'histoire sportive yazige. Voire quelques défaites militaires minables dans l'histoire yazige tout court. Vous levez les yeux au plafond. Mais non enfin. Quelle folie. La Yazigie est un pays de perdants mais on y possède l'art du personnage secondaire, des claques on en reçoit oui toujours mais avec distinction et sans un tressaillement de paupière.

L'Histoire. Les carottes continuellement cuites. Vous visionnez une vidéo résumant le rétrécissement de la Yazigie au fil des siècles. Vous avez la déprimante sensation d'être une clocharde à laquelle on raconte que ses arrière-grands-parents étaient richissimes mais qu'hélas ils ont tout perdu à la roulette, veuillez donc accepter cette petite cuillère rouillée en héritage, c'est tout ce qu'il reste de leur somptueux patrimoine. Vous lisez les commentaires sous la vidéo. Des représentants de diverses nations européennes s'y font mutuellement connaître leurs prétentions territoriales respectives. Dans la mesure où sur la carte d'Europe il n'y a pas assez de place pour que cohabitent la Grande Yazigie, la Grande Slovaquie, la Grande Serbie, etc., forcément ça négocie sec. Les débats, qui ont lieu en anglais, langue des conférences internationales et des colloques universitaires, se concentrent sur la légitimité historique des revendications : « your country is a bad joke by yokels » ; « if your nation doesn't have any history, don't steal from other nations ! ». Et quand vraiment cela s'envenime, l'argument choc : « anyway my granddad killed yours and fucked your grandmom ». Ces lectures vous réchauffent l'âme : les autres Européens du Centre et de l'Est sont des ennemis des Yaziges mais si proches, si semblables, eux aussi souffrent du même mal, de la même douleur de n'avoir reçu qu'une petite cuillère rouillée en héritage.

L'Histoire, bis. Vous n'en avez pas terminé. Vous devez entrer plus avant dans le détail. Affronter au moins un revers. Une de ces grandes plaies structurantes. Vous préparez votre petit matériau. Internet est une mine. Vous appréhendez un brin. Vous le savez ce qui vous attend. Ce n'est plus une abstraite carte de géographie politique. C'est pour de vrai. Des morts pour de vrai. Le choix était vaste. Vous avez opté pour le plus récent. XXe siècle. Yazigie socialiste. Manifestations. Une statue de Staline déboulonnée. Nouveau gouvernement. Le calme est revenu. Les négociations avec l'Union soviétique sont en cours. Et puis. Et puis et puis et puis, et si vous alliez plutôt lire la fiche Wikipédia de la galère marginée ? Tsss, n'essayez pas de vous enfuir, un enregistrement sonore vous attend.

Vous cliquez sur le bouton lecture.

Grésillement.

Ici Radio Yazigie, bon réveil à tous.

Cinq degrés ce matin à Iassag. Pas trop de vent.

(La ville est encerclée toutefois restons polis, parmi nos auditeurs peut-être certains veulent-ils savoir si aujourd'hui ce sera plutôt gros pull ou petite laine.)

Ensuite la voix du chef du gouvernement. Les troupes soviétiques nous attaquent. Manifestement leurs intentions sont hostiles. Sachez-le, chers compatriotes.

Ensuite ce sont les appels déchirants. Aidez-nous. Help. SOS. Hilfe. Monde libre écoute-nous. Artistes, intellectuels, savants occidentaux, relayez notre cri. ONU nous te supplions. Au nom de tes valeurs. Au secours. Tant de fois nous avons été vos remparts. Maintenant. C'est à votre tour maintenant. Nous demandons des parachutistes. Pas des mots. Pas des bons conseils. Au secours. Grandes puissances. Vous aimez la liberté. La justice. Au secours. Pour la Yazigie. Pour l'Europe. Au secours.

Ensuite la radio cesse d'émettre. C'est-à-dire que ce n'est pas seulement l'enregistrement que vous écoutez qui s'arrête, mais aussi la chaîne de radio qui suspend son activité.

Vous serrez les dents. La suite vous la connaissez. Attaque totale. Écrasement total. Répression totale. Au revoir la liberté, au revoir la démocratie. Et pourtant la résistance se poursuit. Cela vous ne le saviez pas. Si. Non. Bon. Vaguement. Dans les tragédies bizarrement un détail idiot ébranle davantage que l'ensemble. Le détail on peut se raccrocher. C'est un truc de deuil. On ne pleure pas la morte, le mort, la personne dans sa globalité c'est trop difficile. Alors on pleure les détails. Juste avant il m'avait dit que. Il y a quinze jours elle m'avait offert ce. Mais là c'est trop. Les femmes en noir c'est trop. Le défilé des femmes en noir quelques semaines après c'est trop. Pourtant ce n'est rien. Une manifestation pacifique.

Avec des femmes en noir et des fleurs et des policiers aux yeux humides. Les larmes de la police qui était là pour surveiller pas pour pleurer c'est trop. Vous défaillez. C'est la défaillance. Trop de plaies. Être yazige c'est l'effondrement permanent. Vous n'aurez jamais la force. Vous appelez Petitetaupe. Vous la serrez fort contre vous. Le monde est trop injuste. Vous avez quatre ans d'âge mental. À part cela, pleurer beaucoup irrite la peau des joues. En raison du sel dans les larmes probablement.

Petitetaupe tente de vous réconforter, votre tristesse c'est à cause de l'éloignement, vues depuis Paris les choses paraissent tragiques, mais il n'y a pas que du tragique en Yazigie. De loin les nuances s'émoussent, on verse facilement dans la caricature. À son avis vous devriez aller à Iassag, une fois sur place vous auriez un autre regard. Là-bas, quand *là-bas* se transmutera en *ici* et *ici* en *là-bas*, tout sera différent. Vous reniflez, oui oui sans doute assurément, mais rencontrer votre famille sans avoir de certitudes vous n'avez pas le courage, ce serait mentir dans leurs yeux. Elle insiste, il est essentiel que vous vous mettiez en contexte yazige, sans quoi l'enquête sera déséquilibrée, allez au moins à l'Institut culturel yazige de Paris, il y a plein d'événements culturels superchouettes, par exemple ils jouent bientôt le grand concerto en fibré tangent mineur.

Afin de redescendre en pression vous lisez des articles en français sur la même affaire. Le français vous apaise. Gelée décongestionnante. Pourtant les articles français racontent exactement la même histoire. Mais en français la même histoire fait moins mal. En français vous acceptez d'écouter. En français vous y mettez de la bonne volonté. Vous admettez que l'envoi de troupes occidentales aurait pu déclencher une guerre mondiale. Pas de certitudes mais risque réel. Que la proposition, du point de vue de la maximisation du bonheur du plus grand nombre quelques milliers de morts à Iassag pèsent moins lourd qu'une éventuelle guerre mondiale, est admissible. Se discute mais l'argument est fréquentable. Toutefois. L'hypocrisie. Pourquoi les Occidentaux d'un côté vive la démocratie et de l'autre les petits peuples sans pétrole en fin de compte on ne voudrait pas les déranger dans l'intimité de leur asservissement, si contre les chars soviétiques les civils ne sont pas assez forts tant pis pour eux. Ainsi donc les grands principes c'est du vent. Une arnaque. La liberté et la résistance à l'oppression comme droits imprescriptibles de l'homme, article 2 de la déclaration de 1789 ? Juste une manière de parler, qu'ils sont bêtes ces Yaziges ils prennent tout au pied de la lettre, en France on est très friand de second degré. À la rigueur vous auriez préféré que les Occidentaux déclarent ouvertement, le sort du peuple yazige rien à foutre, qu'ils moisissent dans leur communisme cyrillique ces arriérés. Cela aurait été brutal mais honnête. Et sinon vous-même comment ça va bien ? La forme ? Vous savez que l'insurrection yazige c'était il y a cinquante ans ? Que vous n'étiez pas née ? Que vos parents n'ont pas pu y participer, ils étaient à peine en primaire ? Que l'Union soviétique n'existe plus ? Oui ? Et vous trouvez normal de vous mettre dans cet état pour un événement qui ne vous concerne absolument pas ? Allez, pleurez encore un bon coup, vidangez vidangez, avec un peu de chance vous serez en mesure de tourner la page après.

*

Arts & lettres. *Nul besoin de crypter nos données sensibles, de coder nos conversations embarrassantes, notre langue est par nature une garantie de confidentialité. Puisque mis à part nous, personne ne comprend ce que nous racontons. Ceux d'entre nos artistes qui aspirent à une reconnaissance internationale optent pour des formes d'expression non verbale. Ainsi, nous excellons dans le cinéma muet, le théâtre de mime et le jazz instrumental. Mais nos poètes, nos romanciers, nos dramaturges. Quelques-uns sont massacrés par des traducteurs occidentaux maîtrisant à peine les rudiments de notre langue. Les autres resteront à jamais méconnus. Sauf à écrire en langue étrangère.*

*

Les expérimentations sont nombreuses et beaucoup trop concluantes. Saturées de conclusions divergentes. Alors vous décidez de vous radicaliser. De trouver l'extrémiste qui se cache en vous. C'est purement scientifique évidemment. Une banale technique d'automanipulation afin de vous pousser dans vos retranchements identitaires. Qui peut le plus peut le moins.

Vous sondez vos pensées. Se trouve-t-il des

nationalistes françaises parmi elles ? Elles vous répondent avec embarras, il y a un léger problème, aucune d'entre elles ne connaît les paroles de la Marseillaise, donc nationaliste ça va être difficile, non ? À dire vrai, vous ignorez si cela fait partie des prérequis. Vous consultez un dictionnaire, sa position est que le nationalisme se caractérise par a) une exaltation des valeurs traditionnelles d'une nation considérée comme supérieure aux autres, b) une pensée raciste ou xénophobe, c) une volonté d'isolement économique et culturel. Super. Et lorsque parmi les valeurs traditionnelles du pays se trouve le principe d'égalité entre tous les êtres humains comment est-on supposé s'en sortir ? Merci le dictionnaire, vraiment il vous avance bien, ainsi le nationalisme français est la voie royale vers le délire psychotique puisque la coprésence de a) et de b) constitue indubitablement une angoissante injonction paradoxale. À moins que ? Et clic, vous comprenez, brillance de glycérine, c'était une bête énigme logique et vous venez de la résoudre, si vous restreignez le champ de la xénophobie en b) à des non-humains vous serez en mesure de préserver l'égalitarisme en a). Vous soufflez modestement sur vos ongles, c'était très facile comme énigme, et vous vous lancez aussitôt dans la production de slogans à l'usage d'un parti extrême-humaniste.

1 million de chiens de garde = 1 million de vigiles au chômage. Stop les animaux. Le travail aux humains !

Priorité à notre espèce. Arrêtons de nourrir les chats errants, donnons aux clochards !

Votre jardin envahi par les renoncules rampantes. Jusqu'à quand ?

Préservons notre identité humaine. Pour une interdiction du port de costumes d'extraterrestre dans l'espace public.

Les robots nous menacent : parlons-en.

Unis, les humains seront invincibles.

Etc.

Lorsque vous avez fini de faire la mariole, vous vous lancez à l'assaut de l'extrême droite française. Vous réprimez un hoquet, sur votre écran mental surgit une lionne polaire à la crinière de glace, l'extrême droite c'est vert c'est gluant c'est de la bave d'escargot radioactive avec des aiguilles empoisonnées dedans, vous n'avez pas le droit, non vous n'avez pas le droit de vous intéresser à vos ennemis structurels, ce sont de dangereux racistes, haineux et violents, aux immigrés ils disent rentre chez toi, ils disent tu n'as rien à faire ici, ils disent la France on l'aime quand tu la quittes, et si cela ne suffit pas ils les jettent dans la Seine. Tiens donc. Quelle hostilité. Quelle intolérance. Les stéréotypes, quand il s'agit des prostituées c'est la levée de boucliers immédiate, mais concernant l'extrême droite aucun problème pour dégainer les pires préjugés ? Lavez donc votre paillasson avant d'accuser autrui de comportement haineux.

Après avoir neutralisé l'opposition, c'est-à-dire après avoir ligoté vos pensées gauchistes-antiracistes et les avoir enfermées dans un placard du sous-sol de votre tête, vous consultez le site internet du parti politique français qui se dit patriote. Cependant vous constatez vite que ce n'est pas ce que vous cherchiez, le discours ici est trop policé, trop enrobé. Du coup, la photographie de la présidente faisant un câlin à son chat (qui est très mignon) vous intéresse beaucoup plus que le fond du propos, à supposer qu'il y en ait un, vous ne savez pas vous n'avez pas lu. De là, vous partez explorer le monde mystérieux des groupuscules nationalistes, cela vous paraît beaucoup plus excitant. Vous y passez plusieurs heures, voguant joyeusement parmi les catholiques intégristes, les identitaires régionalistes, les royalistes nostalgiques, les skinheads néonazis, la liste n'est pas exhaustive, dont les discours sont autant d'appâts destinés à exciter votre nationalisme latent. Et effectivement, quelquefois ça mord – en même temps, les textes en ligne sont un tel fatras d'idées discordantes que n'importe qui y dénicherait une proposition à son goût, on dirait de l'astrologie, c'est écrit de manière à ce que chacun y trouve un petit quelque chose qui lui parle. Toutefois vous êtes grandement rebutée par le manque de rigueur dans l'exposé des idées défendues : les abus de langage tels que « naissances extra-européennes en territoire français » sont légion, personnellement vous avez dû relire huit fois avant de comprendre ce dont il pouvait s'agir ; le recours à un folklore lexical difficile à décrypter pour les non-initiés est quasi systématique, avec des termes comme « forces thalassocratiques d'assombrissement du monde » ou « guerre civile franco-française de 1940-1945 », ce qui produit un effet d'exclusion, comme si ces gens se parlaient entre eux au lieu de s'adresser au monde ; la pensée raciste est inaboutie, pour ne pas dire embryonnaire, et mériterait de toute évidence d'être retravaillée, par exemple quand on accuse les étrangers de pervertir la culture française le strict minimum serait de cesser de consommer des denrées migrantes, à votre humble avis celui qui demande l'expulsion d'un Ivoirien tout en mangeant du chocolat ou en buvant du café se tire une balle dans le pied argumentatif. Mais ce qui vous gêne réellement, ce qui vous arrête net, ce qui tue dans l'œuf toute possibilité d'un éveil nationaliste chez vous, c'est que tous ces mouvements, d'une manière ou d'une autre, raisonnent à partir de l'idée de péril. La nation française serait à l'agonie. La patrie serait terrassée par des forces ennemies. Qui l'envahiraient. Qui la dévoreraient. Qui la terrasseraient bientôt. Il faudrait donc entendre le cri de l'Histoire. Et l'appel des héros d'autrefois. Vous voulez bien admettre qu'il existe de nombreux problèmes en France toutefois jusqu'à dernière nouvelle le pays n'est pas occupé militairement, il a son propre gouvernement, le tracé de ses frontières n'est contesté par personne. Alors qu'est-ce que c'est que ce gaspillage lexical, nom d'un escarpin triple-bouilli ? Est-ce qu'ils se rendent compte, ces dilapideurs de verbe, ces pilleurs de sémantique, que le jour où il y aura des chars d'assaut dans les rues de Paris, ce que naturellement vous ne souhaitez pas à cette charmante ville même s'il est vrai que la chose aurait quelques vertus pédagogiques, il ne leur restera plus de mots pour le dire car ils les auront déjà tous utilisés ? Quant aux héros d'autrefois, il est irresponsable de les convoquer pour un oui ou pour un non, parce qu'en cas de régime totalitaire, en cas de risque de torture, lorsque vraiment on aura besoin de courage et d'esprit de résistance, eh bien les héros, à force d'avoir été dérangés pour rien, ils feront la sourde oreille. Et ces gens prétendent œuvrer pour le bien de la France ?

En somme, le nationalisme français se cherche encore. Trop brouillon, trop geignard, il peine à convaincre. Vous, ce qui aurait pu vous séduire, enfin peut-être, c'est un nationalisme positif et ambitieux, un genre de *revival* colonialiste mâtiné d'universalisme bienveillant lequel serait tout à fait raccord avec l'histoire et la mentalité françaises : la conquête de nouveaux territoires. D'abord annexer la Belgique. Ensuite l'Europe. Et enfin la Terre entière. Pour que tous les peuples du monde aient la chance de vivre en France sans même avoir besoin de se déplacer. Champagne pour tous ! G7 pour tous ! Fin de la hiérarchie géopolitique. Fin des inégalités économiques. Quel message d'espoir ce serait pour les candidats à l'émigration : ne bougez pas, ne prenez pas de risques, la France vient à vous, vous allez devenir la France. Et après, afin de maintenir vivante la flamme nationaliste, il restera toujours la conquête spatiale. Pour que les extraterrestres aussi puissent profiter de l'excellence du modèle français. Voilà bien l'avantage d'un programme d'expansion territoriale, on peut se projeter loin dans l'avenir. C'est quand même beaucoup plus engageant que ces histoires rabougries de péril intérieur.

Dans ce contexte, vous fondez de grands espoirs sur le nationalisme yazige. Vous qui paraissez sujette aux ambitions territoriales démesurées, vous allez être servie. Sachant que dans le cas de la Yazigie, il s'agit de reconquête et non de conquête. Nuance. Revendiquer le retour aux frontières du XIe siècle n'est que justice. Euh bon après ça se discute aussi, le XIe siècle arrange particulièrement les Yaziges mais d'autres peuples pourraient briguer d'autres dates. Cependant dans son principe, l'irrédentisme yazige n'est pas un impérialisme. L'objectif n'est pas de dominer le monde, juste de rétablir un état antérieur qui était mieux. Ce n'est aucunement comparable, par exemple, à un éventuel souhait français de récupérer l'Algérie, vous ignorez si certains Français ont de tels souhaits, vous espérez que non, mais dans cette hypothèse, que ces certains Français comprennent bien que la démarche n'est pas du tout la même, les anciens territoires yaziges étaient vraiment yaziges. Oui enfin l'Algérie administrativement c'était la France et les territoires yaziges avant les Yaziges il y avait d'autres populations, d'une certaine manière ils ont colonisé. Ah non, les Yaziges se sont installés, ils ont pris possession de la patrie. Quand les tribus nomades sont arrivées en Europe, elles ont dit, ici c'est chez nous on reconnaît, on se pose. Et donc ce n'est pas de la colonisation ? Non mais ça suffit le relativisme débridé, à ce compte-là toute prise de territoire est colonisation. Ben c'est une hypothèse à envisager non ? Mais non c'est différent, une élection de domicile c'est différent, les Yaziges avaient besoin d'une terre natale, ils étaient prêts pour la sédentarisation, vous mélangez hasardeusement les concepts, que du reste il conviendrait de définir, et puis chut à la fin, laissez-vous aller, détendez vos muscles, ne sentez-vous pas la fièvre du nationalisme yazige qui s'empare de vous ?

Vous regardez vos mains. Vous les ouvrez, vous les retournez. Oui, indéniablement, il se passe quelque chose. Un genre de picotement. Vous cherchez sur internet un morceau de black metal nationaliste yazige. Dès les premières mesures, votre gorge se serre, votre estomac se noue. Tacatacata paaaah, *bercée par des epsilon blancs, le cœur forgé d'airain ardent, l'âme revenue des noirs enfers, notre nation prépare la guerre*, vous faites un pogo dans votre appartement, vous chantez à tue-tête, vous connaissez les paroles par cœur, voilà un signe qui ne trompe pas, dont acte toutefois du calme, ne vous emballez pas trop, non mais vous vous en priez vous êtes parfaitement calme, c'est parce que vous avez le poing levé et que vous criez votre brûlure de la petite cuillère rouillée reçue en héritage que vous ne vous trouvez pas calme ? Vaillance ! Orgueil ! Loyauté ! Justice pour la Yazigie ! Aux armes !

Vous souriez béatement. Être nationaliste yazige est exactement comme vous l'espériez. Vous sentez la douceur. Le réconfort. La chaleur. Vous appartenez à un groupe très soudé. Vous avez un clan, une famille. Un *Nous* fort et puissant que vous aimez et par lequel vous êtes aimée en retour. Ensemble, vous œuvrez à l'avènement d'un monde plus juste. Vous défendez l'honneur de la nation. Vous êtes des chevaliers. Certains d'entre vous mourront au front car la guerre sera dure mais c'est avec joie que vous sacrifierez votre vie sur l'autel de votre noble cause. Rhô. C'est ultra-romantique.

Vous ricanez en songeant aux actions de l'extrême droite française. Ces gens ne font rien. Se bagarrent, organisent quelques petites provocations. Tandis que chez les Yaziges. Il s'agit de résistance armée. On mouille sa chemise. On l'ensanglante, même. C'est autre chose que d'aller manger un sandwich au saucisson devant une mosquée. À dire vrai, vous êtes déjà, par anticipation, en train de tomber amoureuse d'un beau patriote musclé avec plein de tatouages, un homme qui se bat pour des petits traits sur une carte de géographie politique c'est tellement sexy. Oui, parce que concernant la guerre, en fin de compte, vous avez pensé que femme de soldat c'était mieux. Vous n'êtes pas faite pour le front. Les viscères, tout ça. Et puis faire mal à des gens. Personnellement, bof. Cependant votre mari ira, vous serez fière de lui. Vous lui mettrez du mercurochrome, lui ferez des bisous sur le front, lui préparerez un gâteau pour son retour.

Vous consultez le site internet de *Volontaires des Carpates*, le groupe de lutte armée dont fait partie votre futur mari. Et là, c'est la douche froide. Qu'est-ce que c'est que cette bande de guignols ? Derrière vous, Petitetaupe qui rentre de l'école glousse en jetant un œil à l'écran de votre ordinateur. Tout jugement au fond étant suspendu, cette organisation soi-disant nationaliste aurait urgemment besoin d'une conseillère en communication. Parce qu'au niveau des visuels il y a un gros souci.

Quand on prétend être les héritiers des intrépides guerriers nomades, on soigne un minimum son apparence physique. Qu'il n'y ait pas que des gravures de mode d'accord. Mais là. La photographie officielle de *Volontaires des Carpates*, on croirait une illustration dans un rapport ministériel sur les ravages conjugués du chômage endémique et des problèmes d'accès aux soins des personnes en situation de grande précarité. Les gens il faut les faire rêver. Leur montrer qu'on est des éclaireurs et des combattants, le cœur vibrant de la nation, sa conscience éveillée. Pas une clique de déchets sociaux qui se raccrochent au nationalisme pour donner un sens à leur existence ratée. Et où sont les chiens ? Et les treillis ? Et les rangers ? Il y a des codes paramilitaires à respecter, on ne peut décemment crier *vive l'Europe blanche et chrétienne* en étant chaussé d'après-ski en polyester bleu, ni lancer *aux armes pour la reconquête de l'espace vital* avec un fox-terrier sur les genoux, c'est beaucoup trop mignon un fox-terrier, cela ne donne pas du tout envie de déclarer la guerre aux pays voisins. Où il y a aussi des fox-terriers lesquels risqueraient de devenir amis avec le fox-terrier yazige, et après on ne s'en sort plus, on pose sa kalachnikov sur un banc et on sympathise, et vous qu'est-ce que vous lui donnez comme croquettes, et il ne fait pas trop de bêtises quand vous le laissez seul toute la journée, pour au final s'inscrire ensemble au club canin au lieu de s'entre-tuer. Mais le pire peut-être, ce sont les deux vidéos en première page du site. Sur la première, on voit un maigrichon à lunettes faisant le salut nazi devant le drapeau ancestral yazige, c'est une catastrophe entropique cette vidéo, la croix gammée sur son torse est tatouée de travers et en plus il y a un poster de Britney Spears en arrière-fond. Sans compter que la croix gammée, la croix gammée, eh bien c'est déjà pris, lorsqu'on est un nationaliste digne de ce nom on fait appel aux services d'un graphiste professionnel et on lui demande de créer une identité visuelle originale, de dessiner un logo innovant. Quant à la deuxième vidéo, il s'agit d'une interview avec une femme qui expose les raisons de son engagement auprès des *Volontaires*. Elle a la cinquantaine et elle est moche, mais qu'est-ce qu'elle est moche, les deux n'ont aucun rapport évidemment, il existe de magnifiques femmes quinquagénaires mais pas celle-ci. Elle a les cheveux gras, le teint cireux et des dents qui manquent, on dirait une vieille clocharde alcoolique, pardon les clochardes alcooliques. Et elle se permet de déclarer, « les Juifs et les Tsiganes le train vous attend préparez votre bagage ». Mais qu'elle se lave les cheveux déjà avant de vouloir envoyer autrui en camp de concentration. Ce n'est pas possible ça. Ah, et elle affirme que Hitler est son idole. Vous voulez bien le croire, parce qu'il était bien moche aussi Hitler. Moins qu'elle, mais quand même assez moche.

Vous vous raclez la gorge. Oui ? Plaît-il ? Vous avez une information à vous communiquer ? Parce que si c'est au sujet des références néonazies c'est absolument inutile, pour mémoire vous avez suspendu tout jugement au fond, d'ailleurs ce n'est pas un scoop vous étiez déjà au courant avant de consulter le site, c'est juste que vous avez fait abstraction, vous avez mis dans une petite boîte, cela s'appelle un clivage en psychanalyse, c'est interdit le clivage maintenant ? Allez ouste, pour l'heure vous aimeriez étudier le programme et les actions des *Volontaires*, il s'agit d'une expérience scientifique, arrêtez d'être stressée de la sorte, vous risquez de fausser les résultats. Donc. Le programme et les actions. Le programme consiste à revendiquer le retour aux frontières du XIe siècle. Les actions consistent à violenter des citoyens yaziges considérés comme étant de nationalité tsigane. Vous avez un peu de mal à comprendre le lien entre les deux, à cerner les rouages de l'articulation logique. Ah si, il y a tout de même eu une action panyazige. Une bombe dans une cabine téléphonique devant le consulat d'un pays voisin. Qui n'a jamais explosé. Car elle était en pâte à modeler. Sinon c'est tout. En un sens cela vous soulage, la lutte armée de loin est romantique mais quand cela se concrétise vous trouvez cela effrayant. Mais quand même, quels fumistes. Dire qu'il y a quelques jours vous avez cru être une espionne chargée de surveiller le terrorisme yazige. Il n'y a rien à surveiller en réalité. Et pour ce qui est des actes à l'encontre des Tsiganes c'est proprement atterrant, vous êtes toujours dans votre rôle de conseillère en communication avec clivage intégré il va sans dire, en effet ces *Volontaires* en feutre de casserole s'en prennent à tous les Tsiganes. Sans discernement. Ils en croisent un, ils le tabassent – tous des bougnoules, tel est leur raisonnement. Eh bien ce n'est franchement pas intelligent.

Quand on est un raciste intelligent, reprenez-vous à l'intention du parterre de militants ultranationalistes qui vient de s'installer dans votre esprit, on sait que l'origine dite ethnique n'est pas suffisante en soi. Bien sûr qu'il existe dans la culture yazige un solide fond antitsigane, mais la répulsion se concentre sur ceux qui troublent visiblement la paix publique. Les gens disent, le problème n'est pas leur couleur de peau mais le fait qu'ils volent, qu'ils soient fainéants, qu'ils ne se lavent pas les pieds. Et quand on est un raciste intelligent, poursuivez-vous en agitant les mains pour exciter un peu votre public, on comprend que c'est sur ce fil-là qu'il faut tirer, dans cette brèche-là qu'il faut s'engouffrer. Dès lors, on s'abstient de fracasser le crâne d'un brillant étudiant ou d'une frêle jeune fille, on canalise ses pulsions violentes et on agresse exclusivement les petits caïds, les voyous qui détroussent les mémés, les usuriers qui terrorisent les villages, les proxénètes qui mettent leur fille sur le trottoir, les fraudeurs qui ne déclarent pas leurs revenus, les parasites notoires qui glandent au bistrot, les polygames intégristes qui battent leurs femmes, euh non pardon ça c'était un conseil pour les racistes français, vos excuses, mais c'est la même idée, il convient de cibler des individus ayant un comportement antisocial. Et de préférence avec une apparence repoussante, des bossus, des mal foutus, des qui se traînent, des qui ont des pustules, des qui ont un gros accent, langue maltraitée et violentée, que ça fasse mal, qu'on ait envie de crier quand ils parlent. En substance, quand on est un raciste intelligent, on se maîtrise et on sélectionne des victimes qui inspirent le dégoût à la majorité de la population. C'est le seul moyen d'obtenir l'indulgence, voire le soutien de l'opinion publique. Et surtout, surtout, par pitié, on ne touche jamais ni aux musiciens ni aux enfants. Aux musiciens, parce qu'un Tsigane avec un violon ce n'est pas pareil. Il devient un élément du patrimoine culturel yazige. Un Tsigane qui attend le bus, beurk sale racaille qui pue. Le même dans un restaurant avec un violon entre les mains, oh approchez approchez cher ami, jouez-nous donc un de ces magnifiques morceaux dont vous avez le secret, c'est si beau nous allons pleurer, voici encore ce billet de cent couronnes si vous l'acceptez. Donc les musiciens, interdiction formelle. Le violon immunise. Un peu comme, mais sans doute dans une moindre mesure, la religion désexotise les Arabes pour les Français. Un Arabe chrétien pour un Français c'est une surprise, ça alors vous aussi vous fêtez Noël et Pâques, quelle mine européenne cela vous donne, allez on s'embrasse, euh bon pas de trop près non plus, n'exagérons rien. Donc message aux racistes français s'il y en a dans la salle, attention aux Arabes chrétiens. Voire aux Arabes avec un violon. Bref. Où en étiez-vous ? Ah oui, les enfants. Pire que les musiciens. Ne jamais violenter un enfant tsigane. À aucun prix. Même s'il est bossu ou voleur. Un enfant bossu est un pauvre petit handicapé qui fend le cœur de la ménagère yazige, rien à voir avec les adultes bossus, qui eux sont des dégénérés fin de race. Les enfants c'est le tabou ultime, l'opinion publique défend aveuglément les enfants. Ils relèvent du sacré. C'est agaçant mais c'est ainsi.

Eh oui, raciste est un métier qui exige patience et modération. Là-dessus, vous saluez votre public et vous quittez l'estrade.

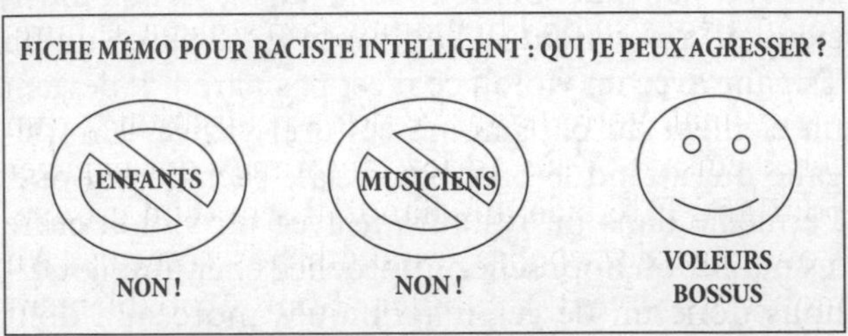

FICHE MÉMO POUR RACISTE INTELLIGENT : QUI JE PEUX AGRESSER ?
ENFANTS
NON !
MUSICIENS
NON !
VOLEURS
BOSSUS

Votre jugement au fond, qui est toujours suspendu depuis tout à l'heure, aimerait bien que vous le décrochiez, cela commence à devenir sérieusement inconfortable. Et profitez-en pour libérer vos pensées antiracistes, elles n'en peuvent plus d'être ligotées. Mouais. Si vraiment cela avait été à ce point insupportable, elles se seraient libérées d'elles-mêmes, n'ont-elles pas une lionne polaire à la crinière de glace à leur service ? Ah si, elle arrive, elle rugit, le racisme c'est horrible, il convient de le condamner fermement. C'est un peu mou, non ? Face à l'extrême droite française, la lionne était beaucoup plus énervée. Pourquoi ? Vous vous braquez votre lampe de bureau sur le visage. Alors ? Pourquoi ? Vous baissez la tête. Eh bien. Comment le formuler. Il vous semble que c'est parce qu'en France, vous êtes une enfant d'immigrée. Cela vous place dans le camp des potentielles victimes. Alors qu'en Yazigie, vous êtes une Yazige, que vous soyez née à l'étranger ne change rien, jamais l'extrême droite ne s'en prendrait à vous. Bravo. Le racisme, cela vous concerne uniquement si vous vous sentez personnellement menacée. Vous êtes complètement égocentrée. Espérons que tout le monde ne soit pas comme vous sinon l'humanité a du souci à se faire.

Au final, votre tentative de radicalisation est un échec cuisant. Vous auriez tant aimé vous engager pourtant. Être bien au chaud au sein d'un groupe. Vous regardez encore les skinheads français. Au moins ils savent s'habiller. Sont probablement dotés d'un lexique limité mais à défaut ils présentent bien. Quand vous pensez à l'allure des nationalistes yaziges vous êtes écœurée. Vous qui croyiez trouver un mari parmi eux. Et puis ce côté *cheap*. C'est horrible. Les sites internet des nationalistes français sont beaux et luxueux. Élégants, à l'image de la France. Il y a de l'argent derrière. Le site des *Volontaires* on aurait dit le minitel. Incroyable. Même en matière de nationalisme la partition entre G7 et pays pourris opère. Vous allez finir par penser que c'est une ligne de fracture indépassable.

Vous songez que sur le marché de l'extrémisme, il y a aussi le terrorisme djihadiste. Oui. D'accord. Vous en prenez bonne note. Quel rapport avec votre enquête ? Aucun. Les nationalistes français en parlaient beaucoup alors vous avez lu quelques articles sur le sujet. Et ça vous a perturbée, vous vous êtes sentie vieille. Dépassée. Est-ce que vous ne seriez pas totalement *has been* avec vos problèmes de nationalité ? Si cela se trouve, à force d'étudier les vieux papiers de vos parents vous êtes restée coincée dans les années 1980, vous êtes passée à côté d'un changement de paradigme. Le recrutement djihadiste incontestablement est plus ouvert que celui de bien des groupes : la couleur de peau, les origines, le passeport ne comptent pas. Yazige ou française cela n'aurait aucune importance, ils vous accepteraient telle que vous êtes, avec votre amnésie et votre indétermination identitaire. Sans compter que dans le djihadisme, il y a une idée de combat pour un monde idéal. Leur truc de califat et tout ça, est-ce que ce ne serait pas une critique radicale de la domination du G7 ? À vous qui êtes si sensible aux injustices géopolitiques, cela pourrait assez bien convenir. S'il existait une version non violente évidemment. Ah oui, parce que vous êtes contre la violence, cela a fini par vous revenir, c'était au fond de la boîte à clivage du coup ça a mis du temps à arriver, c'est fort pratique dites donc votre système de casier psychique, vous devriez déposer un brevet. Et l'autre condition, ce serait qu'ils soient irréprochables sur le plan argumentatif, parce que les extrémistes avec une réflexion brouillonne vous en avez votre claque, vous avez déjà suffisamment de mal à démêler vos propres pensées.

Bon. Le djihadisme, non. Mais l'islam ? En dépit des apparences il ne s'agit pas d'un vilain amalgame mais d'une innocente association d'idées, vous distinguez parfaitement les deux, la preuve, vous vous posez la question de vous convertir, tandis que le djihadisme jamais vous n'iriez, ces gens ne respectent pas leurs propres préceptes et en plus ils sont lâches, ils attaquent des civils sans défense, trop facile les civils, c'est gagné d'avance, oui vous vous êtes un brin documentée en douce. Pure curiosité intellectuelle. Naturellement. Mais donc l'islam. Si tant de gens sont séduits, c'est sûrement que c'est bien. Devenir musulmane vous donnerait une identité, un ticket d'entrée dans une belle communauté internationale. En tant que végétalienne, vous mangez déjà halal puisque vous ne mangez pas de viande du tout. Vous avez fait la moitié du chemin. Après, il y a le fait que ce soit une religion. Vous devez admettre que c'est une réelle difficulté. Croire en un dieu vous ne pourriez pas, vraiment vous ne pourriez pas, c'est trop idiot, au passage que les croyants de l'univers entier n'hésitent pas à vous traiter de misérable pastèque écervelée, de la sorte vous serez quittes. Toutefois. Est-il vraiment obligatoire d'être croyante pour pratiquer ? Pour faire partie du club ?

Vous attrapez un châle et vous allez dans votre salle de bains afin de préparer votre entrée en islam. Vous savez que le voile est facultatif cependant pour vous ce ne serait pas intéressant, personne ne se rendrait compte de votre conversion, l'effet club serait complètement raté. Avec votre châle vous vous escrimez, manifestement c'est tout un savoir-faire de se voiler, vous ne vous rendiez pas compte, vous essayez dans un sens, vous essayez dans l'autre, vous ajoutez des pinces, des épingles à nourrice, mais quoi que vous tentiez cela ressemble irrémédiablement à un ridicule bonnet de nuit. Vous ne vous découragez pas. Toutes les filles voilées ont débuté un jour, il doit exister des tutoriels sur internet. Comme il n'y a guère de musulmans en Yazigie, vous cherchez côté français.

Et en effet, vous trouvez aisément. La technique est bien expliquée. Mais le style des vidéos. Les filles sont beaucoup trop jolies, beaucoup trop élégantes, et elles donnent beaucoup trop de conseils, il y a mille versions, hijab pour l'hiver, hijab pour l'été, hijab avec lunettes, hijab style turc, hijab carré moderne, hijab maman pressée. Les hijabistes, comme certaines se nomment, sont mignonnes et sympathiques, leur ressembler ne vous déplairait pas, ce n'est pas le problème. Non, le problème, c'est que vous voyez bien que l'islam n'est pas la solution. Vous pensiez que c'était une troisième voie. Une manière de dépasser la dichotomie Française ou Yazige. Sauf que non. Ces filles, dans leurs vidéos, elles sont chic, elles sont coquettes, elles sont glamour. En un mot, elles sont françaises, tellement et typiquement françaises. Jusqu'au bout des ongles. Chose qui vous bloque complètement. Si c'est pour devenir française ce n'est pas la peine, vous ce qui vous motivait c'était de vous trouver une identité débarrassée de toute dimension nationale. Et vous imaginiez que ce serait un minimum exotique, un minimum dépaysant. Histoire d'avoir une bouffée d'air frais, de sortir enfin du camembert et des nomades yaziges. Mais alors là. Quel choc. Le hijab, en tout cas celui de ces vidéos, il n'y a rien de plus français. Enfin, vous aurez essayé.

*

Au cours de ces cinq journées d'expérimentation, entre parenthèses le délai d'une semaine avant d'aller consulter un médecin expire le lendemain de la cinquième journée, le cas échéant n'oubliez pas de prendre rendez-vous à l'asile psychiatrique, vous oscillez continuellement entre les deux états. Il suffit que vous lisiez un article de presse rapportant les propos du Premier ministre yazige, qui fustige les institutions européennes, qui parle de Bruxelles comme si c'était Moscou, qui appelle à résister contre l'oppression, pour que vous vous esclaffiez, la vieille rhétorique du petit pays seul contre tous ça va bien deux minutes, les gars arrêtez la parano. Et alors vous vous sentez totalement française. Une heure plus tard, vous entendez à la radio française une comédienne racontant un séjour en Pologne, elle dit ils étaient si chaleureux, elle dit ils étaient si gentils, elle dit pour nous Européens le plus étonnant c'était leur excellente connaissance de nos grands auteurs de théâtre. Et alors vous suffoquez d'indignation, toujours cette arrogance candide qui s'ignore d'être arrogance, nous habitons au centre du monde bien entendu toutefois nous sommes très ouverts, nous rendons régulièrement visite aux peuples de la périphérie. Quand enfin l'expression Europe occidentale cessera-t-elle d'être un pléonasme ?

Lorsque vous vous croyez yazige vous êtes exaltée, vous vous sentez investie d'une mission, puisque vous avez la chance de parler le français votre devoir impérieux, votre mandat sacré, est de faire connaître la culture yazige au monde. Sur des feuilles volantes, vous jetez les bases d'un traité de linguistique consacré à la morphologie si singulière du yazige, d'un manuel d'apprentissage à destination des locuteurs français, d'un essai sur les spécificités nationales de votre valeureuse petite patrie. Les brouillons s'amoncellent, vous bouillonnez, vous frémissez, en vous il y a du bois et de la braise, en vous il y a du feu et de la fièvre, quelle grande œuvre sera la vôtre, vous serez l'ambassadrice, la passeuse et l'arc transculturel, celle par laquelle la Yazigie recevra enfin la gloire et les lauriers qui lui reviennent. Puis vous vous rappelez que rien n'est encore joué, qu'il conviendra de compter les points à la fin des expérimentations, qu'en attendant c'est le flottement identitaire le plus radical, vous pouvez être aussi bien l'une ou l'autre, donc pour vos grands travaux d'ambassadrice culturelle il serait plus raisonnable de patienter un peu. Vous repoussez vos brouillons, vous en jetez certains, en collez d'autres ici ou là dans votre cahier. L'ébauche de manuel de yazige étant un brin volumineuse, vous l'agrafez sur la page cartonnée qui clôt votre cahier.

Bizarrement dans l'autre sens cela ne vous fait pas du tout le même effet. Quand vous vous croyez française, vous devenez molle et paresseuse, tout ce qui vous intéresse est d'étudier les champignons sauvages, de tester cette nouvelle recette de chou-fleur à l'indienne, d'aller vous acheter des gâteaux japonais au beurre de cacahuète. L'identité française n'est pas menacée, à quoi bon vous fatiguer à la promouvoir. Vous vous fichez bien de ne pas connaître les paroles de la Marseillaise, de n'avoir aucune idée de ce qu'il se passe dans *La Princesse de Clèves*, d'être incapable de situer Toulouse ou Besançon sur une carte. La France est vaste, d'autres seront érudits pour vous, si vous êtes une ignare cela ne changera rien. Ceux qui font des efforts culturels, ce sont précisément les étrangers inquiets, les immigrés zélés qui souhaitent montrer leur bonne volonté d'intégration, leur amour de leur terre d'accueil, manque de chance leurs efforts les trahissent plus sûrement que n'importe quelle pratique culturelle dite exotique. Car les vrais Français le sont en toute innocence, dans un ingénu relâchement, et même une décontraction, ils n'ont rien à prouver, ils ont le droit de porter des sarouels et des saris, d'adorer les nouilles chinoises ou de lire des livres sur les masques dogons sans que cela altère leur solide identité. Un Français sans origines qui se pique d'apprendre le bambara est une personne ouverte et curieuse. Un homme à la peau marron assistant à un concert de Fatoumata Diawara est déjà suspect de repli identitaire. La vie est profondément injuste.

Comme vous éprouvez tout de même une certaine culpabilité face à votre faible engagement pour le pays où vous êtes née, de temps à autre vous vous obligez à réfléchir à une campagne de lutte contre le racisme ; la peine de mort ayant déjà été abolie, il vous semble que c'est encore la meilleure manière d'être française, d'apporter votre pierre à l'édifice du progrès moral ininterrompu mais toujours perfectible de la patrie des droits de l'homme. Pour combattre le racisme, la première chose serait de distribuer des nuanciers à la population entière afin que tout un chacun puisse se libérer de son daltonisme socialement construit. Ce n'est pas très cher des nuanciers, il y a même des magasins de moquette qui en donnent gratuitement. En parallèle, il vous semble que le point important serait de faire comprendre qu'au-delà des différences, il y a une commune humanité. Vous regardez du côté des anthropologues, c'est leur travail après tout que d'identifier l'universel. Par exemple Claude Lévi-Strauss, la prohibition de l'inceste. Mais non. Trop compliqué, trop intello. Ce n'est pas très porteur comme slogan, *les étrangers sont comme nous, eux non plus ne couchent pas avec leur mère.* Vous cherchez encore. Il faudrait du concret, du pratique. Par exemple une photographie avec des Asiatiques qui jouent à la pétanque en mangeant du camembert. *Ils sont comme nous ! Eux aussi aiment prendre du bon temps !* Mauvaise pioche, la pétanque et le camembert c'est français et uniquement français, vous avez confondu l'Hexagone avec la Terre entière. Et pourquoi pas des chatons ? Oh oui, les chatons, alors là, une grande affiche avec un Noir ou un Arabe ayant un petit chaton dans les bras, même s'il est coiffé de grandes plumes multicolores, même s'il vit dans une yourte sur la banquise, on se dira qu'au-delà des différences culturelles c'est la même tendresse. *Eux aussi aiment les chatons mignons !* Voilà qui ferait tomber les barrières, pulvériserait les préjugés. Parce que les chatons, l'amour des chatons, ça c'est vraiment universel.

Chaque soir, vous consignez vos expériences de la journée dans votre cahier. Souvent Petitetaupe traîne dans les parages, essaie de lire par-dessus votre épaule. Elle sautille sur votre bureau, dites dites dites, parlez-vous d'elle dans votre cahier ? Oui, vous êtes précisément en train d'écrire qu'elle vous demande si vous parlez d'elle dans votre cahier. Elle remue joyeusement son petit nez rouge, elle a donc le pouvoir d'influer sur le contenu du cahier ? En effet, mais dans une certaine mesure seulement, vous n'êtes pas sa greffière non plus. Et la fusée, vous en avez parlé de la fusée dans le cahier ? Vous secouez la tête, la fusée cela n'a aucun rapport avec votre enquête, et puis si vous rendiez compte de toutes les histoires qu'elle vous raconte, vous ne vous en sortiriez plus. Cependant vous voulez bien, à titre exceptionnel, écrire quelques lignes sur la fusée. Allez, c'est à elle de jouer, qu'elle vous dicte et vous noterez. Là-dessus, Petitetaupe, qui est surexcitée, qui a l'impression d'être une star, qui crâne outrageusement, déclare : *quand j'aurai terminé ma thèse de topologie algébrique je construirai une fusée affirma Petitetaupe ; je serai la première taupe à avoir marché sur la Lune poursuivit-elle ; les éléphants et les baleines seront verts de s'être fait doubler par une espèce aussi insignifiante conclut-elle.* Vous l'interrompez, inutile de préciser qui parle, vous le mentionnerez de vous-même. Ah d'accord, elle voulait juste vous aider. Non mais c'était une délicate attention, vous la remerciez. Souhaite-t-elle ajouter quelque chose ? Oui : *malgré ma notoriété, car à n'en pas douter ma photographie sera dans tous les magazines, une taupe dans l'espace ce sera un grand événement, jamais je n'oublierai d'où je viens, jamais je n'oublierai que je suis une taupe.* Quand elle a fini, vous lui rappelez les réserves que plusieurs fois déjà vous avez émises au sujet de son projet, qui est un magnifique projet toutefois se rend-elle compte qu'une fusée ne se construit pas comme cela, qu'il faut des moyens importants, une équipe technique, des matériaux spécifiques ? Vous dites cela pour lui éviter une déception, vous ne voudriez pas qu'elle s'investisse trop et qu'ensuite, si cela ne se passe pas comme elle aurait voulu, elle soit déçue. Parfois le mieux est l'ennemi du bien. Elle pourrait commencer par construire une petite carriole ? Ce serait plus réaliste, non ? Hors de question. Le réalisme tue les rêves, Petitetaupe refuse le réalisme.

Chaque nuit, vous vous endormez dans un lieu différent mais qui jamais ne porte le doux nom de lit. Il n'est pas un centimètre carré dans votre appartement que vous n'ayez étrenné de la sorte, une fois vous avez même passé la nuit à moitié dans votre frigidaire – un problème de jambes lourdes que vous avez entrepris de résoudre en glissant vos pieds dans l'espace réservé au bac à légumes, et ce rafraîchissant procédé vous a tellement détendue que vous avez été emportée par la marchande de sable. Votre incapacité à pratiquer le sommeil dans l'endroit habituellement réservé à cet effet ne vous inquiète pas outre mesure. Au contraire, vous y voyez la signature d'un inconscient en bonne santé. Le message est clair : vous n'avez pas encore trouvé votre place dans ce monde. Quand vous aurez découvert qui vous êtes, le problème se résoudra de lui-même. Par contre vous devriez surveiller l'état de vos cervicales.

15

Ce matin, votre tasse de thé vous échappe des mains. Le linoléum amortit le choc, elle ne se casse pas. La radio française est allumée. Une journaliste vient d'annoncer qu'une proposition de loi visant à interdire la double nationalité allait prochainement être examinée par l'Assemblée nationale. On est le onzième jour de votre existence mémorielle, ce n'est pas parce que vous êtes perturbée qu'il faut vous croire dispensée de vos obligations calendaires.

Vous regardez Petitetaupe. Elle paraît aussi effarée que vous. La France ? Interdire la double nationalité ? Dans votre effarement vous vous trompez de langue, vous lui adressez la parole en français. Et elle vous répond en français.

Vous écarquillez les yeux.

Vous vous approchez d'elle.

Avez-vous bien entendu ? Là là là, il y a dix secondes, quinze secondes peut-être, elle vous a parlé en français. Non ? Si ? Elle confirme, krouik-krouik. Mais mais mais, c'était un accident, une éphémère parenthèse linguistique, ou réellement elle parle le français de manière habituelle et permanente ? Bah évidemment qu'elle le parle, elle est bilingue elle aussi, qu'est-ce que vous croyiez ? Et elle, à cet instant précis qu'est-ce qu'elle croit que vous croyiez, hein ? Et vous, qu'est-ce que vous croyez qu'elle croit que... Non, vous n'avez pas envie de jouer maintenant. Pourquoi ne vous a-t-elle rien dit ? Elle se dandine, vous jette un regard mutin, c'est-à-dire que vous lui avez adressé la parole en yazige quand elle est arrivée chez vous, elle vous a donc répondu en yazige, c'est normal, elle est polie, elle s'est adaptée, en tant qu'invitée elle se devait de se conformer aux coutumes locales, et puis cela avait l'air de vous faire tellement plaisir qu'elle soit yazige et uniquement yazige, elle ne voulait pas vous contrarier.

Vous regardez le basilic, vous regardez votre cahier, vous repensez aux dichotomies, aux pirouettes booléennes, au jeu des catégories englobantes, à Petitetaupe qui ne vous dit pas qu'elle va à l'école, à votre idée qu'apprendre à parler c'est apprendre à penser, à la mention magique sur votre curriculum vitae, et très progressivement, au prix de mille efforts, à la vitesse d'une tractopelle à chenilles qui essaie péniblement de s'extraire d'un fossé, vous comprenez. D'abord c'est seulement l'air autour de vous qui vous semble plus léger, plus transparent. Ensuite apparaît un rectangle de bois, c'est une planche, c'est une porte, une nouvelle porte dans votre esprit sauf qu'elle est à l'horizontale, vous la remettez à l'endroit, vous vous approchez, vous posez votre main sur la poignée, vous ouvrez. Et enfin vous voyez, vous êtes frappée, si vous avez les deux langues vous avez les deux pensées, ce n'est pas possible autrement, laquelle est la vraie n'était pas la *bonne question* car il n'y a de question ni bonne ni mauvaise, il vous est permis d'être les deux, c'est un droit et un pouvoir, une capacité et une puissance, et vous êtes les deux, pas moitié-moitié ou l'une puis l'autre en garde identitaire alternée mais à la fois pleinement française et pleinement yazige. Oui, vous avez le droit d'être plurielle, à bas les blocs uniformes, vive les matériaux composites, pourquoi choisir alors même qu'il est de notoriété publique que choisir c'est renoncer ? Vous n'en revenez pas, vous en éprouvez même de la honte, que d'énergie gaspillée alors qu'il y avait mille indices, de votre aversion de principe pour le mensonge vous auriez pu déduire que vos deux discours étaient également sincères, de vos réactions positives aux différents stimuli vous auriez pu déduire que logeait en vous une double identité nationale, vous avez été victime du syndrome de la lettre volée. Crotte de moissonneuse-batteuse, tout ça pour ça : il convenait simplement de remplacer l'une OU l'autre par l'une ET l'autre.

Vous vous postez devant le miroir de votre salle de bains et vous examinez vos dents, votre cavité buccale, le fond de votre gorge. Vous ouvrez grand la bouche, vous regardez au fond : l'origine de vos langues. Du moins sur le plan physiologique. Cependant l'image est fort didactique, une bouche deux langues, une fille deux identités, tout de suite c'est plus facile à concevoir. Il n'y a donc pas de problème, pas d'imposture, pas de personnage, vous tenez deux discours car ce sont là vos deux vérités.

Qui a dit que vous étiez soumise à une obligation de cohérence, à un devoir d'homogénéité cérébrale ? Vous avez cru devoir vous conformer au modèle dominant, qui domine comme son nom l'indique, raison pour laquelle vous vous pardonnez de n'avoir pas immédiatement su vous libérer de sa maléfique emprise, habituellement on pense une fille une identité, avec des racines sagement rangées dans le pot patriotique. Mais vous c'est différent. Parce que vous, il y a une plante et deux pots et plein de racines dans tous les sens, vous êtes superposée, complexe et rhizomique, bizarre, libre et inclassable, vous n'êtes ni déracinée ni replantée, ni infidèle ni déloyale, les deux pays sont inscrits en vous et vous êtes inscrite dans les deux pays, vous vous affranchissez des clivages binaires, vous échappez aux petites boîtes, vous êtes l'hermaphrodite parmi les hommes et les femmes, vous êtes, ah mais oui : vous êtes *queer* de la nationalité. La classe.

Vous retournez à votre bureau, ou y revenez, à ce stade il est malaisé de déterminer avec certitude le point de départ de vos déplacements, il conviendrait pour cela de reconstituer l'intégralité de vos allées et venues dans votre appartement depuis le jour où vous y êtes entrée, ce qui certes n'est pas impossible mais présentement vous avez mieux à faire, l'heure est aux réjouissances, vous sautillez sautillez, quel incroyable rebondissement, plus besoin de répondre à la lettre de votre grand-mère, plus besoin d'aller chez le médecin, plus besoin de poursuivre l'enquête. Vous êtes impatiente de l'annoncer à Petitetaupe, elle n'en reviendra pas, elle sera ébahie, parce que double cela signifie quatre points de vue, vous êtes capable d'appréhender la Yazigie avec des yeux de Yazige, la Yazigie avec des yeux de Française, la France avec des yeux de Française, la France avec des yeux de Yazige, YY YF FF FY, par rapport aux monoculturels cela vous donne une sacrée longueur d'avance, mais une fois arrivée devant elle vous avez comme un affreux doute. Vous regardez Petitetaupe avec suspicion. Oh, elle le savait n'est-ce pas, elle le savait et elle vous a laissée vous escrimer ? Elle se cache derrière ses pattes, elle couine, oui c'est vrai, elle l'admet, elle le savait, c'était quand même assez facile à deviner. Elle écarte ses pattes, fait sa moue la plus irrésistible, vous êtes très très très fâchée ? Vous froncez les sourcils, vous faites les gros yeux, vous feignez de réfléchir. Puis vous déclarez que non, finalement non ça va, elle a eu raison de ne rien dire, si elle vous avait révélé la solution cela aurait été de la triche. Sans compter que vous n'auriez peut-être pas été capable de l'entendre, de vous l'approprier. Elle acquiesce, le chemin sinueux accomplir seule vous deviez, sentiment de fierté à présent vous pouvez savourer. Vous éclatez de rire et la serrez contre votre cœur, quel petit animal plein de surprises décidément, par contre qu'elle arrête de se prendre pour Maîtresse Yoda, pour mémoire elle n'a que huit ans.

Petitetaupe et vous-même, en votre qualité de prodiges bilingues, en tant que biculturelles, binationales, parfaitement doubles et heureuses de l'être, vous êtes absolument d'accord, vous avez exactement la même position, vous en avez longuement discuté : la prohibition de la double nationalité est une posture de conjoint jaloux, de patron autoritaire, de taulier aigri, cependant qu'il s'agit déjà d'un aveu d'échec, d'un aveu de peur, il faut qu'un pays ait une bien misérable image de lui-même pour qu'il souhaite enchaîner de la sorte ses citoyens. Dualité, duplicité, cela se ressemble un brin les rédacteurs de la proposition de loi auront confondu, dans leur esprit étriqué il n'y avait probablement pas assez de place pour envisager qu'on puisse avoir le cœur large et élastique, que dans une poitrine deux nations cohabitent aisément, que ce qu'on donne à l'une n'est pas retiré à l'autre, qu'il n'y a ni concurrence ni menace, alors ils se sont inquiétés, ils se sont monté la tête, dans le dos de l'État français ces binationaux que font-ils, une bise sur la joue de la terre de leurs ancêtres pendant les congés d'été passe encore, toutefois imaginons que certains pratiquent carrément la fellation ? Et ils auront cru, ces pissenlits de caniveau, ces cyclopes asthéniques, que crever un œil à celui qui en possède deux était le meilleur moyen de s'assurer de sa fidélité à l'endroit du royaume des borgnes. Quels fins psychologues.

Interdire la double nationalité revient à vouloir mettre autrui dans un bocal de formol afin de le conserver en l'état, de le circonscrire complètement, de le posséder totalement. Mais vous jamais on ne pourra vous encercler, vous emprisonner, vous dans le bocal vous ne rentrez pas dedans, le couvercle ferme mal, vous fuyez de partout, vous débordez. En vérité, personne ne peut être mis dans un bocal, les identités monolithiques cela n'existe pas, c'est juste que chez les binationaux la pluralité est plus visible que chez d'autres, dès lors on s'attaque à eux, c'est tellement plus facile. Parce que vous n'êtes pas idiote, vous avez bien compris que l'affaire ne se réduisait pas à sa dimension juridique, pour les Français qui confondent nationalité et citoyenneté, exiger la fidélité administrative c'est déjà demander le renoncement à l'autre culture. De quoi ont-ils peur ? Pourquoi est-ce un problème si vous dites, ceci est ma langue étrangère, ceci est mon passeport étranger ? Craignent-ils que vous découpiez votre voisine pour faire revenir son foie avec un peu d'ail ? Pourquoi est-ce un problème si vous dites, ceci est ma chair étrangère, ceci est mon pays étranger ? Craignent-ils que vous saccagiez leurs mairies, que vous uriniez dans les coins et outragiez le drapeau sous lequel ils vous ont pourtant autorisée à grandir ? Ainsi vous êtes toujours une invitée, généreuse France accepte de souffrir votre présence depuis trente et un ans mais tenez-vous à carreau quand même. Que votre bienfaisante terre d'accueil ouvre grand ses augustes oreilles : vive la Yazigie, vive la France ! Ben ouais, on peut dire les deux, c'est dingue hein ?

Vous relâchez la patte de Petitetaupe (que vous serriez fiévreusement) (elle n'était pas loin de finir aux urgences pour fractures multiples par écrasement) et vous vous passez de l'eau sur le visage. Vous vous êtes sans doute un tantinet emportée. Ce n'est qu'une proposition de loi. Des propositions farfelues il y en a tout le temps. Une proposition de loi émane d'un parlementaire, soit d'une personne, d'une seule personne et de ses assistants. Donc ce n'est rien. Un non-événement. Juste un ou deux hurluberlus ayant perdu le sens des réalités. Dans un si grand pays comme la France, il y a forcément des hurluberlus, c'est statistiquement inévitable. Le plus sage est encore de les ignorer royalement et de vous consacrer à des choses plus intéressantes sur le plan intellectuel, comme calculer le nombre d'olives vertes qu'il faudrait pour remplir votre baignoire ou rédiger le Code civil d'une société extraterrestre où toutes les mesures politiques seraient décidées par tirage au sort, ce ne sont que des exemples, les possibilités sont infinies.

Depuis que vous avez découvert que Petitetaupe était bilingue, vos conversations sont devenues le théâtre de multiples acrobaties syntaxiques, de quantité de clowneries lexicales, vous passez d'une langue à l'autre sans crier gare, vous pratiquez la blague transidiomatique, la plaisanterie biculturelle, la boutade internationale. Et même pour les discussions sérieuses, vous prenez soin de sélectionner le meilleur de chaque langue, choisissant toujours l'expression la plus percutante, le terme le plus adéquat. Vous sortez acheter du pain ? Mieux vaut le dire en yazige, le verbe *se déplacer à pied en obliquant vers le bas tout en restant au-dessus du niveau de la mer*, en un seul mot, est nettement plus précis que le français *descendre les escaliers*. Vous cuisinez des asperges sauvages ? Mieux vaut le dire en français, la langue de la haute gastronomie sera plus à même de sublimer l'élégance de ce légume chic et délicat. Jongler de la sorte entre les deux répertoires vous cause un plaisir infini, les puristes naturellement seraient horrifiés puisqu'il n'est pas rare que vous mélangiez les deux langues au sein d'une même phrase, cependant l'orthodoxie très peu pour vous, l'orthodoxie n'est qu'une béquille pour les inquiets discursifs, les angoissés qui craignent d'égarer leur verbe à force de jouer avec. Peur qui vous est totalement inconnue, Petitetaupe et vous-même êtes des double A, vous maîtrisez les deux langues à la perfection, vous êtes des génies linguistiques et sans doute des génies tout court, le bilinguisme rend intelligent comme il est bien connu.

Au terme de cette journée d'euphorie duale, dring votre téléphone, on vous propose une mission d'interprétation. Et ce serait pour quand ? Pour demain matin 5 heures si c'est possible répond le policier au bout du fil sauf qu'il n'y a pas de fil, demain matin 5 heures aucun problème vous n'aviez rien de spécial de prévu et êtes ravie à la perspective de mettre votre exceptionnel cerveau bilingue au service de la police. Et sinon de quoi s'agit-il ? Une perquisition puis une garde à vue dans une affaire de proxénétisme, il vous donnera les détails demain. Ah d'accord très bien, le proxénétisme vous maîtrisez, c'est l'une de vos spécialités. Vous raccrochez tout excitée, vous allez faire votre baptême d'interprétation, et vous préparez vos petites affaires, une bouteille d'eau, un bloc-notes, trois stylos, deux barres de céréales, une pomme, une banane, des radis prélavés, un sachet de cacahuètes, un châle pour s'il fait froid dans les locaux, du démaquillant pour si votre mascara coule, un peigne, un chouchou de secours, des petites pinces pour les cheveux rebelles, des fiches avec des listes de vocabulaire parce qu'on ne sait jamais, un manuel de procédure pénale parce qu'on ne sait jamais, et pour la première fois depuis votre arrivée à Paris, vous vous couchez dans un lit, dans votre lit français, qui est autant votre lit que celui de Yazigie, qu'au demeurant vous aimeriez bien tester une de ces nuits – ne serait-ce que parce que votre lit français, qui est un clic-clac, vient de se refermer sur vous, vous êtes devenue une sorte de sandwich.

16

Il est 5 heures du matin. Silencieuse comme une couleuvre grâce à vos talons plats semelles caoutchouc cranté vous descendez les escaliers de votre immeuble en obliquant vers le bas tout en restant au-dessus du niveau de la mer puis vous ouvrez la portière avant droite du véhicule banalisé qui stationnait devant chez vous et au volant duquel se trouve l'officier de police vous ayant téléphoné hier, du moins l'espérez-vous, il est vrai que vous n'avez pas vérifié son identité. Vous faites une courte halte dans son service où vous buvez un café peut-être importé de Côte d'Ivoire, cela ne vous pose aucun problème de cohérence argumentative puisque vous ne militez pas pour l'expulsion des Ivoiriens, cependant qu'il vous remercie de vous être rendue disponible, l'interprète qui devait intervenir est tombée malade à la dernière minute alors c'était la panique pour trouver quelqu'un d'autre. Vous êtes un brin froissée d'apprendre que vous avez été un second choix, sans compter que vous pensiez être l'unique interprète yazige de toute la région Île-de-France, mais évidemment vous ne laissez rien paraître, vous êtes une professionnelle qui sait contrôler ses mimiques faciales. Il vous résume l'affaire, ce sont des filles qui se prostituent dans un appartement de banlieue huppée, elles viennent à deux ou trois, restent quelques semaines avant d'être remplacées par d'autres. Elles sont surveillées depuis un bon moment, les éléments recueillis établissent que la proxénète, car c'est une femme, s'occupe d'organiser les séjours des filles et vient en France environ une fois par mois afin de récupérer sa part, elle est justement dans l'appartement à l'heure qu'il est, mais donc si vous êtes prête il va prévenir ses collègues et vous allez pouvoir décoller, il y a un peu de route.

Il est 6 heures du matin. Vous êtes dans une cage d'escalier aux murs marron foncé en compagnie de six policiers. Vous êtes la seule à ne pas avoir de gilet pare-balles. Ou de gilet tactique. Enfin vous êtes la seule à ne pas avoir ce truc qui pourrait vous protéger la poitrine. Elles ne seront pas armées et de toute façon nous sécuriserons avant que vous n'entriez ont dit les policiers la main sur leur arme de service, euh d'accord d'accord mais si quelqu'un tire à travers la porte ? C'est que voient-ils vous aimeriez autant conserver votre poitrine dans son état actuel de non-transpercement lequel vous convient plutôt bien, quand les choses fonctionnent pourquoi prendre le risque de perturber l'ordre établi. Il n'y a pas de coup de feu. Un policier toque à la porte et vous dites, bonjour c'est la police. Sauf que vous n'êtes pas la police, vous êtes la voix yazige de la police, vous ne vous confondez pas. Distinction essentielle et néanmoins précaire, en cas de révolution suivie d'une fureur populaire à l'encontre des forces de police, il n'est pas dit que vous échappiez à la guillotine.

Vous débarquez dans un coquet appartement où se trouvent deux filles et une troisième, elle c'est la proxénète toutefois son statut de supérieure hiérarchique n'est pas flagrant, elle est à peine plus âgée et comme les autres elle est grande et belle avec des faux ongles jaunes à paillettes et un visage très fatigué. Durant la perquisition vous n'avez pas grand-chose à faire, les policiers fouillent et les filles attendent assises sur un lit, les échanges sont peu nombreux. Vous les observez du coin de l'œil, elles ne comprennent manifestement pas ce qui est en train de leur arriver. Vous croisez vos mains dans votre dos et jouez discrètement avec votre chouchou de secours.

Il est 11 heures du matin. La perquisition est terminée, les deux filles ont été prises en charge par d'autres policiers arrivés entre-temps, elles ce sont des victimes ce n'est pas pareil, la troisième est menottée. On la fait monter à l'arrière d'une voiture afin de la conduire au service de police où elle sera entendue, à savoir précisément celui où vous avez bu votre café peut-être ivoirien. Vous vous installez sur le siège avant, à côté de l'officier qui dirige l'enquête et que vous décidez de nommer Robert dans votre tête. Non, Émile. Ou Max. Oui Max c'est mieux, il a la quarantaine, une barbe de trois jours, porte un jean et une veste en cuir – stéréotype de flic en civil. Dans la mesure où vous êtes soumise au secret, le plus sûr est de donner des pseudonymes aux gens au sein de votre pensée, de la sorte vous vous prémunissez contre tout dérapage, si un jour vous vous laissez aller à des confidences, ce qui est formellement interdit cependant l'alcool parfois fait baisser la garde, au moins vous ne révélerez pas l'identité véritable des intéressés.

Max s'agite, fouille, cherche quelque chose à vos pieds, sur la banquette arrière, dans la boîte à gants, puis trouve, installe, cesse de s'agiter et met le contact. Vous retenez votre souffle, et maintenant, que va-t-il se passer ? Ce qu'il se passe, c'est que vous roulez en gyrophare et que vous adorez cela, c'est une sensation fabuleuse, vous n'auriez pas cru, vous aviez plutôt peur, mais non, dans une voiture de police avec gyrophare il ne peut rien vous arriver, c'est tout le contraire, vous êtes à la meilleure place du monde, vous roulez à toute allure et devant vous tous les véhicules s'écartent, se poussent, se rabattent, c'est comme une haie d'honneur, vous avez la sensation qu'ils vous font allégeance, vous témoignent leur respect, mais passez donc honorables agents de l'État qui œuvrez à notre bien-être, vous laisser la priorité est la moindre des choses. Vous respirez profondément, vous voudriez que cela dure toujours, vous n'avez jamais rien connu de tel et vous n'auriez pas même pu l'imaginer, le concevoir, si on vous l'avait raconté vous n'auriez pas compris, c'est un plaisir puéril et grisant, ce n'est pas simplement la vitesse bien que ce soit aussi la vitesse, c'est également cette impression de liberté absolue, vous êtes dans un manège qui s'est échappé d'un parc d'attractions, votre voiture fait ce qu'elle veut, va où elle veut, il n'y a aucun interdit, personne ne pourra rien vous reprocher, vous êtes les rois du pétrole. Votre enthousiasme naturellement vous le gardez pour vous, vous vous abstenez de crier pouet-pouet youhou plus vite encore plus vite à voix haute, et votre visage demeure d'une neutralité exemplaire.

Il est 13 heures. Dans une petite salle qui sent fortement l'urine vous êtes assise sur une chaise en plastique en compagnie de l'avocate commise d'office et de la fille qui a été placée en garde à vue pour proxénétisme, elles ont trente minutes pour tout se raconter dans le cadre de ce grand moment d'intimité gracieusement offert par le Code de procédure pénale qu'est « l'entretien avocat ». Vous avez toutes les trois à peu près le même âge, si vous échangiez vos vêtements vous seriez chacune crédible dans le rôle de l'autre et pourtant un vertigineux fossé vous sépare, d'un côté il y a le monde libre des femmes qui rentreront chez elles après le travail, embrasseront leur mari ou joueront à saute-exponentielle avec leur taupe, et de l'autre l'univers vacillant de celle qui ce soir mangera ce qu'on voudra bien lui donner, qui prendra une douche quand on voudra bien l'y autoriser, qui dormira sur un matelas lequel, eh bien, vous ne voudriez pas généraliser toutefois vous avez en tête quelques images assez peu ragoûtantes.

La fille du monde des geôles fixe l'avocate, vous regarde, fixe de nouveau l'avocate. Elle a désormais les ongles courts et les cheveux détachés, on lui a confisqué ses petits accessoires féminins – vous voyez mal comment elle aurait pu se pendre avec son élastique à cheveux ou s'ouvrir les veines avec ses faux ongles jaunes à paillettes mais le règlement c'est le règlement n'est-ce pas. Elle est châtain clair avec de longs cheveux ondulés, elle a dans les yeux une louve acculée, va-t-elle finir en prison, va-t-elle finir en prison et si oui combien risque-t-elle ? L'avocate esquive, à ce stade elle n'a pas accès au dossier, donc prédire l'avenir impossible toutefois la détention provisoire est une hypothèse qu'il convient de ne pas exclure, en effet quand on n'a pas d'adresse sur le territoire français cela n'inspire pas spécialement confiance aux juges, ils craignent qu'on ne s'évapore dans la nature, sinon le proxénétisme simple est puni de sept ans, sa cliente sait-elle ce que signifie le terme proxénétisme ? Non, elle ne sait pas. L'avocate lui dispense un cours accéléré de droit pénal spécial, en substance cela correspond au fait d'aider autrui à se prostituer, de gagner de l'argent grâce à la prostitution d'autrui, ou encore d'inciter autrui à se prostituer. La louve dans les yeux de la fille redresse ses oreilles, penche son corps en avant, remue légèrement la queue, la définition correspond vraiment très bien à son activité professionnelle sauf qu'elle n'incite personne, c'est plutôt elle qui a été incitée, mais sept ans est-ce que ce n'est pas un peu excessif compte tenu du fait qu'elle n'est pas du tout une criminelle ? Ensuite elle raconte, pas spontanément mais parce que l'avocate l'incite, la pousse à lui expliquer la situation, et bien sûr en réalité c'est vous qui racontez par-dessus sa voix à elle, qu'il y a quelques années elle a commencé à se prostituer en France grâce à une amie qui parlait français et qui avait réussi à louer un appartement pour les passes, qu'ensuite son amie est partie se prostituer en Allemagne mais qu'elle a été d'accord pour lui laisser l'appartement, que peu de temps après une copine lui a demandé si elle pouvait venir elle aussi car elle avait besoin d'argent, que cela l'arrangeait bien de pouvoir partager les frais, que d'autres copines ont suivi, que de fil en aiguille elle a fini par monter une sorte d'agence, que cela lui a permis de décrocher donc dans sa vie c'était une évolution positive, que ses revenus actuels lui permettent de mener un train de vie correct mais sans plus, elle a de nombreux crédits à rembourser et beaucoup de frais de gestion.

L'avocate penche la tête sur le côté, note quelque chose sur son calepin, puis demande s'il n'y a personne d'autre qui l'aiderait, lui donnerait des instructions, voire exercerait sur elle une certaine pression, parce que sans vouloir la froisser les femmes proxénètes absolument indépendantes sont plutôt rares, surtout quand elles sont si jeunes, après peut-être que c'est le schéma yazige, elle ne sait pas. La fille concède qu'elle a un petit ami, mais cet homme-là n'a rien à voir avec ces histoires, il n'est même pas au courant de ses activités. L'avocate se compose un visage de sphinx, très bien très bien elle posait la question au cas où, en effet si sa cliente n'avait été qu'une simple exécutante cela aurait été bon pour le dossier.

Il est 14 heures, il est 17 heures, il est 22 heures, les auditions sont longues et intenses, assis derrière son bureau Max mène l'interrogatoire, abattant ses cartes avec délectation, répétant à l'envi qu'il en sait long mais qu'il serait judicieux que madame la proxénète lui dise d'emblée la vérité, on gagnerait bien du temps. Il est manifestement à l'aise avec l'exercice, il cache à peine sa jubilation, pour lui c'est le point d'orgue, l'aboutissement de plusieurs mois d'enquête. Les phrases françaises de Max, vous les chuchotez en yazige à l'oreille de Tklinaa, c'est le prénom que vous avez choisi d'attribuer à la fille à côté de vous, et quand c'est à elle de parler vous augmentez le volume et traduisez en couvrant sa voix, il n'y a pas d'autre option, vous ne pouvez décemment passer votre temps à vous lever et à vous rasseoir afin de chuchoter tour à tour dans l'oreille française et dans l'oreille yazige, pourtant cela aurait été plus équitable, plus symétrique.

En vous il y a comme deux canaux, deux stations, vous écoutez et parlez en même temps, avec juste un léger décalage entre les deux, ça entre ça sort ça entre ça sort dans un double flux, les langues vous traversent et vous surfez sur les langues, votre cerveau devient une matière fluide qui accueille et qui transmet, qui reçoit et qui émet, vous êtes une onde, c'est de la pure glisse, le pur bonheur de la glisse, des moments de confort entrecoupés de vagues, vous parlez parlez puis à l'horizon apparaît un passage difficile, une tournure inhabituelle, un terme ambigu ou qui renvoie à une réalité inexistante dans l'autre pays, grâce au décalage entre les deux canaux vous avez quelques secondes pour vous en sortir, la vague se rapproche, comment allez-vous faire, il faut vous décider, et hop, une solution de dernière minute, et de nouveau la glisse tranquille jusqu'à la prochaine vague. Tout cela se fait très naturellement, vous êtes concentrée mais pas crispée, vous avez l'impression d'être née pour cela, pour cette glisse discursive, pour cette chevauchée des langues, vous adorez, vous en voulez toujours plus, encore encore fendre l'air, encore encore la vitesse et les obstacles, encore encore la course folle sur la route lisse et instable, si bien que vous regrettez les pauses et les temps morts, vous mourez d'impatience et d'ennui, vous avez hâte de replonger dans le tourbillon. Ils ont besoin de vous, ils ont tant besoin de vous, bien sûr il existe d'autres interprètes mais l'interprète leur est indispensable, français et yazige sont deux langues à ce point différentes qu'ils sont totalement dépendants, ils sont des petits enfants, même pour discuter de la manière de tirer la chasse dans les toilettes en face de la salle d'interrogatoire ils ont besoin de vous.

Dans cette pièce policière que sont les auditions vous êtes celle qui parle le plus puisque vous doublez les répliques des deux personnages, vous êtes la voix de l'un et la voix de l'autre, vous êtes la police et vous êtes la délinquance, vous êtes les blancs et les noirs sur un échiquier, vous servez les deux camps avec un égal engagement. À tel point que lorsque Max demande à Tklinaa si elle a un petit ami et que celle-ci répond par la négative, vous traduisez comme si vous ignoriez qu'elle a dit le contraire à son avocate. Vous vibrez avec son discours, vous devenez son discours, au moment où elle nie vous la croyez absolument, vous n'avez aucun doute, évidemment qu'elle n'a pas de petit ami, qu'il est pénible ce flic à lui poser encore et encore la question, n'a-t-il donc pas compris ? Pour bien traduire vous devez adhérer à son propos. À l'instant précis où vous devenez sa voix française, vous ne pouvez concevoir que vos paroles soient autre chose que la vérité.

Tklinaa se décompose au fil des heures, ses pupilles se dilatent, elle se tasse sur sa chaise, elle comprend progressivement à quel point le dossier d'enquête est épais et bien fourni, à quel point on sait tout d'elle, depuis le montant des sommes que lui remettaient les prostituées jusqu'à la couleur de sa bicyclette en passant par le nom de son chien. Car elle a été surveillée, photographiée, mise sous écoute, ses comptes bancaires ont été épluchés, son patrimoine analysé, il ne reste guère que la date de ses règles que la police ne soit pas en mesure de déterminer avec certitude, et encore. Cependant elle répète toujours la même histoire, oui elle reconnaît les faits mais elle ne comprend pas pourquoi, non vraiment elle ne comprend pas pourquoi on l'accuse d'avoir exploité ces filles, qui au demeurant sont des amies pour la plupart, à cet égard elle est parfaitement innocente, ce sont elles qui voulaient, qui ont insisté, parfois même supplié pour venir travailler en France, elle ne nie pas qu'elle leur demandait une commission toutefois il n'y a là-dedans rien de choquant, c'était pour couvrir les frais liés à l'appartement ainsi que le temps qu'elle passait à organiser le planning, à réserver les billets d'avion, à s'occuper du site internet avec les petites annonces, jamais elle n'a abusé de sa position de, de, c'est quoi le mot déjà ? Ah, proxénète. Max lui oppose un sourire narquois, elle est donc une bonne Samaritaine, comme c'est touchant d'aider de la sorte des copines qui rêvent de se prostituer, mais à vingt ans, à vingt-cinq une jeune femme yazige a tout de même d'autres aspirations que de venir se prostituer en France, non ?

Vous, vous le savez bien que ce qu'elle raconte peut être vrai, qu'il existe des pays où la prostitution en France est susceptible d'être perçue comme une opportunité, un *bon plan*, que tout comme à Paris une étudiante ayant un travail de serveuse plutôt bien rémunéré trouvera naturel d'en parler à une bonne copine à court d'argent, vue depuis la Yazigie, la possibilité de venir travailler en France, à des tarifs fabuleusement élevés, pourra être une solution dont on parle à ses amies dans le besoin. Car gagner en quelques semaines de quoi assainir sa situation financière et repartir à zéro, pour des filles qui n'ont pas d'autres perspectives, oui cela peut être un vrai projet, pas un projet idéal, par exemple gagner au Loto probablement qu'elles préféreraient, mais un projet tout de même, et qu'elles aient été consentantes, voire demandeuses, vous n'avez aucun mal à le croire. Que pourraient-elles faire d'autre, celles qui ne trouvent pas de travail, qui ont des parents malades, un enfant à nourrir, ou simplement l'envie de se faire plaisir ? Pour les filles yaziges, qui ont des aspirations comparables à celles des Occidentales sauf qu'elles ont des revenus dix fois, vingt fois inférieurs, est-il interdit de rêvasser devant des crèmes de beauté, des vêtements à la mode ou des téléphones dernier cri ? Quelques semaines de prostitution française permettent de s'offrir tout cela. La vie en Yazigie, sauf exception, ne le permet pas. Et encore, vous avez fait preuve d'une admirable retenue dans votre réflexion, vous n'avez pas versé dans le misérabilisme, vous n'avez pas songé à la situation des communes de la périphérie yazige, où c'est encore un autre monde, un pays dans le pays, avec des routes cabossées où l'on circule en charrette, avec des villages tenus par des usuriers qui doublent chaque mois le montant à rembourser, avec des filles qui acceptent des passes pour un sandwich, un paquet de cigarettes ou une boîte de lait maternisé, et pour lesquelles, oui pour lesquelles obtenir une place sur un trottoir occidental représente quelque chose comme un privilège.

Tout cela, Tklinaa n'a plus la force de l'expliquer. Vous, vous l'auriez, mais ce n'est pas votre rôle. Vous êtes interprète et non pas médiatrice culturelle, vous êtes ici pour lever la barrière de la langue, pour que les malentendus ne soient pas dus à la langue – entre deux Français, entre deux Yaziges aussi il peut exister des problèmes de compréhension, et ces problèmes-là ne sont pas de votre ressort. Au demeurant, la chose est vraie aussi dans l'autre sens, lorsqu'à l'attention de Tklinaa vous traduisez des expressions du jargon juridique vous savez bien qu'elle ne comprendra pas le terme yazige, cependant vous ne simplifiez pas, vous ne vulgarisez pas, ainsi « commission rogatoire » ne devient pas « lettre avec les instructions du juge », « en cas d'ordonnance de renvoi » ne devient pas « si vous vous retrouvez devant un tribunal », en somme vous ne changez pas de registre, de quel droit le feriez-vous ? Par rapport à une gardée à vue française, qui elle ne disposera pas d'une interprète français juridique > français courant, ce serait inéquitable, le but n'est pas d'avantager les non-francophones mais de les mettre au même niveau que les francophones. Vous vous félicitez, vous êtes décidément très mature sur le plan déontologique.

Le lendemain, c'est-à-dire le deuxième jour de garde à vue, concernant votre vie psychique vous ne savez plus, votre mission est une bulle hors du temps, vous ferez les comptes plus tard, Tklinaa continue à nier farouchement être en couple avec qui que ce soit. Elle le clame, elle le revendique, personne ne lui donne d'instructions, personne ne fixe les règles de son activité, elle est une proxénète indépendante, à présent elle a retenu le mot, proxénète elle sait que c'est elle, elle s'en amuse presque, voilà au moins quelque chose de positif, elle enrichit son vocabulaire. Vous savez que bientôt elle apprendra le français, car en prison où elle ira assurément, ce sera une question de survie.

Au cours de la pause déjeuner, Max vous explique que s'il insiste autant sur cette histoire de petit ami ce n'est pas pour torturer cette pauvre Tklinaa mais parce qu'il sait, grâce aux investigations que la police yazige a menées à la demande de la juge d'instruction française, qu'elle est en couple avec un petit caïd de Iassag. Pour l'heure, rien ne prouve qu'il soit mêlé à l'affaire, il ne vient jamais à Paris, il n'y a aucune trace de transferts d'argent, cependant les comptes ne collent pas, Tklinaa encaisse entre

8 000 et 10 000 euros par mois, même en déduisant le loyer, les divers frais, il manque beaucoup d'argent, elle vit modestement et dépense peu, lui en revanche roule en voiture de luxe et possède une impressionnante collection de montres en or, donc l'un dans l'autre, il n'est pas très difficile de deviner entre les mains de qui atterrit l'argent des filles qui se prostituent en France. Vous n'infirmez ni ne confirmez la thèse du petit ami et faites astucieusement diversion en vous mettant à commenter avec enthousiasme la composition de la sauce de votre salade.

En fin d'après-midi, tandis que l'audition semble patiner, que Tklinaa de plus en plus se ferme, donne des réponses de plus en plus incohérentes, Max étale sur son bureau des dizaines de feuilles portant des en-têtes d'hôpitaux, ce sont des certificats médicaux qui lui ont été communiqués par les autorités yaziges. Alors, comment Tklinaa explique-t-elle que plusieurs fois par an elle se fracture quelque chose ? Et par pitié, si c'est pour raconter des histoires de chute dans les escaliers, ce n'est pas la peine de répondre, dans ce cas qu'elle garde le silence plutôt. L'avocate ouvre de grands yeux étonnés, vous aussi mais de manière strictement cérébrale, côté façade extérieure vous ne cillez pas, vous restez impassible. Tklinaa est à votre droite, elle n'a pas ouvert la bouche cependant vous sentez l'onde, l'émotion brutale qui se passe de mots, en réaction vous baissez vite vite vite vos stores affectifs, vous coupez toute connexion sensible avec le monde extérieur et vous vous réfugiez dans le donjon tout en haut de votre esprit, il n'est pas question de vous laisser contaminer. Elle reste mutique, elle ne dit toujours rien toutefois quelque chose en elle s'est cassé, la louve dans ses yeux pour la première fois est couchée sur le dos dans une posture de parfaite soumission. L'avocate lui souffle, et donc vous soufflez au nom de l'avocate, que si d'aventure elle essaie de protéger quelqu'un, qu'elle se demande un instant si dans une situation équivalente ce quelqu'un la protégerait également. Depuis votre donjon où vous êtes bien à l'abri de la charge émotionnelle qui électrise la pièce, vous relevez avec intérêt que c'est un cas classique de dilemme du prisonnier. Au demeurant, le coup de l'avocate a porté, Tklinaa vient de s'écrouler, à présent c'est sûr, les vannes vont s'ouvrir, elle va tout raconter. Vous vous frottez les mains, enfin vous allez savoir de quoi il en retourne réellement, à la réflexion cette histoire d'ancienne prostituée devenue proxénète indépendante n'était pas excessivement crédible.

Vous mettez bien deux ou trois secondes à réaliser que c'est sur vos genoux que Tklinaa s'est écroulée. C'est-à-dire que son nez est sur votre cuisse, que ses larmes coulent sur votre pantalon. Cette soudaine situation d'intimité physique vous prend au dépourvu, pourquoi vous considère-t-elle subitement comme son amie ? Certes, c'est votre souffle qu'elle sent dans son oreille depuis presque deux jours, et vous avez passé de longues heures assises côte à côte. Mais vous, vous n'êtes personne, vous êtes l'interprète, vous êtes la voix des autres. Il faut immédiatement que cesse ce contact physique entre vous, elle se trompe, elle vous confond, vous n'êtes que le truchement, qu'elle pleure sur les genoux de l'avocate ou dans les bras du flic si elle veut, mais qu'elle laisse votre cuisse tranquille, ce n'est pas une cuisse publique en libre-service sur laquelle on aurait le droit de s'effondrer sans crier gare.

Vous êtes pétrifiée. Elle pleure toujours sur vos genoux, elle serre votre cuisse tandis que vous vous accrochez à votre chaise. L'avocate ne bouge pas. Max ne bouge pas. Vous vous récitez à toute allure le Code de déontologie des interprètes de conférence mais vous ne trouvez rien, absolument rien sur que faire en cas d'écroulement inopiné d'un des locuteurs sur les cuisses de l'interprète, événement qui a somme toute assez peu de chances de se produire lorsqu'on travaille en cabine. Alors elle est où la frontière, elle est où la réserve, jusqu'où devez-vous conserver le masque de la neutralité ? Vous esquissez une table de décision sur votre écran mental, non vous n'avez pas le temps, il y a urgence, vite vite une réaction, serez-vous un monstre froid ou franchirez-vous la ligne rouge ? Vraiment vous n'auriez pas cru cela de vous mais vous la franchissez. Vous posez délicatement votre main sur son dos secoué de sanglots. C'est votre minimum. Et votre maximum.

Quand Tklinaa est de nouveau en état de parler, elle commence ou plutôt recommence le récit de son parcours. Elle pleure toujours mais ce sont des larmes calmes qui coulent doucement sur son visage. Elle tremble comme une feuille, elle est devenue une petite musaraigne terrorisée. Vous comprenez son émotion, vous comprenez qu'il lui soit difficile de raconter, mais vous ne pouvez pas vous mettre à pleurer vous aussi, une interprète qui pleure à quoi ça sert ? Alors vous baissez de nouveau vos stores, vous remontez dans votre donjon, toutefois les murs en sont désormais percés, et retenir vos propres larmes est une lutte de tous les instants. Vous aimeriez lui dire que vous n'êtes pas insensible mais que votre devoir est de vous montrer raisonnable ; que l'empathie, trop d'empathie ce n'est pas une bonne idée, vous êtes sa voix, bien sûr que vous la comprenez, là n'est pas la question, vous ne pouvez la traduire que si vous la comprenez, jusqu'au fond de vos tripes ; cependant vous n'êtes pas une amie, vous n'êtes pas une personne, vous êtes son interprète. Et c'est ainsi que pour elle vous dites en français tout ce qu'elle a subi, vous dites pour elle il m'a frappée au visage, vous dites pour elle il m'a forcée dans le lit, vous dites pour elle il menaçait ma famille et voulait toujours plus d'argent, vous le dites fidèlement, vous choisissez les mots avec soin, vous êtes sa plus belle version française. Mais vous ne lui tenez pas la main, vous ne la prenez pas dans vos bras. Si votre voix déraille, si vous vous mettez à pleurer vous aussi, vous ne pourrez plus parler pour elle.

Votre mission est terminée. Tklinaa part chez la juge d'instruction, elle y sera assistée par l'autre interprète qui est déjà guérie. À tous les coups, elle voulait juste éviter la perquisition, elle avait peur de se faire tirer dessus. Quelle poule mouillée. Max vous remercie chaleureusement, vous abreuve de compliments, quelle fluidité, quelle maîtrise, c'était incroyable, on voit que vous avez une solide formation, que vous avez la technique et tout ça, et puis votre français, il est bluffant, on dirait presque une native, on entend à peine votre accent. Vous rougissez de plaisir tout en souriant intérieurement, la remarque sur l'accent vous trouvez cela tellement mignon, c'est typique des Français, vous êtes grande, portez un nom bizarre et parlez une langue étrangère, alors les gens entendent un accent là où il n'y en a pas. Vous ne le détrompez pas, c'est de bonne guerre, puisqu'il a un accent d'écoute, un accent dans l'oreille, eh bien qu'il garde son idée que vous êtes un génie linguistique, que des cours de français seconde langue étrangère dans votre lycée en Yazigie vous ont suffi pour atteindre un français niveau langue maternelle.

Une fois dans votre appartement vous pleurez beaucoup, ce n'est pas seulement l'émotion retenue mais aussi une manière de petit deuil, vous savez que vous ne reverrez probablement plus jamais Tklinaa, que vous ne saurez pas si elle ira en prison, si elle portera plainte contre son petit ami, si elle maintiendra ses déclarations, en effet l'autre interprète sera sollicitée en priorité, vous n'étiez qu'une remplaçante. Vous buvez quelques verres, vous écoutez des chants klezmers, vous serrez Petitetaupe fort dans vos bras. Elle peste contre votre haleine alcoolisée, vous la chatouillez dans le cou, vous imaginez ensemble un scénario pour Hollywood racontant les aventures d'une famille de protons. Et déjà vous allez beaucoup mieux, et déjà vous avez tourné la page. Vous êtes une professionnelle, nom d'un épi de maïs.

17

Aujourd'hui, quatorzième jour de conscience éveillée, vous vous êtes concocté un superbe programme. La journée promet d'être absolument formidable, ce dont on ne pourra que se réjouir, sauf bien sûr si l'on comprend *formidable* dans son acception vieillie. Mais une telle interprétation n'a évidemment aucune raison d'être, vous êtes une fille moderne, vous avez une pensée du XXIe siècle.

Le matin, vous terminez la traduction d'un décret portant sur les exigences de qualité relatives aux pommes de terre, vous vous inventez une ravissante nouvelle coiffure composée d'une natte à huit brins, vous faites écouter des chansons de Dalida à Petite-taupe, c'est parce qu'elle a un exposé à faire sur un thème libre et que vous trouviez que Dalida c'était une bonne idée. Mais non, en fin de compte elle va opter pour les dinosaures théropodes du Jurassique moyen.

Le midi, vous vous rendez au déjeuner de traductrices organisé par Ursula. Elle vous a relancée il y a quelques jours et vous avez fini par accepter, cela non sans lui avoir d'abord soutiré la liste des participantes afin d'être en mesure de vous documenter sur chacune d'elles *via* internet. Qui est votre mémoire artificielle. Qui vous permet de dépasser votre handicap. Grâce au numérique, l'amnésie n'est plus une fatalité.

Au restaurant, vous êtes la première. Quelques minutes après vous arrive une immense blonde à la carrure athlétique, à en juger par les traits de son visage c'est Ursula, ou alors c'est la femme qui usurpe l'identité d'Ursula sur internet, ce qui à bien y réfléchir est la même chose, si elle s'est laissé de la sorte déposséder de son identité numérique elle n'existe plus. Elle porte un rouge à lèvres orange fluo et une veste de cow-boy à franges, elle frôle le ridicule et pourtant elle est ultraclasse, vous adorez ce qu'elle dégage. Peut-être est-ce son côté ancien bloc de l'Est, en effet elle est née en RDA. Quand vous vous levez pour l'embrasser, vous avez la sensation d'avoir raté votre manœuvre, toutefois vous avez beau poursuivre votre effort pour déployer votre corps à la verticale, vous êtes déjà au maximum. Et vous comprenez : elle est plus grande que vous. Vous êtes obligée de lever la tête pour pouvoir la regarder dans les yeux. Étonnante expérience. Dire que c'est le quotidien de millions de femmes. Et elles n'ont pas mal au cou à force ? Cela dit, vous aussi vous avez mal au cou à cause de toutes ces nuits passées à dormir par terre. Ensuite se joignent à vous une fausse rousse en jean et talons compensés, une petite mince avec chemisier crème et minishort, une dodue arborant une permanente des années 1980, une très pâle avec de longues boucles blondes. Il s'agit d'une Roumaine, d'une Marocaine, d'une Chinoise et d'une Colombienne, mais pas nécessairement dans cet ordre, comme dans votre tête vous luttez contre les stéréotypes vous vous concentrez pour découpler les physiques et les nationalités. Face à la Roumaine vous tiquez un instant, c'est votre cœur yazige qui a bondi, parce que la Roumanie, bon c'est compliqué la Roumanie, cependant vous vous calmez, vous êtes en territoire neutre, il convient d'oublier les vieilles querelles.

Le déjeuner est une franche réussite. Avec vos consœurs vous bavardez gaiement, vous riez beaucoup, chacune y va de son anecdote sur tel client farfelu, sur tel dilemme terminologique, sur telle réplique de film qui a été mal sous-titrée. Il y a une sorte d'alchimie merveilleuse au sein de votre petit groupe, qui d'un côté est très homogène en ce sens que vous êtes toutes des francophones obsédées par des problèmes linguistiques, et qui de l'autre côté est résolument bariolé et composite, avec une grande diversité d'accents, de styles vestimentaires, de visions du monde. Vous êtes plurielles et semblables, vous êtes la différence englobée. Et quelle richesse, aussi. À vous six, vous êtes le monde. Onze langues parlées, quatre continents représentés. Vous avez la sensation grisante de participer à un sommet de cheffes d'État, à une réunion d'ambassadrices. Vous plaignez sincèrement les gens qui ne sont invités qu'à des déjeuners mononationaux.

Sur le chemin du retour, vous songez que le choix de votre profession, que comme on l'aura compris car on est perspicace même si on a parfois des idées saugrenues quant à la manière d'interpréter le sens de certains adjectifs, vous n'avez plus du tout le projet d'abandonner, correspond aussi à la décision de vous inscrire dans un groupe professionnel où votre trajectoire, votre existence se parent des attributs de la plus irréprochable normalité. Au pays des traductrices, les références sont inversées : n'avoir qu'une seule langue, qu'une seule culture, c'est cela qui est surprenant, bizarre, inconcevable. Le bilinguisme ? C'est le minimum syndical. L'immigration au cœur des histoires personnelles ou familiales ? Bah encore heureux. La double citoyenneté ? Circulez il n'y a rien à voir, en dessous de cinq passeports ce n'est vraiment pas la peine d'aborder le sujet. *Queer is beautiful*, décidément.

L'après-midi, vous emmenez Petitetaupe au Muséum national d'Histoire naturelle pour qu'elle puisse s'instruire plus avant sur la classification scientifique des espèces. Mais en réalité il s'agit d'un prétexte, l'idée est surtout d'aller vous amuser parmi des ossements rigolos. Vous l'installez dans une grande besace, vous tirez la fermeture éclair à moitié, elle est bien calée avec juste la tête qui dépasse, de la sorte elle pourra tout voir tandis que vous garderez les mains libres, et vous vous mettez en route. Juste avant d'arriver à la station de métro, vous passez devant Hdlsko qui vous hèle, eh dites eh dites vous n'auriez pas une petite pièce ? Vous lui donnez votre monnaie et le contemplez avec un pincement aux poumons. Pauvre homme. Pauvre monolingue. Il vit dans un monde si étriqué. Comme vraiment il vous fait de la peine, vous décidez de tenter une approche militante-pluraliste. Il ne faut pas rester monolingue comme cela, à l'heure de la mondialisation c'est trop triste de se barricader dans le yazige. Sait-il que la moitié de la population mondiale est bilingue ? Ce n'est pas parce qu'il vit dans la rue qu'il n'a pas le droit d'être linguistiquement riche, et puis quarante-huit ans c'est l'âge idéal pour se lancer un nouveau défi, cela lui évitera la crise de la cinquantaine. Et si le français lui déplaît, pourquoi pas le mandarin ? le peul ? le grec ancien ? Lire Homère dans le texte cela ne lui fait pas envie ? Pourtant Ulysse aussi est une sorte de SDF, cela lui parlerait beaucoup. Quant au yazige, à la préservation de son yazige, il n'a rien à craindre, vous le lui certifiez, vous-même par exemple, il voit bien que votre yazige n'est nullement altéré par la pratique du français. Hdlsko vous répond qu'il a déjà essayé le français, oui une fois il a essayé avec des dames d'une association caritative mais c'était trop compliqué, il n'y arrivait pas. Bon. S'il se décourage à la première difficulté vous ne pouvez rien pour lui.

Au Muséum, vous commencez votre visite par les Galeries d'Anatomie comparée et de Paléontologie. Petitetaupe est ravie de découvrir que s'y trouvent des squelettes préhistoriques, pour son exposé sur les dinosaures théropodes du Jurassique moyen cela va lui être très utile. Elle examine un par un tous les dinosaures, dénombre leurs vertèbres et leurs dents, lit les fiches explicatives avec attention, prend quantité de notes dans sa tête. Quand elle déclare qu'elle a suffisamment de matériau, vous regardez les autres animaux. Devant les vitrines vous vous racontez mille histoires, tentant de deviner la nature des relations qu'entretiennent entre eux les différents ossements qui habitent au Muséum, ah ce squelette de crocodile n'a pas l'air commode, s'ils l'ont installé à l'écart c'est sûrement parce qu'il harcelait les tibias du loup marsupial, oh là-bas il semblerait qu'il y ait un début de romance entre les vertèbres du rorqual et le crâne de l'okapi d'Afrique. Bref, vous faites les andouilles et cela vous convient très bien.

Nonobstant ces multiples facéties vous demeurez sur vos gardes, vous savez que le monde est impitoyable et que vous devez veiller à la sécurité morale et physique de votre jeune pupille. Bien vous en prend, car juste avant que l'irréparable ne se produise vous réalisez qu'il serait judicieux d'éviter de trop vous approcher de la section des insectivores où un panneau indique que la taupe est considérée comme un animal nuisible. Quelle horreur. Vous jetez un œil affolé à Petitetaupe, elle qui est si fière de sa condition de taupe elle en aurait le cœur brisé, heureusement elle n'a rien remarqué, et vous accélérez le pas au motif d'une irrépressible envie d'aller vous recueillir sur les mollusques fossiles qui se trouvent à l'étage et qui sont tellement émouvants parce que c'est l'origine de la vie les mollusques et qu'en plus certains sont hermaphrodites donc eux aussi sont doubles comme vous deux d'ailleurs l'escargot devrait être l'animal totem des binationaux.

Plus vous avancez dans votre visite et plus votre sémillante complice est excitée, ainsi dans la Grande Galerie de l'Évolution elle devient littéralement intenable, elle veut chatouiller les tentacules du calmar géant, tirer les oreilles des zèbres, monter sur le dos du cobe de Buffon, vous avez le plus grand mal du monde à lui rappeler que vous n'êtes pas seules et que le gardien commence sérieusement à vous regarder de travers. Et lorsque dans la salle des milieux marins elle découvre un spécimen de requin-taupe c'est l'apothéose, elle n'en peut plus, elle veut absolument sortir de la besace pour voir cela de plus près. Un requin-taupe ! Un requin-taupe ! Devant le grand squale naturalisé elle bombe le torse, elle couine de ravissement, et pour finir vous annonce fièrement qu'il s'agit là de son arrière-grand-père. Vous éclatez de rire, mais enfin c'est un parent lexical et non biologique, elle n'a pas besoin de s'inventer des ascendants illustres, taupe c'est très respectable comme espèce. Cependant elle n'en démord pas, c'est la vérité c'est la vérité c'est la vérité, elle descend des requins-taupes, ses aïeux ont été les rois des océans. Et aussitôt elle déclare qu'il est urgent que vous lui dénichiez un océan afin qu'elle puisse communier avec l'esprit de ses ancêtres. Oh et puis non, une fois sa fusée terminée elle se baignera dans un océan extraterrestre, ce sera encore plus rigolo.

C'est à peu près à ce moment-là que le gardien vous signifie qu'il serait opportun que vous songiez à quitter les lieux dans un avenir proche, avec votre peluche vous faites un boucan monstre ce n'est pas possible il n'a jamais vu ça. Vous le fusillez du regard et tournez les talons avec la plus grande dignité. Une fois que vous êtes sorties, vous vous asseyez sur un banc, vous caressez la tête de Petitetaupe et vous lui expliquez d'une voix douce que ce sont des bêtises, qu'elle n'est aucunement une « peluche », que ce monsieur a probablement de gros soucis personnels et qu'il se venge en blessant gratuitement les petits animaux qu'il croise. Naturellement, vous n'avez pas oublié que Petitetaupe était une peluche, vous n'êtes pas une psychopathe. Toutefois le dire devant elle vous ne pourriez pas, ce serait vraiment trop cruel.

Le soir, afin de terminer la journée en beauté, vous allez assister à un concert qui se tient à l'Institut culturel yazige de Paris. Face aux supplications de Petitetaupe, laquelle rêverait d'entendre cette nouvelle orchestration du grand concerto en fibré tangent mineur, s'il vous plaît s'il vous plaît s'il vous plaît cela lui ferait tellement plaisir, vous finissez par accéder à sa requête, mais à la seule condition qu'elle soit irréprochablement sage, qu'elle reste dans la besace et ne fasse aucun bruit, pas comme au Muséum si elle voit ce que vous voulez dire hum-hum. En effet, à l'Institut vous croiserez sans doute des clients, ou de potentiels clients, dans ce genre de soirée il y a tout le gratin de l'émigration yazige de Paris, les gens se connaissent très bien, les ragots vont bon train, or venir accompagnée de sa taupe, aussi mignonne soit-elle, n'est guère conforme aux us et coutumes de ce petit monde. Elle lève la patte droite et jure sur la mémoire de son arrière-grand-père le requin-taupe, champion des océans, terreur des roussettes, briseur de navires à la puissante mâchoire, que personne ne l'entendra ni ne la verra, elle sera discrète comme un bébé molécule de krypton.

Après le concert, qui ne vous passionne guère, toutefois ce n'est pas excessivement gênant dans la mesure où vous trouvez à vous occuper en comptant l'intégralité des lattes de parquet de la salle puis en calculant le nombre d'oreillers qu'on pourrait remplir en récoltant les poils des chats angoras présents sur le territoire de la région Bretagne, le directeur de l'Institut annonce qu'un cocktail généreusement offert par le Ministère de la fierté nationale vous attend, pas vous-vous mais tout le public évidemment, tant mieux car il aurait été extrêmement embarrassant que la réception ait été organisée spécialement en votre honneur, il aurait fallu que vous fassiez un discours, que vous portiez un toast, vous seriez devenue toute rouge et vous auriez bégayé. Tandis que là, fondue dans la masse des convives, coupe d'eau-de-vie à la main et sourire aux lèvres, vous êtes parfaitement à l'aise, vous virevoltez d'un groupe à l'autre, entamez une phrase ici, en terminez une là, faites de discrets signes de la main sans direction précise, ce qui vous permet de repérer les gens qui vous connaissent puisque ceux-ci se dénoncent spontanément en vous saluant de la tête.

Vous êtes légèrement ivre, vous vous amusez beaucoup, c'est que vous faites littéralement sensation, on ne cesse de vous présenter des gens, de vous demander votre carte de visite, de vous adresser mille compliments. Les Yaziges refusent de croire que vous êtes née en France, ce n'est pas possible ils auraient mis leur main à couper que vous étiez une émigrée, les Français sont ébahis, bilingue c'est merveilleux, quelle chance vous avez, eux ça fait vingt ans qu'ils apprennent le yazige pour faire plaisir à leur femme et ils n'arrivent toujours pas à parler sans calculette, et pour tous vous êtes une fascinante énigme, ils aimeraient tellement comprendre, chère mademoiselle bilingue une question nous taraude, rêvez-vous en français ou en yazige ? Vous gloussez, qu'ils sont bêtes, ainsi ils croient qu'une langue est une essence, qu'elle existe en dehors de l'usage qu'on en fait, qu'elle est rangée dans une petite boîte où elle se repose en dehors de ses heures de travail et que la nuit pendant les rêves la petite boîte s'ouvre, mais seulement la petite boîte de la vraie langue de l'authentique moi-du-dedans, ce qui permettrait enfin de l'identifier ? Mais dans les rêves comme dans la vie, leur expliquez-vous, il y a toujours un contexte et c'est le contexte qui détermine la langue, laquelle est une action pas un objet inerte qu'il serait possible de capturer, donc pour un rêve avec des Yaziges ce sera en yazige, pour un rêve avec des Français ce sera en français, et pour les rêves où vous êtes seule ce sera en fonction des lieux, des thématiques, c'est aussi simple que cela. Et puis supprimer le contexte est illusoire, le contexte c'est la vie, il n'y a pas de vie sans contexte, placer le cerveau en milieu stérile est impossible, la seule situation sans contexte c'est la mort, qu'au demeurant on peut provoquer en réduisant le contexte au maximum, qu'ils pensent aux nourrissons de Frédéric II ou encore au héros du *Joueur d'échecs*, on ne sort pas indemne d'une privation de contexte.

Une jeune femme française s'avance, cela l'intéresse beaucoup ce sujet car elle a des origines yaziges et elle est dans une démarche de reconnexion spirituelle avec ses racines qui s'inscrit elle-même dans un cheminement vers la paix intérieure qu'elle a entamé l'année dernière dans le cadre d'un séjour auprès de moines tibétains, et donc elle a pensé à une situation, imaginons que vous soyez en train de dormir, que vous vous réveilliez en sursaut et constatiez qu'un incendie vient de se déclarer, dans quelle langue criez-vous au feu ? Vous écarquillez les yeux, vous êtes bilingue pas demeurée, est-ce qu'elle en Allemagne elle crierait au feu en français ? Bien sûr que non, elle crierait en allemand, ou à défaut en anglais, eh bien vous c'est pareil, vous criez au feu dans la langue parlée par vos voisins de palier, c'est quand même plus fonctionnel pour la survie. La jeune femme est interloquée, donc vous êtes toujours dans le contrôle, toujours en train de vous demander à qui vous vous adressez, il n'y a pas de cri intérieur originel qui jaillit de vous lorsque vous lâchez prise ? Euh non, du moins il ne vous semble pas, au demeurant comment un discours pourrait-il ne s'adresser à personne sachant que parler-penser, y compris si on habite seul au milieu de la forêt, consiste à utiliser une langue commune, donc à s'inscrire dans une collectivité humaine ? Elle est très déçue, pour tout vous dire son projet était d'atteindre au moyen du raja yoga un état de psychomagie généalogique lui permettant de faire remonter en elle la mémoire linguistique de ses grands-parents.

Vous continuez de la sorte à subir un feu nourri de questions, en cas de noyade en pleine mer en quelle langue pousseriez-vous votre dernier râle, si vous étiez dans le désert et qu'un chameau ouzbek vous écrasait le petit orteil dans quelle langue l'insulteriez-vous, et ainsi de suite. Vous répondez de bonne grâce même si à force vous avez l'impression d'être un animal de foire, ou de tenir une sorte de consultation publique, vous ne savez pas trop, toutefois vous êtes progressivement gagnée par un léger sentiment de malaise, en effet vous avez l'impression qu'on vous traque, qu'on essaie à tout prix de vous prouver que vous êtes plus l'une que l'autre – il ne fait guère de doute que ce qui court le long des interrogations, ce qui les structure et les anime, c'est l'incrédulité face à la possibilité de votre double identité, dont le bilinguisme est l'expression la plus évidente. Ainsi, identifier la vraie langue reviendrait pour eux à pouvoir s'écrier, ah ben voilà en fin de compte elle n'est pas réellement *les deux*, il y a une langue dominante donc une identité dominante, malgré ses dénégations elle a un penchant, une préférence, l'équilibre entre les deux nations n'est pas si parfait qu'elle veut nous le faire croire.

Vous vous échappez du petit attroupement qui s'était formé autour de vous afin d'aller attraper une nouvelle coupe d'eau-de-vie. L'alcool rendant les pensées si ce n'est plus claires, en tous les cas plus résolues, vous décidez qu'à partir de maintenant vous ne répondrez plus *les deux* lorsqu'on vous demandera si vous êtes française ou yazige, ce qui est la question introductive à toute conversation qui se tient ici, vous vous contenterez de dire *née en France de parents yaziges* et après vous laisserez faire, qu'ils en déduisent ce qu'ils veulent. Vous serez une marchandise sans code-barres, une identité personnelle sous licence créative, vous leur offrirez généreusement votre front, qu'ils vous collent l'étiquette qui leur chante, vous vous êtes au clair avec vous-même, c'est tout ce qui importe. Vous entrouvrez votre besace et faites un clin d'œil à Petitetaupe, les gens ont des résistances cognitives de folie quand même hein pas vrai ? Elle a vu comme ils ont besoin de monoclasser, une personne un groupe d'appartenance et pas deux sinon bonjour le bordel. Elle acquiesce en silence, vous refermez la besace en lui faisant signe que vous en reparlerez tout à l'heure. Là-dessus, un septuagénaire français vous attrape par le bras et vous notifie qu'il lui agréerait vivement de s'entretenir avec votre charmante personne, c'est qu'il effectue actuellement une étude sur archives des parchemins combinatoires de la grande défaite de Hsmoca afin de prouver que la victoire des Ottomans est due à des bouliers truqués que ces derniers avaient diffusés parmi les généraux yazigos pour saboter leurs calculs, que pensez-vous de sa modeste théorie ? Vous savez qu'il se fiche éperdument de votre réponse, sa question n'avait d'autre objet que de vous faire savoir qu'il était un vieil érudit, ce qui était somme toute inutile, vous aviez déjà compris rien qu'en le voyant. En effet, un vieux type en pantalon de velours qui sirote un jus de pomme à l'Institut yazige sans avoir d'épouse à ses côtés, c'est-à-dire qui est venu de son plein gré et non pour éviter le divorce et les soucis de liquidation de régime matrimonial qui vont inévitablement avec, ne peut être qu'un professeur d'université à la retraite, le genre qui parle vingt-cinq langues, a traduit Cicéron en songhaï et prépare son douzième doctorat d'histoire médiévale.

Vous écoutez patiemment votre vieil érudit, ce modèle-ci est tout poussiéreux, tout confit dans son savoir, il en existe de plus sympathiques, qui n'ont pas ce rapport de, de, de, disons qu'il y a dans l'attitude de celui-ci quelque chose du colon, du conquistador, vous avez l'impression qu'il veut dévorer, piller la culture yazige, se l'approprier totalement, la vider de ses richesses, et que quand il considérera qu'il n'y a plus rien à en tirer il passera à un autre pays, une autre langue. Vous devriez être flattée pourtant qu'un Français s'intéresse à la Yazigie, ce n'est pas si courant. Mais non. Qu'est-ce qu'il vient se mêler des affaires de la Yazigie, il n'y a pas assez de vieux papiers à étudier dans les bibliothèques françaises ? Puis il est agaçant, et même un brin vicieux, vous voyez bien qu'il essaie de vous coincer, de vous prouver qu'il connaît l'histoire yazige mieux que vous, et au demeurant vous devez admettre qu'il la connaît mieux que vous, il vous bombarde de dates ou de noms propres dont vous n'avez jamais entendu parler, ce qui n'a rien de surprenant, vous avez suivi une scolarité yazige incomplète, vous avez forcément quelques lacunes, sans compter que vous avez autre chose à faire de vos journées que de lire des vieux parchemins, vous n'êtes pas en train de glander à la retraite, cependant ses piques ne vous atteignent pas, il pourra accumuler toutes les connaissances du monde qu'il n'aura jamais ce que vous, vous avez. Il n'aura jamais le feu. Il n'aura jamais l'orgueil. Il n'aura jamais un rapport intime à la Yazigie. Toujours il restera à l'extérieur. Toujours la porte sera fermée.

Vous finissez par planter votre vieil érudit, qu'il continue donc à macérer dans sa science, et vous vous dirigez vers le coin des mémés yaziges, cela vous semble beaucoup plus intéressant. Elles sont cinq ou six en grappe à s'empiffrer près du buffet, à bavarder de tout et de rien mais surtout pas du concert auquel elles n'ont pas assisté, hélas elles ont raté le début et n'ont pas osé entrer par peur de déranger, par contre puisqu'elles étaient là bon eh bien il aurait été idiot de ne pas participer au cocktail. Elles ont des cheveux impeccablement mis en plis, des robes-tabliers aux fleurs marron, des chaussures orthopédiques, vivent à Paris depuis trente, quarante ou cinquante ans, et à votre grande surprise, elles discutent entre elles en français. Lorsque vous leur adressez la parole en yazige elles vous répondent dans une langue froissée et déformée où s'entremêlent expressions yaziges désuètes et termes importés du français contemporain. Elles s'excusent, hélas le manque de pratique, le mariage avec un homme français, les enfants qui vont à l'école française, elles ont presque tout oublié. Vous les regardez avec consternation, non pas à cause de leur mauvais yazige, cela arrive, c'est beaucoup de travail l'entretien d'une langue, vous-même ne seriez pas une double A si vous n'aviez pas organisé votre vie autour de votre bilinguisme, ça alors mais oui, traductrice-interprète c'était le seul moyen de maintenir vivantes les deux langues, de les utiliser quotidiennement, de ne pas en laisser une prendre le pas sur l'autre, c'était assez évident toutefois vous n'aviez pas réalisé, il faut reconnaître que c'était plutôt bien joué de votre part, mais donc, ce qui vous consterne chez les mémés yaziges c'est leur résignation, elles ont abandonné, elles ont baissé les bras, elles n'essaient pas de se battre pour reconquérir leur langue maternelle. Pourtant cela doit être atroce d'avoir perdu sa langue maternelle. Comment peut-on vivre sans langue maternelle ? Cela ne leur fait donc pas mal ? Cela ne leur arrache donc rien ? Surtout qu'il ne s'agit pas d'une substitution, elles n'ont rien en échange, leur français demeure un français d'étrangère, elles le parlent avec un gros accent, des fautes de genre et de préposition. Han. Elles n'ont pas, elles n'ont plus de langue A. Elles sont des double B. Voire des double C. Quelle misère. Comment font-elles pour penser correctement ? Malgré tout vous restez bavarder avec elles, car elles vous inspirent aussi une grande tendresse, elles vous font l'effet de vieilles baleines désorientées, elles ne sont ni d'ici ni de là-bas, elles fredonnent de vieilles chansons populaires yaziges les larmes aux yeux avant de les commenter dans leur mauvais français, elles sont coincées dans un interstice bizarre, elles se sont déyazigisées sans pour autant se franciser, elles n'ont plus de *Nous* si ce n'est celui de leur petit groupe près du buffet.

Vers la fin de la soirée, vous êtes abordée par un trentenaire yazige, voilà qui contribuera à faire baisser la moyenne d'âge de vos interlocuteurs. Il vous fourre sa carte de visite dans la main et vous annonce qu'il vient de créer sa société de tourisme dentaire à Iassag, vous connaissez sans doute, c'est un secteur très porteur, et dans le cadre de ses prestations clef en main il cherche des interprètes pour accompagner les clients français chez les dentistes yaziges. Vous lui opposez un refus poli, désolée vous êtes spécialisée en droit, les dents pour être honnête ce n'est pas du tout votre domaine, vous risqueriez d'avoir du mal à vous débrouiller. Il insiste, ce n'est pas bien compliqué, il n'est pas nécessaire d'avoir des connaissances particulières, n'importe qui pourrait le faire, ce qui vous horripile au plus haut point, se rend-il compte qu'il est en train de vous expliquer que votre travail n'a aucune valeur ? Vous tâchez néanmoins de garder votre calme, de lui signifier diplomatiquement que connaître un minimum le sujet est relativement essentiel pour assurer une interprétation de qualité, or vous hélas les dents vous n'y entendez rien, allô les molaires les canines les incisives est-ce qu'elles répondent, non elles ne répondent pas, il le voit bien. Cependant comme il revient à la charge, qu'il vous gonfle prodigieusement, et aussi parce que votre habitus professionnel estime que ces clients qui ne comprennent pas que non c'est non ça commence à bien faire, vous finissez par lui exposer le fond de votre pensée, oui en vous documentant beaucoup peut-être seriez-vous capable de le faire mais il se trouve que vous n'en avez aucune envie, parce qu'il sait quoi, non il ne sait pas eh bien il va savoir, le tourisme dentaire cela vous fait vomir, il est hors de question que vous collaboriez à cette entreprise néocoloniale consistant à faire venir des Occidentaux à Iassag pour qu'ils se fassent poser une prothèse dentaire à moindre coût, ils viennent ils profitent et le reste ils s'en foutent, ils ne font même pas l'effort d'apprendre à dire bonjour en yazige et limite s'ils savent dans quel pays ils se trouvent, et que lui, un Yazige, se salisse lui-même et salisse le pays en encourageant ce type de pratique cela vous dépasse, n'a-t-il donc aucune fierté pour baisser ainsi son froc devant l'Ouest ? Si encore il s'agissait de faire venir les dentistes yaziges en France pour qu'ils travaillent à des tarifs français pourquoi pas, ce serait comme les prostituées, qui en se délocalisant pour gagner plus ne nuisent ni au marché français puisqu'elles ne cassent pas les prix, ni à l'économie yazige puisqu'elles contribuent à l'enrichissement du pays, mais offrir aux Français des tarifs yaziges sur un plateau d'argent non seulement c'est humilier la nation yazige mais en plus c'est nuire gravement aux intérêts des dentistes français qui eux aussi ont le droit de gagner leur vie correctement. Sur ce, pressentant qu'il n'y aura pas d'occasion plus parfaite pour effectuer une sortie théâtrale, vous quittez l'Institut culturel yazige en titubant avec une majestueuse élégance.

Pendant le trajet en métro, Petitetaupe se fend d'une irrésistible imitation du vieil érudit. Et que je suis suprêmement lettré, et que je suis un puits de connaissances, et que je me momifie dans mon savoir. Vous rigolez comme des scarabées sur un château de cartes. Au moment d'arriver devant votre immeuble, vous songez que vous ne lui avez même pas demandé ce qu'elle avait pensé du concert. Votre besace est sur votre épaule droite, vous la faites passer devant vous. La fermeture éclair est ouverte mais les parois du sac sont très rapprochées. Vous les écartez délicatement, Petitetaupe s'est sûrement endormie au fond du sac. Votre cœur s'arrête de battre. Petitetaupe n'est plus dans la besace.

Vous réagissez très vite. Défibrillation, demi-tour, cap sur la station Charonne, elle était encore avec vous lorsque vous êtes sortie de la bouche de métro, elle a dû tomber pendant que vous marchiez, vous allez forcément la retrouver. Vous courez dans un sens, vous courez dans l'autre, vous enclenchez le mode balayage multispectre et scrutez minutieusement les images panoramiques sur vos écrans de contrôle, trottoir chaussée abribus arbres voitures scooters bancs poubelles boîtes à lettres, vous foncez interroger Hdlsko qui est encore dehors malgré l'heure tardive, est-ce qu'il n'aurait pas vu une petite taupe, nez rouge, grands yeux malicieux, environ 30 centimètres, non il ne l'a pas vue par contre si vous aviez une petite pièce. C'est la fois de trop. Quoi une petite pièce, qu'il aille se faire foutre avec sa petite pièce, n'a-t-il donc que ce syntagme nominal à la bouche ? Vous serrez les poings, la bave vous vient aux lèvres, mais qu'il se regarde, toujours à quémander, toujours à geindre, même pas foutu d'apprendre la langue du pays qui l'accueille, il est venu en France pour se vautrer dans la fange de l'assistanat ou il envisage de se prendre en main un jour ? En plus il est moche, mais qu'est-ce qu'il est moche, et son chien aussi est moche, il pollue le paysage, vous en avez votre claque de le voir tous les jours avec sa gueule édentée et son clébard qui pue, sale parasite de bougnoule de l'Est, barbare poilu sans eau chaude, débile subcarpatique en charrette, qu'il retourne au bled cyrillique à traire les coquelicots ça vous fera des vacances, et qu'il en profite pour se payer un dentier là-bas c'est pas cher.

Vous rajustez le col de votre veste et vous abandonnez Hdlsko à son pitoyable sort. Vous effectuez quelques pas, quatre ou cinq peut-être, vous vous retournez pour lui jeter un dernier regard haineux, vous suspendez votre avancée, vous plissez les yeux, vous penchez la tête sur le côté, vous pivotez sur vous-même et revenez lui parler – au théâtre c'est ce qui s'appelle une fausse sortie.

Vous vous accroupissez afin de pouvoir le regarder dans les yeux, en effet il est à genoux comme d'habitude. Vous lui attrapez une épaule, vous la serrez fort, et la Yazigie, il y pense à la Yazigie ? À l'image qu'il donne du pays ? La plupart des Français n'ont jamais vu un Yazige de leur vie et à cause de lui ils vont s'imaginer qu'il s'agit d'un peuple de clochards sans dignité, de misérables gueux qui rampent à plat ventre. Il a une responsabilité, vous autres Yaziges êtes trop peu nombreux pour pouvoir vous permettre de ne pas être irréprochables, chacun est une vitrine de la nation, chacun porte ses couleurs et engage son honneur. Qu'il ne se méprenne pas, qu'il soit pauvre n'est pas le problème, la misère à la rigueur pourrait passer pour une qualité morale, mais de grâce, de grâce, il est un homme libre, quand on est libre on ne s'agenouille pas, jamais, devant personne, pas même devant un char soviétique. Vous attrapez sa deuxième épaule, vous le secouez, vous le secouez, mais qu'il se relève, il vous repousse mollement, vous le secouez encore, allez allez debout mais debout, il vous fait honte, qu'il soit à genoux est tellement infamant, la honte vous cuit, la honte vous brûle, vous rôtissez de honte, vous le suppliez, vous le secouez encore, il n'a pas le droit, un homme libre ne s'agenouille pas et vous lui interdisez de ne pas être libre donc debout. Et là quand même, vous vous demandez si votre énoncé ne serait pas vicié par un léger paradoxe logique. Vlan, dans un brutal retour de bâton moral, vous réalisez que vous êtes en train de violenter un clochard boulevard Voltaire à 23 h 30 un samedi soir.

Vous déglutissez. Oh non. Pardon. Qu'il vous excuse. De l'avoir secoué. De l'avoir traité de parasite. Vous ne savez pas ce qu'il s'est passé. Vous êtes très perturbée par la disparition de votre taupe. Vous lui donnez tout l'argent que vous avez sur vous et vous vous enfuyez en courant.

Une fois chez vous, vous préparez des avis de recherche à coller dans la rue et chez les commerçants. Sur les affichettes, vous écrivez, en gros caractères rouges, CETTE ADORABLE PELUCHE ÉTAIT LE DOUDOU D'UNE PETITE FILLE LEUCÉMIQUE QUI EST TRÈS TRISTE. Vous savez que les gens sont plus sensibles au chagrin des enfants qu'à celui des adultes. Ensuite, vous dressez la liste des démarches à effectuer : téléphoner aux services de la voirie, vous rendre aux objets trouvés, déposer une main courante, vous renseigner sur le circuit de la collecte des déchets ménagers. Il faut tout envisager. Il n'est pas impossible que quelqu'un l'ait ramassée et l'ait mise dans une poubelle. Ou l'ait embarquée, croyant qu'elle n'était à personne. Et si elle avait roulé sous une voiture ? Vous redescendez dans la rue, il est 3 heures du matin, progressant à quatre pattes sur le trottoir et munie d'une lampe de poche vous vérifiez le dessous de tous les véhicules garés sur le trajet entre chez vous et la station Charonne. Sans succès. Puisque vous êtes dehors, vous en profitez pour coller déjà quelques affichettes.

Vous tournez en rond dans votre appartement. Vous ne voyez pas ce que vous pourriez faire mis à part attendre que demain arrive enfin. Peut-être ajouter forte récompense sur les affichettes ? Mais chiffrer la valeur de Petitetaupe. Fixer le prix de son retour. Comme dans les procès en indemnisation ? Cher monsieur pour votre dommage corporel suite à ce malheureux accident du travail votre demande est largement au-dessus du prix du marché, depuis qu'il existe de très modernes prothèses le cours de la jambe amputée est descendu en flèche sachez-le, chère madame la mort de votre concubin écrabouillé dans sa voiture parce qu'un camion lui est rentré dedans est fort regrettable toutefois vous noterez que vous êtes malfondée à réclamer autant qu'une épouse légitime, la jurisprudence civile protège l'institution matrimoniale voyez-vous.

Dehors un orage a éclaté, à moins que ce ne soit dedans, vous ne savez pas, vous ne savez plus, l'orage grandit, la pluie fouette vos fenêtres, Petitetaupe était la seule chose importante, depuis la fin de votre idylle unilatérale avec votre avocat vous n'aviez plus qu'elle, personne d'autre ne se souciait vraiment de vous. Il y a le basilic mais ce n'est pas pareil, sans la parole ce n'est pas pareil, qu'il ne vous en veuille pas. D'ailleurs il faut que vous lui annonciez. Vous vous asseyez près de lui, vous entourez son pot de vos mains. Ah, cher basilic. Cher basilic polonais. Il s'est passé quelque chose d'affreux aujourd'hui. Ce soir. Pardon. Quelque chose de très grave. Il le sait hein. Oui, il l'a senti déjà. Vous êtes seuls désormais lui et vous. Il faut garder espoir mais ce sera difficile.

Plus tard, vous poussez la porte d'un saloon peuplé d'hypothèses aux ailes luisantes. Tout s'est passé si vite. Vous imaginez Petitetaupe qui tombe de votre sac entrouvert, qui dégringole vers la chaussée, qui se fait écraser par les pneus radiaux d'une voiture de luxe. Ou qui est enlevée par un pervers fétichiste des taupes entendant lui faire subir les pires outrages. Ou qui chute dans une bouche d'égout mal refermée et qui se retrouve seule, paniquée dans le noir et dans la puanteur des canalisations parisiennes. Vous le savez bien que sans vous elle ne peut appeler à l'aide, que sans vous elle est muette. L'incertitude est un terrible écran vierge qui dilate le champ des potentialités. Il n'y a aucun remède, aucun coup d'arrêt possible car tout est possible précisément ; c'est le fonds de commerce de tout délire paranoïaque. Vous ne fermez aucun œil de la nuit, vous êtes trop occupée à vous faire hacher les intestins par des silex. Ah, et pour votre gouverne, l'acception vieillie de *formidable*, c'est : terrifiant, effrayant. Si vous maîtrisiez un peu mieux le sens des mots que vous croyez pouvoir employer, peut-être que tout cela ne serait pas arrivé.

18

Le lendemain, les jours suivants, à dire vrai vous ne vous souciez plus guère du calendrier, c'est à peine si de temps à autre vous songez à griffonner quelques lignes dans votre cahier, vous mettez tout en œuvre pour retrouver Petitetaupe. En dépit de vos efforts, ou peut-être à cause d'eux, très vite s'installe dans les soubassements de votre esprit une pâte grise et poisseuse, qui vous dit ça ne sert à rien, qui vous dit les gens s'en foutent pour eux c'est juste une peluche, qui vous dit même si quelqu'un la voit on ne pensera pas à vous téléphoner. Les affichettes sont régulièrement arrachées. Ne vous amènent que des appels de préadolescents aux plaisanteries douteuses.

Parfois vous vous demandez si elle ne serait pas partie volontairement. À l'Institut culturel yazige vous aviez bu encore une fois, peut-être était-ce la fois de trop. Ou bien elle aura eu le temps de lire, malgré vos précautions, le panneau du Muséum national d'Histoire naturelle indiquant que les taupes étaient des nuisibles. Elle aura fait mine de n'avoir rien vu afin de préparer son départ en secret. Au fond vous le comprendriez. Qui aurait envie de vivre parmi des gens qui le qualifient de nuisible. De parasite. D'indésirable. D'autres fois vous tâchez de vous raconter une histoire plus gaie. Elle aurait terminé sa fusée plus rapidement que prévu et serait partie explorer l'espace. Dans quelques années vous aurez de ses nouvelles *via* un magazine de vulgarisation scientifique, vous contemplerez sa photographie en scaphandre s'étalant sur la double page centrale. Ou alors elle était une sorte de petit ange, elle vous avait été envoyée pour vous aider à passer un cap. Considérant que sa mission auprès de vous était achevée, son chef de service l'aura transférée chez quelqu'un ayant plus besoin d'elle que vous. Réduction des effectifs, optimisation des processus. Cependant vos histoires ne sont que des histoires. La thèse la plus plausible demeure celle de l'accident, elle est tombée de votre sac et elle a fini dans le caniveau. C'était trop tôt. Sa disparition au bout de plusieurs mois vous en auriez également eu le cœur déchiré toutefois vous auriez trouvé cela plus acceptable. Du point de vue de l'harmonie du monde. De la justice. Tandis que là. Quelques jours de bonheur à peine. Il vous traverse l'esprit que vous pourriez en commander une autre sur la boutique en ligne où vous l'avez achetée. Mais non. Ce serait une petite taupe et non Petitetaupe. Chaque rose est unique, tout ça.

Vous errez ainsi dans votre appartement. Ne sortez quasi plus. Traduisez peu et péniblement. Absorbez cacahuètes et chips en grande quantité. Ne supportant plus la vue du petit nid en carton, vous l'avez recouvert d'un vieux drap. Avec Petitetaupe vous étiez prête à affronter l'univers et les lunes et les étoiles. Maintenant vous n'affrontez plus rien. Régulièrement vous songez que vous devriez aller à Iassag. Là-bas vous seriez entourée. Mais la pâte grise et poisseuse à chaque fois vous rappelle, à chaque fois vous dit que vous aurez bien le temps de réserver un billet d'avion demain.

Votre unique lien avec le monde extérieur est la radio. Et encore c'est surtout pour le basilic. Afin qu'il y ait un peu de vie dans cet appartement. Vous le voyez qu'il dépérit lui aussi. Vous vous forcez à écouter les informations avec lui. Pour que vous partagiez tout de même quelque chose. Les guerres et les attentats vous mettent du baume au cœur. Le chaos dans le monde fait écho au vôtre. Communauté de malheur. Votre guerre préférée est celle qui se déroule en Syrie. Sans doute parce que le point de départ en est des manifestations pour la démocratie. Lesquelles ont été brutalement réprimées. Sous les yeux d'un Occident resté passif. Du moins il vous semble. Vous n'avez pas creusé la question. Peu importe. Cela vous permet de pleurer en toute quiétude.

Un après-midi où vous êtes en train de construire une tour avec des bocaux de haricots rouges à la tomate, une journaliste assise dans un studio de radio parisien annonce que la proposition de loi interdisant la double nationalité a été adoptée. Vous posez délicatement le sixième et dernier bocal de haricots rouges à la tomate en haut de la tour. Vous ajoutez encore une boîte de conserve de maïs.

La tour est instable mais tient bon. Vous relevez la tête. Vous avez comme l'impression d'avoir entendu quelque chose d'important. Vous vérifiez que le logiciel sur votre ordinateur diffuse bien une chaîne française. Vous attendez le bulletin d'information suivant en jouant avec un élastique à cheveux. Et de nouveau la même annonce. La France. Prohibe la double nationalité. Vos mains blêmissent, c'est le sang, c'est parce que tout le sang reflue vers votre cœur.

Vous vous précipitez sur le site de l'Assemblée nationale afin de lire l'exposé des motifs de la loi. Vous apprenez qu'en tant que binationale, vous posez un « problème de fiabilité ». Tandis que les Français qui le sont devenus par filiation, à la naissance, étaient déjà des nourrissons patriotes adorant le camembert et la pétanque, vous qui avez acquis votre citoyenneté hexagonale sur le tard, c'était par opportunisme, « pour profiter du système ». Partant de là, il y a lieu de se demander si vous ne seriez pas un agent étranger infiltré sur le territoire français. Surtout que votre décision de conserver votre second passeport, qui certes démontre que vous n'êtes pas très discrète, que vous êtes un peu nulle en espionnage parce que du coup vous êtes quand même assez facile à repérer, signe votre refus d'opérer « un choix clair d'adhésion à la collectivité nationale ». Or cette distance que vous gardez vis-à-vis de la France « porte atteinte à la cohésion républicaine » non seulement parce que vous êtes ici en touriste, vous profitez des largesses de l'État-providence mais quand il s'agit de manifester votre ferveur patriotique vous traînez des pieds, vous êtes comme le chanteur Georges Brassens, ce binational notoire, le jour du 14 Juillet vous restez dans votre lit douillet, car la musique qui marche au pas cela ne vous regarde pas, mais aussi parce que vous avez une fâcheuse tendance à conserver votre langue, votre cuisine, et des tas de coutumes bizarres, ce qui crée une brutale fracture dans une société française laquelle par ailleurs est d'une homogénéité culturelle exemplaire, le sociologue Pierre Bourdieu notamment a bien montré que les élites comme les classes populaires y avaient exactement les mêmes codes, les mêmes valeurs et les mêmes loisirs. Surtout, et c'est là que cela devient véritablement inquiétant, on n'a aucun moyen de savoir ce qu'il y a dans votre cœur. Aimez-vous réellement la France ? Jusqu'où seriez-vous capable d'aller pour elle ? Si l'avenir du pays en dépendait, accepteriez-vous une amputation de la main ? Et de la jambe ? Et des deux jambes ? Alors ? Hein ? Vous ne seriez pas un peu déloyale sur les bords des fois ? Bien sûr que si. Ainsi, en cas d'invasion de la France par les forces armées de votre pays d'origine, votre position serait nécessairement « très ambiguë ». Vous pourriez prendre fait et cause pour l'ennemi. Voire lui prêter main-forte. Chose que les Français d'origine française seraient incapables de faire, ils sont naturellement vaccinés contre la collaboration. Mais fort heureusement, la nouvelle loi va vous aider à vous libérer de vos démons identitaires. À couper ce cordon ombilical qui vous relie encore à votre pays d'origine et qui vous empêche de devenir une Française adulte et responsable. Grâce à cette magnifique réforme, vous aurez enfin l'occasion de faire le « choix total de la France ». Car vous choisirez la France bien entendu. Au demeurant, notez bien qu'on vous offre la faculté de renoncer spontanément à votre seconde citoyenneté *avant* l'entrée en vigueur de la loi, qui n'aura lieu que dans plusieurs mois. Ce serait de votre part un geste fort, une manière d'exprimer votre regret d'être restée binationale si longtemps. Sans compter que cette démarche volontaire vous éviterait de devoir vous soumettre à la très désagréable procédure qui s'abattra sur tous les binationaux dans le cadre de l'application de la loi. En particulier, vous échapperez à l'inscription au registre des anciens binationaux. Voyez-le comme une généreuse main tendue. Les criminels qui se rendent d'eux-mêmes à la police bénéficient d'un allégement de peine, il n'y a pas de raison de ne pas vous donner à vous aussi la possibilité du repentir. Votre bonne volonté est importante pour la France. Elle est inquiète ces temps-ci, elle est tracassée, dès lors savoir que vous approuvez pleinement sa nouvelle loi la rassurera. Vous verrez, une fois devenue mononationale vous vous sentirez beaucoup mieux. Ce sera un nouveau départ. Une renaissance. Se délester de son deuxième passeport est comme s'offrir un gommage corporel. Votre identité deviendra douce et soyeuse, elle sera débarrassée de toutes ses impuretés, elle sentira bon. Vous serez enfin une Française normale. Lavée de tout soupçon.

Vous enfouissez votre tête entre vos mains. Vous êtes très blessée. Mais vraiment très blessée. Vous étiez prête à donner beaucoup. La France vous l'aimiez. Sincèrement. Avec ses défauts, avec sa grandeur. Avec Robert Badinter, avec son côté grande filoute qui réussit toujours à s'incruster dans le camp des vainqueurs, et même avec sa Coupe du monde de football de 1998 dont pourtant vous n'avez rien à faire. Vous pensiez que c'était réciproque. Bêtement vous avez imaginé qu'elle était contente de vous avoir. Qu'elle trouvait ça rigolo que vous soyez un peu bizarre, un peu différente. Que pour elle c'était une richesse. Que même si vous, vous n'êtes qu'une petite traductrice, elle voyait que vous apportiez votre modeste pierre. L'avez-vous déçue ? Y avait-il un contrat ? Pour qu'elle vous aime, étiez-vous supposée devenir championne d'athlétisme, scénariste oscarisée ou prix Nobel de physique ? Mais ce n'est pas possible, structurellement ce n'est pas possible de demander cela. Au sein de l'équipe olympique par exemple il y a quoi, deux cents ou trois cents places, c'est totalement insuffisant pour que tous les enfants d'immigrés y soient.

Vous reniflez bruyamment. Le désamour de la France à la rigueur ce n'est pas grave. Sa froideur, son indifférence, vous pourriez l'accepter. Mais là. Cette défiance. Ce regard torve. Oui c'est le regard, il y a quelque chose dans le regard, vous ne savez pas, c'est compliqué, insaisissable et néanmoins bien présent. Quelque chose qui dit que vous avez une tache, que vous êtes de travers, que vous dépassez. Quelque chose qui vous réduit, qui vous étrique, qui vous renvoie à *ça*. Quelque chose qui à la fois vous attribue des super-pouvoirs de nuisance et à la fois vous appréhende comme une handicapée de l'intégration. Petite canne boiteuse mais grosse menace pour la France. Comme si vous étiez capable de détruire le pays. Et que vous le souhaitiez. Alors que vous êtes une fille si gentille. Oui parfois vous témoignez d'un comportement étrange cependant vous êtes gentille quand même. Avec un bon fond et tout.

Dans l'espoir de comprendre, au passage on saluera votre fair-play, on vous humilie on vous traite comme une moins que rien et en réponse vous essayez de comprendre, attention à ne pas verser dans le sacrifice christique, vous lisez quantité d'articles, d'analyses, de chroniques. Sur la nouvelle loi, sur la place des immigrés en France. Et progressivement la mémoire vous revient. Ce ne sont pas de véritables souvenirs, mais une impression diffuse de familiarité. Concernant la vie des étrangers, les rapports entre Français et étrangers. Tout cela, vous connaissez. La condescendance. Les rires dans le dos. Les préjugés humiliants. Les contrôles au faciès. Que probablement vous n'avez jamais vécus puisque vos origines sont invisibles à l'œil nu. Qui ne sauraient vous appartenir et qui pourtant vous appartiennent. Comme si au-delà de votre amnésie personnelle vous aviez accès à une mémoire collective. La mémoire de ceux qui ont en commun l'expérience d'être considérés comme des étrangers. Et puis vos parents avaient un accent, eux. Qui sait comment on les a traités. Qui sait si on ne les a pas suspectés de vol dans les magasins s'ils y traînaient un peu trop longtemps. Qui sait si leurs voisins ne glissaient pas des mots anonymes dans leur boîte à lettres pour leur dire de retourner dans leur pays. Si vous avez assisté à des scènes de ce genre cela a pu laisser en vous des traces. Toutefois c'est plus large. Une sorte de conscience de l'intranquillité. Oui, plus vous lisez les discussions sur internet, les commentaires en bas des articles de presse, les débats sur les forums, et plus il vous semble qu'en France vous ne serez jamais totalement en sécurité. Qu'il planera toujours une menace, prends garde à toi fille d'immigrés, si un jour il faut jeter quelqu'un par-dessus bord ce sera toi. Vous êtes sur la liste des potentiels indésirables. Bien sûr vous ne figurez pas tout en haut de la liste, vous n'êtes pas idiote, c'est comme la loi, vous avez bien compris que vous étiez moins visée que d'autres, au hasard des autres un tantinet d'origine extra-européenne, sachant qu'à cet égard le Canada et l'Australie se trouvent bien évidemment sur le vieux continent. Mais ce n'est qu'une question de temps. Vous aussi vous êtes sur la liste. Tous ceux qui ne sont pas parfaitement français y figurent. Vous conseillez fortement aux Corses, aux Savoyards et aux Bretons de prendre leurs dispositions. Un jour ce sera leur tour. Eux aussi ont une double identité. Tous ceux qui ne sont pas purement français seront visés.

Vous aviez l'espoir de comprendre. Eh bien vous avez compris. Il semblerait que vous ayez un brin surestimé votre pays natal. Généreuse patrie des droits de l'homme accueille nourrissons de parents étrangers mais exclusivement avec une laisse autour du cou. Sait-on jamais. Ce qu'ils pourraient faire.

Ces petits bougnoules. Qui rongent le pays de l'intérieur. Qui y creusent des trous identitaires. C'est comme les souris. Quand il y en a une ça va mais trop c'est trop. À la longue, le plancher républicain risquerait de s'effondrer. Pour se prémunir contre ce danger, on a recours à un ingénieux procédé nommé deux poids deux mesures. Vous ne connaissiez pas ? C'est simple pourtant. Un Français qui poignarde sa femme est un jaloux impulsif. Mais vous si vous frappez votre mari c'est culturel, vous venez sûrement d'une tribu matriarcale où les femmes se croient tout permis. Un opéra empli de mémés bourgeoises ce n'est pas du communautarisme, c'est un hasard ce n'est pas de leur faute si elles ont les mêmes goûts. En revanche évitez de fréquenter trop souvent l'Institut yazige c'est mauvais pour votre intégration cette manie que vous avez de traîner avec vos semblables. Et les coutumes sauvages. Grand classique, les coutumes sauvages. Gaver des oies pour le foie gras c'est civilisé c'est français. Au son de la Marseillaise les oies ne souffrent pas. Et même, elles sont heureuses de participer à cette belle tradition hexagonale. Toutefois ne vous avisez pas d'égorger un pigeon dans votre baignoire parce que là c'est de la barbarie. Un pauvre oiseau ! Tuer un pauvre oiseau ! Vous n'êtes vraiment qu'une bougnoule. Ah vous n'aviez pas réalisé ? Vous êtes lente à la détente dites donc. Différence de nature pas de degré. Yaziges sont les banlieusards de l'Europe. Burundais et Centrafricains sont les banlieusards du monde. Quelque part entre les deux il y a les Algériens, les Libanais. Plus ou moins bougnoules selon leur religion, par exemple s'ils sont chrétiens ça les débougnoulise un brin. Jésus était un homme si doux. Du coup les Syriens chrétiens on les accueille plus volontiers. Mais ils restent des Arabes quand même hein. Faut pas déconner non plus. Bon et puis réjouissez-vous. Vous pensiez être française et yazige. Les deux à la fois. Quelle petite comique. Comme si vous pouviez être une vraie Française. Allez, c'est l'occasion rêvée pour lancer un mouvement identitaire. *Bougnoule pride* ce serait un joli slogan, non ? Cela ne vous plaît pas ? Ben alors, ce n'est pas ce que vous vouliez, qu'on respecte votre différence ? Décidément vous n'êtes jamais contente.

Vous relisez une dernière fois le texte de la loi. Ainsi donc on en est là. La France pays de la liberté. Ha. Mais qui restreint votre droit d'avoir une deuxième citoyenneté. La France pays de l'égalité. Ha. Mais qui demande aux seuls binationaux de prêter allégeance. La France généreuse terre d'accueil. Ha. Mais veuillez déposer votre histoire personnelle et familiale dans le casier en haut à gauche de l'entrée de la République. La France pays universaliste. Ha. Mais si vous pouviez avoir la même culture ce serait quand même plus adapté pour l'intégration. Quelle grosse arnaque. En fin de compte Voltaire, si réellement il était un esclavagiste, est la figure parfaite pour incarner la France. Belle façade belles idées mais dans les actes tout le contraire. S'il n'était pas esclavagiste alors pardon. Et merci quand même à Voltaire pour ses textes.

Ensuite, tout va très vite. Vous jetez votre

dépression nerveuse, baignoire shampoing masque sérum vernis à ongles, hop hop hop vous reprenez forme humaine, vous vous installez à votre bureau et vous réservez un billet d'avion pour Iassag. Un aller simple. Puisque vous quittez la France. Peu vous importe si avant votre amnésie, vous étiez yazige, française, ou réellement les deux comme vous l'avez cru. Car ce qui compte est le présent. Et dans le présent de maintenant, qui se trouve être le vingtième jour de votre vie mémorielle, ah que vous vous souciiez de nouveau du calendrier est encourageant, c'est que vraiment vous êtes guérie, vous refusez de vivre dans un pays mesquin et étriqué qui entend ligoter ses citoyens. Et encore, la France a de la chance que vous ayez un appartement à Iassag, que vous ne soyez pas contrainte de rester faute d'alternative. Parce que sinon. Vous laissez à votre bien-aimée terre natale le soin d'imaginer la tournure qu'auraient prise vos rapports dans de telles conditions.

Là-dessus, comme s'il s'agissait d'achever de vous convaincre que la France est un pays infréquentable, vous entendez à la radio un homme exposant sa théorie du « déclin français ». Vous dressez l'oreille, un skinhead à la radio ce n'est pas courant, peut-être va-t-il chanter un hymne nationaliste en fin d'émission ? Sauf que non, manifestement la rhétorique de l'agonie nationale n'est pas la chasse gardée des skinheads, ni même des groupuscules d'extrême droite, en l'occurrence il s'agit d'une sorte d'intellectuel, vous n'avez jamais entendu parler de lui mais à la manière dont le journaliste pose les questions, il est clair qu'il jouit d'une certaine respectabilité, qu'il est traité comme un penseur. Le déclin français. Quelle indécence. La France sur le plan international on ne la respecte plus, il y a des tas de pays indisciplinés qui bavardent au fond de la classe, c'est intolérable, il convient absolument de restaurer son autorité. Appeler cela un déclin. Ils n'ont pas idée de ce que c'est que le déclin. La chose se construit sur la durée, un pays qui se portait comme un charme il y a quelques décennies ne peut pas être en déclin. Le jour où les Français ne seront plus dans le G7, où on oubliera de les inviter aux sommets internationaux, où on leur demandera si Berlin est bien leur capitale, si leur langue s'écrit bien au moyen de l'alphabet grec, là vous voudrez bien reprendre la discussion sur le déclin français. Le malheur français sera toujours bancal, on ne peut pas être totalement malheureux quand on est français. Ils essaient pourtant. Ils râlent, ils se plaignent. Mais ils n'y arriveront pas. En art du malheur ils seront toujours mauvais. Geignards, oui. Tragiques, jamais.

Vous coupez la radio française. Ce qu'il se passe dans ce pays ne vous intéresse plus. Votre vol est dans trois jours. Mais dans votre tête vous êtes déjà partie. Adieu la France. C'est sans regrets que vous la quittez. Et c'est avec bonheur que vous regardez au-devant de votre vie yazige. Car votre décision, vous tenez à vous le notifier afin de lever tout malentendu éventuel, n'est pas une simple fuite ou le geste désespéré d'un orgueil blessé qui quitte avant d'être quitté, qui part avant d'être chassé. Non. Vous n'êtes pas motivée par l'amertume. Bon d'accord il y a de l'amertume, cependant vous allez bientôt transformer l'écœurement que vous inspire la France en joyeux projet de refondation identitaire. En Yazigie vous serez à votre place, vous vous trouverez aux côtés de votre famille, vous parlerez votre langue maternelle. Que demander de plus ? Et puis cela vous rapprochera de Petitetaupe, de l'esprit de Petitetaupe. Elle aurait approuvé votre choix, vous en êtes certaine. Si elle et vous avez d'abord discuté en yazige ce n'est pas un hasard. En français cela aurait été inconcevable. En français toucher votre cœur est impossible, en français la tendresse s'écrase et tombe en miettes, jamais on ne vous fera vibrer en français. Sauf Enrico Macias. Et Dalida. Tous deux nés de l'autre côté de la Méditerranée. Mais même ça c'est fini.

Au cours de la période courant depuis la ratification interne de votre décision jusqu'à votre départ effectif, vous vous préparez activement. Vous annoncez votre arrivée à votre famille, à vos amis yaziges. Vous relisez vos courriers électroniques, vous tentez de repérer les liens privilégiés. Vous étudiez notamment ceux échangés avec la fille qui paraît être votre grande amie d'enfance, vos messages ne sont que déclarations d'amour et remémoration de vos aventures adolescentes. Vous jouez aux échecs sur votre ordinateur en vue des parties contre votre grand-mère. Vous avez un peu perdu la main mais rien d'alarmant. Vous visionnez la dernière série télévisée yazige à grand succès, qui met en scène une famille de sympathiques truands vivant de diverses combines. Vous riez beaucoup devant cette parodie politique qui de toute évidence vise à dénoncer la malhonnêteté intrinsèque des Occidentaux. Vous révisez votre hymne national et les poèmes patriotiques les plus importants. Vous apprenez par cœur les noms des ministres du gouvernement yazige actuel et vous vous documentez sur les dernières réformes en date. Vous écoutez assidûment la radio afin d'être parfaitement au courant de l'actualité. Ce qui au demeurant vous permet de rester informée de ce qu'il se passe dans le reste du monde, en effet la Yazigie n'est pas un pays nombriliste qui ne s'intéresse qu'à lui-même. Par contre cela vous joue parfois des tours. Ainsi, une fois vous vous retrouvez dans la rue en minirobe alors qu'il pleut des cordes et qu'il fait dix degrés. C'est que d'après le bulletin météo, il était supposé faire grand soleil. À Iassag. Pas à Paris où vous vous trouvez encore.

La veille du départ, vous allez dire au revoir à Hdlsko. Vous lui présentez encore une fois vos excuses pour votre comportement de l'autre soir et lui expliquez que vous vous installez définitivement en Yazigie, que vous ne vous reverrez donc probablement plus jamais. Sauf si un jour il vient à Iassag, ce qui n'est manifestement pas dans ses projets, sa petite vie parisienne lui convient bien au fond. Il n'a pas l'air de prendre votre solennelle annonce excessivement au sérieux, ce dont vous ne lui tenez pas rigueur, vos propos à son endroit ont été sujets à quelques variations ces derniers temps, vous avez sans doute épuisé tous vos points de crédibilité. Il est déjà miraculeux qu'il vous adresse encore la parole. Vous vous forcez à donner une petite caresse à Grand-Amiral, mais alors vraiment du bout des doigts parce que les gros chiens beurk, et vous partez vous mettre en quête d'une poubelle de tri sélectif. Lorsque vous avez trouvé, vous y jetez le petit nid que vous aviez confectionné pour Petitetaupe. Vous faites une petite prière, si elle est morte paix à son âme, si elle est vivante qu'elle continue à faire des farces, à s'amuser beaucoup, et qu'elle travaille bien à l'école.

Dans la soirée, vous nettoyez votre appartement, vous remettez vos papiers en ordre. Vous effacez la mention *queer is beautiful* que vous aviez inscrite au rouge à lèvres dans un coin du miroir de votre salle de bains. Tandis que vous essayez de remettre en position canapé ce clic-clac sur lequel vous n'avez finalement jamais dormi puisqu'à chacune de vos tentatives, il s'est abattu sur vous, il vous a rejetée, ce qui vu d'aujourd'hui pourrait passer pour une métaphore un brin lourdingue de l'attitude de l'État français à votre égard, un bulletin d'information yazige vous apprend que le pays entame la construction d'une muraille de sept mètres de haut courant le long de ses frontières, cela afin de lutter contre l'immigration clandestine. Hein ? Contre l'immigration clandestine ? Non mais la paranoïa ça suffit. Personne ne veut aller en Yazigie. La plupart des gens, même si on les payait, n'iraient pas s'installer en Yazigie. Quelle idiotie. Gaspiller de la sorte les deniers publics. Bon. Enfin. Ce n'est pas grave. C'est complètement ridicule mais ce n'est pas grave.

Vous reprenez votre rangement. Vous sortez votre

valise et y remettez toutes les affaires que vous aviez en arrivant. Vous essayez votre jogging vert fluo pour voir, vous étiez quelque peu réticente à dire vrai mais une fois enfilé, c'est la révélation. Il n'y a rien de plus doux, rien de plus confortable. Ce sera donc votre tenue de voyage. Assortie au basilic polonais, que bien sûr vous emportez avec vous. Il n'est pas question de l'abandonner. Pour le reste, vous ne vous occupez de rien. Votre loyer ne sera pas payé, on videra votre appartement. Tout cela se fera sans vous. Vous hésitez un instant à rembourser à l'État français l'intégralité des allocations familiales que vos parents et vous-même avez perçues puis vous décidez que ce sera comme des dommages-intérêts pour le préjudice moral qu'elle vous a causé avec sa loi sur l'interdiction de la double nationalité. De la sorte, la France et vous, vous êtes quittes. Eh bien voilà, c'est la fin d'une histoire. Vous partez avec votre liberté. Vous ne vous agenouillerez devant personne.

NOUVEAU DÉPART

« Bien qu'Agnès pût de mieux en mieux prétendre à une féminité naturelle, cette prétention ne pouvait pas pour autant être tenue pour acquise. Bien des choses étaient là pour lui rappeler obstinément que cette féminité, toute soutenue qu'elle fût, ne pouvait l'être qu'au prix de sa vigilance et de son travail. Elle était, avant l'opération, une femme pourvue d'un pénis. L'opération elle-même ne fit que substituer d'autres difficultés aux précédentes. »

Harold Garfinkel[1]

1. Harold Garfinkel, *Recherches en ethnométhodologie*, PUF, 2007, p. 226.

19

Il y a quelque chose qui cloche dans ce hangar industriel. Vous examinez l'éclairage, jaugez la taille du bâtiment, humez la température. Devant vous se trouvent un tapis roulant pour charges légères et de petits chariots de manutention. Parmi les ouvriers qui déchargent les marchandises, certains n'ont que dix ou douze ans, cela doit être vraiment la crise pour que les gens soient contraints d'envoyer leurs enfants à l'usine. D'ailleurs vous-même, ne seriez-vous pas ici pour prendre votre poste de travail ? Le jogging vert fluo que vous portez constitue un indice fort en ce sens. Vous tournez la tête à la recherche du chef d'équipe qui probablement est assis dans un de ces box en plexiglas et vous comprenez, vous n'êtes pas dans un hangar industriel mais à l'aéroport de Budapest, zut vous avez confondu, et ne vous avisez pas de penser que cela se ressemble un brin en termes d'ambiance, la salle des bagages où vous vous êtes un instant assoupie n'a absolument rien à envier à ses homologues de l'Ouest.

Vous mettez à jour votre cerveau, vous raccrochez

les wagons, vous détortillez vos pensées, vous êtes au clair, vous vous souvenez de tout. Ce matin vous avez pris l'avion à Èclute, vous avez bien failli ne pas pouvoir embarquer du reste, en effet les hôtesses de la compagnie aérienne, ces asperges sans cœur, ces grues vésiculaires, voulaient que le basilic voyage en soute. Cela aurait pu le tuer, il fait très froid en soute, ce n'est pas parce qu'il est polonais qu'il est habitué aux températures extrêmes, tout de suite les clichés. Fort heureusement, vous avez si habilement défendu votre cause qu'elles ont fini par admettre que rien n'interdisait de monter à bord avec sa plante aromatique de compagnie.

Une fois dans l'avion, suspendue entre les deux pays, vous vous êtes rendue aux toilettes afin de vous débarrasser des dernières scories de votre identité lutringeoise. Dans la minuscule cabine vous avez retiré l'élastique qui retenait vos cheveux en queue-de-cheval, vous avez souligné vos yeux d'un épais trait noir, vous avez enfilé de longues boucles d'oreilles scintillantes. Vous avez secoué la tête, vous avez pris la pose devant le miroir, quel air mystérieux et sauvage, on jurerait une princesse païenne prête à en découdre avec Rome et Byzance tout à la fois. Ensuite vous êtes retournée à votre place, vous avez caché sous votre siège le magazine lutringeois que dans un moment de faiblesse vous aviez acheté à l'aéroport, l'irrésistible attrait du dossier spécial thalassothérapie sans doute, et vous avez ostensiblement feuilleté le quotidien hongrois attrapé en salle d'embarquement, tenant le journal très en hauteur et droit devant vos yeux, cela de manière à ce que les autres passagers ne manquent pas d'en tirer de savantes conclusions quant à votre nationalité. La prochaine fois, n'hésitez pas à vous scotcher directement votre passeport hongrois sur le front ou à venir habillée en costume folklorique, ce sera encore plus efficace. Bof, cela manquerait un tantinet de subtilité tout de même. Euh, c'était une blague. Oh pardon.

Lorsque le chariot à boissons poussé par deux hôtesses marchant horizontalement au-dessus du niveau de la mer a roulé près de vous, vous avez tenté de communiquer en hongrois mais on vous a répondu en anglais, ce qui vous a profondément heurtée dans vos tendres oreilles nationales, pourquoi toujours ce confort cognitif pour les Occidentaux, si cela avait été un vol à destination de l'Allemagne il y aurait eu des germanophones parmi le personnel navigant, même chose pour l'Italie ou l'Espagne, en revanche que dans un avion pour Budapest personne ne parle le hongrois bien sûr cela va de soi. Et en cas de crash, ils y ont pensé aux conséquences ? Avec la panique générale, les consignes hurlées en lutringeois, ou même en anglais, qui se fera piétiner, qui ne parviendra pas à enfiler son masque à oxygène, qui sautera par erreur dans le vide et mourra congelé dans la stratosphère ou dévoré par des cigognes mutantes ? Les Hongrois, comme d'habitude. Enfin les Hongrois ne maîtrisant aucune langue étrangère. Ce qui est certes rare toutefois sur le principe c'est choquant, si la survie est une question de polyglottisme alors il conviendrait aussi de jeter les Lutringeois monolingues par-dessus bord.

Vous avez sagement laissé vos observations à l'intérieur de votre tête, il n'était pas question de donner des Hongrois l'image d'un peuple qui se vexe à la moindre contrariété, et vous avez commandé une double vodka histoire de fêter dignement votre départ. Après éloignement du chariot à boissons votre voisine s'est penchée vers vous, c'est ahurissant qu'ils ne soient pas fichus d'apprendre au moins bonjour merci au revoir en hongrois par respect pour les passagers dont c'est la langue maternelle. Ses mots étaient lutringeois mais sa prononciation indubitablement québécoise. Vous l'avez dévisagée avec étonnement. Brune à frange, boucles d'oreilles hibou, avant-bras tatoués, vingt-cinq ans environ. Vous avez d'abord cru qu'elle s'était moquée de vous, avec leur goût pour la dérision et le second degré comment savoir ce qu'ils pensent réellement ces Occidentaux, mais non mais non elle était sérieuse, une telle discrimination est inadmissible, fondamental est le droit à s'exprimer dans sa langue maternelle. Qu'une ressortissante d'un pays du G7 puisse être sensible au sort des dominés linguistiques vous a fait un choc. Là-dessus elle s'est présentée, enchantée elle effectue actuellement un tour du monde, elle a déjà été au Nicaragua, en Argentine, au Chili, au Congo, au Bénin, en Espagne, et à présent elle attaque l'Europe centrale, il s'agit d'un périple thématique comme vous l'aurez peut-être deviné, elle visite exclusivement d'anciennes dictatures.

Vous avez sympathisé, elle vous a expliqué le Canada, la domination de la langue anglaise, la loi 101, l'expression être né pour un petit pain, le mépris et les moqueries, vous n'avez pas tout compris mais vous avez compris l'essentiel, petite nation québécoise dans grand Canada, langue inquiète, langue qui a peur de disparaître. En retour vous lui avez raconté les plaies de la Hongrie, évidemment dans ce potlatch de récits traumatiques vous l'avez battue à plates coutures mais elle n'a pas semblé s'en formaliser outre mesure, au contraire elle s'est montrée extrêmement fair-play, au sujet de Trianon elle vous a même fait répéter pour être sûre d'avoir saisi, donc à l'issue de la Première Guerre mondiale la Hongrie vaincue perd les deux tiers de sa superficie en vertu d'un traité signé à Trianon et de ce fait un beau matin des millions de Hongrois se réveillent avec sous leurs pieds un sol devenu roumain, tchécoslovaque ou slave du Sud, c'est bien cela ? Oui c'est cela, avant en Hongrie il y avait la mer et les montagnes alors que maintenant c'est rikiki et le plus haut sommet c'est 1 014 mètres, par rapport au Québec elle doit trouver cela ridicule. Elle vous a rassurée, du tout du tout chez eux le maximum c'est 1 652 mètres, vous voyez c'est également très modeste, et donc vous disiez ?

Vous avez continué à lui décrire les territoires perdus, essentiellement la Transylvanie en fait, que les autres contrées vous pardonnent ce honteux favoritisme. Ah la Transylvanie, joyau de la Hongrie historique, si belle avec ses villages authentiques et ses villes somptueuses, avec ses sources d'eau et ses paysages sauvages – tout ça désormais c'est la Roumanie. Mais heureusement les Sicules, c'est le nom des superbes Hongrois de Transylvanie, chose que vous savez pertinemment mais votre voisine sans doute pas, raison pour laquelle vous le lui précisez, il vous importe qu'elle ne perde pas le fil, donc les Sicules résistent fièrement, malgré les pressions assimilatrices, malgré les brimades et les humiliations, ils n'ont pas cédé d'un millimètre, passeport roumain mais nationalité hongroise à toute épreuve. Au demeurant, pourquoi auraient-ils dû changer quoi que ce soit ? Les Sicules ne sont pas de vulgaires immigrés auxquels on pourrait dire, vous avez choisi de venir essayer au moins d'apprendre la langue de votre pays d'accueil, eux n'ont pas bougé c'est la frontière qui s'est déplacée, aux Roumains de composer avec.

Tandis que votre interlocutrice opinait vivement de la tête, oui oui continuer à vivre dans sa langue est très important, a jailli de votre cœur une étoffe de satin bleu avec un soleil jaune et une lune blanche, c'était le drapeau des Sicules qui s'ouvrait, qui se déployait, qui venait tapisser l'intérieur de votre poitrine, et vous l'avez contemplé, et vous l'avez admiré, pas au sens qu'est-ce qu'il est joli mais au sens wow quel honneur d'accueillir en vous de si nobles emblèmes, ce qui est normal au demeurant, tous les Hongrois adorent les Sicules. État de fait dont vous avez immédiatement tenté d'exposer les ressorts à votre charmante voisine, les Sicules voit-elle sont très spéciaux et très précieux, ils sont les plus hongrois des Hongrois, ils ont conservé intactes toutes les traditions ancestrales, ils sont en quelque sorte les dépositaires, les fidèles gardiens de la culture nationale, et ils sont très fiers, et ils ont un caractère bien trempé, et ils ne parlent jamais pour ne rien dire, et ils ont un lexique chantant, et ils ont des portails en bois sculpté, et ils dansent beaucoup, et ils mangent du chou, et puis euh, bon voilà les Sicules ils sont vraiment super, vous autres Hongrois de l'intérieur vous les estimez énormément, d'une certaine manière vous les placez au-dessus de vous. Votre voisine a soupiré, si seulement les Lutringeois avaient la même idée des Québécois, qui eux aussi se battent pour conserver leur identité et leur langue, mais non ils se moquent, ils raillent, ils tournent en dérision leur accent et leur combat contre l'anglais, et lorsqu'ils visitent Montréal ils exigent des antennes d'escargot rôties, ils se plaignent de la forme des bulles dans le mousseux qu'on leur sert, ils réclament à cor et à cri des clubs échangistes, et d'une manière générale ils ne cessent de renvoyer les Québécois à leur statut de gros péquenauds. À ce stade vous avez songé que décidément la Belle Province semblait être une enclave au sein du G7, quelque chose comme une représentation diplomatique des pays pourris, on saluera la solidité de la conclusion confortablement assise sur le discours d'une unique habitante de ladite région.

Plus tard vous avez interrogé Saline, c'était le prénom de votre québécoise voisine, il n'est du reste pas déraisonnable de postuler que c'est toujours le sien étant donné que vous l'avez quittée il y a une demi-heure à peine, laps de temps clairement insuffisant pour entamer puis achever une procédure aux fins de modification de l'état civil, sur son intérêt pour les anciennes dictatures, ce n'est pas courant comme démarche tout de même. Elle a tripoté sa boucle d'oreille hibou, elle-même n'est pas bien au clair avec ses motivations mais son idée, son intuition disons, est que dans les vieilles démocraties on est devenu fainéant, on ne réalise pas la chance qu'on a, et partant de là elle imagine que les gens qui ont encore le souvenir d'une dictature peut-être sont de meilleurs démocrates, qu'ils savourent plus intensément leurs droits civils et politiques. Après son année sabbatique elle aimerait se lancer dans une thèse sur le sujet, ou alors concevoir une performance artistique, ou éventuellement réaliser un documentaire, c'est encore flou c'est *in progress*. Vous avez souri, pourquoi pas cependant on pourrait aussi soutenir qu'un régime totalitaire formate, que l'esprit s'habitue à une grammaire de pensée rigide et linéaire, et que de nouvelles idéologies nidifieront aisément dans des cerveaux ayant été façonnés pour accueillir une vérité incontestable, vous dites ça pour nourrir sa réflexion cela n'enlève rien à la pertinence de son hypothèse, en Hongrie par exemple les gens se sentent très concernés par la politique, ils débattent avec ardeur, ils se disputent avec fougue, donc oui ils jouissent passionnément de leurs nouveaux droits ; vous vous êtes arrêtée là parce que vous avez réalisé que penser aux trucs politiques de Hongrie était beaucoup trop fatigant, et vous avez préféré donner à Saline quelques tuyaux culturels pour son séjour, toujours serrer la main pour se présenter et ce même entre jeunes, faire la bise à droite pas à gauche sinon risque de collusion, ah et encore une chose, Trianon, le traité, elle se souvient ? Bon.

Comment le formuler ? L'acte ayant été signé en Lutringie, il arrive parfois, en vérité c'est assez rare toutefois mieux vaut un verrou superflu qu'un cambriolage surprise comme on dit, que certains Hongrois en veuillent aux Lutringeois, les tenant pour responsables de l'amputation du pays. Donc si on lui parle de Trianon, qu'elle précise toujours bien qu'elle est québécoise, cela lui évitera de, enfin ce sera plus simple, quoi.

Quand l'avion a amorcé son atterrissage vous vous êtes excusée auprès de Saline, pardon mais vous avez besoin d'être seule dans votre tête, ah pas de souci elle comprend elle aussi est très émue à chaque fois qu'elle rentre au Québec. Vous avez regardé par le hublot, vous avez aperçu le Danube, vous avez fixé amoureusement le si beau et large fleuve de Budapest. La terre s'est rapprochée. Plutôt, vous vous êtes rapprochée de la terre, attention au choix du référentiel spatial, être égocentrée de la sorte n'est pas très élégant. À première vue il n'y avait rien de spécial. Des champs, des routes, des maisons, des arbres, du gazon, une ligne blanche, des dalles, du béton, encore du béton, et ploc, les roues de l'avion ont touché le sol. À cet instant précis vous avez regardé le ciel et le béton et la ligne blanche avec des yeux de hamster esseulé et vous avez senti une boule chaude dans votre gorge et vous avez pleuré. De retour. Enfin de retour sur votre terre natale. Hum. Oui d'accord pas natale, terre de vos ancêtres si vous préférez, mais franchement c'est vraiment tartiner des alvéoles avec du sucre.

Un peu sonnée, un peu surprise de vous trouver déjà en Hongrie, vous avez rassemblé vos affaires, vous vous êtes cognée contre un coffre à bagages, vous avez pris congé de Saline. Elle vous a fait la bise en vous complimentant sur votre jogging qu'elle trouvait übercool, vous avez ri, mais pas du tout, il est extrêmement moche votre jogging, par contre il est très confortable alors pour voyager ou faire le ménage chez soi c'est idéal. Vous avez senti qu'elle aurait aimé que vous lui proposiez d'échanger vos coordonnées cependant vous vous êtes abstenue, vous ne vous installez pas à Budapest pour fréquenter des étrangers et de toute manière entre votre famille, vos amis et vos démarches pour trouver de nouveaux clients vous aurez déjà un agenda bien rempli.

Vous êtes sortie de l'avion, vous avez inspiré l'air hongrois à pleins poumons, vous avez descendu les escaliers métalliques menant au tarmac, vous avez dessiné un cœur sur le sol de petite-patrie-chérie avec le talon de votre sandale à paillettes. Vous avez marché dans un interminable couloir en tôle ondulée, vous êtes arrivée dans la salle des bagages, vous vous êtes assise en attendant la livraison. Vous vous êtes assoupie, vous vous êtes réveillée. Et zbruck, vous venez de rejoindre le début de votre remémoration, passez vite le relais à vous-du-présent avant de risquer le court-circuit.

Vous récupérez votre valise sur le tapis roulant, vous vous dirigez vers la sortie. Vous présentez fièrement votre passeport hongrois au douanier que vous aviez pris pour le chef d'équipe des manutentionnaires. À Èclute vous avez embarqué au moyen de votre passeport lutringeois. Si d'aventure quelqu'un vous piste, ce qui hélas est peu probable puisque vous n'êtes pas une espionne en mission secrète, il en conclura à une évaporation administrative de votre personne à bord d'un Boeing 737 : une Lutringeoise est partie, une Hongroise est arrivée. Il va sans dire que la journée, la vingt-troisième depuis que vous avez des souvenirs, se nomme aujourd'hui. Mais désormais vous êtes *ici*, dans un nouvel *ici* qui hier encorc s'appelait *là-bas*. Manège papillotant des déictiques encore une fois.

20

Vous êtes sur le parvis de l'aéroport Ferihegy avec votre sac à main, votre valise et votre basilic. Par rapport à la dernière fois où vous vous êtes trouvée dans une situation similaire, les choses sont nettement plus simples. Vous savez qui vous êtes, vous connaissez la cause et le but de votre voyage, dans votre poche il y a un papier avec l'adresse de votre appartement hongrois, le tableau est d'une parfaite harmonie. Un petit détail quand même : l'aéroport de Budapest ne s'appelle pas Ferihegy mais Ferenc Liszt. Eh oui, il a été rebaptisé il y a quelques années. Pas de panique, vous n'êtes assurément pas la seule Hongroise à lui donner encore son ancien nom. Votre bourde nominale prouve même que vous êtes authentiquement d'ici, une touriste par exemple n'aurait jamais commis l'erreur. Bien que le procédé n'emporte pas votre adhésion sans réserve, en effet renommer les lieux publics n'est-ce pas déjà trafiquer la mémoire collective, vous convenez que Liszt était un choix judicieux, voilà un stratagème discret et néanmoins efficace pour rappeler au grand public occidental que le célèbre compositeur était hongrois et que son prénom n'était pas Franz mais Ferenc. Si la Hongrie se dotait d'une cinquantaine d'aéroports internationaux, il serait possible de récupérer une bonne partie des personnalités illustres que la postérité, cette traîtresse à la botte du G7, a volées à votre nation au motif fallacieux qu'à un certain moment de leur parcours elles ont vécu ailleurs ou ont parlé une autre langue ou ont vaguement acquis une citoyenneté étrangère ce qui est somme toute banal vous êtes un peuple d'émigrants. D'accord mais Liszt, la musique savante, ce n'est pas spécialement votre truc. Si ? Non ? Il est vrai. Toutefois. Cette désignation aéroportuaire est comme un message, un salutaire rappel, quand on appartient à une nation dotée d'une si riche tradition musicale, eh bien on se secoue, on fait un effort et on s'intéresse.

Vous vous promettez d'effectuer prochainement votre autoéducation musicale et vous vous dirigez vers un taxi, entre les deux actes le rapport n'est que de juxtaposition, c'est juste que vous n'avez aucune raison de rester plantée sur ce parvis, vous n'êtes plus cette fille qui tâtonne à la recherche de son existence, désormais vous maîtrisez complètement votre destin. Le chauffeur, la cinquantaine, épaisse moustache, sort de sa voiture, prend votre bagage et le place prestement dans le coffre. Vous le regardez avec de grands yeux émus, un Lutringeois vous aurait laissée vous débrouiller seule, vous auriez dû soulever vous-même votre grosse valise, sous l'effet de l'effort de compression vous vous seriez rompu un disque intervertébral, le noyau gélatineux se serait écoulé dans votre canal rachidien, vous auriez passé votre première nuit aux urgences. Mais un Hongrois non, car ici c'est-à-dire chez vous les gens sont aimables et prévenants.

Pendant la course, du moins pendant les premières minutes de la course, vous êtes sujette à une délicieuse sensation de déjà-vu, sauf que le terme n'est pas adapté, les déjà-vu on ignore leur origine, on s'interroge, est-ce un ancien rêve une vie antérieure en rainette verte ou un flash radial envoyé par une société extraterrestre, tandis que vous, vous savez que vous avez déjà imaginé la scène lorsque vous tentiez de reconstituer les rouages de votre double vie. Tout comme dans la scène imaginée le chauffeur suppose d'emblée que votre arrivée est un *retour*, et tout comme dans la scène imaginée vous ne le détrompez pas, mais cette fois-ci c'est la vérité, presque la vérité, il n'a pas besoin de savoir que vous êtes née à l'étranger, cela brouillerait l'image, désorganiserait le schéma narratif et détournerait son attention de l'essentiel. À savoir que vous êtes une compatriote qui revient d'un séjour professionnel, qui se réjouit de retrouver les siens, qui a eu le mal de pays, et rien que de le lui expliquer vos joues chauffent de plaisir, vous vous le répétez répétez, une Hongroise qui rentre *à la maison*, coucou c'est vous oui c'est bien vous, la situation est à la fois belle et ordinaire, tout est très normal et très naturel.

Et sinon il reste encore quelques Lutringeois en Lutringie ou c'est totalement envahi par les Arabes et les Noirs ? On aura deviné que la question n'était pas de vous mais du chauffeur, il vous semble que le charme du déjà-vu est en train de se fissurer. Vous tentez de refiler votre tour de parole à votre voisine, mauvaise pioche vous n'avez plus de voisine, dans l'interaction communicationnelle de céans la charge de la prochaine réplique pèse incontestablement sur vos épaules, ce qui à dire vrai ne vous arrange guère, en effet une lionne polaire à la crinière de glace vient de surgir sur votre écran mental, et à en juger par les rafales de boules d'énergie qu'elle fait jaillir de sa gueule, elle est un brin énervée. Sans perdre une seconde vous plongez dans votre tête, vite une corde pour attraper la lionne car à mains nues impossible, vous vous récitez la liste des lieux où l'on peut trouver une corde, ah un gymnase, oui dans les gymnases il y a toujours des cordes à grimper, vous bâtissez à la hâte une école primaire, fondations structure quatre étages fenêtres portes toiture préau cantine cour arbres marelle et dans la cour un gymnase, non mais laissez tomber le détail de la façade extérieure et précipitez-vous à l'intérieur, bonne nouvelle il y a bien des cordes qui pendent dans le gymnase recouvert au sol d'un revêtement vert dont vous ignorez absolument le nom, malgré cela vous vous avancez vers une corde, aïe nouvelle épreuve elle est fixée sur un crochet au plafond vous avez urgemment besoin d'une échelle, vous sortez votre téléphone et sifflez dedans en appuyant trois fois sur étoile, un camion de pompiers déboule aussitôt dans le gymnase et déplie son échelle pivotante automatique, gling vous avez la corde. Allez c'est reparti, vous vous élancez vers la lionne qui vous attendait à la sortie de l'école primaire en mâchouillant un bonbon végétal parfum gazelle, elle rugit les Hongrois travaillent en masse à Londres et partout à l'Ouest eux aussi sont des travailleurs étrangers, elle rugit le silence est coupable qui ne condamne pas déjà cautionne, elle rugit vous êtes une fille d'immigrée si vous l'oubliez vous vous oubliez vous-même, et là-dessus elle pousse un hurlement de fureur si terrible qu'il vous projette en arrière, vous luttez pour retrouver votre équilibre, vous vous rattrapez à un lampadaire d'une main tout en confectionnant de l'autre un lasso avec la corde, vous donnez du mou à votre boucle, vous la faites tournoyer, vous la lancez vers la lionne, c'est bon elle est capturée, vous la tenez fermement, vous l'attirez vers vous et la regardez droit dans les yeux. Alors. Il faut que vous ayez une petite conversation elle et vous. Vous comprenez qu'elle soit énervée. Cependant. Elle se trompe. En Hongrie ce n'est pas pareil. Ce n'est pas du racisme. Mais. Euh. Une forme de xénophobie enfantine. Une peur naïve. Liée à l'inexpérience. Nombre de vos compatriotes n'ont pas l'habitude des étrangers visiblement étrangers. Puisqu'il n'y en a pas ici. Ou si peu. Lorsqu'on ne connaît pas on s'imagine le pire. Surtout quand on est doté d'un tempérament pessimiste à cause de son histoire tragique. D'ailleurs le chauffeur de taxi, qu'elle le regarde, il est aimable, il a soulevé votre valise, il a une belle moustache, certes certes la moustache ce n'est pas très percutant comme argument toutefois il n'est pas un homme méchant, elle le voit bien. Peut-être qu'il a vu un reportage anxiogène à la télévision, il aura eu peur, c'est normal, il n'est pas forcément responsable de ses idées, les idées ne sont pas uniquement dans la tête des gens, elles se promènent, elles se diffusent, chauffeur de taxi est un métier difficile, décortiquer un reportage, en faire une lecture critique c'est beaucoup de travail, il n'a pas le temps. De toute façon peu importent les causes, elles sont assurément complexes comme toutes les causes, le jour où elle rencontrera une cause simple qu'elle vous fasse signe. Bref. Aucun pays n'est parfait. En Hongrie il y a des personnes un peu racistes. Euh xénophobes. C'est le cas partout en Europe. Et probablement partout dans le monde. Donc la lionne, avec ses boules d'énergie et ses attaques magiques, elle va prendre sur elle et elle va mettre de la margarine dans son chapeau. D'accord ? Elle cligne des yeux, lève une patte, émet une sorte de ronronnement. Vous la libérez, voilà gentille lionne polaire, on fait un câlin ? Elle se couche sur le dos, vous lui gratouillez le ventre, vous lui chatouillez le cou. Elle vous mordille l'avant-bras, il y a un peu de sang, ce n'est rien, elle joue c'est tout. Et voilà le travail.

En réponse à la question du chauffeur de taxi vous avez émis puis maintenu un ridicule petit rire strident histoire de gagner du temps, lorsque vous sortez de votre tête et que vous vous reconnectez au monde de l'habitacle cela doit faire cinq bonnes minutes que vous gloussez comme une salade panée, et cette option ne vous paraissant pas plus mauvaise qu'une autre vous persévérez, vous riez encore, parfois qui ne dit mot consent et parfois qui ne dit mot ne consent pas c'est simplement qu'il s'abstient d'en faire état, au reste l'immigration qu'est-ce que vous y connaissez, vous n'êtes pas une spécialiste, vous ignorez son impact réel, si cela se trouve il existe des étrangers sadiques qui s'installent en Europe rien que pour le plaisir d'en ronger les fondements culturels, euh bon bon continuez plutôt à vous abstenir ce sera plus judicieux.

Vous riez toujours, votre conducteur vous lance un clin d'œil dans le rétroviseur, finalement sa remarque n'était qu'un trait d'esprit, vous autres Hongrois avez l'humour noir et grinçant, quelle belle complicité entre vous deux. Vous embrayez sur les champignons sauvages, sur le sujet vous êtes intarissable, et vous êtes également très fière, en Hongrie il en existe plus de 3 500 espèces, pour un si petit pays c'est une performance incroyable, naturellement la diversité mycologique est plus grande encore en territoire lutringeois mais à la proportionnelle petite-patrie-chérie l'emporte haut la main, au demeurant l'autre pays n'est pas un étalon universel, là-bas ils le croient cependant ne vous laissez pas avoir, ne vous faites pas blouser, et efforcez-vous de ne plus du tout y penser, surtout que, surtout que, regardez vous arrivez dans votre rue, qui est la rue Vörösmarty, ici c'est le centre-ville, la ville intérieure, à proximité il y a l'opéra, quantité de théâtres et de restaurants, et qu'est-ce que c'est propre aussi, il y a du monde sans que ce soit oppressant, dans vos veines le sang pétille, à moins que cela ne se passe dans vos artères, c'est quoi la différence déjà ? Vous réglez la course, l'équivalent de 25 euros quand même, et vous laissez un généreux pourboire car vous êtes une princesse, or les princesses jamais ne regardent à la dépense, elles ont la comptabilité en horreur, c'est précisément ce qui les distingue des petites-bourgeoises constipées.

21

Vous pénétrez dans votre immeuble grâce au badge d'accès sur votre trousseau de clefs hongrois, c'est que petite-patrie-chérie est à la pointe de la technologie magnétique, elle n'a pas à rougir face aux solutions de sécurisation existant dans les pays de l'Ouest, et immédiatement vous vous extasiez devant le hall d'entrée à colonnes, l'escalier de pierre à rampe en ferronnerie, la cour pavée et la petite fontaine, c'est un vieux bâtiment, il est tout déglingué, tout fissuré de partout, l'une des coursives est soutenue par une poutre en bois ayant été ajoutée pour éviter l'effondrement, vous adorez, il est exactement dans le style splendeur perdue, la gloire austro-hongroise qui tombe en ruine vous salue. Et vous adorez aussi votre appartement, lequel est un enchantement vertical, vous ne vous lassez pas de regarder le plafond, même en montant sur vos propres épaules vous ne pourriez pas le toucher, au passage vous vous demandez bien comment vous ferez le jour où vous aurez une ampoule à changer. Sinon il y a trois pièces, du parquet, un poêle en faïence, un réfrigérateur en fin de vie et quantité de vieux livres aux reliures dorées, vous vous sentez déjà comme chez vous, bingo vous êtes effectivement chez vous.

Vous calez votre valise dans un coin, vous installez le basilic sur le rebord d'une fenêtre, pour lui qui est polonais les rayons du soleil hongrois seront une fraternelle caresse, et vous téléphonez à votre grand-mère. Vous êtes si troublée d'entendre sa voix que vous manquez de lui annoncer votre *retour*, vous vous mordez la langue juste à temps, vous êtes supposée vivre ici depuis plusieurs années, il ne peut donc être question de *retour*, mais dans votre élan vous vous mordez un brin trop violemment ; vous insultez vos dents dans votre tête tout en courant récupérer un glaçon afin de l'appliquer sur la plaie, espèces de barbares en gant d'émail il fallait une morsure préventive pas répressive, qu'est-ce que c'est que cette politique pénale de voyoutes ; pendant ce temps votre grand-mère, dont vous n'avez pas oublié la présence dans votre téléphone, vous annonce qu'elle vous attend avec amour pour 17 heures, votre cousin Péter passera lui aussi, ce à quoi vous acquiescez joyeusement, ouhoum-ouhoum parfait, hon-hon rien un bahal accident buccal à hou à l'heure bisou.

Attendu qu'il n'est que 14 heures, que dehors il y a une lumière magnifique, que vos pieds respirent la forme et la vitalité, et *last but not least*, qu'aujourd'hui est votre première journée à Budapest, vous décidez par ces rutilants motifs de vous offrir une grande promenade, vous avez largement le temps de flâner un peu dans votre quartier puis de vous rendre chez votre grand-mère par voie podale. Dans la mesure où vous n'entendez pas interjeter appel, votre ordonnance acquiert immédiatement force exécutoire et vous propulse aussitôt sur votre palier, euh enfilez tout de même une paire de chaussures, pour une balade en ville ce sera plus adapté.

Dehors vous inspirez l'air de Pest avec délectation, vous marchez en étirant vos jambes à chaque pas, vous souriez en songeant à votre adresse, rue Vörösmarty cela augure du meilleur, vous voilà donc placée sous le bouclier merveilleux du célèbre écrivain romantique, auteur de nombreux et fabuleux poèmes, sans compter que ce choix effectué par vous-même il y a plusieurs années d'acheter un appartement rue Vörösmarty sonne en lui-même comme une promesse d'amour, comme un engagement pour votre langue maternelle, on ne peut pas ne pas chérir le hongrois lorsqu'on vit dans la rue d'un grand barde national. Parallèlement à ces considérations domiciliaires vous ne perdez pas une miette de ce qui vous entoure, vos yeux dans de multiples directions se jettent, oh une boîte aux lettres hongroise, oh un lampadaire hongrois, oh une promotion hongroise sur le prix de la barquette de fraises. Ce sont surtout les pancartes, les enseignes, les affiches, en d'autres termes les mots rencontrés qui vous causent une grande joie, ici tout est écrit en hongrois ! tout est écrit en hongrois ! Afin d'intensifier le plaisir, ou plus exactement pour le diversifier, vous entrez dans chacune des boutiques que vous croisez, peu vous importe qu'il s'agisse d'un magasin d'appareils électroménagers, d'instruments de musique ou d'articles de sport, vous ce qui vous intéresse c'est de lire les étiquettes en hongrois, lave-linge frontal veste à capuche violon trois quarts cafetière italienne lunettes de natation, vous nagez en pleine félicité cérébrale, vos pensées se pâment d'aise, même la New-Yorkaise reconnaît que malgré sa belle vie américaine la langue hongroise lui manque.

Au cours de cette première demi-heure, ah non cela fait déjà une heure que vous vous promenez, vous découvrez dans votre esprit une très amusante fonction machine à remonter le temps : vos connaissances mobilisables relatives à Budapest paraissent être organisées en strates historiques, à la manière d'archives incrémentielles parmi lesquelles vous pouvez à loisir naviguer d'époque en époque. Évidemment la documentation n'est pas exhaustive, lorsque vous vous demandez à quoi ressemblait tel parking à l'époque médiévale vous n'obtenez aucune réponse, toutefois pour les dernières décennies cela marche relativement bien, ainsi il n'est pas rare que pour un lieu donné, un angle de rue, un bâtiment ou une boutique, vous disposiez de plusieurs clichés qui s'empilent, se superposent, comme un millefeuille composé de calques, aujourd'hui c'est un magasin de prêt-à-porter avant c'était un commerce d'ustensiles de cuisine et encore avant c'était un point de vente d'articles de l'Ouest, il fallait présenter un passeport du monde libre et payer en dollars pour avoir le droit d'acheter une peluche Kiki – on aura ici une pensée émue pour les petits enfants hongrois qui bavaient devant la vitrine tout en sachant que jamais ils ne pourraient serrer Kiki dans leurs bras, sauf naturellement si l'on estime qu'une enfance heureuse sans Kiki est possible, ce qui se défend assez bien du reste.

Vous commencez doucement à vous diriger vers chez votre grand-mère, vous avez appris son adresse par cœur, les petites-filles savent toujours où habite leur grand-mère, elles n'ont aucunement besoin de noter l'information sur un morceau de papier. Tout en marchant en direction de la place Oktogon, ou place du 7-Novembre pour les nostalgiques de la période communiste, vous vous suggérez de prendre le 4-6 le temps de quelques stations. Brillante initiative, le tramway est justement votre moyen de transport préféré, dommage qu'ils aient modernisé les rames il y a quelques années, les anciens modèles étaient beaucoup plus mignons, dites donc vous ne seriez pas un brin réfractaire au changement vous des fois ?

Vous montez dans le tramway en savourant déjà l'enjouement procuré par l'activité autotélique qui n'a d'autre fin qu'elle-même, ce que vous faites c'est de l'art pour l'art appliqué aux déplacements urbains. Vous vous asseyez en pleine conscience, dans une vigilante attention portée à vos fesses qui entrent en contact avec le siège, vous décomposez vos sensations en un savant bouquet, mais aussitôt vous devez vous relever car une mémé pose ses gros sacs à provisions sur vos genoux, ce qui dans le langage corporel des mémés hongroises en robe à fleurs marron signifie qu'elle vous demande obligeamment de lui laisser votre place vu qu'elle a terriblement mal aux articulations ou qu'elle a peur de se casser le col du fémur ou qu'elle est déprimée parce que son petit-fils vote pour les crapules du parti d'en face.

Vous balayez du regard l'intérieur de la rame, action qui déclenche votre plus vive opposition, arrêtez immédiatement cette inconvenante manœuvre oculaire, en Hongrie sachez-le il n'est pas coutume de se jauger, de se dévisager, vous n'êtes pas dans l'autre pays, ici on ne pratique pas le coup d'œil mirador ayant pour objet d'évaluer la valeur d'autrui histoire de s'éviter le désagrément de discuter avec des péquenauds, oh vous êtes méchante, oui en effet vous confirmez. Vous baissez la tête en bougonnant, vous vouliez simplement contempler vos compatriotes dans une aérienne et délicate présence au monde, il n'y avait là rien de malintentionné, cependant si c'est comme ça eh bien vous fermerez les yeux voilà. Vous rouvrez un œil, pardon oui c'est vrai détailler de la sorte les autres voyageurs était extrêmement malpoli, vous rouvrez l'autre œil, allons allons c'est oublié il est inévitable que vous ayez encore quelques résidus lutringeois, et forte de vos compétences visuelles retrouvées vous descendez du tramway en réalisant que vous portez toujours votre jogging vert fluo, vous auriez pu vous changer quand même, que va penser votre grand-mère en vous voyant dans une tenue habituellement réservée au ménage ?

Vous êtes place Lujza-Blaha, hello l'illustre comédienne, rossignol de la nation, vous obliquez en direction de la place Mátyás, coucou le grand roi, depuis que tu es mort rien ne va plus, et vous

vous enfoncez dans le VIIIe arrondissement en prenant soin d'adresser vos salutations mentales à chacune des personnalités dont le nom figure sur les plaques des voies de communication que vous empruntez. Parfois vous ignorez tout de la biographie de l'éponyme, vous ne vous en tenez pas excessivement rigueur, ce n'est pas un quizz de culture générale mais une balade-détente, et bien entendu vous dites également bonjour aux inconnus, il serait injuste de les discriminer en raison de votre ignorance, par contre éponyme est-ce correct sachant que ces gens n'ont absolument pas donné leur nom, c'est plutôt le conseil municipal qui le leur a pris et sans leur consentement puisqu'il est d'usage de puiser dans le répertoire nominal des individus déjà décédés ?

Vous ajoutez cette brûlante question à la longue liste des mystères de l'univers en attente d'être résolus et vous vous concentrez sur le paysage urbain dans lequel vous évoluez, qui vous entoure et que vous modifiez par votre présence, certes très légèrement mais tout de même, l'observatrice non camouflée toujours agit sur son milieu ; vous pensiez traverser un quartier gris et sinistre, gentiment mal famé mais tellement authentique, avec des pépés tsiganes édentés et des femmes en jupes à fleurs et des enfants dépenaillés criant joyeusement, toutefois c'était probablement une farce de votre machine à remonter le temps car le tableau est tout différent, le coin est plutôt calme, sent la peinture fraîche et personne n'y joue du violon – le secteur est manifestement sur le chemin de la gentrification, d'ici quelques années y fleuriront les bars à jus de légumes et les boutiques de jeunes créateurs.

Vous entreprenez de trier votre petite photothèque cérébrale, les images incrémentielles c'est très amusant mais pour la navigation en ville mieux vaut que vos connaissances soient datées et rangées dans un album chronologique, cependant la vue d'un autocollant tricolore à l'arrière d'une voiture en stationnement vient interrompre votre studieuse activité classificatoire. Saisie d'un ravissement national vous vous arrêtez net, vous êtes un œuf dur aux motifs végétaux, vous êtes un chausson brodé à pompon rouge, le dessin sur l'autocollant représente la Grande Hongrie, et si vous avez reconnu du premier coup d'œil son tracé si caractéristique en forme de phoque ébouriffé, ou de poisson trapu, la chose se discute, l'image ferait un remarquable test de Rorschach à dire vrai, c'est parce que vous êtes hongroise. Une Lutringeoise serait passée sans rien comprendre, décrypter le signe elle n'aurait pas pu. Ou alors, si elle avait su qu'il s'agissait de la Hongrie historique, et si par miracle elle avait également entendu parler du démantèlement de votre pays à l'issue de la Première Guerre mondiale, elle n'aurait eu que mépris face au ridicule autocollant d'un ridicule petit peuple qui lèche ses plaies presque centenaires, Trianon c'était en 1920 les gars réveillez-vous à l'époque il n'y avait même pas de smartphones. Oui, si vous aviez été l'autre fille vous auriez ricané, ah là là mais ce n'est pas fini ces vieilles histoires, Trianon mes pauvres amis est une lubie nationaliste, chacun trifouille dans son passé afin d'y dénicher un événement à pleurer eh bien les Hongrois c'est Trianon voilà.

Pour un esprit occidental, étant précisé que les Québécois jouissent désormais d'un statut spécial, sauf mention contraire vous ne les incluez plus dans le club des maîtres du monde, l'importance accordée à l'événement est difficile à concevoir c'est sûr. Mais vous, vous êtes à l'intérieur. Vous connaissez l'histoire, vous savez le fait accompli servi sur un plateau charcutier, vous savez l'étroitesse de la marge de manœuvre, chers membres de la délégation hongroise alors voilà nous autres puissances alliées pour votre pays nous avons pensé à cette nouvelle forme qui est beaucoup plus moderne et aérodynamique que la précédente, de temps à autre il faut rafraîchir son style territorial et là franchement un relooking s'imposait, et donc pour signer c'est en bas à droite ensuite vous aurez l'amabilité de bien vouloir vous mutiler en souriant, ah non ah non pour tout chambouler c'est trop tard vous n'y pensez pas et puis la guerre vous l'avez perdue donc profil bas hein, au fait puisque vous avez fait le voyage jusqu'en Lutringie spécialement pour vous faire humilier vous goûterez bien l'un de nos délicieux fromages artisanaux ? Bien sûr que Trianon n'était pas un complot international, scénario qui du reste aurait été nettement moins humiliant, il y a toujours quelque chose de valorisant dans une volonté malveillante, on se sent pris au sérieux, on se sent important, tandis que là c'était plutôt une sorte de conjonction radicalement pourrie de multiples causes enchevêtrées, le film mille fois vos compatriotes l'ont refait, c'était l'impérialisme c'était les préjugés c'était le pragmatisme c'était l'ignorance crasse c'était les voies navigables c'était les chemins de fer c'était parce que les Roumains parlent une langue latine et que les Lutringeois voulaient leur complaire, il ne vous appartient pas de trancher la question vous n'avez pas le temps de vous lancer dans des études d'histoire vous avez une grand-mère à aller voir ; cependant les intentions importent peu, si le médecin qui charcute n'est pas nécessairement un sadique il n'empêche qu'on a le droit de mal vivre le fait d'avoir perdu un morceau de son corps, et encore vous êtes bien charitable car un médecin a priori n'ampute pas dans le dessein d'offrir la jambe au patient couché sur le lit d'à côté.

Vous passez discrètement votre doigt sur l'autocollant à l'arrière de la voiture. Trianon. Voilà bien le triste ciment de votre peuple, ce qui lie les Hongrois par-delà leurs différences ; qu'on se trouve dans un concert de rock à Tokyo ou dans une milonga en Argentine, dans une réserve de kangourous en Australie ou sur un marché aux poissons à Niamey, pardon pour les clichés vous avez quelques lacunes en civilisation extra-européenne, oui oui on est au courant merci, il suffira de crier *Trianon !* pour que les Hongrois présents, s'il y en a, sursautent en dressant l'oreille. Un mot de passe, un nom de code. Ne dit-on pas souvent, ou parfois, vous ne sauriez déterminer la fréquence de l'occurrence avec exactitude, en tous les cas oui, il arrive qu'on dise, c'est un genre de dicton, une citation attribuée à divers auteurs, « Est hongrois qui a mal à Trianon ».

L'os de votre index se glace, vous vous figez face à l'autocollant. Avez-vous mal à Trianon ? Réellement mal ? Vous poussez un gémissement. Han. Catastrophe. Grosse catastrophe. Vous n'êtes pas bien sûre, vous ne trouvez pas, vous auscultez votre esprit dans tous les sens, oui vous sentez un truc, mais une douleur, ne serait-il pas abusif de qualifier cela de douleur, et puis ce champ lexical de la découpe de viande que vous avez employé il y a un instant vous appartient-il vraiment ou n'avez-vous fait que répéter une leçon apprise comme une truie avec du pavot derrière l'oreille, question rhétorique votre honneur, écoutez les termes, écoutez-les attentivement, soupesez-les au lieu de les utiliser inconsidérément, on dirait une Lutringeoise, eux n'hésitent pas à affirmer on déclare la *guerre* à la poussière, les usagers du métro sont pris en *otage*, quelle honte, ils ne reculent devant rien, mais donc, une mutilation rendez-vous compte, c'est d'une violence extrême. Vous réfléchissez encore, vous vous sentez géographiquement maigrichonne oui bien sûr en tant que Hongroise forcément, mais charcutée ? amputée ? estropiée ? Non non non, vous êtes entière, petite et néanmoins complète, dans votre corps national nulle trace d'un membre fantôme, vous ne vous vivez absolument pas comme un pays-moignon. Au contraire, à vos yeux les régions perdues seraient plutôt comme des ajouts, des extensions, des bonus territoriaux, la Hongrie est rikiki mais lot de consolation, il y a toutes ces belles contrées voisines où l'on pourra se sentir un peu à la maison, où une fois n'est pas coutume le hongrois pourra servir à communiquer avec des locaux, chose qui ne risque pas d'arriver en Irlande ou en Grèce.

Pour autant, vous auriez évidemment préféré que votre pays reste grand et puissant, ou à la rigueur qu'il ait toujours été minus puisque alors il n'y aurait pas cette agaçante sensation de petite cuillère rouillée léguée par de riches aïeux, mais enfin Trianon c'était il y a bientôt cent ans quand même, et puis sur les territoires détachés vivaient de nombreuses nationalités, ces gens-là sûrement avaient envie d'avoir leur propre petite patrie, c'est normal. Sans compter qu'un retour aux frontières d'avant engendrerait d'innombrables complications, si demain Trianon était annulé, que feriez-vous des millions de Roumains, de Slovaques et autres peuples voisins soudain devenus citoyens hongrois ? Pour les accueillir correctement il conviendrait d'apprendre leur langue, de leur construire des écoles, de pratiquer l'affichage multilingue, rien que d'y penser vous êtes épuisée.

L'os de votre index effectue un demi-tour sur lui-même, accompagné en cela par votre main naturellement, vous n'êtes pas subitement devenue contorsionniste, et se transforme en doigt accusateur de la nation. Traîtresse lymphatique ! Renégate cacochyme ! Ainsi vous abandonnez les minorités d'outre-frontière qui chaque jour se battent pour ne pas perdre leur identité, votre identité commune ? Vous avez un hoquet, vous étouffez dans votre bouche, nom d'une bouilloire diatonique, les Hongrois des territoires détachés, comment avez-vous pu oublier les Hongrois des territoires détachés ?

Vous songez à leur calvaire, leur situation varie selon les pays et les époques, les images sont floues dans votre tête, mais la pression assimilatrice, on les opprime, on les comprime, on veut leur voler leur langue, on leur interdit d'accrocher leur drapeau, on les frappe s'ils parlent hongrois dans la rue, ah oui cela se précise la scène se déroule dans la Roumanie de Ceauşescu, la police politique les menace et les emprisonne, leur quotidien c'est la terreur et l'autocensure, par peur de perdre leur travail ou leur logement et parce que sous le communisme personne ne peut faire confiance à personne ils n'osent plus chanter leur hymne, ils n'osent plus crier de joie lorsque la Hongrie gagne un match de football, parfois même ils n'osent plus se déclarer hongrois lors des recensements, bien sûr en dictature c'est la peur pour beaucoup mais pour eux c'est pire, ils sont en bout de chaîne, ils sont la femme battue du mari exploité. Vous poussez un soupir de soulagement, vous avez trouvé votre point de Trianon, votre douleur de Trianon, il ne fallait pas chercher du côté des territoires mais des gens. Vous êtes bête aussi, de nos jours personne ne revendique sérieusement un retour aux frontières d'avant, ce qui préoccupe les Hongrois de l'intérieur c'est le sort des minorités d'outre-frontière, la Hongrie est leur maman-patrie, elle doit les aider autant qu'elle peut, s'activer pour faire respecter leurs droits dans leur pays ou les accueillir avec amour si jamais ils décident de venir ici.

Vous procédez à une ultime vérification, oui vous vous le confirmez, quand vous pensez aux minorités martyrisées votre estomac se serre face à tant d'injustices. Sachant qu'en réalité vous songez exclusivement aux Sicules, c'est-à-dire aux Hongrois de Transylvanie, oui on avait bien compris que la Transylvanie était votre chouchoute, que parmi tous les territoires perdus vous n'en aviez que pour la Transylvanie – les Hongrois de Slovaquie, d'Ukraine ou de Serbie apprécieront. Non mais les minorités des autres régions vous les respectez aussi, et vous ne doutez pas qu'elles soient également victimes d'atroces exactions, c'est juste que là tout de suite ce qui vous vient ce sont Ceauşescu et la Securitate et les villages hongrois menacés de destruction, ce n'est pas de votre faute quand même. Bon mais euh la Roumanie est une démocratie désormais. Oui. Certes. Toutefois le harcèlement continue, les Roumains détestent les Hongrois. Viscéralement. Parce que ça leur fait un trou dans leur unité nationale, ça les empêche d'ajouter en toute sérénité un trait d'union entre État et Nation. Et aussi parce que dans le passé, les Hongrois se sont moqués des Roumains, qui étaient des paysans de la montagne et portaient de ridicules chaussons à moumoute. C'est qu'ils sont susceptibles des pieds, ces Roumains. Alors que rire de leurs chaussons à moumoute ce n'est pas très méchant, c'est de la taquinerie. Du coup la vie des bons et fiers Sicules est vraiment difficile.

En somme, tout va pour le mieux, vous aussi vous avez mal à Trianon. Ouf. Un instant vous avez eu peur. Un peu. À peine. Puisque vous savez pertinemment que vous êtes hongroise. C'est une certitude. Donc bon. Vous n'étiez pas si inquiète en vérité. Sur ces joyeuses entrefaites, vous pourriez peut-être vous remettre en route, depuis le temps que vous fixez cette voiture comme un bâton de cannelle on va finir par croire que vous envisagez de la voler, et puis dépêchez-vous des jambes aussi, vous allez être en retard.

22

Vous sonnez chez votre grand-mère le cœur martelant, vous êtes traqueuse et excitée, voici venue l'heure des émouvantes retrouvailles, ding-youp. Vous ouvre une belle femme aux cheveux argent, elle porte une blouse à imprimé fleuri, elle a des pattes-d'oie autour des yeux, et avant que vous ne commettiez l'irréparable, quoique, tout est réparable en vérité ne dramatisez donc pas de la sorte, elle vous tend la main et se présente, bonjour elle s'appelle Ilonka et elle est la nouvelle dame, sous-entendu qui s'occupe de votre grand-mère. Vous détaillez son visage et convenez que cette information rend la situation nettement plus intelligible, vous vous demandiez aussi comment votre grand-mère âgée de quatre-vingt-cinq ans faisait pour avoir l'air d'en avoir cinquante-cinq.

Sur le pas de la porte vous échangez quelques mots, vous êtes littéralement sous le charme d'Ilonka, elle a le visage ouvert qui irradie la bonté, elle a la voix douce et crémeuse, et parce qu'il ne pouvait en être autrement, parce qu'il fallait qu'elle soit parfaite, il advient qu'elle est transylvaine, naturellement elle l'était déjà auparavant toutefois comme vous l'ignoriez, à vos yeux elle le devient au moment précis où elle vous l'annonce, et là c'est le coup de grâce, vous êtes définitivement conquise, sa transylvanéité la rend encore plus charmante et plus vertueuse, encore plus intrigante et plus digne.

D'emblée s'instaure entre vous une intimité tactile à la fois incongrue et complètement naturelle, vous lui prenez spontanément les mains, ou bien c'est elle, vous ne savez pas mais ses mains en tous les cas sont douces et chaudes, vous les pressez doucement, et comme vous n'osez pas l'interroger frontalement sur les oppressions subies là-bas en Roumanie vous vous contentez de la complimenter, la Transylvanie quel joyau avec ses paysages pittoresques, et l'âme sicule qu'elle est singulière et flamboyante, en tant que Hongroise de l'intérieur vous admirez leur courage et leur droiture à toute épreuve. Elle vous corrige gentiment, elle est transylvaine mais pas sicule, et vous baissez les yeux, et vous rougissez d'embarras, cependant qu'il vous revient qu'en effet les Hongrois de Transylvanie ne sont pas tous sicules, il y en a même un paquet qui ne le sont pas, eux n'ont pas de nom spécifique, d'où sans doute cette vilaine synecdoque que vous avez commise. Pour vous résumer, en Transylvanie il y a beaucoup de Hongrois, certains sont sicules, d'autres sont hongrois tout court, c'est très simple en fin de compte.

Vous lui présentez vos excuses, mais non mais non ce n'est rien et puis vous n'êtes pas non plus la première, les gens ont tendance à réduire la

Transylvanie au pays sicule, et vous lui demandez si désormais elle est installée à Budapest. Elle vous explique sa situation, elle passe un mois sur deux chez votre grand-mère, avec son amie Katika qui est du même village transylvain elles se relaient, elles viennent chacune à tour de rôle, certes il faut payer les allers et retours en bus mais cela reste rentable, et du coup elles ont quand même aussi une vie là-bas, enfin une demi-vie un mois sur deux, pour tout vous dire elle dépense beaucoup trop d'argent en téléphone pour appeler ses enfants et petits-enfants. Vous grimacez, une sorte de vague noire traverse votre esprit, ainsi donc c'est toujours pareil, toujours la même histoire, les femmes d'un Est plus pauvre se délocalisent vers un Ouest plus riche, et elles y effectuent quoi, des prestations de femme, les filles de Hongrie se prostituent en Allemagne et en Lutringie, les dames de Transylvanie pratiquent le soin aux personnes âgées en Hongrie, on n'en sortira donc jamais ? Cependant Ilonka ne se plaint pas, évidemment qu'elle ne se plaint pas, son travail chez votre grand-mère est un *bon plan*, elle s'est battue pour l'avoir, elle est contente elle a même une petite chambre à elle ici, pour l'intimité c'est mieux, avant elle travaillait chez une autre dame et elle dormait sur le canapé du salon, mais bon elle est morte maintenant.

Vous pénétrez dans le vestibule, sur la petite table en plastique se trouvent un magazine de mots fléchés et une paire de lunettes loupe, sur le rebord de la fenêtre sont posés un cendrier et un paquet de cigarettes bon marché, et vous écoutez Ilonka vous faire son rapport, ces temps-ci votre grand-mère est en grande forme, sa tension est excellente, elle mange avec appétit, par contre ses problèmes de mémoire récente cela ne s'arrange pas, le passé lointain elle s'en souvient parfaitement mais les périodes proches assez peu, donc si elle ne se rappelle pas votre dernière visite ne vous en formalisez pas, elle a ce souci avec tout le monde. Vous réprimez un gloussement, vous non plus vous ne vous souvenez pas de votre dernière visite, ni de ce qu'il s'est passé ces dernières années, voilà une configuration on ne peut plus idéale.

Ilonka vous conduit jusqu'à la porte de ce que vous supposez être le salon, vous entrez timidement, vous avez peur de ne pas maîtriser le protocole. Votre grand-mère trône sur un fauteuil antique, elle se tient absolument droite, est habillée d'une robe de chambre de soie mauve et porte des bijoux scintillants. Son visage est rond, très différent du vôtre. Elle vous accueille avec un sourire mondain, voilà donc son invitée de 17 heures, tournez-vous pour voir, montrez votre profil, pas celui-là mais l'autre qui est plus beau, vos cheveux sont toujours aussi ravissants et vous avez bonne mine ça va, c'est le climat lutringeois sans doute, l'iode et le vent du large, en revanche ne vous fâchez pas, elle vous le dit avec amour vous êtes sa petite-fille, mais ce jogging vert fluo est une offense au bon goût, accoutrée de la sorte vous ressemblez à une Tsigane. D'une main mentale vous gratouillez le cou de votre lionne polaire qui menaçait de planter ses crocs dans votre cuisse, tout doux tout doux un petit cliché vestimentaire ce n'est rien, on se calme et on se détend, on est en famille tout va bien.

Vous vous installez face à votre aïeule, vous attrapez vos genoux avec vos mains, vous fléchissez vos orteils vingt fois de suite – c'est un exercice de micro-fitness ayant vocation à affiner la silhouette de vos pieds. Et maintenant il se passe quoi ? Réalisant qu'en de pareilles circonstances une petite-fille normale ressentirait de la joie, vous mimez ledit sentiment au moyen d'un jeu facial outrancier. Histoire d'enfoncer le capuchon vous complétez par une intervention verbale, ah là là qu'il est bon de la voir en vrai les e-mails tout de même ce n'est pas pareil. Mais elle aussi, mais elle aussi est ravie, bon eh bien racontez, donnez de vos nouvelles, quoi de neuf, votre travail ça se passe bien ? Dans la perspective de la réponse à fournir vous esquissez une table de risque, vous attribuez les priorités, vous pesez le pour et le contre, et tayaya, vous optez pour l'audace.

Vous êtes une idiote, votre grand-mère estime que vous êtes une idiote, en tous les cas c'est ce qu'elle dit penser, pourquoi mentirait-elle, elle vous fait connaître son sentiment avec bienveillance du reste. L'instant d'avant, vous lui avez annoncé votre *retour* de manière déguisée : c'était votre dernier séjour à Èclute, vous ne quitterez plus la Hongrie pour ces horribles missions lutringeoises désormais. Elle secoue la tête, pouvoir aller librement à l'Ouest est une telle chance, sous le communisme c'était le confinement total aujourd'hui la liberté de circulation les frontières abolies, vous avez excessivement tort de ne pas en profiter. Vous insistez, la Lutringie beurk la Hongrie trop génial, naturellement vous déployez des arguments un brin plus solides mais globalement c'est le message, cependant elle ne comprend pas, elle fait la moue, non vraiment vous êtes une idiote, d'ailleurs sa main à couper que vous changerez d'avis. Ensuite elle se penche en avant, jette un œil à la fenêtre et se met à chuchoter, le pays coule c'est la décrépitude généralisée, fuyez tant que vous le pouvez, depuis la Lutringie il vous serait possible d'émigrer aux États-Unis, non ?

Vous comptez vos dents avec votre langue, vous devez admettre que ce n'est pas exactement la réaction que vous espériez déclencher. Afin de désembrouiller ce qui à vos yeux procède d'une incohérence vous l'interrogez longuement, mais plus vous l'interrogez et plus votre perplexité croît, sa manière d'appréhender le passé vous désoriente, à la fois elle déteste le régime communiste, et c'est une litote, quand elle en parle son visage se tord, elle est profondément écœurée, on dirait qu'elle va vomir, et à la fois avant c'était beaucoup mieux, les interactions étaient plus douces, les gens parlaient correctement le hongrois, il y avait encore de l'espoir, toutefois que l'avant et le communisme coïncident cela ne semble pas spécialement la déranger. Au final, à force de questions, vous parvenez à faire décroître votre perplexité, qui de la sorte aura tracé une jolie courbe de Gauss, en effet il vous apparaît que ce qu'elle exècre ce n'est pas tant le communisme que *les communistes*, c'est l'expression qui vous a mise sur la voie car c'est toujours ce qu'elle dit, *les communistes*, lesquels si vous avez bien saisi sont des créatures maléfiques qui persécutent votre grand-mère pour leur bon plaisir, oui au présent puisque cela continue, *les communistes* sont toujours là, ils tirent les ficelles dans l'ombre, ils préparent leur retour, à ce propos faites attention à ce que vous dites au téléphone, elle est probablement sous écoute ; en parallèle, le communisme au sens d'époque, elle fait ici référence aux années 1960-1990, en termes de vécu quotidien et de conditions de vie par rapport à maintenant c'était nettement plus agréable – peut-être simplement parce qu'en ce temps-là elle pouvait prendre sa douche seule alors qu'aujourd'hui c'est Ilonka qui la lave, après tout ce serait une excellente raison de regretter le communisme.

Là-dessus, comme sur son visage il y a toujours la colère contre *les communistes*, vous lui proposez une partie d'échecs histoire d'alléger l'ambiance. Bof, cela ne lui dit rien, en revanche un petit rami ce sera avec plaisir. Vous déglutissez. C'est une blague ? Un test ? Elle veut vérifier si vous ne seriez pas lutringeoise dans le fond de votre cerveau ? Vous protestez, le rami est un jeu de hasard, c'est horrible de s'en remettre au hasard, si elle a une préférence pour les cartes alors un bridge à la rigueur, ah non vous n'êtes que deux. Une partie de go sinon ? de moulin ? de dames ? d'abalone ? Non non elle vous assure son truc c'est le rami, elle est férue de rami vous devriez le savoir tout de même, et pour votre information il s'agit d'un jeu de hasard raisonné, l'objectif est de tirer le meilleur parti possible des cartes reçues. Les échecs elle n'aime pas du tout, les échecs créent une illusion de liberté totale, c'est une tartuferie, la liberté n'existe pas, la vie c'est beaucoup d'arbitraire et un soupçon de liberté, on doit composer avec les cartes reçues y compris si elles sont pourries. Vous rendez les armes, va pour le rami.

Pendant d'interminables minutes, vous êtes plongée dans une bassine d'obscurité cérébrale, l'esprit fouetté par les hurlements de vos pensées révoltées par le rami. Du coup, votre grand-mère gagne toutes les parties, vous jouez n'importe comment. Puis les ténèbres se dissipent et vous vous retrouvez debout, en train d'embrasser votre cousin Péter et sa femme Zsófi qui viennent d'arriver, oh mais terminez donc votre partie ne vous embêtez pas pour eux, ah si ah si vous insistez il convient de l'interrompre c'est bien naturel. Leur présence ne vous inquiète pas, vous avez consciencieusement révisé vos courriers électroniques et savez qu'ils ont trente-cinq et trente-deux ans, sont mariés depuis quatre ans et essaient d'avoir des enfants mais sans succès pour le moment, vous devriez vous en sortir.

Les nouveaux venus s'installent, Ilonka dépose une théière et des tasses à liseré doré sur la table basse, au passage qu'on ne s'en indigne surtout pas, vous aussi vous avez eu droit à du thé tout à l'heure, c'est simplement que vous ne vous l'êtes pas expressément notifié, vous étiez concentrée sur *les communistes*. Péter entretient votre grand-mère de produits bancaires et de taux d'intérêt, Zsófi sort un sachet de biscuits à apéritif de son sac et les verse dans un bol. Elle vous lance un sourire, elle a vérifié ils sont végétaliens vous pouvez en manger, cependant c'est une pure déclaration d'intention, elle positionne le bol tout près d'elle et s'empiffre à une telle allure qu'il est manifeste que ce sont ses biscuits privatifs.

Péter se tourne vers vous, avez-vous fait bon voyage, faisait-il beau à Èclute ? Vous racontez votre trajet en avion, la délicieuse conversation avec votre voisine québécoise, et vous ajoutez, en toute innocence, qu'en arrivant vous aviez oublié que l'aéroport ne s'appelait plus Ferihegy mais Ferenc Liszt, vous êtes cruche hein quand même, cela dit il vous semble que ce n'est pas une mauvaise chose de signifier au monde que cet homme-là était hongrois, ce y compris si les changements de nom sur le principe vous n'aimez pas.

Vous n'avez pas fini votre phrase que votre œil rompu à la grande discipline du décryptage des mimiques faciales vous apprend que Péter considère que vous auriez mieux fait de fermer votre grande bouche. Il vous donne un coup de coude, la règle est claire pourtant on ne parle jamais politique en famille, que vous arrive-t-il ? Vous baissez la tête, vous ne comprenez pas, qu'est-ce que c'est que cette histoire de règle, dans vos courriers électroniques aucune mention à ce sujet, c'est donc une convention orale, mais a-t-elle été définie précisément, et ses contours exacts quels sont-ils, parce que d'accord, le changement de nom de l'aéroport est une décision qu'on peut associer à un parti politique bien précis, toutefois à ce compte-là il reste quoi comme sujet autorisé, la météo ? Vous n'avez pas le loisir de poursuivre votre réflexion plus avant car déjà Zsófi surgit dans la conversation, oui enfin ça c'est uniquement parce que Monsieur ne supporte pas la contradiction, eh bien en l'occurrence elle, elle trouve que vous avez absolument raison, la Hongrie doit être fière de ses grands hommes, ce que lui forcément ne peut pas comprendre, il souffre d'un grave déficit de sentiment national. Vous rétropédalez à toute vitesse, en vérité vous disiez ça comme ça, c'était une réflexion en passant, vous n'avez strictement aucune opinion sur le sujet, mais c'est peine perdue puisque Péter qui depuis tout à l'heure serrait les dents vous coupe la parole et réplique à sa femme, un changement de nom ça coûte cher, il y a peut-être d'autres urgences à traiter dans un pays où les enseignants sont payés au lance-pierre et où ce sont les dessous-de-table qui font tourner les hôpitaux, ne comprend-elle pas que ces guignols tout ce qu'ils cherchent c'est laisser leur petite crotte politique pour la postérité ? Dans votre grande sagesse vous vous gardez de lui signaler qu'il vient de transgresser son propre règlement, que lui aussi parle politique en famille.

Vous songez que vous pourriez annoncer que vous êtes enceinte, que cela constituerait une excellente diversion, que sous l'effet de la surprise ils en oublieraient leur différend, puis vous contre-songez que simuler une grossesse maintenant puis une fausse couche dans quelques semaines simplement pour leur éviter une dispute conjugale serait un brin disproportionné. De toute manière déjà ils vous ont oubliée, déjà ils s'insultent, et voilà que votre grand-mère s'en mêle, soudain elle sort de sa réserve et se lance dans une ode au Premier ministre actuel auquel elle voue manifestement une passion de type amoureux, il est si beau quand il met sa cravate orange et qu'il défie Bruxelles, et pendant la crue du Danube il portait des bottes en caoutchouc c'est un homme de terrain un vrai. Dans ce feu d'artifice politique vous ne vous sentez pas vraiment à votre place, dès lors vous faites une bisc sur la joue de votre grand-mère et vous vous éclipsez furtivement, à dire vrai la seule qui paraît réellement remarquer votre départ est Ilonka.

23

Vous êtes à peine sortie de chez votre grand-mère qu'une grande rousse en tailleur, brushing impeccable, lunettes à monture invisible, vous saute dessus en poussant des cris stridents, vous êtes à Budapest c'est super ça fait tellement plaisir vite vite dans ses bras. Vous n'avez strictement aucune idée de l'identité de cette femme qui actuellement vous comprime le thorax de sa puissante étreinte. La fenêtre de chez votre grand-mère est ouverte, depuis la rue on entend quelques éclats de voix, *ton petit Hitler et son gang de voleurs… les toxicos dans les cages d'escalier… pour la police secrète ce ver de terre puant… le torchon de ton journaliste juif.* La grande rousse grimace, un mariage entre deux personnes qui ne sont pas du même bord politique est voué à l'échec, Péter n'aurait jamais dû épouser cette fille elle l'avait bien dit pourtant, bon ce n'est pas tout ça mais elle aimerait vous parler de quelque chose, peut-elle vous inviter à boire une eau pétillante ? Vous passez votre tour en prétextant un rendez-vous avec une amie, vous embarquer dans une conversation avec une inconnue qui vous connaît vous paraît un brin périlleux, et de toute manière vous avez eu votre dose d'interactions sociales pour aujourd'hui.

Vous poursuivez votre chemin sauf que ce n'est pas votre chemin, dans les rues dont vous lisez machinalement les plaques vous marchez au hasard ce qui n'est pas un hasard mais l'application d'une directive d'harmonisation corps-esprit, étant quelque peu perdue à l'intérieur vous désirez aussi l'être à l'extérieur. Vous remuez votre tête, en vous c'est mal conçu mal agencé, vos pensées n'ont pas où s'asseoir, elles vous grattent et vous piquent, sûrement que cela ne s'est pas passé comme vous l'auriez souhaité. Vous tentez de vous rassurer, pour votre grand-mère il ne s'agissait que d'une banale rencontre parmi tant d'autres, elle n'avait aucune raison d'être spécialement bouleversée, ce d'autant plus qu'avec ses problèmes de mémoire récente elle ignorait sans doute qu'elle ne vous avait pas vue depuis presque un mois. Et donc ? Non. Oui. La déficiente affective ce n'était pas elle mais vous, vous étiez toute rigide toute cartonnée, souffle coincé et cœur amidonné, une vieille femme inconnue, pour vous elle n'était qu'une vieille femme inconnue. Par exemple le communisme, vous avez trouvé ça rigolo ses histoires sur le communisme mais pure curiosité intellectuelle, pas un souffle d'émotion. Alors que c'est votre mémoire à vous aussi le communisme, votre mémoire collective, à l'occasion tâchez de vous sentir un minimum concernée.

Vous marchez longtemps, ou pas tant que cela, vous n'avez pas fait attention, en tous les cas vous arrivez dans un quartier très délabré. Les bâtiments sont moches, non pas à cause du manque d'entretien mais parce qu'ils sont architecturalement moches, même rénovés ils resteraient moches. Rien à voir avec la beauté ravagée de votre immeuble. Autour de vous des femmes en jupe longue, des jeunes gens qui tiennent les murs, des jeunes filles aux tenues moulantes. Comme quoi votre grand-mère est à la masse, la seule qui soit en jogging ici c'est vous, et pourtant ils sont tsiganes tous ces gens, est-ce que c'est bien, est-ce que c'est mal, est-ce que c'est neutre, cela vous embête de savoir qu'ils le sont, vous aimeriez faire abstraction mais ce n'est pas possible, ce serait ridicule, et en parallèle, d'une manière ni plus ni moins certaine, vous êtes contente de voir des Tsiganes, vous aimez bien, ce qui vous embête également, n'est-ce pas déjà du racisme que de *bien aimer* un groupe, toutefois que ce soit raciste, peut-être raciste, la question n'est pas tranchée, ne change rien au fait que cela vous plaise, même si votre plaisir est englobé par un déplaisir, celui du soupçon raciste qui pèse dessus. Au demeurant, la certitude qu'ils sont tsiganes d'où vous vient-elle, vous ne leur avez pas parlé, vous ne leur avez pas posé la question, eux seuls devraient avoir le droit de dire qu'ils le sont ; à moins qu'être tsigane ne soit rien d'autre que de faire l'expérience d'être considéré comme tel, auquel cas ils ne le sont que parce que des filles comme vous pensent qu'ils le sont ; mais peut-être aussi qu'une partie de l'identité tsigane est indépendante de tout étiquetage extérieur, oui, non, vous sautez la case et préférez tirer une carte chance, trop compliqué, un *Nous* sans un *Eux* cela n'existe probablement pas ; d'accord mais cela ne répond pas à votre question, à quoi voyez-vous qu'ils sont tsiganes ? Justement vous l'ignorez, vous étiez en train d'essayer d'esquiver au cas où vous n'auriez pas compris, cependant puisque vous insistez, eh bien c'est un peu la couleur de peau, c'est un peu le quartier, c'est un peu l'attitude, la somme de ces éléments crée une évidence à la fois solide et insaisissable, difficilement explicable, difficilement justifiable, c'est évident c'est tout, vous tournez en rond, oui merci vous êtes au courant.

Du coin de votre esprit vous apercevez votre lionne polaire, elle est tapie derrière un fourré, elle a entrouvert sa gueule, elle n'apprécie pas cette manière que vous avez de *bien aimer* les Tsiganes et vous assaille de vicieuses questions portant sur la dialectique fascination/répulsion. Vous poussez un soupir, qu'il est pénible d'avoir sans cesse à vous justifier, elle ne pourrait pas vous lâcher des fois ? Et puis elle le voit bien que vous êtes sereine et détendue, si vous étiez raciste vous auriez mille clichés en tête, vous seriez terrorisée à l'idée de vous promener dans un quartier tsigane à la nuit tombante, vous craindriez de vous faire détrousser, de vous faire agresser. La lionne sort le museau de son fourré, ah oui et si vous n'avez pas peur, pourquoi donc serrez-vous fiévreusement votre sac à main contre votre hanche ? Vous jetez un regard à votre sac, oh tiens ça alors vous n'aviez pas remarqué vous n'y pensiez pas c'était absolument involontaire, quel phénomène étrange et étonnant, toutefois il serait franchement absurde d'y accorder quelque importance que ce soit, certains se grattent le menton ou se passent la main dans les cheveux pour se donner de la contenance tandis qu'ils déambulent dans la rue, eh bien vous c'est le serrage de réticule voilà tout. Afin de fermer une bonne fois pour toutes le clapet de cette grosse féline surgelée qui serait mieux avisée d'aller chasser des gazelles arctiques sur la banquise tant qu'elle n'a pas fondu plutôt que de traînasser dans votre cerveau, vous décidez de lui prouver que vous êtes une princesse sans peur et sans reproche : vous allez accoster des Tsiganes. Ouais. Parfaitement. Qu'elle vise un peu.

Vous repérez un groupe de jeunes gens, ils sont quatre, ils ont dix-huit ou vingt ans, ils portent des jeans et des marcels, certains sont tatoués, ils discutent et fument près d'un abribus. Par défi vous entrouvrez votre sac, votre portefeuille en dépasse, il serait extrêmement facile de l'attraper, et vous glissez vers les jeunes avec élégance et légèreté. De votre voix la plus naturelle : salut, pourraient-ils vous dire l'heure qu'il est ? L'un d'entre eux vous jauge, consulte sa montre, vous répond : 20 h 10. Il ajoute, sourire en coin : attention à votre sac, madame, vous devriez le fermer, c'est que ça craint un peu par ici. Vous souriez, oui oui merci bien merci bien au revoir et bonne soirée, vous vous éloignez à une allure volontairement lente, un pas, deux pas, trois pas, et au cinquième vos jambes que jusque-là vous teniez fermement sous votre coupe soudain échappent à votre contrôle, elles bondissent, elles s'élancent, elles s'échappent, elles courent à toute bringue et dans la mesure où c'est aussi votre corps vous courez avec elles, vous courez à en perdre haleine, vous courez à en recracher vos poumons, espèce d'inconsciente herpétique, d'irresponsable carabinée, accoster de la sorte des individus qui rôdent dans l'espace public, quand on mène une vie honnête on ne vagabonde pas en bande organisée, en collège du crime occulte, en cartel de la mafia des tatoués, et vous, vous ne trouvez rien de mieux que d'aller les provoquer, l'occasion fait le larron, vous vous êtes jetée dans la gueule du loup, ils auraient pu vous voler vous violer vous poignarder ou vous asperger d'essence afin de vous brûler vive, et vous courez courez encore jusqu'à ce que, constatant avec soulagement que vous êtes arrivée dans un quartier pavillonnaire, vous vous écrouliez sur un banc. Soit dit en passant, rien ne vous prouve que les violences contre les personnes physiques soient moins fréquentes dans les quartiers pavillonnaires, il aurait fallu consulter les statistiques de la délinquance pour le savoir.

Votre lionne polaire pose une patte glacée sur votre poitrine. Ses griffes éraflent légèrement votre peau. Vous vous dégagez doucement, vous tentez de lui chatouiller le cou mais elle n'est pas d'humeur à jouer. Vous appuyez énergiquement sur son arrière-train, qu'elle s'asseye au moins, sinon vous ne pourrez pas lui parler en toute confiance. Elle est toujours une gentille lionne apprivoisée n'est-ce pas ? Bon. Qu'elle vous écoute bien. Vous admettez que les apparences sont contre vous. Cependant. Elle se méprend sur votre compte. Si vous avez eu peur, ce n'est pas parce qu'ils étaient des Tsiganes.

Mais parce qu'ils étaient des pauvres. Des garçons des classes populaires. Si vous les aviez croisés dans une soirée huppée, vêtus d'un smoking raffiné et tenant une coupe de champagne à la main, pas une seconde vous ne vous seriez sentie en danger, qu'un déluge de pinces à linge enflammées s'abatte sur votre dos si vous mentez. Donc les racines de votre éphémère et somme toute modique affolement n'étaient aucunement racistes.

La lionne se contente de vous fixer, elle ne bouge pas, elle ne dit rien, alors vous poursuivez votre exposé. Après, vous reconnaissez que s'ils avaient été en smoking, vous ne les auriez peut-être pas spontanément identifiés comme tsiganes. Difficile de trancher la question. Il est possible, oui il est possible que dans un cadre chic et glamour, vous ayez plutôt cru avoir affaire à de jeunes princes indiens, ou à des stars de Bollywood, ou encore à des fils de bonne famille italiens ou espagnols. La chose n'est pas exclue. En effet imaginer des Tsiganes dans un contexte élitiste ne vous est pas naturel. C'est une résistance cognitive. Ou un stéréotype si elle préfère. Vous êtes honnête comme elle voit, vous ne cherchez pas à enjoliver. Si elle le souhaite, vous vous entraînerez à vous représenter des Tsiganes riches et puissants, par exemple des Tsiganes avocats se rendant dans un vernissage branché, des Tsiganes banquiers s'achetant un costume sur mesure chez un maître tailleur, des Tsiganes artistes plasticiens exposant à la Biennale de Venise. Aucun problème. Mais ce que vous voudriez vraiment qu'elle comprenne, c'est que ces garçons, tsiganes ou pas vous

vous en fichez, dans votre tête la ligne de démarcation n'est pas là. C'est plutôt que. Euh. Ils avaient une dégaine de petites racailles, qu'elle vous excuse pour ce vilain terme mais c'est à peu près ce que vous avez pensé d'eux et vous tenez à vous expliquer en toute transparence. Avoir peur des classes populaires, des garçons des classes populaires, est quand même nettement moins blâmable qu'être raciste, non ? Tout le monde craint les pauvres. Les pauvres lorsqu'ils s'énervent, ils crient, ils brûlent des voitures, ils cassent des abribus avec des battes de base-ball. En termes de préjudice causé à la collectivité c'est probablement beaucoup moins grave que l'évasion fiscale, mais autrement plus spectaculaire. On redoute de se prendre un coup. Ou que cela dégénère vers une insurrection généralisée, le chaos et la guerre civile. Qu'elle pense à la phrase de Brecht, *on dit d'un fleuve emportant tout qu'il est violent mais on ne dit jamais rien de la violence des rives qui l'enserrent*. Il n'est certes pas glorieux, mais en tous les cas compréhensible d'avoir peur des gens ayant des difficultés socio-économiques, à tout moment ils risquent de déborder, fort légitimement du reste, parce que quand on est victime d'un tas d'injustices on finit par se révolter, c'est logique, c'est normal, toutefois vous personnellement vous n'avez pas envie d'être là le jour du débordement. Vous regarderez de loin : ils auront votre plein soutien moral, par contre vous prendre un pavé dans la tronche non merci. Est-ce qu'elle voit ? Enfin, et ce sera votre dernier argument, au-delà du risque insurrectionnel, certes infime mais impressionnant, il y a les vols, les agressions. Inutile de verser dans le politiquement correct, dans l'angélisme sociétal, la petite délinquance de rue est un truc de pauvres. Il est dès lors normal de faire preuve de vigilance quand on en croise. Ce n'est pas très gentil, sûrement que cela les blesse de voir des regards fuyants, des regards inquiets, cependant que faire d'autre qu'avoir peur lorsqu'on est une victime potentielle ? Au demeurant, si vous étiez une grosse somme d'argent sur un compte bancaire vous redouteriez la criminalité des riches, vous auriez une frousse bleue des comptables, des gestionnaires, de tous ceux qui auraient le pouvoir de vous détourner à des fins illicites. Mais en tant que fille avec un sac à main forcément vous avez peur des Tsiganes. Euh des pauvres. Bah c'est un peu pareil tout de même, vous n'y êtes pour rien si la surface d'intersection entre les deux groupes est relativement grande. Ce qui naturellement est le symptôme d'un problème social et uniquement social.

La lionne ne moufte toujours pas. Vous lui caressez le bout des oreilles. Elle se met à ronronner, ah vous êtes contente qu'elle se soit calmée, que vous vous soyez expliquées, qu'elle ait compris votre position. Elle se couche sur le dos, vous approchez votre tête de la sienne, vous vous apprêtez à lui faire un bisou sur le front. Aïe, la posture de soumission était une feinte, subitement elle se redresse et vous saute à la gorge, elle rugit savez-vous que tous les jours l'extrême droite raciste affirme nous n'avons rien contre ces Tsiganes toutefois puisqu'ils ne respectent pas nos lois il faut bien faire quelque chose, elle rugit s'ils avaient été de teint clair vous auriez songé voilà de charmants garçons avec de mignons tatouages il conviendrait de leur proposer une animation ping-pong afin qu'ils ne s'ennuient pas de la sorte, elle rugit peu importe que ce soit en qualité de Tsiganes ou de pauvres, vous les désignez comme autres vous les altérisez vous les stigmatisez vous leur imputez une violence spécifique c'est deux poids deux mesures, si vous craignez les coups fort bien cependant craignez prioritairement vos partenaires amoureux statistiquement le risque majeur il est là. Dans la mesure où vous n'avez rien à répondre et que le temps presse, en effet elle est sur le point de vous égorger, vous faites ce qu'on fait quand on est à court de munitions discursives, quand on sent qu'on a perdu le débat d'idées, vous avez recours à la violence physique : vous attrapez un marteau dans la caisse à outils qui fort opportunément vient d'apparaître sur le sol dans votre tête et vous fracassez le crâne de la lionne. Des éclats de glace volent dans votre espace mental, certains fondent en vol, d'autres forment de petits ruisseaux. Fin de partie.

Vous quittez votre banc, vous essayez de retrouver le chemin de votre domicile. Votre soulagement d'être débarrassée de la lionne rapidement se transmute en un affreux doute. Est-ce que vous n'auriez pas fait quelque chose que vous n'auriez pas dû ? Vous décidez de téléphoner à votre amie Dóri afin de la sonder au sujet des Tsiganes. D'après vos courriers électroniques, Dóri est votre grande amie, votre meilleure amie, votre amie d'enfance, à chacun de vos séjours ici vous étiez collées l'une à l'autre, vous étiez inséparables, et si aujourd'hui votre relation paraît davantage se nourrir de la nostalgie de vos quatre cents coups d'adolescentes que d'expériences communes du temps présent, vos phrases n'en restent pas moins irriguées d'une profonde et réciproque tendresse. Il n'est d'ailleurs pas exclu que lorsque vous la verrez, vous lui révéliez votre amnésie : s'il y a bien une personne en laquelle vous pouvez avoir entièrement confiance c'est elle, même sans l'avoir rencontrée vous en avez la certitude, les mots ne trompent pas. Vous aviserez, vous n'êtes pas sûre, toutefois partager votre secret avec quelqu'un serait une bonne chose peut-être, cela y compris si à force vous êtes tellement habituée qu'il n'a rien de véritablement pesant.

Dóri décroche d'une voix fatiguée, non non vous ne la dérangez pas enfin elle a une soupe de haricots sur le feu et des muffins à la myrtille au four néanmoins ce n'est pas grave elle est heureuse de vous parler, alors vous êtes bien arrivée ? Sans transition vous lui rapportez la scène avec les garçons tsiganes, vous leur avez demandé l'heure et ensuite vous avez eu peur, vous vous êtes enfuie en courant, qu'en pense-t-elle, est-ce que vous êtes raciste ? Dóri en pense que personne n'aime les Tsiganes et que du moment que vous ne les détestez pas ça va.

Elle enchaîne sur une sombre histoire de garderie qui a changé d'horaires ce qui n'est pas pratique pour emmener son aîné au judo. Vous n'écoutez que d'une demi-oreille, vous êtes occupée à songer bon, O.K., dont acte. Autrement dit, vous vous efforcez de prendre note de sa réponse. *Du moment que vous ne les détestez pas ça va.* Si Dóri le dit c'est que cela doit être la posture correcte. Parce que Dóri c'est vous. Une vous potentielle, une vous projetée. Ses parents et les vôtres se sont rencontrés à l'université, tous les quatre avaient le même profil, les mêmes diplômes, la même profession. Bref, Dóri c'est l'expérience témoin, mis à part la variable lieu de naissance vous êtes des jumelles sociologiques.

Plus tard, quand de nouveau le tour de parole vous est revenu, vous lui racontez avec enthousiasme que votre grand-mère a une nouvelle aide à domicile qui est fabuleuse, qui s'appelle Ilonka, qui est transylvaine. Dóri acquiesce, ah oui les Transylvaines elles sont super, elles savent s'y prendre, elles sont douces et patientes, sa belle-mère aussi c'est une Transylvaine qui s'en occupe. Vous êtes un instant prise de malaise, ce n'est pas une mafia au moins ? Il n'y a pas des proxénètes pour dames transylvaines qui les racketteraient, leur demanderaient des commissions, des pourcentages en échange d'un emploi à Budapest ? Non non Dóri ne croit pas, à sa connaissance le recrutement se fait par bouche à oreille ou *via* des petites annonces tout simplement. Par contre elle doit vous laisser, son mari vient de rentrer, mais à bientôt de toute façon plein de bisous.

24

Une fois de retour dans votre spacieux appartement vous défaites votre valise, vous arrosez le basilic et vous allumez l'ordinateur se trouvant dans le séjour. Sans surprise, vous y découvrez des données parfaitement identiques à celles de votre machine lutringeoise, les deux appareils se synchronisent automatiquement. Vous poussez un sifflement auto-admiratif, votre double vie quand même était drôlement bien ficelée.

Vous consultez vos deux messageries, rien à signaler si ce n'est un courrier d'Ursula. Elle vous demande si vous seriez disponible, elle organise un déjeuner de traductrices afin de discuter de la loi sur l'interdiction de la double citoyenneté. Elle vous harangue, elle vous exhorte, on ne peut pas rester les bras croisés, il faut lancer un mouvement social, réfléchir à des moyens d'action. Ses mots vous amollissent le cœur, ainsi elle croit encore qu'un retour en arrière est possible. La Lutringie n'est plus ce grand pays humaniste, l'a-t-elle jamais réellement été, oui les gens perpétuent les arts et traditions de la mobilisation populaire toutefois ce n'est que folklore de bidet, insoumission costumée, ce qui les fait quitter leur canapé ce sont les programmes de télévision, quand leur série préférée cesse d'être diffusée ou que telle compétition sportive n'est pas retransmise en direct ils protestent, ils lancent des pétitions, ils hurlent au scandale. Quelquefois aussi ils manifestent pour des causes lointaines, les moines tibétains, les femmes afghanes, les bébés soudanais, c'est un divertissement agréable que de dénoncer les injustices exotiques, cependant il n'est pas non plus question de trop se fatiguer, apprendre à situer l'Afghanistan ou le Darfour sur une carte vierge par exemple ce serait au-dessus de leurs forces, c'est trop loin, c'est trop bizarre. Par contre si les balayeurs d'origine africaine pouvaient se grouiller pour nettoyer les canettes et les papiers jonchant les rues après le passage du cortège ce serait appréciable merci bien.

Vous êtes sur le point de suggérer à Ursula de vous imiter, de quitter la Lutringie et de rentrer chez elle en Allemagne, quand soudain vous vous sentez honteuse d'avoir claqué la porte, non pas dans l'absolu mais par rapport à elle, par rapport aux autres traductrices, qui pourraient y voir un égoïste abandon, une lâche désertion – la loi par définition frappe votre profession plus durement qu'aucune autre. Dès lors, embarrassée d'avoir quitté le navire, vous passez votre décision sous silence et vous vous contentez de lui écrire que vous avez beaucoup de travail en ce moment, que malheureusement vous ne pourrez pas venir au déjeuner, et en l'espèce vous faites effectivement preuve de lâcheté. Comme quoi la peur est dotée de facultés auto-réalisatrices, qui cherche à éviter un phénomène fonce droit dedans, Œdipe a peu ou prou eu un souci similaire avec son destin.

Plus tard, à moins que cela ne se soit produit plus tôt, ah ben si, c'était forcément plus tard puisque vous êtes précisément en train de le faire, vous rédigez dans votre cahier un résumé détaillé de la journée. Rendre compte de votre arrivée à l'aéroport vous rappelle votre engagement à vous intéresser à la musique savante, ce qui si vous pouvez vous permettre est une formulation erronée, on croirait que le récit permet de se souvenir alors que c'est de se souvenir qui permet le récit naturellement, quoi qu'il en soit vous lisez la fiche Wikipédia de Ferenc Liszt histoire d'entamer votre autoéducation musicale. Vous apprenez que le compositeur a été un enfant à la santé si fragile que ses parents lui avaient acheté un cercueil, qu'après une vie de play-boy voyageur il s'est engagé dans les ordres, qu'il ne parlait qu'assez péniblement votre langue maternelle. Ce qui ne l'empêchait pas de clamer qu'il se considérait comme hongrois. La nationalité sans la langue ? Quelle idée farfelue. Vous secouez la tête devant votre écran, vous êtes sincèrement désolée toutefois il est impossible, définitivement impossible d'être hongrois sans posséder le verbe. En plus, il ne pouvait même pas se rattraper en ayant mal à Trianon puisque Trianon n'avait pas encore eu lieu. Curieuse de savoir ce qu'en disent les germanophones, les Autrichiens en effet seraient eux aussi susceptibles d'envelopper

Liszt dans leur drapeau national, vous consultez la notice de langue allemande : « Bien que Franz Liszt, avec l'allemand puis lutringeois a grandi avec la langue hongroise avait des difficultés, il ne secoua la citoyenneté hongroise et renvoyé à lui-même en public comme Magyar. » Bon. Manifestement vous disposez encore de quelques années de sérénité avant que les griffes crochues des traducteurs automatiques vous volent vos clients. Pour autant, l'eau de flûte est limpide : c'est l'histoire d'un type qui n'était pas hongrois mais qui affirmait l'être. Probablement qu'il trouvait ça romantique, il se sera entiché de la culture, il aura eu envie de faire partie du club. Et après tout, pourquoi pas ? Si telle était sa volonté, bienvenue à lui. Pour votre part, vous êtes absolument d'accord pour lui octroyer le titre de Hongrois émérite, de compatriote d'honneur. Mais l'aéroport tout de même. Est-ce que ce n'est pas un brin ridicule d'avoir donné à l'aéroport de Budapest le nom d'un homme qui massacrait la langue hongroise ?

Ne tenant pas spécialement à prendre position sur ce sujet brûlant qui conduit les couples à se déchirer, vous éludez prudemment et partez voguer vers d'autres pages de l'encyclopédie en ligne. Vous rêvassez à la grandeur austro-hongroise. Ah l'architecture. Oh la poésie. Ah les sciences. Oh le petit métro. Vous prenez néanmoins garde à rester discrète, vous conservez un visage grave, vous ne voudriez pas froisser le basilic par vos effusions de joie anachronique, vous n'ignorez pas que le XIXe siècle est pour lui un douloureux souvenir, la Pologne avait disparu de la carte, engloutie par la Prusse, l'Autriche et la

Russie. À dire vrai, vous n'avez pas besoin de jouer la comédie bien longtemps car votre rêverie assez vite se flétrit, se recouvre de disgracieuses taches brunes et est dévorée par des crabes de moyenne montagne. Vous apprenez, menteuse vous le saviez, d'accord vous le saviez mais aviez entreposé dans une boîte à clivage dont le couvercle vient de se dévisser, en substance vous êtes actuellement coincée devant votre boîte, contrainte d'admettre que dans les décennies ayant précédé Trianon, les Hongrois redevenus maîtres du territoire en forme de phoque ébouriffé n'ont pas été très gentils avec les peuples non hongrois qui y habitaient. Ils les ont opprimés. Non. Vous les avez opprimés, *ils* c'est vous, il est obligatoire de tout prendre tout endosser. Très bien. Donc vous les avez opprimés, vous avez essayé de les forcer à devenir hongrois, vous n'avez pas respecté leur droit à être culturellement et linguistiquement différents. Par exemple les Roumains, vous ne vous êtes pas contentés de les taquiner au sujet de leurs chaussons à moumoute. Vous avez abusé de votre position dominante, vous leur avez fait avant Trianon ce qu'ils vous ont fait après Trianon, eux avaient l'excuse du ressentiment mais pas vous étant donné qu'avant c'était avant après, ça alors on n'aurait pas cru, vous avez des problèmes de cohérence chronologique ce soir ou quoi ?

Cette découverte vous cause une douleur atroce dans les genoux, comme des aiguilles rotatives qui vous piqueraient depuis l'intérieur des os. Ainsi vous n'avez pas été irréprochables. Ainsi vous ne valez pas mieux que les autres, le pouvoir qu'on place entre vos mains vous êtes incapables d'en user avec modération. Vous ne pensiez pas sérieusement que les Hongrois étaient moralement parfaits ? Si ? Vous cherchez refuge auprès du basilic, ben si un peu quand même, glorifier sa nation est interdit maintenant ? Et puis cela ne dédouane aucunement les Roumains, martyriser ceux qui vous ont martyrisés c'est la loi du talion, c'est le degré zéro de la justice. Le basilic secoue ses feuilles en guise d'acquiescement, et pour le remercier de son soutien moral vous lui proposez de lui acheter prochainement un pot plus grand, sûrement que ses racines ont poussé, qu'il aurait besoin d'un peu plus d'espace pour les dérouler, les déplier confortablement. Là-dessus, vous achevez de mettre à jour votre cahier, que vous aviez laissé en plan à cause de Liszt, et vous allez vous coucher. Dans un lit. Votre lit. Enfin.

25

Le lendemain et les jours suivants, c'est-à-dire, un peu grossièrement, au cours de votre première semaine à Budapest, à présent que le soleil radieux de la nation brille non seulement dans votre cœur mais également au-dessus de vos cheveux, il vous semble judicieux de remettre à zéro le compteur calendaire, vous vous activez pour prendre racine, pour finaliser votre insertion dans la société hongroise. Et en la matière, la première chose est évidemment de vous trouver un mari.

Vous ne mangez pas pendant trois jours, vous offrez à vos pieds une séance de mise en beauté chez la pédicure, vous vous achetez une ampoule lifting coup d'éclat, vous vous reminéralisez dans les eaux thermales des bains Széchenyi, vous vous entraînez à danser de manière langoureuse, et quand vous vous sentez au summum de votre potentiel de séduction vous préparez votre tenue, un top irisé, une minijupe et un sac à main avec une revue de poésie qui en dépasse négligemment, il s'agit d'être sexy tout en ayant l'allure intelligente, vous souhaitez être un objet de désir mais pas uniquement pour un soir. Ensuite vous téléphonez à Dóri afin de lui proposer de sortir, elle adorerait si vous saviez depuis combien de temps elle n'a pas eu une soirée à elle mais aujourd'hui impossible, son petit dernier a une otite son mari est en déplacement et elle doit repasser une montagne de linge, alors vous écumez votre carnet d'adresses, vous avez le plus grand mal du monde à trouver quelqu'un de disponible, cependant au final votre cousine Nia qui avait justement prévu de faire un tour à un anniversaire organisé dans un bar vous propose de l'accompagner, par contre elle ne restera pas longtemps demain elle se lève tôt elle s'envole pour un tournage à Lisbonne.

Vous attendez votre cousine devant la statue de Ferenc Liszt se situant sur la place du même nom, ce qui est beaucoup moins amusant que si vous vous étiez cachée dans les égouts mais aussi incontestablement plus pratique pour qu'elle vous localise puisque c'est l'endroit où vous avez rendez-vous. Tout en contemplant l'ouvrage de bronze représentant le compositeur qui massacrait le hongrois, il a les cheveux au vent et joue sur un piano invisible, son engagement pour la musique paraît si total qu'à dire vrai vous craignez de le déranger par votre présence, vous vous remémorez les informations dont vous disposez, Nia a vingt-huit ans, elle est scripte dans le cinéma, l'anniversaire est organisé par un juriste d'entreprise, d'après elle il est sympathique mais ses amis sont d'un ennui mortel. Lorsqu'elle arrive vous constatez qu'elle est scandaleusement magnifique, on dirait une princesse-sirène et en plus elle a une ravissante tresse latérale avec ruban intégré, pourvu qu'elle soit prétentieuse ou qu'elle ait un rire insupportable, c'est votre seule chance d'échapper au statut de fade accompagnatrice, l'amour familial ne vous étouffe pas dites donc. Vous l'admettez et sollicitez une dispense pour ce soir, vous avez des projets bien précis, chaque chose en son temps.

Elle vous embrasse, ça va oui ça va alors Èclute, eh bien Èclute rien ou plutôt si vous n'irez plus ils agressent législativement les étrangers. Nia fronce les sourcils, pourtant vous y séjournez uniquement pour l'argent, non ? Euh oui naturellement toutefois trop c'est trop il y a des limites à la compromission. Elle regarde vos pieds, whaou vous avez été chez la pédicure ça se voit tout de suite, il y a un net progrès, et vous avez bien raison de porter des chaussures ouvertes, il faut s'assumer telle qu'on est ; quant à votre décision, sur le principe elle comprend mais vous devriez y réfléchir, l'argent certes ne fait pas le bonheur mais il est nettement plus agréable de pleurer au volant d'une Mercedes que recroquevillée à l'intérieur d'une vieille Trabant, comme on dit souvent. Vous envoyez un coup d'œil rassurant à vos pieds, c'était un compliment hein ce que Nia a dit, qu'ils ne se vexent pas, et vous proposez à votre cousine que vous vous mettiez en route.

Le bar où a lieu l'anniversaire est bondé, les gens sont si serrés que vous êtes obligée de rentrer votre revue de poésie dans votre sac afin d'éviter qu'elle se fasse écraser : vous perdez la totalité de vos points culture générale & romantisme. Nia fait la bise à quarante-deux personnes, heureusement qu'elle vous a dit qu'elle n'était pas emballée par la soirée, de votre côté vous employez la technique déjà éprouvée du discret signe de la main sans direction précise. Personne ne vous salue en retour, vous êtes manifestement en territoire social inconnu.

Vous êtes sur le point de commander une eau-de-vie d'abricot quand vous remarquez qu'ici tout le monde boit du vin dans de grands verres à dégustation, et convenant qu'il serait peu souhaitable de vous autostigmatiser par une pratique alcoolique déviante vous vous alignez sur la majorité, attention tout de même aux phénomènes de groupe, du conformisme à l'hystérie collective il n'y a guère que deux ou trois pas. Nia réapparaît, fausse alerte elle repart illico saluer quelqu'un, vous restez avec votre verre de vin. Vous vous récitez *Les Bardes gallois* pour vous occuper, et également pour vous donner une mine littéraire, *le feu et le sang voilà tes exploits tyran, ah tu voulais des louanges tu n'es pas content, même ton cheval est moche et pue le pâté, bons baisers à toi signé les bardes calcinés*, oui oui d'accord c'était une adaptation assez personnelle mais l'idée générale y était, vous n'avez pas pensé à relire le célèbre poème d'Arany avant de partir.

Vous cherchez Nia des yeux, vous ne la trouvez pas. Vous tâchez d'arborer un léger sourire, genre vous n'êtes ni seule ni désemparée juste momentanément éloignée de vos nombreux amis. Et soudain vous le voyez. C'est LUI. Votre avocat. Celui qui cite Paul Ricœur. Le brillant pénaliste qui parfois s'occupe aussi de droit des étrangers.

Il est là.

Dans le bar.

Il boit un verre près du comptoir.

Il a le même costume que dans votre tête sauf qu'il est coupé à la hongroise c'est-à-dire très mal.

Bon sang de betterave atrabilaire.

C'est, c'est, c'est un miracle !

Dont acte, toutefois essayez de ne pas tomber par terre.

Allô ? Vous vous recevez ?

Affirmatif, en fin de compte vous avez décidé de ne pas vous évanouir, nul miracle ici ne s'est produit, il ne sera donc pas nécessaire de vous convertir à la pensée magique : cet homme ressemble à votre avocat, oui indéniablement, mais il n'est pas non plus sa réplique parfaite. Les coïncidences cela arrive, de par le monde il existe des tas de gens qui se ressemblent.

L'homme vous a vue lui aussi. Il vous sourit, c'est un signe qui ne trompe pas, vous jouez des coudes, vous vous frayez un chemin. Vous feignez d'aller passer commande, vous appuyez votre avant-bras sur le comptoir, vous frôlez le sien grâce à une savante imprécision dans l'exécution de votre geste. Vous regardez droit devant vous, vous appelez la serveuse. Il vous parle, hé il vous parle, écoutez ce qu'il vous dit espèce de topinambour déshydraté, sinon comment répondre de manière appropriée ? Vous avez raté le début, il vous semble qu'il vous demande si vous ne vous seriez pas déjà croisés, peut-être à la fête chez Anna et Zoli le mois dernier ? Vous dites que non, ou peut-être, vous ne vous rappelez plus, s'il vous donnait quelques détails biographiques ce serait plus facile.

Vu de près il n'est définitivement pas le jumeau caché de votre ancien conseil juridique, néanmoins il y a effectivement quelque chose, c'est l'ossature du visage peut-être, ou bien les yeux bleus qui pétillent, les fossettes, le sourire ravageur. À part cela, il s'appelle Krisztián. Bof. Ce n'est pas du tout hongrois comme prénom. Vous auriez préféré Árpád. Ou Géza. Ou Koppány. Enfin, il n'est pas responsable, ce sont ses parents, vous n'allez pas vous arrêter à ça. Surtout que, tenez-vous bien, il est réellement avocat. Vous n'osiez l'espérer, c'était un tort car dans une soirée organisée par un juriste les chances étaient somme toute assez élevées, avocat c'est tellement sexy, il est le prince de la justice, le garant du respect des droits de la défense, celui qui sans relâche vérifie, contrôle, et le cas échéant agit pour que toujours les mis en cause bénéficient d'un procès équitable, article 6 de la Convention européenne des droits de l'homme. Oui, être avocat c'est affirmer : même les salauds doivent être traités correctement. Ce n'est pas un hasard si celui qui, abolition peine de mort, Lutringie, chut la Lutringie au revoir adieu chapitre fermé n'y pensez plus.

Naturellement vous modérez votre enthousiasme face à votre prétendant, ou aspirant prétendant, ou plus exactement prétendant aspiré puisque c'est vous qui aspirez à ce qu'il vous prétende, à ce qu'il prétende à quelque chose avec vous, vous contentant d'esquisser délicatement l'hypothèse d'un commun intérêt pour la justice, ah tiens c'est drôle vous-même êtes traductrice juridique. Lorsque vous lui apprenez que votre langue de travail est le lutringeois, qu'à votre corps défendant vous reconnaissez avoir jusqu'à très récemment exercé votre activité principalement à Èclute, vous auriez préféré ne pas avoir à déballer ce pan-là de votre vie toutefois vous savez aussi que faire croire que vous travaillez déjà à plein temps à Budapest aurait été dangereux, il vous aurait posé des questions auxquelles vous n'auriez pas su répondre, connaissez-vous tel magistrat, avez-vous déjà été dans tel service de police, mais donc, lorsque vous lui expliquez tout cela il est emballé, figurez-vous qu'il est en train d'ouvrir son cabinet à l'international et que les entreprises lutringeoises figurent en tête de sa liste de prospects.

Vous avez du mal à vous cacher votre déception, avocat d'affaires c'est nul, c'est capitaliste, cela signifie qu'il ne plaide quasi jamais, qu'il conseille, rédige des actes, négocie des contrats, qu'en somme il est juriste free-lance plus qu'avocat, certes certes vous avez une vision un brin étriquée de la profession, c'est comme les Transylvains que vous avez réduits aux Sicules, la synecdoque maléfique a de nouveau frappé. Votre déception devant lui en revanche vous la dissimulez aisément, ce n'est pas très difficile, il est extraordinairement charmant ça compense, et puis il a fait des études juridiques quand même, il manie les mots du droit qui sont à la fois si précis et si fantasques, vous habitez la même langue, non seulement le hongrois mais le hongrois juridique, et à force de dissimuler si bien votre déception vous convenez que vous n'êtes pas si déçue, que son intérêt pour les fusions-acquisitions ne sera peut-être pas un obstacle insurmontable.

Vous apercevez Nia qui s'en va, elle vous fait signe qu'il est tard et qu'elle doit rentrer, et de la sorte Krisztián, aïe vous avez vraiment du mal avec ce prénom, bon et de la sorte votre avocat, grâce au départ de Nia, a vu que vous n'étiez pas venue dans ce bar pour y exhiber votre solitude. Vous discutez encore longtemps, vous apprenez qu'il parle le lutringeois, et plutôt bien étant donné qu'il a fait une partie de ses études là-bas, pour commencer cela vous contrarie mais vous réalisez vite votre chance, ainsi il connaît les deux systèmes juridiques et peut prendre la mesure de la difficulté qu'il y a à traduire le droit. Vous espérez que votre bilinguisme l'impressionne au moins un peu, que comme vous il est heureux de rencontrer quelqu'un qui trouvera intéressant de débattre de la meilleure manière de transposer nantissement ou tontine dans l'autre langue, ce n'est pas si courant, cependant vous ne parvenez pas à cerner ses intentions, tout à l'heure vous étiez certaine de lui plaire mais à présent vous doutez, son sourire quand il vous a aperçue était-ce simplement de la politesse, et l'éclat du désir dans ses yeux maintenant est-ce vous qui l'inventez, mais qu'il vous dise ce qu'il pense de vous à la fin, y a-t-il quelque chose ou êtes-vous en train de divaguer, vous avez besoin de savoir, cela vous rend folle, vous avez déjà vécu tant de choses lui et vous, dans votre tête bien sûr, lui ignore totalement que depuis tout le temps que vous discutez vous avez déjà fait l'amour au moins dix fois, que le matin de chacune de ces dix nuits torrides répétées quasi à l'identique, il vous a pris les mains, il vous a regardée dans les yeux avec une intensité fusionnelle, il vous a dit je veux absolument vous revoir et même ne plus jamais vous quitter car vous êtes si belle et troublante et je suis un chevalier, un homme d'honneur, marions-nous sur-le-champ, si demain je meurs je ne veux pas que vous restiez sans rien de moi, que le monde ignore notre amour, la scène se passe la veille d'une grande tragédie hongroise bien entendu, cela c'est vous qui l'ajoutez, pas dans le rêve du matin après l'amour mais dans cette pensée qui englobe le rêve, et vous l'ajoutez parce que vous vous connaissez un peu à force, il ne vous a pas échappé que c'était la combinaison de sa nationalité et de sa profession qui le rendait irrésistible à vos yeux, en effet la justice, vous êtes amoureuse de la justice et donc un avocat déjà vous êtes à moitié conquise, et s'il est hongrois, alors il ne vous en faut pas plus pour mourir définitivement.

Le bar ferme, il vous propose de vous raccompagner, pure courtoisie hongroise ou intérêt réel vous ne savez toujours pas, lorsque vous lui dites que vous habitez rue Vörösmarty vous appuyez légèrement sur le nom du poète, mais il ne relève pas, il ne s'extasie pas devant votre adresse follement romantique, il ne se met pas non plus à déclamer des vers, au contraire quand vous êtes arrivés en bas de chez vous il vous entretient toujours de la Lutringie, la mer est si magnifique et leur vin est si bon, et le cinéma lutringeois quelle splendeur, ensuite il vous interroge, travaillez-vous pour des grandes entreprises là-bas, votre portefeuille clients à quoi ressemble-t-il, mais qu'il arrête, vous n'êtes pas lutringeoise, il suffit, on s'en fout de la Lutringie, qu'il vous embrasse plutôt, ah bah c'est bon il a compris le message, vous vous êtes collée à lui et il vous a embrassée, ce qui prouve que parfois être très directe ce n'est pas mal non plus.

Vous montez chez vous, vous vous embrassez à tous les étages, puis devant votre porte, puis derrière votre porte, puis sur votre lit, il vous déshabille, vous le déshabillez, il sent bon, encore encore qu'il vous embrasse, vous adorez sa langue dans votre bouche, vous êtes folle, vous ne savez pas ce que vous voulez, à la fois vous voulez immédiatement sur-le-champ, vous mourrez s'il vous faut encore attendre, et en même temps non, vous voulez attendre encore pour mourir encore un peu d'attendre, vous êtes complètement désorganisée et pourtant tout est clair et dans ce désordre limpide vous êtes heureuse, il est si beau, vous ne vous lassez pas de le regarder, vous ouvrez grand les yeux pour fixer l'image mais vous voulez aussi les fermer pour vous abandonner totalement, comment faire, ce sont de très graves problèmes, survivrez-vous à leur irrésolution, et vous soupirez, vous soupirez beaucoup, et vous n'en pouvez plus, et vous voudriez lui dire, et subitement c'est la panique.

Comment c'est, les mots de l'amour physique en hongrois ? Vous cherchez dans vos panoplies discursives mais il vous semble que vous êtes totalement parasitée par le vocabulaire des prostituées, leur manière à elles de parler vous la connaissez pour sûr, elles disent je baise je suce défonce-moi avec ta grosse queue, pour vous ce sont des termes très naturels mais n'est-ce pas là une déformation professionnelle, les utilise-t-on aussi entre amants ou sont-ils trop vulgaires ? Avez-vous seulement déjà fait l'amour en hongrois, avez-vous acquis le lexique, avez-vous l'expérience idiomatique ? Vous êtes catastrophée, vous venez de tomber sur un angle mort dans votre langue hongroise, ou du moins une incertitude, soit ce sont les prostituées qui vous ont déglinguée, soit vous n'avez jamais ou presque jamais eu d'amants hongrois dans le passé, quoi qu'il en soit vous êtes incapable de faire l'amour en hongrois comme une native. En lutringeois vous sauriez quoi dire, donc ce n'est pas que vous êtes vierge – de toute façon il y a quelques indices d'ordre, euh, comportemental, que vous ayez déjà pratiqué est plutôt manifeste.

Votre panique ne dure que quelques secondes, il ne remarque rien heureusement, vous tentez de retrouver des répliques de films romantiques, mais avec des scènes pas trop mielleuses tout de même, quelque chose avec de la vraie passion, toutefois vous doutez, vous n'êtes pas sûre, c'est trop risqué, si vous vous trompez de registre, si vous employez un mot ridiculement enfantin ou au contraire trop pornographique ce sera le désastre. C'est très exactement le problème, les mots vous les avez, vous les connaissez tous cependant vous ne parvenez pas à déterminer avec certitude ceux qui siéraient au contexte actuel, par exemple *niquer* et *baiser*, *queue* et *bite*, c'est quoi la nuance, c'est quoi la différence ? L'idéal serait de visionner des vidéos hongroises de sexe amateur en prenant des notes, en faisant des fiches, ainsi vous apprendriez ce qu'il convient de dire, ce qu'on dit spontanément tandis qu'en réalité ce n'est pas du tout spontané il y a un apprentissage la preuve il vous fait défaut, encore que, peut-être qu'à cause de la caméra les gens exagèrent, surjouent, ne s'expriment pas comme dans l'intimité, et en tout état de cause quitter l'étreinte de votre avocat afin d'aller regarder une vidéo érotique sur internet est absolument exclu, le remède serait pire que le mal, il ne comprendrait pas. Alors vous sauvez les meubles par le contournement, quitte à ce que ce soit incongru autant que cela paraisse volontaire, c'est la seule solution, et partant de là vous la jouez métaphore juridique, au moins ce champ lexical-là vous le maîtrisez parfaitement, oh oui viens entamer ta procédure de saisie, j'adore lorsque tu me perquisitionnes profondément, lui cela l'amuse beaucoup, mais vous pas du tout, c'est un pis-aller, vous ne dites pas ce que vous voulez mais ce que vous pouvez, enfermée dans un carcan, linguistiquement captive.

Le lendemain matin vous le regardez boire son café, il est en retard, il est légèrement stressé, mais quand même il vous sourit, vous vous embrassez, alors ça va. Vous repensez aux événements de la veille, est-ce qu'il n'était pas un peu insistant avec ces histoires de clients à Èclute ? Est-ce que vous l'auriez intéressé si vous n'aviez pas eu ces liens professionnels avec la Lutringie ? Vous chassez la question, dans cette hypothèse vous ne seriez pas vous mais une autre fille, par voie de conséquence il est idiot de vous torturer avec ce genre de considérations. Comme quoi faire l'amour ça détend réellement, ce n'est pas un mythe, parce qu'en temps normal la question vous auriez passé une semaine à la ressasser.

Vous le regardez encore, vous vous demandez si le côté avocat d'affaires à long terme vous conviendrait, cela vous chiffonne un brin, mais nettement moins que le fait de le voir sortir une alliance de son portefeuille et l'enfiler. Il est marié ? Oui désolé il aurait dû vous en parler hier soir. Sinon il a une fille de trois ans aussi. Pour autant il aimerait beaucoup vous revoir, c'était bien, et puis vous êtes marrante, ce qui est bien pourquoi s'en priver, au demeurant il ira régulièrement à Èclute ces prochains mois, si vous y êtes aussi vous pourriez vous voir là-bas, ce serait plus simple.

Vous êtes outrée, il fait le truc des marins, là, comment ça s'appelle, est-ce que cela porte un nom spécifique d'ailleurs, une femme dans chaque port. Han. D'un autre côté l'adultère est une configuration assez romanesque, cela donnerait une intensité dramatique à votre relation. Mais non : vous voyez déjà le scénario, la passion, les rendez-vous, les promesses, il va divorcer mais pas tout de suite, il attend ci ou ça, que sa fille entre à l'école primaire, que sa femme guérisse de telle horrible maladie, et un jour, quand vous aurez compris que vous attendez pour rien, vous le quitterez. L'adultère, la route est déjà toute tracée, quel ennui. Tandis que le mariage : maintenir la flamme vivante alors qu'on habite ensemble, qu'on se voit dans toute sorte de situations extrêmement peu glamour, qu'on est un couple officiel, en voilà un vrai défi, une aventure à l'issue authentiquement incertaine. Sur ce, vous le mettez gentiment dehors, merci mais non merci, vous cherchez un mari donc cela ne va pas être possible, et pour mémoire les époux se doivent fidélité, article 4 : 24, alinéa (1), du Nouveau Code civil, il devrait le savoir, non ?

*

Au cours de cette première semaine à Budapest, vous n'avez que très peu de travail, ce qui est une façon diplomatique de dire que vous n'en avez pas du tout. Vous avez accompli toutes démarches utiles pour proposer vos fantastiques services à qui pourrait en avoir besoin cependant pour l'heure personne n'a fait appel à vous. Vous savez que cela ne démarrera pas immédiatement, ici votre combinaison est moins rare qu'à Èclute et le marché beaucoup plus restreint. Dans la mesure où il vous reste quelques réserves sur vos comptes bancaires et que par ailleurs vous n'avez plus de loyer à payer, votre situation n'a rien d'alarmant. Dès lors vous ne paniquez absolument pas, ce dont vous vous félicitez avant de vous féliciter de vous en être félicitée : c'est vous inquiéter de ne pas être inquiète qui aurait été inquiétant, en effet les tourments sans cause sont la marque des esprits paranoïaques. Encore une preuve du fait que vous êtes complètement saine d'esprit, vous étiez déjà au courant toutefois une petite confirmation ne fait jamais de mal.

Vous profitez de vos journées libres de toute

contrainte professionnelle pour vous promener beaucoup, vous avez soif encore de votre ville, qu'elle prenne possession de vous, que vous preniez possession d'elle. Dans les rues toujours vous flânez sans but précis, vous marchez après votre nez, le cerveau dans un état de parfaite décontraction, chassant du regard les maisons, les si belles maisons de Budapest, vous émerveillant devant les façades pastel, les frontons triangulaires, les bow-windows fantasques, les entrelacs d'or, les mosaïques dévergondées, les corniches hâbleuses et les ferronneries lunatiques, quelle débauche, quelle richesse, à Èclute il n'y a pas tout ça, Èclute est trop sage, se prend trop au sérieux pour s'autoriser de telles folies, et vive l'Empire austro-hongrois. (Pardon les Roumains.) (Et toutes les nationalités opprimées.)

Ce que vous préférez, ce que vous recherchez par-dessus tout, ce sont les beautés abîmées, les plaies, les blessures. Découvrir que tel immeuble a été réhabilité alors qu'il était en ruine d'après vos images mentales vous cause à chaque fois une vive déception, l'éclat de la peinture neuve vous embarrasse, la perfection des reliefs restaurés vous contrarie et même vous irrite, vous y voyez comme une perte d'identité, une odieuse mondialisation, un beau bâtiment est juste un beau bâtiment, cela n'a plus rien de singulier ; vous ce que vous voulez c'est de la splendeur hongroise, de la splendeur lacérée, le reste n'est que mensonge. Face aux édifices conformes à vos penchants un brin morbides vous prenez de profondes inspirations, vous ouvrez grand vos yeux, qu'elles entrent donc ces dignes maisons moribondes, avec leurs décors nécrosés et leurs fissures profondes, avec leurs détails lépreux et leur pierre saccagée, sur cette rétine elles seront bien accueillies, vous les aimerez telles qu'elles sont, dans leur fabuleuse décadence, vos rectilignes excuses aux habitants qui probablement ont d'autres critères de jugement, quoique vous-même, vous vous opposeriez farouchement à ce qu'on rénove votre propre immeuble, cela gâcherait tout – eh bien vous allez vous faire des amis à la prochaine réunion des copropriétaires vous dites donc.

Une fois, et par la suite cela se reproduit, cependant la première fois naturellement est la plus marquante, on en déduira ce qu'on voudra quant à la répétition qui émousse les émotions jusqu'à parfois les anesthésier, pour votre part vous êtes occupée puisque l'une fois en question c'est en ce moment, et dans cette une fois vous êtes étonnée, vous sursautez des bras, vous venez de remarquer des trous sur une façade. Vous n'en croyez pas votre chance, vous avez la main verte décidément, euh non ça c'est pour le jardinage, d'accord toutefois c'est comme trouver un trèfle à quatre feuilles, qu'on vise un peu l'ingénieux maillon sémantique reliant végétation et bonne fortune, bref le doute n'est pas permis, les trous en question sont des impacts de balles. Des impacts, de vrais impacts, il y a donc eu des tireurs et des combats devant vous là oui là exactement où vous vous tenez, vous êtes dans la ligne de mire vite baissez-vous, ici juste ici des gens se sont entre-tués, des corps sont tombés, des cœurs ont été exaltés ou terrorisés, comment savoir ce qu'ils ressentaient côté hongrois, et côté soviétique, à supposer que les impacts datent de l'insurrection de 1956, cela pourrait aussi être la Seconde Guerre mondiale, aucune plaque n'indique le contexte. Du coup vous décidez arbitrairement que c'est 1956, vous préférez, 1956 c'est plus spécial, plus émouvant.

Vous n'en revenez pas, et vous n'en revenez pas de ne pas en revenir, pourquoi ce trouble, cela signifie-t-il que vous doutiez de la réalité des événements, que vous abritiez en vous des pensées révisionnistes soutenant que 1956 était une pure invention ? Non et pourtant si, disons qu'avec une preuve matérielle c'est mieux, les impacts sécurisent la vérité, la plaie est visible et incontestable. Votre raisonnement néanmoins est mal fagoté, une pensée révisionniste ne s'avouerait pas vaincue face à des impacts de balles, elle dirait ce sont des impacts factices, elle les engloberait dans sa théorie du complot, ils sont même allés jusqu'à fabriquer de faux impacts rendez-vous compte de l'ampleur de la manipulation. Vous creusez encore, il vous semble que c'est l'effet de réel, un impact on peut imaginer la scène très concrètement, et surtout cela la rend actuelle, cela la fait jaillir dans le présent, oui l'impact toujours visible montre que la plaie est parmi nous dans le temps de maintenant, un jour sûrement il faudra rénover mais c'est trop tôt ça c'est sûr, on a besoin encore des impacts car ils disent la vérité, pas celle du passé, si c'était du passé justement on les aurait rebouchés les trous, mais la vérité du présent au sujet du passé, soit la vérité historique, à supposer qu'on admette que l'Histoire n'est jamais que la figuration du passé effectuée depuis le présent, oui ça va on l'admet c'est assez classique comme position.

À compter de cet épisode vous ne cessez de chercher des impacts de balles, vous en trouvez beaucoup, et sans tricher, c'est-à-dire sans vous renseigner sur internet quant à leur localisation dans la ville, mais simplement en scrutant les façades d'immeubles au cours de vos promenades. Il y en a de toute sorte, des isolés, des groupés, des alignés, ils racontent d'innombrables histoires, parfois on devine l'acharnement, parfois plutôt la balle perdue, mais l'ombre est grande toujours, ce sont des récits incomplets, dans la maison qui et pourquoi et comment, et cela vous convient cette part de mystère, il vous semble que c'est la bonne distance, 1956 est trop loin pour qu'il soit utile de connaître tous les détails. Enfin, il y a aussi les impacts de la place Kossuth, ils sont différents car mis en scène, avec une plaque commémorative et des petites boules : sur les impacts, à l'emplacement des impacts, il n'y a pas des trous mais des excroissances, comme une bizarre œuvre d'art contemporain. Un impact, une boule. Cela vous perturbe, un projectile ça doit faire un trou, vous avez du mal à adhérer au concept de la giclée de pétanque sur le mur du bâtiment, vous trouvez que c'est artificiel, trop dramatisé, comme si on voulait vous forcer la main, vous obliger à être émue. En réaction, vous vous rebellez et vous montrez vos yeux secs aux petites boules, ainsi elles croyaient vous faire pleurer, mais non, ce n'est pas sur commande, qu'est-ce qu'elles s'imaginaient, vous avez l'émotion subtile et délicate, la grosse artillerie très peu pour vous. Et hop, vous leur tirez la langue et vous partez en courant, vous avez terriblement envie d'aller voir le Danube, le beau Danube, vous sprintez jusqu'au pont Marguerite, qui était une reine ou une princesse ou une sainte, vous ne savez plus trop mais sûrement qu'elle était belle et intelligente, appuyée sur la rambarde et hors d'haleine vous contemplez votre fleuve, il est large il est puissant, mais pas du tout bleu en revanche, il y en a qui ont de sérieux problèmes de daltonisme. Votre cœur bat fort, vous vous penchez pour le voir mieux, et de le voir si puissant il vous vient que vous pourriez sauter dedans pour communier avec vos ancêtres. Vous refilez votre sac à main à la femme à côté de vous, qu'elle vous le garde vous revenez dans dix minutes, vous enjambez, vous sautez, c'est très rapide, et floutch, vous êtes dans l'eau. Vous touchez le fond, vous remontez, c'est mouillé, c'est froid, vous êtes ravie, vous êtes bonne nageuse, tout va très bien, malgré le courant vous trouvez des escaliers, vous sortez. Vous dégoulinez un brin, ce n'est pas bien grave. En revanche, vous avez le plus grand mal du monde à expliquer aux ambulanciers, puis à la police, qui bizarrement se trouvent sur les lieux, que non ce n'était pas du tout une tentative de suicide, vous allez très bien, ne comprennent-ils donc pas la force symbolique de votre saut ?

Au cours de vos promenades, il n'est pas rare que vous croisiez des touristes lutringeois. Se déplaçant en groupes lâches de cinq ou six individus de sexe masculin dont l'un prévoit de convoler dans un avenir proche, ils laissent éclater leur joie de découvrir la riche culture hongroise en chantant en pleine rue, en jetant leurs canettes de bière dans le Danube, en urinant contre les lampadaires. Mais ce qui vous insupporte peut-être le plus, en effet vous êtes un cœur de pierre, loin de vous réjouir de la présence de ces Occidentaux vous avez envie de vomir quand vous les voyez, c'est leur comportement dans les magasins. Ils ricanent devant les produits hongrois, ils bousculent les mémés, ils font tout tomber et ne ramassent rien. Un exemple parmi tant d'autres. Vous êtes dans un petit supermarché, devant vous une horde de ces rois du pétrole, ils parlent fort, ils s'agitent, ils touchent le pain directement avec leurs grosses mains sales. N'en pouvant plus, vous allez les voir et leur expliquez que le pain en libre-service jamais on ne doit le prendre avec les mains, il y a des sachets plastique là, sous leur nez, ils sont aveugles ou quoi, eh bien le sachet c'est pour prendre le pain, on l'enfile comme un gant, ça va ils ont compris ? Et maintenant, ils vont vous faire le plaisir d'aller à la caisse et de payer les quinze pains qu'ils ont touchés, parce que ce qui est touché avec les mains on doit l'acheter sinon c'est dégoûtant, ils y pensent aux autres clients, ils ne vont quand même pas manger le pain qu'eux ont tripoté avec leurs mains ? Ils haussent les épaules, ça coûte deux centimes le pain ici, ils peuvent acheter l'intégralité du magasin s'ils veulent. Au moment de payer, ils sortent leur argent en ricanant, ils le secouent, c'est trop marrant on dirait des petits billets de Monopoly. La liasse correspond au double du salaire mensuel net de la caissière face à eux. Laquelle n'est pas dupe, si elle n'a pas compris les mots elle a parfaitement saisi l'intention, gros connards d'étrangers, que leurs intestins se recouvrent de moisissure putride, que leurs globes oculaires soient dévorés par les corbeaux. Elle a parlé d'une voix aimable, les fringants Lutringeois n'imaginent pas une seconde la teneur de son propos. Vous décochez un clin d'œil à la caissière, voilà qui était bien envoyé.

Dans ce contexte, et c'est ici l'occasion idéale de rendre un modeste hommage au contexte, coucou l'aiguilleur sacré des traductrices, phare dans la nuit noire des mots, si on te modifie tout est bouleversé, si tu es absent la pensée est impossible, vous croyez d'abord que les individus à genoux qu'à plusieurs reprises vous apercevez dans les rues de Budapest sont des touristes. Mais non. Chaque fois que, mimant la fascination à l'endroit de tel parcmètre ou de telle boîte à lettres, vous vous approchez en toute discrétion, vous constatez avec effroi qu'il s'agit de compatriotes. Ils ont un voire deux genoux à terre. Ils refont leurs lacets. Ils s'étirent après leur jogging. Ils changent un pneu. Vous assistez même à une demande en mariage au cours de laquelle un jeune homme en uniforme militaire s'agenouille devant sa fiancée, sa fiancée espérée, vous ignorez si elle a dit oui, la scène était trop insoutenable, vous vous êtes enfuie avant la fin. Un militaire à genoux. Devant le drapeau national à la rigueur. Mais devant un autre être humain certainement pas, fiancée ou pas fiancée. Cela vous choque à ce point que vous devenez suspicieuse. Un Hongrois jamais ne s'agenouille, jamais devant personne, est-ce vous qui l'auriez inventé ? Vous vérifiez sur internet, vous n'êtes pas folle, la règle existe bien, dans son roman *Un nabab hongrois*, Mór Jókai écrit noir sur blanc que la génuflexion chez les Hongrois est parfaitement exclue, ajoutant également, comme pour expliciter le caractère impérieux de la norme, que le fait d'avoir commis un acte répréhensible, de se trouver en situation de clochardisation ou de mort imminente ne saurait justifier une entorse. Vous réfléchissez intensément. Devez-vous en conclure que l'injonction n'est pas à prendre au pied de la lettre ? Il n'y a pas d'autre solution. C'est un gros effort, mais vous êtes vaillante et vous réussissez l'exploit.

*

Lors de vos visites chez votre grand-mère, car vous retournez la voir, il ne faudrait pas qu'on s'imagine que votre première semaine se résume à une aventure d'un soir et à des promenades urbaines, qu'on note bien que vous avez aussi une vie familiale, vous mettez sur pied une nouvelle technique de communication par objets interposés. Les règles sont simples : parmi les produits manufacturés qui peuplent son salon, vous en désignez un à votre grand-mère, et en réponse elle vous raconte son histoire. Cela fonctionne à merveille, à chaque fois elle part au quart de tour, et donc la raquette de tennis accrochée au mur elle l'a achetée d'occasion à la maison de commission en 1959, et donc le samovar sur le buffet c'est tonton Imre qui l'a rapporté de Moscou en 1967 figurez-vous qu'il avait été classé deuxième au championnat de mathématiques, et donc la cafetière italienne dans le placard c'est Sári sa copine épouse de diplomate qui la lui a offerte en 1974 à l'époque c'était la mode des mises en plis – et ainsi de suite. Il est probable qu'elle radote, ou du moins qu'elle vous serve un propos qui n'est plus de la première fraîcheur, dont elle a élaboré la forme il y a longtemps et qu'elle ne souhaite plus modifier, toutefois cela ne vous dérange aucunement, au contraire c'est une aubaine en termes de recueil d'informations – si un jour vous voulez écrire un reportage sur la débrouille sous le communisme vous aurez de quoi faire. Évidemment ces récits vous offrent une image absolument antichronologique de son passé, mais justement vous êtes très fière, voilà qui est du plus grand chic, les historiens postmodernes sûrement s'y prennent de la sorte. Surtout, par le truchement des objets vous parvenez à éprouver de petites émotions, les histoires dont ils sont chargés vous rendent votre grand-mère plus familière, face à ses patins à glace achetés d'occasion en 1963 vous vous sentez concernée, vous savez qu'elle était superforte en sauts sur glace et qu'elle était la star de la patinoire municipale.

Vous demandez aussi à regarder ses albums photo, à supposer qu'elle en ait, et bien entendu elle en a, c'est un équipement standard chez les grands-mères. Vous feuilletez les pages garnies de clichés en noir et blanc, vous voyez la belle femme qu'elle était, vous voyez votre père enfant, une fois il a un chat dans les bras, une autre fois il se baigne dans le Balaton. Vous êtes émue ? Non. Ce n'est qu'un petit garçon. Mais vous feignez de l'être, il vous semble que c'est ce qui sied aux circonstances. Vous découvrez également des clichés de vous lors de vos séjours en Hongrie, sur l'un d'entre eux on aperçoit distinctement une télévision en arrière-fond, en examinant l'écran vous croyez deviner un épisode de la petite taupe. Votre estomac bondit, Petitetaupe aurait été si heureuse d'apprendre que vous l'avez toujours aimée.

Dans un de ces albums vous remarquez une photographie représentant des petites filles, elles ont cinq ou six ans. Votre grand-mère est l'une d'entre elles. La scène se passe donc dans les années 1920. Les petites filles sont déguisées en princesses, elles ont de jolies robes, elles portent des couronnes. Sur les couronnes, il est inscrit, en lettres capitales, « NON NON JAMAIS ». Vous frissonnez, vous savez que c'est le slogan anti-Trianon, le mot d'ordre du refus de Trianon. Un mot d'ordre bizarre d'ailleurs, qui ressemble à un refus aveugle, genre on fait les autruches on ne veut rien entendre on n'accepte pas ça n'existe pas. Il aurait mieux valu quelque chose qui évoque le retour en arrière, la révision, la rétroaction. Quoi qu'il en soit vos pensées se cabrent devant les petites filles, elles désapprouvent fortement. Des petites filles de maternelle ! Ils ont mis des slogans politiques sur les couronnes des costumes de princesses de petites filles de maternelle ! Cela ne ferait pas un peu endoctrinement quand même ? Comme les enfants dans les sectes et tout ça ? Bref, vous condamnez fermement le procédé. C'est trop tard, et tout le monde s'en fout de votre désaccord, cependant il vous tenait à cœur de prendre clairement position.

Péter souvent est fourré chez votre grand-mère, il effectue de menues réparations, classe le courrier administratif, vérifie que les factures ont été réglées. Il se moque de vous et de votre jeu des objets, il dit ce sont de fausses histoires, il dit votre grand-mère débloque, il dit elle est devenue mythomane avec l'âge, l'autre jour elle lui a carrément affirmé qu'elle était allée à Hollywood dans les années 1970, mais n'importe quoi, elle n'a jamais quitté l'Europe, elle s'invente des vies pour se rendre intéressante. Vous balayez ses objections d'un revers de main, si une partie de ce qu'elle vous raconte n'est pas vraie tant pis, visiblement cela lui fait plaisir de vous parler donc pourquoi ne l'écouteriez-vous pas, vous partagez quelque chose ensemble, et puis c'est sa vérité à elle, sa vérité de maintenant concernant le passé, qu'importe si elle l'a refiguré. Mais Péter est pragmatique, il travaille dans la finance, il manie des chiffres à longueur de journée, à ses yeux ce qui n'est pas vrai est faux et ne présente donc aucun intérêt. Pour autant, il est le bon petit-fils, toujours serviable, toujours disponible, il est en quelque sorte le gestionnaire de la vie de votre grand-mère, ce qui lui donne du pouvoir assurément mais arrange bien les autres petits-enfants, vous par exemple vous ne vous occupez de rien, vous êtes dans une posture de simple consommatrice.

Lorsque Péter est dans les parages votre grand-mère

se censure, elle sait qu'il est interdit de parler politique, mais dès qu'il a claqué la porte elle se tourne vers vous avec des yeux brillants et vous entretient du Premier ministre, hier soir à la télévision il portait une chemise à carreaux qu'elle ne lui connaissait pas, il avait une mine fatiguée il se surmène le pauvre, mais quelle verve, quelle poigne, voilà un homme qui sait faire vibrer une nation. Elle a bien compris que vous étiez plus laxiste que Péter, qu'avec vous c'était permis, alors elle en profite. Cela vous donne un brin la sensation d'être la baby-sitter avec laquelle on a le droit de faire des bêtises, toutefois vous ne voyez pas le problème, être amoureuse du Premier ministre n'est pas un crime, elle ne fait de mal à personne. Au demeurant, son ardeur passionnée ne l'empêche pas de garder un recul critique, ainsi elle ne se prive pas de relever les anglicismes et les fautes de syntaxe qui émaillent les déclarations publiques de son aimé, qu'elle appelle par son prénom naturellement, ou encore de déplorer qu'il dise *les médias* tandis que *media* est déjà un pluriel en latin. D'une manière générale, elle ne cesse de dénoncer les sévices dont la langue hongroise est aujourd'hui victime, tempêtant contre les mésusages et les altérations, s'emportant contre les monorèmes et les abréviations, vitupérant contre le déclin du bon parler et l'avilissement de la pensée qui va avec. Dans ce contexte vous surveillez votre discours, vous soignez votre expression orale, vous craignez de commettre devant elle une de ces fautes qui l'agacent tant. Vous ignorez si elle vous reprendrait, si elle vous signalerait l'incorrection, ou si elle se contenterait de constater avec dépit que vous aussi appartenez au misérable groupe des indigents de la langue.

Si vous laissez votre grand-mère parler librement du Premier ministre, votre laxisme conversationnel n'est pas non plus sans limites : concernant les Tsiganes vous êtes intransigeante, vous êtes impitoyable, lorsqu'elle effleure une question qui n'est pas encore une question tsigane mais a toutes les chances de le devenir, vous coupez court immédiatement. Ainsi, dès qu'elle évoque le chômage, la délinquance ou les allocations familiales vous changez brusquement de sujet et partez pagayer en des eaux thématiquement moins dangereuses afin de sécuriser la situation, pas celle des Tsiganes mais la vôtre, oui on avait compris où se situaient vos priorités, et de vous éviter d'entendre ce que vous n'avez pas envie d'entendre. Quelquefois vous vous faites avoir, vous ne voyez pas venir le coup. C'est qu'innombrables sont les sujets de conversation susceptibles de mener aux Tsiganes, les voies des associations d'idées sont impénétrables. Vous n'imaginiez pas que le mariage de Kate et de William (alliance > bijoux > or > voleurs tsiganes), l'industrie automobile (voiture > charrettes > chevaux > marchands tsiganes) ou encore le régime alimentaire trop sucré des Occidentaux (diabète > seringue > drogues > trafiquants tsiganes) étaient des unités sémantiques à risques. Et pourtant si. En cas de dérapage, vous faites mine de ne pas entendre. Elle a quatre-vingt-cinq ans, ce n'est pas vous qui allez la changer. Et au moins, c'est un racisme assumé, franc et honnête, elle ne fait pas semblant, elle ne minaude pas, elle crache sur les Tsiganes en toute sérénité. Quant à votre lionne polaire, elle ne moufte pas puisqu'elle est morte. En substance, vous employez peu ou prou la même technique que Péter : vous aussi vous posez des interdits. C'est juste que vous lui laissez une marge de liberté un peu plus grande. Que vous tracez la frontière un peu plus loin. Différence de degré, pas de nature.

Enfin, vos visites sont ponctuées, ou plus exactement encadrées, par de petites conversations secrètes avec Ilonka ; lorsque vous arrivez, lorsque vous repartez, toujours vous vous arrêtez quelques minutes dans le vestibule pour regarder ses yeux de soie, presser ses mains tendres, écouter sa voix claire. À présent que vous la connaissez mieux, vous vous octroyez l'autorisation de l'interroger sur sa vie en Transylvanie, cela vous tracasse beaucoup, à quoi cela ressemble, le quotidien d'une minorité opprimée ? Quand vous vous jetez à l'eau son visage s'obscurcit, elle se mord les lèvres, à dire vrai cela ne se passe pas très bien. Vous soupirez, vous vous en doutiez que cohabiter avec ces Roumains en chaussons à moumoute devait être difficile. Elle fronce les sourcils, *en chaussons à moumoute* ? Oh, vous vouliez dire Roumains *aux plantes de pied poilues* certainement ? Ah oui ah oui, aux plantes de pied poilues, c'est exactement ça, pardon vous vous êtes emmêlé les pinceaux. Et donc ? Elle poursuit, dans son village il y a 80 % de Hongrois, tous protestants, et les Roumains veulent construire une deuxième église orthodoxe, un gros machin très moche, qui va défigurer le village, qui aura des coupoles, qui ne servira à rien, les 20 % de Roumains ont déjà une église pourquoi une deuxième, rien ne le justifie, mais les autorités évidemment sont de connivence puisque les autorités sont roumaines, ce n'est même pas pour s'en servir de leur église mais juste pour humilier, pour montrer le pouvoir et la domination. Vous la regardez avec amour, vous la plaignez beaucoup, quelle horreur quelle horreur c'est terrible, cependant que dans l'intérieur de votre cœur vous êtes atrocement déçue, c'est nul comme histoire, vous auriez aimé un truc contre les Hongrois, contre la langue, la culture ou le drapeau, contre la nation hongroise, le protestantisme on s'en fout, la nation n'a pas de religion, du moins l'espérez-vous parce que sinon vous êtes mal. Mais comme vraiment cela l'affecte beaucoup, que cette deuxième église la blesse profondément, vous convenez intérieurement qu'après tout, face aux Roumains massivement orthodoxes, être protestant c'est déjà être hongrois, même si bon, il existe de nombreux Hongrois qui ne sont pas du tout protestants, voire pas du tout chrétiens, donc ce n'est franchement pas la meilleure stratégie, ça éclate l'identité.

26

En fin de semaine, vous constatez que vous n'avez aucun projet particulier. Nia est toujours à Lisbonne, Dóri croule sous les tâches domestiques, et c'est peu ou prou la même chose pour tous ceux qui d'après vos courriers électroniques font partie de votre réseau social hongrois. Vous en êtes un brin froissée toutefois il est hors de question de l'admettre, vous avez votre dignité. Dès lors, vous vous indiquez obligeamment qu'il est bien compréhensible que les gens ne se rendent pas immédiatement disponibles pour vos beaux yeux au simple motif que vous avez subitement décidé de vous enraciner, ils ont leur vie et vous les avez habitués à n'être présente que par intermittence. En parallèle, la déontologie des princesses vous interdit formellement d'aller traîner seule dans un bar afin de vous trouver un nouveau futur mari, quand on a un minimum de savoir-vivre on ne s'affiche pas en public avec soi-même comme unique compagnie. Sauf si l'on veut atterrir dans le lit d'un type dégoûtant dont on aura accepté les avances seulement parce que, le cœur meurtri par la conviction d'être une grosse nulle, on aura cru qu'on n'avait rien d'autre à offrir qu'un corps, que partant de là le premier qui passait pouvait bien le prendre, que supporter son haleine atroce et ses mains intrusives était toujours mieux que de ne susciter aucun intérêt du tout. La recherche de mari, de toute manière, vous n'êtes plus très sûre. Forcer de la sorte la main des Parques matrimoniales, n'est-ce pas prendre le risque de les contrarier ? Il serait plus sage de laisser venir. Et si nul homme ne vient alors tant pis, vous pouvez être une Hongroise célibataire, cela ne vous disqualifie en rien. Tiens c'est curieux ce revirement, vous avez toujours aspiré à convoler et soudain non. Et donc ? Qu'insinuez-vous ? Vous auriez été ravie d'expliciter cependant une insinuation par définition n'est pas en mesure de s'exprimer ouvertement, sinon elle cesse d'être insinuation et meurt dans d'abominables souffrances, or vous refusez absolument de vous rendre coupable d'un tel meurtre conceptuel. Que cela ne vous empêche pas de poursuivre votre méditation sur vos projets du week-end, vous étiez sur le point de vous proposer une escapade au Balaton. Oui, exact. S'échapper de la ville, n'est-ce pas ce qu'on fait lorsque arrive la fin de semaine ? Vous applaudissez, le Balaton quelle fabuleuse idée, le Balaton c'est la mer hongroise, d'accord l'eau y est douce et par temps clair on voit l'autre rive, bref c'est un lac mais tout de même, il s'agit d'un grand et très charmant lac, et il n'y a nulle honte à s'y rendre seule, au contraire quand on part à la campagne c'est pour se ressourcer auprès de la nature et des gens simples, refuser d'y séjourner en compagnie d'un deuxième urbain stressé est normal, cela ruinerait totalement le concept.

Vous sondez vos connaissances mobilisables, vous disposez de nombreuses images du Balaton. Rien de surprenant, vos parents et vous-même y avez souvent passé vos vacances. Après avoir feuilleté votre catalogue cérébral, vous jetez votre dévolu sur la ville de Badacsonytomaj. Cela se trouve sur la rive nord du Balaton, qui est mieux que la rive sud, il y a des principes intangibles de ce genre dans la vie, la petite taupe est mieux que Kiki, les cacahuètes c'est mieux que les chips, et ainsi de suite. Ah non, à présent que vous êtes lancée vous souhaiteriez poursuivre si vous permettez, les cerises c'est mieux que les fraises, les peignes c'est mieux que les brosses, les fonctions convexes c'est mieux que les concaves, le vin rouge c'est mieux que le blanc, la télétransportation c'est mieux que la télékinésie, les tigres c'est mieux que les lions, les rayons c'est mieux que les diamètres, les livres de poche c'est mieux que les grands formats, le pôle Sud c'est mieux que le pôle Nord, mais arrêtez-vous, arrêtez-vous, les conifères c'est mieux que les feuillus, les huissiers c'est mieux que les notaires, chut ralentissez, les pois c'est mieux que les rayures, voilà c'était la dernière, O.K. ? Sapréski. Cette succession de dichotomies hiérarchiques. Vous ne vous connaissiez pas si tranchée. Si pleine de certitudes. Toutes ces inégalités, vous les postulez sans même faire l'effort de feindre de les justifier. Pire que du laxisme méthodologique, c'est du laxisme méthodologique décomplexé. Oh. Quelle rabat-joie. Pour une fois que vous aviez inventé un nouveau jeu. Ça vous manque les jeux dans la tête depuis qu'il n'y a plus Petitetaupe.

Plus tard, vous débattrez des jeux plus tard, reconcentrez-vous sur votre escapade. Vous consultez les horaires de train sur internet, le trajet dure trois heures pour 170 kilomètres. Nom d'un goéland pouilleux. Mais c'est excessivement loin. 170 kilomètres, ce ne serait pas plutôt la largeur est-ouest du pays ? Vous examinez une carte de la Hongrie. Elle est parfaitement identique à celle que vous avez à l'esprit. Les villes, les routes, le relief, tout est correct. Vous connaissez votre géographie. Sauf que. L'échelle. Han. L'échelle est différente. La Hongrie réelle, ou disons la Hongrie des cartographes, énoncé de la sorte c'est plus gentil, cela évite d'exclure les complotistes qui comme tout un chacun sont libres de leurs opinions, correspond, assez grossièrement, à un rectangle long de 420 kilomètres et large de 220 kilomètres. Vous écarquillez les yeux. Vous vérifiez dix-huit fois. Cela vous semble immense, immense, et sa superficie, 93 030 kilomètres carrés, vous ne cessez d'ouvrir et de fermer la bouche, quelle sensation bizarre, vous avez l'impression qu'on vous déforme, qu'on vous étire, qu'on vous étale avec un rouleau à pâtisserie national, vous êtes si vaste tout à coup. Et il y a 2 217 kilomètres de frontières. Certes, les frontières ne signifient rien, il suffit que le tracé soit sinueux, c'est comme les intestins, ils mesurent environ sept mètres et pourtant l'abdomen c'est tout petit. Mais quand même. 2 217 kilomètres de frontières. Si on les déroule et qu'on les lance vers l'ouest, on peut aller jusqu'à Londres. Et presque jusqu'à Dublin. Mais le coup de grâce ce sont les rangs, les classements. Que la Hongrie soit plus grande que le Luxembourg n'est pas une surprise. Plus grande que la Belgique, les Pays-Bas et la Slovénie, déjà cela vous étonne. Mais plus grande que le Portugal. Que l'Autriche. Que l'Irlande. Ces imposants pays de l'Ouest, vous les battez. Cela vous effraie et simultanément vous rend fière, ainsi vous n'êtes pas un petit pays. Mais alors. Pourquoi, oui pourquoi dit-on *notre petite patrie* ? Car on le dit, on le dit souvent, c'est, ah zut, c'est une *collocation*, oui mais non, allez en prison et laissez passer trois tours, vous l'avez énoncé en lutringeois.

Vous fouillez, vous excavez, vous périphrasez, alors *collocation* est une notion importante, certes un brin méconnue du grand public mais importante, cela signifie qu'il existe des cooccurrences privilégiées, des mots qu'on rencontre souvent en compagnie l'un de l'autre, ils s'appellent, ils s'aimantent, ils aiment se retrouver, parfois entre eux il y a un rapport de domination, avec un attirant et un attiré, par exemple accident appelle tragique, célibataire appelle endurci, et parfois aussi c'est l'égalité, ainsi pluie appelle autant torrentielle que torrentielle appelle pluie, du moins il vous semble, sûrement qu'il y a des gens qui organisent des colloques pour en débattre. Ah. Ça vous énerve, ça vous agace, normalement l'acte de décrire fait surgir le terme qu'on a oublié, c'est une technique classique, quand on interprète il arrive souvent qu'un terme se cache provisoirement, mais rien, toujours rien, vous savez de quoi il s'agit, mais le mot lui-même vous échappe, il se planque, il refuse obstinément de se montrer. Ou alors vous ne l'avez tout bonnement jamais su. Vous auriez appris *collocation* pendant vos études à Èclute et le hasard aurait fait que vous ne l'auriez jamais rencontré en hongrois. Mais quelle grosse feignasse, vous auriez pu faire l'effort de l'apprendre en hongrois, être bilingue c'est cela, c'est exactement cela, à chaque nouveau terme acquis dans une langue, doubler l'apprentissage dans l'autre langue, pour que jamais l'une ne prenne le pas sur l'autre, pour que jamais ne se creuse un écart. Sinon, ce n'est plus du bilinguisme mais de la diglossie, soit l'addition de deux langues trouées. Vous frissonnez, la diglossie c'est l'œdème verbal, c'est la lèpre du cerveau, une sorte de double monolinguisme estropié puisque le locuteur est un double B, voire un double C, aucune des deux langues n'est pleinement maîtrisée, chacune régnant seule sur son petit territoire privatif. Cela dit, il ne faudrait peut-être pas exagérer, la méconnaissance du terme *collocation* en hongrois n'est pas non plus le symptôme d'une diglossie – surtout que diglossie vous connaissez, c'est au moins aussi technique. Bon et donc, *collocation* en hongrois ?

Vous grimacez. Faut-il vraiment en passer par là ? Vous retenez votre respiration, vous tapotez sur votre clavier du bout des doigts et en détournant le regard autant que possible. Vous essayez d'imaginer que ce ne sont pas vos mains, que ce n'est pas votre écran. C'est atroce. Vous êtes en train de consulter un dictionnaire bilingue. La honte. Et en plus, vous êtes extrêmement déçue. C'était tout simple. Tout bête. *Collocation*, en hongrois, cela se dit collocation. C'était bien la peine de vous affoler, vous connaissiez le mot, enfin presque, il suffisait de prononcer le terme lutringeois avec un accent hongrois. Puisque c'est un emprunt. Dommage, d'ailleurs, qu'il n'existe pas de véritable mot hongrois pour collocation. C'est triste les emprunts, déjà cela veut dire que le concept, et donc l'invention qui va avec, n'est pas du fait des Hongrois, ce qui en soi est extrêmement irritant, c'est une grave entrave à la liberté de penser que vous êtes les plus intelligents du monde, mais en plus, cela signifie que vous avez été paresseux, que vous n'avez pas fait l'effort de vous approprier la notion, de la détacher de sa langue d'origine et de la reconstruire en hongrois. En la matière, les Québécois sans doute vous sont supérieurs, d'après les dires de Saline, la fille de l'avion, chez elle les vocables anglais sont systématiquement naturalisés en lutringeois.

Retour à l'embranchement précédent. Donc. *Notre petite patrie* est une collocation. Aucun doute là-dessus. Bah c'est très con. Les Autrichiens disent ça aussi ? Et les Irlandais ? Et les Néerlandais ? Sûrement pas, ils ont confiance en eux, ils sont occidentaux. Pourtant ils sont moins grands. Territorialement. Mais supérieurs dans leur tête. Alors ça suffit. La Hongrie est d'une superficie tout à fait respectable. Il n'y a pas de honte à faire 93 030 kilomètres carrés. Vous êtes un pays de taille moyenne. De taille moyenne. À force de répéter *petite patrie*, ça rabaisse, ça amoindrit réellement. Étiquetage négatif. Comme les enfants, si on leur soutient qu'ils sont idiots même s'ils ne le sont pas ils le deviennent.

La question territoriale étant réglée, on n'était pas loin de croire que vous n'en sortiriez jamais, vous repérez un train qui part à 14 heures, cela vous laisse cent cinquante minutes pour l'attraper – si l'on est amateur de soustractions, on en profitera pour s'amuser à calculer l'heure qu'il est maintenant, et en récompense on en retirera une douce sensation de confort chronologique. Quand votre petit bagage et vous-même êtes prêts, vous passez en coup de vent chez votre grand-mère afin d'y déposer le basilic, que vous confiez aux bons soins d'Ilonka. Vous lui expliquez qu'il est polonais et elle rit, ah polonais très bien, alors c'est un ami. Elle l'installe sur le rebord de la petite fenêtre du vestibule, à côté de son paquet de cigarettes. Vous craignez un instant que le basilic ne soit effrayé par les cigarettes, qui sont constituées de feuilles de tabac séché, soit des cousins morts et découpés en petits morceaux, mais Ilonka prend les devants et cache spontanément le paquet. En somme, vous pouvez partir l'esprit tranquille, le basilic est entre de douces mains. Et vlip, vous foncez à la gare.

Dans le train vous vous installez au sein d'un carré agréablement sous-peuplé, seule une jeune femme aux longs cheveux noirs et ayant à peu près votre âge s'y trouve également. Son téléphone sonne, et dès qu'elle a décroché vous êtes prise de panique, elle a parlé roumain, elle est roumaine. Vous rangez précipitamment le magazine de vulgarisation historique acheté à la gare, en effet les mots hongrois se prélassant en couverture signalent votre connaissance de la langue, et partant de là votre nationalité hongroise, entre ces deux variables le rapport de corrélation positive frôle à ce point la perfection qu'on peut sans grand risque déduire l'une de l'existence de l'autre, puis vous vérifiez au moyen de coups d'œil gyrophare si rien d'autre ne serait susceptible de vous trahir. Votre passeport est dans votre sac. Vous ne portez pas de t-shirt représentant la Grande Hongrie. Vous n'êtes pas en train de manger une soupe de goulasch. Tout va bien. Elle n'a aucune raison de deviner. Si ce n'est qu'en Hongrie, on rencontre pas mal de Hongrois. La preuve vous l'êtes. Non, il ne s'agit pas d'une preuve, mais passons.

Vous vous reculez au maximum sur votre siège, vous vous concentrez pour respirer par le ventre. Vous regardez la fille, vous songez à la haine viscérale des Roumains pour les Hongrois, ils vous détestent du foie, ils vous abhorrent de la poche stomacale, ils vous exècrent des intestins, votre existence, votre simple existence les incommode, vous leur pompez l'air, leur air roumain qui est à eux rien qu'à eux, ils voudraient que vous disparaissiez absolument et en même temps probablement que non sans quoi toute cette haine qu'en feraient-ils, paradoxe des persécuteurs que la pénurie de victimes condamne au chômage technique. Vous fermez les yeux, vous voyez des crachats et des gifles et des coups et des matraques et des morts, c'est la Securitate la police les voisins les concierges les commerçants les enseignants les hooligans c'est tout le monde et ce monde est distillé dans la fille, elle est peut-être gentille elle est peut-être ouverte d'esprit cependant la haine a pondu des œufs dans ses poumons tout comme la peur a troué vos os, votre corps face au sien pour elle est déjà une insulte, un rappel de l'abominable excroissance qui ruine son harmonie nationale.

Vous serrez les dents, non non malheureuse cela vous donne un air menaçant ne la provoquez pas, baissez la tête, allez baissez la tête profil bas, efforcez-vous d'être indiscernable, fusionnez avec le décor, imprimez à votre visage une expression ferroviaire, vous êtes un meuble, vous êtes une banquette de wagon, vous n'êtes personne, avec un peu de chance elle ne vous remarquera pas. Le peu de chance hélas vous bondit faussement, quelle imprudence aussi que de sortir de chez vous sans avoir glissé une cape d'invisibilité dans votre sac, c'est l'équipement minimal pour affronter la jungle du monde, ainsi lorsque la fille a terminé sa conversation elle se tourne vers vous, elle vous a vue, elle vous regarde, elle vous fixe, elle lève un bras dans votre direction.

Vous réprimez un cri d'effroi, elle va vous frapper au secours au secours et personne ne fera rien, il y en a tant des épouvantables histoires d'agression se déroulant sous les yeux de voyageurs bodybuildés restés passifs, en groupe les gens se diluent de la responsabilité, ils pensent pourquoi serait-ce à moi d'intervenir mon voisin le fera et au final ce sont des meurtres barbares sans que personne n'ait levé le petit doigt, non mais calmez-vous, arrêtez avec les scénarios catastrophe, son bras c'était simplement pour récupérer sa veste suspendue à côté de vous et sinon elle vient de vous présenter ses excuses pour le dérangement. Bon ça va. Vous avez toujours des sueurs froides mais ça va. Vous avez su encaisser le choc. Elle s'est adressée à vous en anglais, vous lui répondez donc en anglais également, cela en faisant montre d'une excessive politesse, mais aucun souci entre voisines de carré la tolérance est de mise, qu'elle téléphone autant qu'elle le désire, cela ne vous dérange aucunement, et même, vous adorez les gens qui parlent des langues latines dans les trains, c'est si chantant, cela vous berce pendant le voyage, vraiment merci pour ce moment de détente auditive qu'elle vous a gracieusement offert – en vérité vous entendez lui démontrer votre supériorité morale, elle a failli vous frapper et en retour vous la traitez avec une irréprochable courtoisie, vous êtes ultrasmart dans votre cœur. Mouais. Vous vous foutez d'elle, quoi.

Là-dessus, coup de théâtre, cabriole dramatique, pirouette de situation, le visage de la fille s'illumine, elle pousse de petits cris de joie, oh vous êtes lutringeoise quelle chance, elle adore ce pays, elle est prof de lutringeois, elle se rend justement au colloque annuel de l'association internationale des enseignants de lutringeois, cette année il a lieu ici en Hongrie près du Balaton, d'où sa présence dans ce train. Tandis qu'elle vous vante les mérites du pays des antennes d'escargot rôties vous assemblez les pièces du puzzle, qui sont en nombre assez réduit au demeurant : anglais, prononciation. Vous parlez anglais avec un atroce accent lutringeois. Ce ridicule et légendaire accent. Si caractéristique qu'il interdit absolument aux touristes lutringeois de renier leur pays d'origine, qu'ils visitent le Danemark ou la Thaïlande, il suffit qu'ils prononcent deux mots en anglais pour qu'immédiatement leur accent les dénonce et les condamne sans appel. Dans votre cas le phénomène vous paraît à la fois extrêmement comique, aussi incongru que si une soprano portugaise se transformait en alto lorsqu'elle chante en allemand, et à la fois un brin contrariant, ainsi le lutringeois a contaminé votre anglais, il s'est collé dessus, vous avez assurément appris l'anglais là-bas et de ce fait votre anglais est, si l'on peut dire, un anglais de Lutringeoise langue maternelle. Sur le principe cela vous déplaît, une Hongroise doit avoir un accent hongrois, toutefois pour l'heure c'est un gros avantage stratégique : vous quittez vos habits de victime potentielle et revêtez ceux de super-espionne planquée derrière un masque occidental. L'occasion est trop belle, depuis le temps que vous rêviez d'être agent secret, vous ne pouvez pas, non vous ne pouvez pas la détromper, qu'elle pense donc que vous êtes de là-bas. C'est une telle aubaine, vous allez pouvoir l'observer, l'examiner de près, et tout ce que vous avez toujours voulu savoir sur les Roumains vous serez en mesure de le demander sans risque. En substance, vous avez trouvé votre cape d'invisibilité.

La fille désormais s'exprime en lutringeois, dans une langue quasi parfaite, un peu désuète dans ses tournures mais syntaxiquement il n'y a rien à redire, et sa voix est celle d'une groupie, la musique et le cinéma et les voitures et les foulards de soie, tout ce qui vient de *là-bas* est fabuleux et tellement supérieur aux équivalents roumains, et puis ces spécialités culinaires, les éclairs à la crème de grenouille, la langue de cheval panée, les abats confits accompagnés de leur compotée de pieds de cochon, quel délice, quel raffinement – comme quoi ils sont forts en propagande ces Lutringeois, ils savent se vendre, de leur pays ils ont réussi à faire une marque de luxe.

Vous jubilez, la pauvre, elle s'épanche en toute confiance, elle ignore qu'elle s'adresse à sa pire ennemie, quel vilain tour vous lui jouez là. Vous êtes la sorcière avec sa potion magique, vous êtes l'intrigante tirant les ficelles dans l'ombre, vous êtes la comploteuse et sa bague à poison. Non. En fait ce n'est pas très amusant. Vous n'arrivez pas à la détester, c'est nul, vous êtes vraiment une ratée. Vous avez de la peine. De la pitié plutôt. Elle est là avec son grand amour pour la Lutringie, elle vous cite de tête des poèmes entiers, elle s'enthousiasme pour des romans dont vous n'avez jamais entendu parler, elle est si heureuse de transmettre tout cela à ses élèves. Et en retour c'est le rien. Un seul exemple, il y en aurait des centaines. Elle enseigne dans un établissement bilingue roumain-lutringeois, à Bucarest. Et en Lutringie, combien il y en a, des écoles où l'on enseigne le roumain ? Aucune. Évidemment. Quelle belle invention que la Lutringeophonie. C'est un jeu de société international qui fonctionne selon le principe suivant : on réunit une petite centaine de pays, on en choisit un et on prie les autres d'avoir l'amabilité d'apprendre sa langue. Il se trouve que la blanche main du hasard a sélectionné la Lutringie. Du coup, tout le monde se coltine le lutringeois. Ah oui, et l'autre règle, c'est qu'il n'y a qu'un seul tour, une unique partie, donc jamais on ne demandera aux Lutringeois de parler le roumain, l'arabe ou le fon. Ce n'est peut-être pas très juste mais il ne fallait pas participer si c'est pour se plaindre après, sinon ça fait mauvais joueur. Curieusement ni l'Allemagne, ni les États-Unis, ni le Japon n'ont manifesté le souhait de prendre part au jeu.

Vous voudriez lui dire qu'elle gâche son amour fin et délicat, qu'elle ne devrait pas de la sorte s'engager dans une relation asymétrique, qu'elle ferait mieux de s'enticher de la Croatie ou du Liban, mais vous ne le lui dites pas, si elle a envie de s'humilier de la sorte c'est son affaire. Au demeurant, elle fait cela avec un talent certain, l'autohumiliation, avec vous elle se comporte comme si vous étiez une célébrité, c'est limite si elle ne vous demande pas un autographe, et concernant la Lutringie, les Lutringeois, ce n'est pas qu'elle se berce d'illusions, pas du tout, qu'ils souffrent d'une myopie géographique les empêchant de distinguer les pays se situant au-delà de l'Allemagne, qu'ils n'en aient littéralement rien à foutre de la Roumanie, elle est complètement au courant. Or au lieu de se révolter elle s'écrase et elle geint, c'est tellement la honte d'être roumaine, c'est un si petit pays insignifiant, quand elle se rend en Lutringie elle se sent fondamentalement minable, parfois même elle n'ose pas révéler sa nationalité, elle se fait passer pour une Italienne, elle baragouine un peu l'italien, c'est une langue latine aussi. Et son autre souci, qui vraiment la tracasse beaucoup-beaucoup, c'est que dans la mesure où *Roumain* et *Tsigane* ça se ressemble à l'oreille souvent les Lutringeois confondent, ils la prennent pour une Tsigane, et ça c'est très-très horrible parce que les Tsiganes ne font que voler, par ricochet ça ternit l'image des Roumains qui sont un peuple honnête. Elle soupire, si seulement les Tsiganes pouvaient changer de dénomination et s'appeler autrement. Vous n'avez pas cru qu'elle était tsigane au moins ?

À ce stade de vos aventures, les pensées qui en vous croyaient encore, ces pauvres ingénues, que la littérature, la philosophie ou l'histoire, ces choses qu'on regroupe sous le vocable de culture, constituaient une protection efficace contre le racisme se sont toutes suicidées. Du coup, que la fille soit exceptionnellement lettrée, cela ne vous trouble pas une seconde. Tant mieux, cela dégage du champ dans votre tête et vous permet de relever qu'elle a qualifié la Roumanie de *petit pays*. Vous trouvez ça franchement gonflé sachant que la Roumanie non seulement est très grande, mais en plus est grande notamment grâce à la Transylvanie, donc faudrait pas non plus qu'ils se plaignent, dès lors vous lui signalez obligeamment que la Roumanie fait 238 391 kilomètres carrés, qu'à peu de chose près c'est la superficie du Royaume-Uni, que c'est plus grand que la Biélorussie, la Grèce ou la Hongrie, qui au passage est un pays de *taille moyenne*. Elle vous regarde interloquée, vous vous mordez les lèvres, euh ce matin vous vous êtes amusée à regarder la superficie des pays d'Europe, simple curiosité, comme vous visitez la Hongrie vous étiez curieuse. Et vous êtes d'origine hongroise ? Vous secouez énergiquement la tête, du tout du tout, Lutringeoise pure souche depuis soixante-douze générations, descendante en ligne droite des vignerons fondateurs. Ça alors c'est drôle, ce matin dans l'avion elle a rédigé un texte sur lequel elle compte faire travailler ses élèves la semaine prochaine, et justement ça présente les origines de la Lutringie, les vignerons et tout ça, vous accepteriez d'y jeter un œil ? Il s'agit de petits élèves de sept et huit ans, donc c'est assez simple. Elle sort une feuille à carreaux, vous parcourez les lignes manuscrites, vous souriez face à ce récit qui en effet correspond bien, du moins il vous semble, au marketing républicain dont on abreuve les élèves de primaire en Lutringie.

Le train marque un arrêt dans une gare, il n'est pas excessivement pressé, il dispose de trois heures pour effectuer 170 kilomètres. La fille en revanche le devient soudainement, elle se lève, elle s'affole, elle rassemble ses affaires à la hâte, elle a failli rater sa station c'est ici qu'elle descend bon eh bien santé bonheur joyeuses Pâques au revoir adieu. Et xoc, vous vous retrouvez seule. Oh non. Mais quelle tourte. Votre mission secrète. Vous ne l'avez même pas fait parler des Hongrois. Pourtant en manœuvrant adroitement vous auriez pu la conduire sur ce terrain, vous auriez découvert ce que les Roumains disent de vous quand vous n'êtes pas là sauf que vous auriez été là et que vous n'en auriez pas perdu une miette. Pour commencer elle aurait été réticente naturellement, peut-être même qu'elle aurait passé sous silence l'existence des minorités, croyant pouvoir vous jouer la comédie de l'homogénéité nationale, toutefois vous l'auriez coincée, vous l'auriez confondue, et elle aurait fini par avouer que son pays n'était pas exclusivement peuplé de Roumains, qu'y habitaient aussi des Hongrois et des Saxons. Vous suspendez ici votre réflexion principale le temps d'adresser une petite prière d'excuses aux Saxons, pardon vous les avez négligés, vous le savez bien qu'il y a aussi des Saxons en Transylvanie mais vous étiez débordée avec les Hongrois, vous n'avez pas eu le temps de penser aux Saxons, à votre décharge ils sont très peu nombreux désormais, ces dernières décennies ils ont émigré en masse vers l'Allemagne, ce qui au reste vous attriste beaucoup pour la Transylvanie, elle a dû se sentir abandonnée. Cette formalité étant accomplie vous libérez la fille du sort de pétrification que vous lui aviez jeté pour qu'elle se tienne tranquille, et donc les Hongrois, et donc les Saxons ? Elle aurait répondu, les Saxons aucun problème par contre les Hongrois c'est un cran plus compliqué, et ses yeux auraient lancé des éclairs rougeoyants, et de la fumée toxique se serait échappée de ses narines, et elle aurait émis un rire démoniaque, oh vous exagérez un peu, là, non ? Chut. Et ensuite elle aurait dit, aïe, et qu'est-ce qu'elle aurait dit ensuite ? Probablement quelque chose comme, ils se livrent à des provocations, ils agitent leur drapeau, ils chantent leur hymne, ils ont des revendications, et il y a une région où ils sont tous agglutinés, tous collés les uns aux autres, ceux-là parlent à peine le roumain, qu'est-ce qu'on peut faire de ces gens qui refusent d'apprendre la langue de leur propre pays ? Sous votre déguisement de Lutringeoise vous auriez été surexcitée, go go Sicules ne vous laissez pas faire, battez-vous pour vos droits, cependant qu'en surface vous vous seriez contentée de perfides questions, ah bon et c'est un problème qu'ils soient attachés à leur identité, vous personnellement êtes pour la tolérance, ou alors vous avez mal compris, l'hymne hongrois est un chant maléfique participant d'un rituel de magie noire, à chaque couplet entonné un bébé roumain s'étouffe dans son berceau ? Elle aurait esquivé, elle se serait posée en victime, elle aurait évoqué les oppressions de l'époque austro-hongroise, et vous auriez été déçue qu'elle ne vous dise pas ouvertement qu'elle voudrait vous arracher vos cheveux qui sont plus beaux que les siens, que son vœu le plus cher est que les minorités hongroises se roumanisent, qu'elle-même a le projet de se marier avec un Hongrois comme ça leurs enfants communs seront roumains, puis la conversation aurait dévié sur les hommes préhistoriques, elle aurait soutenu que déjà au Paléolithique la Transylvanie était roumaine, qu'elle l'est depuis toujours, que ce n'est que par accident qu'elle a été hongroise pendant un millénaire, et vous auriez bouilli de l'intérieur, quelle affirmation grotesque, elle trafique l'Histoire, vous n'avez pas occupé la Transylvanie c'était chez vous tout bonnement, euh vous êtes sûre, vous avez vérifié ? Non, mais la fille non plus. Et ça vous dispense ? Ben oui, vous êtes à égalité. O.K. Alors tout va bien. Ah oui vraiment oui. Affirmatif. Eh oui, eh oui. Quel confort. C'est vrai ça. Aisance cérébrale maximale. Oui, oui, oui. Assurément. Au top. Vous confirmez. Encore un coup ? Non ça va c'est bon.

Un instant vous décalez votre regard, envisageant le dialogue depuis le porte-bagages au-dessus du carré où la fille et vous discutez, il est toujours utile de multiplier les angles de vue, et la circonstance que la scène se déroule dans votre tête ne vous paraît pas de nature à remettre en cause ce principe fondamental. Ainsi perchée sur votre porte-bagages vous voyez deux filles, elles ont la trentaine toutes les deux, il y a une Roumaine et une Hongroise, cette dernière feint d'être lutringeoise mais c'est un détail, et chacune des deux filles s'efforce, pour le formuler d'une façon un brin simpliste, de démontrer que c'est le peuple de l'autre qui a opprimé le sien en premier. Il pourrait vous traverser l'esprit, cela ne se produit pas mais cela aurait pu se produire, c'était une belle opportunité, que si l'histoire longue des rapports entre Hongrois et Roumains est incontestablement complexe, une chose néanmoins est certaine : pendant que les hommes hongrois et roumains étaient occupés à s'oppresser les uns les autres, tous ou presque oppressaient leurs femmes. Partant de là, vous auriez pu songer que ces deux filles, au lieu de disserter sur la langue maternelle des hommes préhistoriques transylvains, seraient mieux avisées de se demander si ces histoires les concernent réellement, si ce ne seraient pas des histoires écrites par des hommes ayant découpé le réel à leur guise et pour leur bon plaisir, voire si elles n'auraient pas intérêt à passer alliance et à cesser, au moins provisoirement, de se soucier de leur nationalité. Or c'est précisément parce qu'appréhender la scène de cette manière nécessiterait non pas simplement de réaménager votre cerveau, mais de le démolir à la dynamite afin de faire place nette et de vous en construire un nouveau, entreprise évidemment impossible puisque après l'explosion vous n'auriez plus les ressources intellectuelles suffisantes pour renaître de vos cendres, parce qu'en somme votre réflexion atteint ici son butoir, qu'au lieu d'énoncer cette hypothèse vous vous contentez, on admettra que c'était déjà suffisamment fatigant, de vous imaginer l'énoncer. Malgré la précaution, il en résulte un léger désordre dans votre esprit, c'est qu'on n'invite pas impunément des hypothèses dans sa tête, y compris fictives elles dérangent, elles déplacent, elles modifient, et maintenant vous n'avez plus du tout envie de poursuivre ce dialogue idiot avec la fille.

Vous ressortez le magazine de vulgarisation historique que vous aviez caché dans votre bagage en comprenant que la fille était roumaine, c'était il y a peu de temps donc on s'en souviendra certainement, dans le cas contraire qu'on consulte sans délai un spécialiste des troubles de la mémoire récente. Vous feuilletez le magazine, il y a un dossier spécial religion, quelle idée bizarre de l'avoir acheté, soit ce sont vos pensées encyclopédistes qui préparent un colloque sur le sujet, soit c'est l'histoire des coupoles orthodoxes qui vous a perturbée. Pour autant ce n'est pas inintéressant, vous vous instruisez sur la religion des premiers Hongrois, lesquels pratiquaient le chamanisme et consommaient des amanites tue-mouches, tous les chemins mènent aux champignons sauvages décidément. Ensuite vous parcourez la biographie du roi Étienne, fondateur du royaume de Hongrie, qui n'était pas très emballé par le chamanisme, et qui ne s'est pas non plus laissé tenter par Byzance, son choix à lui c'était Rome. Était-il chrétien dans sa tête comment le savoir, en tous les cas politiquement il l'était, la Hongrie il a voulu en faire un État chrétien, et bientôt c'en a été fini des substances hallucinogènes et des transes chamaniques. Mais bon, sûrement que c'était une bonne stratégie, cela a fait entrer la Hongrie dans le club de l'Occident, et pendant quelques siècles cela ne s'est pas trop mal passé. Enfin, et c'est le dernier article que vous lisez parce qu'il vous déprime à ce point qu'ensuite vous jetez le magazine, il y a un long papier sur les Ottomans, les invasions ottomanes, la Hongrie comme *Antemurale Christianitatis*. Vous souriez avec tendresse, c'est très mignon cette histoire de rempart de la chrétienté que patrie-chérie qui n'est pas si petite se raconte, mais il vous semble que cela n'est pas spécifiquement hongrois, en tous les cas vous savez qu'il y a au moins les Croates et les Polonais qui disent pareil. En d'autres termes, c'est une bête affaire de géographie, lorsqu'on se trouve au bord du club chrétien romain et qu'arrivent les Ottomans, ben on se fait attaquer en premier, c'est inévitable. Certes, en défendant la Hongrie vos ancêtres ont *de facto* protégé les pays chrétiens planqués derrière, cependant il paraît difficile de soutenir que si votre peuple était resté chamaniste, il n'aurait pas également combattu. Donc truc chrétien, bof, truc de défense du territoire surtout, quand des types armés ayant le projet d'étendre leur empire débarquent, il est logique de ne pas être spécialement enchanté. Sauf si on est parfaitement indifférent à l'identité de ceux qui gouvernent le lieu où l'on habite. Peut-être. Est-ce que ça existe, des gens qui pensent comme ça ? Sinon les invasions ottomanes c'est affreusement triste, héroïsme puis défaite, voilà le schéma narratif de la plupart des épisodes. Du moins d'après le magazine, mais comme cela correspond à vos connaissances mobilisables, vous n'avez aucune raison de suspecter une manipulation, ou alors c'est une manipulation géante dont le pays entier est victime, auquel cas mieux vaut que vous l'ignoriez car être la seule lucide au sein d'une majorité enfumée c'est un coup à se retrouver à l'asile psychiatrique. Lire ces récits de batailles est si étrange, vous connaissez la fin et pourtant chaque fois vous espérez, vous supportez votre équipe, vous l'encouragez, allez allez tenez bon, triomphez des Ottomans. Un peu comme si vous lisiez l'*Iliade* en croyant jusqu'à la dernière minute qu'Hector pourrait ne pas mourir. C'est donc un drôle d'espoir qui vous anime, est-ce le terme correct, un espoir conscient de son illégitimité, un espoir qui a le goût amer de l'échec imminent et qui néanmoins résiste, s'accroche, refuse de disparaître, un espoir têtu et obstiné qui dit même s'il n'y a pas d'espoir il y en a quand même, ayons foi en l'irréel du passé, cela aurait pu se passer autrement, ce n'était pas une nécessité. C'est l'espoir uchronique des perdants. Et il vous serre tellement le cœur ce misérable petit espoir, vous aimeriez le consoler, lui offrir des victoires, mais vous butez contre une chose nommée irréversibilité et que vous détestez très fort.

Vous refermez le magazine, vous remarquez un papier par terre, c'est le court texte que la fille a écrit sur l'histoire de la Lutringie. Vous le relisez, une fraction de seconde vous êtes envieuse de leur passé à eux, puis vous vous souvenez, ils ne s'en préoccupent guère, ils trouvent naturel d'avoir gagné à tous les coups, ils ne s'en émeuvent pas. Vous glissez le papier dans votre cahier, entre la dernière page et la couverture cartonnée, si un jour vous avez un texte dans ce style à traduire cela vous fera un modèle, vous ne pouvez pas savoir, d'autant moins qu'il va peut-être falloir sortir du droit et vous diversifier.

Votre séjour à Badacsonytomaj est un enchantement. Vous trouvez facilement à vous loger, vous savez d'instinct comment procéder, il convient de repérer une mémé et après il suffit de se laisser porter. Une fois sortie de la gare vous vous éloignez du centre-ville, vous marchez dans les rues bordées de maisons individuelles, vous apercevez une mémé qui s'affaire dans son jardin, vous lui faites un signe, vous criez par-dessus la clôture, aurait-elle une chambre à louer ? Non hélas, toutefois allez donc voir Terike, c'est la maison verte au coin de la rue, dites que vous venez de la part de Marika.

Vous sonnez chez Terike, une chambre oui mais non elle est occupée par un gros Autrichien, si elle avait su elle lui aurait dit non, bref tentez votre chance chez Rózsika, c'est la maison en face de l'épicerie là-bas. Et là c'est bon, Rózsika a une sensationnelle chambre à vous proposer. Vous êtes ébahie, dans cette pièce le temps s'est arrêté, vous êtes propulsée dans les années 1970, tout est marron et orange et en contreplaqué, c'est si beau et si moche à la fois, comment l'exprimer, c'est de la mauvaise qualité haut de gamme, c'est le top du luxe communiste, et manifestement cela a été entretenu avec amour. *Well done*, la magie du mémé-network a opéré.

Vous posez vos affaires et filez à la plage, c'est déjà légèrement le soir cependant vous pouvez encore vous baigner. En entrant dans l'eau vous vous concentrez, il s'agit du Balaton quand même, un peu de respect. En fait c'est juste mouillé et froid, et le fond est constitué d'une vase visqueuse dans laquelle s'enfoncent vos pieds, splotch. Vous sautillez, vous battez des bras, vous êtes contente, ce n'est pas la transe extatique non plus mais vous êtes bien, vous êtes chez vous, le Balaton c'est votre lac – *mer hongroise* en fin de compte vous n'aimez pas, ça sonne comme un complexe de thalasso-infériorité, vous préférez la fierté lacustre à la honte maritime.

Vous vous séchez, vous vous rhabillez, précision en passant, ce n'est pas parce qu'ici le sol est d'herbe que ce n'est pas une plage, rien dans la définition du terme plage n'exige le sable, et vous partez vous promener dans le centre-ville. Depuis la jetée vous contemplez le Balaton au soleil couchant, ainsi que la montagne Badacsony qui est dans votre dos, naturellement vous vous retournez entre les deux opérations. Badacsony. Une belle montagne plate, en forme de trapèze isocèle. Une Lutringeoise évidemment s'esclafferait, une montagne ? 437 mètres d'altitude ? une *colline* vous voulez dire ? Cependant pour vous qui êtes hongroise il s'agit d'une montagne. Point.

Vous tombez sur un marché artisanal, sorte de foire miniature, avec dégustation de vins, de fromages, et vente d'objets fabriqués maison. Vous dénichez un somptueux pot en terre cuite comportant des motifs végétaux ressemblant à l'arbre de vie des chamanes hongrois, ils en parlaient dans l'article du magazine d'histoire. Bon. C'est peut-être plus un simple hasard qu'une résurgence mythologique. Au demeurant, qu'est-ce qui vous prouve qu'il est réellement de fabrication artisanale, ce pot ? Mais arrêtez, le doute, toujours le doute, détendez-vous, au revoir méchante suspicion, rêvez devant le folklore hongrois, vous adorez cela, le folklore, n'est-ce pas ? Oui. Non. Peut-être. Ça dépend. Quoi qu'il en soit, vous avez bon espoir que le pot plaise au basilic, il vous semble que c'est tout à fait dans ses goûts. Pour finir vous dégustez du vin blanc, manque un tantinet de moelleux mais intéressant, et aussi du champagne, horreur acétique, c'est quoi ce mousseux dégueulasse ? Vous vous giflez mentalement, sale petit fœtus de glaire, raclure de glandes sudoripares, que des bambous acides écartèlent votre œsophage, alors il n'est pas assez sophistiqué le champagne hongrois pour votre délicat palais, eh bien retournez-y en Lutringie, allez ouste dans l'avion, et n'oubliez pas d'enfiler votre laisse vous en aurez besoin. Non mais pardon vraiment pardon c'était un accident pardon cela ne se reproduira plus pardon.

Lorsque vous rentrez, Rózsika n'est pas encore couchée, vous discutez, elle est une si gentille mémé, elle vous raconte la mort de son mari, ses enfants qui sont loin et sa solitude et ses abricotiers, vous brûlez de lui proposer un partenariat, vous avez du temps en ce moment, vous voulez bien lui écrire ou lui téléphoner ou même venir la voir régulièrement, toutefois vous savez ce que valent les amours de vacances, de retour à Budapest l'engagement vous paraîtra absurde et intenable, alors vous vous contentez de l'écouter, vous aimez sa voix et le dessin de son visage affaissé, c'est sa vie qui s'y est imprimée. Elle sort sa réserve secrète d'eau-de-vie, vous vous laissez aller à des confidences, vous lui révélez que vous avez grandi ailleurs, elle en est étonnée, cela ne s'entend pas du tout, les enfants d'émigrés pourtant souvent ont un accent.

Le lendemain matin, sur la table de la terrasse attenante à votre chambre vous découvrez un pot de confiture d'abricots, c'est un cadeau de Rózsika. Vous fondez d'amour, vous courez la remercier, c'est trop joli c'est trop gentil vous adorez oh il ne fallait pas mais euh vous êtes d'accord pour accepter. Elle vous présente ses excuses, sûrement que c'est moins bon que les confitures qu'on trouve dans les magasins en Lutringie. Vous êtes horrifiée, ça ne va pas la tête, elle est folle, sa confiture surpasse n'importe quelle confiture industrielle, vous le lui certifiez, rien qu'à l'œil ça se voit, quelle idée de penser que lutringeois est synonyme de qualité, au contraire là-bas tout est industriel et bourré d'additifs, une confiture maison comme celle-ci les gens se l'arracheraient.

Vous faites un tour à la plage puis vous partez dans les hauteurs, il y a des sentiers balisés, vous ne vous perdrez pas. En vérité vous vous perdez mais c'est pour jouer, vous n'êtes qu'égarée, et vous êtes heureuse car dans votre égarement vous découvrez un endroit avec des mûres sauvages à perte de vue, partout ce ne sont que ronces et fruits délicieux, vous restez une heure, peut-être deux, des mûres hongroises, elles sont sucrées, elles sont juteuses, c'est un si grand trésor, un cadeau de la nature, vos doigts ont bleui et vos jambes sont couvertes d'écorchures cependant vous n'avez pas mal, vous êtes dans le ravissement fruitier le plus total, il est incroyable qu'il pousse de la sorte des buissons fabuleux, ils le font seuls, on dirait un miracle féerique, une surprise préparée à votre intention par les lutins de la montagne, de la colline si on y tient, pour pinailler là-dessus c'est qu'on n'a jamais mangé de mûres hongroises.

En redescendant vers la ville vous passez devant un marchand de pêches, c'est la journée des cadeaux végétaux décidément, bon ici c'est payant mais c'est quand même un don des plantes, des arbres du verger juste derrière en l'occurrence, et le marchand n'est pas un vrai marchand, il n'est pas commerçant, il ne spécule pas sur le travail d'autrui, il vend sa production personnelle. Non loin de la table en bois où s'étalent de grosses pêches, il y a la femme et les enfants du marchand, et un petit chaton blanc. Vous jouez avec le chaton, il est un être tout neuf et tout soyeux, il bondit dans tous les sens, vous lui courez après et il vous court après, vous êtes déjà parmi les pêchers qui sont des géants bienveillants autour de vous, vous les regardez subjuguée, vous vous éloignez, vous revenez, vous examinez les grosses pêches sur la table du marchand, vous en goûtez une, sa chair est sublimement parfumée, c'est mille fois meilleur que les fruits insipides des étals à Èclute. Vous le dites au vendeur, cela lui fera plaisir, et en effet cela lui fait plaisir, et ensuite il vous interroge sur là-bas, les cathédrales et les châteaux est-ce aussi beau qu'on le dit, et sinon est-il vrai que de Noirs et d'Arabes les rues sont envahies ? Sa question ne vous fait rien, vous vous en fichez, ce qui compte ce sont les pêches et le chaton, vous n'allez pas laisser une bête question vous gâcher votre plaisir.

Vous effectuez un saut chez Rózsika pour récupérer vos affaires, vous l'embrassez fort et prenez congé, c'est déjà la fin, on est dimanche après-midi, vous partez avec regret mais les bras chargés de cadeaux, un pot pour le basilic, de la confiture d'abricots et trois kilos de pêches, vous auriez aimé rester toutefois vous n'êtes pas en Hongrie pour passer des vacances, il s'agit de faire votre vie, donc vous devez rentrer à Budapest, en semaine votre place est là-bas.

Dans le train qui vous reconduit à la capitale vous ouvrez votre cahier afin d'y rédiger le récit de votre merveilleux week-end. Lorsque vous relatez votre rencontre avec la fille roumaine, vous prenez soin de préciser douze fois que c'est une seule Roumaine, que vous n'en tirez aucune conclusion, qu'il faudrait rencontrer plein de Roumains et de Roumaines pour se faire une idée de ce peuple, lequel n'est sans doute pas exclusivement composé de professeurs idolâtrant la Lutringie. Cela dit, vous avez autre chose à faire que de pourchasser des Roumains et des Roumaines pour les interviewer. À ce propos, vous ne trouvez pas que vous avez été un brin condescendante avec la fille ? Mais non, vous aviez de la peine, qu'elle n'ait aucune fierté vous inspirait de la pitié. Et ce n'est pas de la condescendance, ça ? Nullement : la condescendance c'est quand on se croit supérieur. Et ce n'était pas le cas ? Non, c'est elle qui se rabaissait. Ah très bien. Donc c'est une affaire classée ? Évidemment. Voilà qui est rassurant, en effet vous étiez sur le point de vous demander si bien différencier fierté hongroise et arrogance lutringeoise était si simple que cela. Mais du coup, c'est sans objet. Effectivement. Parfait, alors la séance est levée.

Quand vous levez le nez de votre cahier, vous regardez machinalement par la vitre. Le train a ralenti, vous traversez une petite ville. Vous observez les maisons, les rues, les arbres. Et les panneaux publicitaires. Vous en remarquez deux qui sont tout à fait bizarres. Le papier est délavé, toutefois le texte blanc sur fond bleu est encore lisible : « Qui vient en Hongrie ne prendra pas le travail des Hongrois » et « Qui vient en Hongrie respectera la culture hongroise ». Vous souriez tristement. Comme si quelqu'un voulait s'installer ici. Votre pays hélas ne fait rêver personne. Oui, il y a des touristes, mais ils repartent toujours. Là-dessus, il vous revient en tête cette abracadabrante histoire de clôture anti-migrants dont vous aviez entendu parler à la radio hongroise la veille de votre départ d'Èclute. La clôture, les panneaux. Ainsi, vous auriez raté un épisode ? Sans que vous en soyez avertie, la Hongrie serait devenue attractive aux yeux des étrangers ? À tel point qu'il soit nécessaire de se protéger, ils seraient trop nombreux, trop envahissants ? Franchement cela vous étonnerait beaucoup, vraiment beaucoup. Mais si d'aventure c'était le cas ce serait fabuleux, ce serait l'événement du siècle : ce sont les pays riches, grands et puissants qui attirent les candidats à une vie meilleure. Devenir une terre d'immigration, quelle ascension géopolitique ce serait pour moyenne-patrie-chérie. Sans compter que les immigrés habituellement sont des personnes ambitieuses, dynamiques et peu réfractaires au risque, c'est qu'il en faut de l'esprit entrepreneurial, pour tout quitter, tout abandonner, donc pour l'économie ce serait également une magnifique nouvelle, ce serait la relance, la croissance, la prospérité. Wow, si cela se trouve, dans quelques années, la Hongrie fera partie du G7.

Votre douce rêverie est brutalement interrompue par le surgissement inopiné de deux cruelles objections qui, bien qu'étant exclusives l'une de l'autre, contribuent ensemble à faire voler vos espoirs en éclats. En vertu de la première, il vous apparaît que la clôture et les panneaux risqueraient de tuer dans l'œuf la métamorphose en terre d'immigration. Parce que bon. Ce n'est pas très accueillant quand même. Qu'est-ce que c'est idiot. Décourager les gens de la sorte. Au contraire, il faudrait des campagnes publicitaires, venez venez, vous apprendrez une langue sensationnelle, votre esprit sera enfin bien rangé, vous vous baignerez dans le Balaton, vous cueillerez des mûres, vous serez heureux chez les mémés. Aux termes de la seconde, laquelle pulvérise la première au passage, les panneaux ne sont aucunement destinés à des étrangers. Puisqu'ils sont rédigés en hongrois. Or le hongrois, ce n'est pas trop une langue qu'on apprend dans les pays d'émigration. Ni dans aucun pays étranger d'ailleurs. Donc les éventuels candidats immigrés, s'il en existe, les panneaux ils ne les comprendront pas. Mais dans ce cas, à qui peuvent bien s'adresser ces panneaux ? Pas à la population hongroise quand même ? Oh. Tiens donc. S'exprimer en hongrois pour s'adresser aux Hongrois ça se défend plutôt bien. Alors ça c'est curieux. C'est, ça a un nom, oui, flûte des foins, quand on feint de s'adresser à un destinataire A mais qu'en réalité on vise un destinataire B cela s'appelle, oh non ça ne va pas recommencer, cela s'appelle, oui, oui, un trope communicationnel. Exemple, à la fin d'une soirée, demander aux hôtes, pardon auriez-vous un numéro de compagnie de taxi par hasard, et l'énoncer bien fort pour que toutes les personnes motorisées comprennent qu'il serait sympa de proposer de vous ramener. C'est exactement cela les panneaux, le gouvernement fait mine de s'adresser aux étrangers tandis qu'en réalité il parle aux Hongrois. Le procédé vous le cernez sans souci mais concernant le message secret vous séchez lamentablement. Le Premier ministre aurait besoin qu'on le ramène en voiture ? Mais pour aller où ? Et pour faire quoi ? Et il était dans quel genre de soirée ? Stop, cessez de jouer à la bécasse rhino-pharyngée, vous avez parfaitement saisi. Ah non. Ah si. Ah non. Ah si. Non mais non, c'est non. Oh dites donc, vous. Hein. Pssst. Au pied. Alors ? Bon d'accord. Le message c'est : méfiez-vous des étrangers, ayez peur des étrangers, les étrangers vous veulent du mal. Quoi ? Vous pouvez répéter ? Ne poussez pas non plus les kiwis dans les cheminées, vous avez très bien entendu.

Arrivée à Budapest, vous récupérez le basilic chez votre grand-mère, il est en pleine forme, il vous semble même qu'il a grandi, en tous les cas Ilonka s'est bien occupée de lui. Vous lui montrez son nouveau pot, il en devient fluorescent des feuilles, manifestement vous avez eu la main heureuse. Vous rentrez chez vous, vous allumez votre ordinateur et vous vous renseignez concernant cette histoire de clôture. C'est donc vrai. Un Mur est en construction au niveau de la frontière serbe, plutôt une sorte de grillage, vous n'avez pas bien compris, qu'importe la nature exacte de l'ouvrage, c'est un Mur, symboliquement c'est un Mur. Vos excuses, brève interruption, vous avez une légère nausée, il faut que vous alliez vomir, vous revenez dans un instant. Voilà. Ça y est. Déjà ? Eh oui. Rapide et efficace. Donc. Vous lisez des articles, vous regardez des photographies. Le choc migratoire : il y a réellement des gens désireux de venir en Hongrie. Vous les voyez, ils sont derrière le grillage, ils serrent le grillage avec leurs mains, cela ne peut être une mise en scène, ils voudraient passer de l'autre côté. Et on les empêche. Un Mur se dresse face à eux. Ou s'ils arrivent à entrer, on les met dans un camp. Un camp ? en Hongrie ? Vous secouez la tête, ce n'est pas possible pas possible pas possible un camp en Hongrie ce n'est pas possible, vous êtes cartésienne les trucs paranormaux très peu pour vous. Le camp en question fort heureusement se trouve assez loin de Budapest dès lors vous parvenez à faire abstraction, vous l'éloignez, vous le repoussez en dehors du champ de votre conscience. Mais le Mur.

Vous restez longtemps sans bouger, fixant l'écran devant vous. S'il avait fallu lancer des paris, vous auriez tout misé sur le fait qu'un pays qui dans le passé a souffert d'un Mur est absolument immunisé contre l'idée d'en construire un nouveau. Que quand on a connu le confinement, l'isolement, l'exclusion, on ne peut une seconde envisager d'ériger un Mur. Qu'il faudrait être fou, qu'il faudrait être malade. Une ravissante théorie, laquelle toutefois rate piteusement son examen d'entrée dans la réalité. Puisque le Mur existe. Vous regardez votre plafond qui est si haut, vous regardez vos propres murs, de gentils murs d'habitation, des murs qui vous protègent. Et subitement vous avez une révélation, c'est une revanche, c'est une revanche, mais évidemment. Vous avez été du mauvais côté du Mur, du côté pourri pendant si longtemps. Et là ce nouveau Mur, c'est un Mur qui vous place du bon côté. Pour aller vite, c'est un peu réducteur sans doute, cependant c'est ça, oui c'est ça, les Murs ont toujours un côté orage et un côté soleil, un côté émigration et un côté immigration, un côté on est dans la merde noire et un côté tralalala qu'est-ce qu'on est bien ici, et ce nouveau Mur c'est pour le plaisir, la jouissance d'être enfin, enfin du côté enviable, du côté gagnant, du côté occidental. Le désir, le plaisir, vous les comprenez. Mais n'y avait-il pas d'autres moyens ? Le théâtre, la poésie, le cinéma ? Il y a quantité de façons de vivre ses fantasmes sans importuner le monde. Tout en vous l'énonçant vous réalisez que c'est précisément cela qui vous effraie, qui vous terrorise, même, en effet vous avez l'impression que ce Mur est l'incarnation d'un fantasme géant, qu'il est obscène, pornographique, que quelqu'un quelque part a oublié de se censurer, perdant de vue qu'il y a des trucs qu'on fait dans sa tête et d'autres qu'on fait dans le réel, et qu'il est judicieux d'essayer, dans la mesure du possible, de ne pas mélanger les deux. Opération de distinction qui permet, par exemple, à des gens de se masturber en pensant à des enfants sans que cela pose un quelconque problème à la collectivité. Ce n'est pas interdit, ils font ce qu'ils veulent dans leur tête. Tant que cela n'est pas transposé en actes.

Vous aimeriez vous féliciter, quelle dextérité heuristique, quelle clairvoyance sociohistorique, mais hélas vous n'en avez pas le loisir, vous êtes actuellement occupée à hurler devant un article lequel vous traumatise complètement, et du coup votre belle interprétation, faute d'attention de votre part, déplie ses ailes translucides et s'envole dans les limbes, c'est sensible une interprétation, cela a besoin de soin et d'affection, cependant peu vous chaut, car sur votre écran vous voyez, vous lisez qu'un journaliste polonais qui se trouvait au niveau de la frontière, du Mur, a été frappé par la police hongroise, il va sans dire que c'est sa version à lui, toutefois pourquoi irait-il inventer une telle histoire. Un journaliste polonais ! polonais ! Aussitôt vous fermez l'onglet, puis le navigateur, puis vous éteignez carrément votre ordinateur, c'est trop horrible, il ne faut pas que le basilic voie ça, tricheuse c'est un prétexte, le basilic est grand, il est adulte, c'est vous qui ne voulez pas savoir, parce qu'il n'y a pas que le journaliste qui a pris des coups, mais les gens aussi, ceux qui voulaient traverser la frontière. Or le Mur, les coups, non vraiment ça ne rentre pas dans votre tête, vous voulez bien être souple de l'entendement, faire preuve d'ouverture d'esprit, par exemple vous êtes d'accord pour accepter qu'il puisse exister des extraterrestres, il y a tant de planètes pourquoi certaines ne seraient-elles pas habitées, mais ces trucs, là, ça non, il y a des limites. Et hop, vous empaquetez le tout dans un tupperware cérébral spécialement confectionné pour l'occasion, vous refermez le couvercle, vous y apposez du gros scotch, et vous décidez de cesser absolument de vous intéresser à l'actualité, si le monde est devenu fou ça le regarde, pour votre part vous tenez à préserver votre santé mentale. Votre unique concession est votre cahier, vous le ressortez et vous y notez ce que vous avez appris ce soir.

27

Le jeudi de la semaine suivante, la journée qui a été désignée pour porter le glorieux titre d'*aujourd'hui* se montre excessivement émotive. Elle est toute rouge, elle bredouille, c'est trop d'honneur, elle était déjà si heureuse d'avoir le droit de faire la queue devant l'almanach, non vraiment elle ne se sent pas l'étoffe, elle passe son tour, tant pis. Vous l'encouragez, allez allez petite journée, du nerf, elle doit accepter le mandat qu'on lui confie, qu'aujourd'hui disparaisse du calendrier ne vous arrange pas du tout, vous avez une mission d'interprétation cet après-midi, vu l'état du marché c'est exceptionnel, vous ne pouvez pas rater ça. Quand vous lui exposez que se constituer un réseau professionnel nécessite du temps, que dans votre vie antérieure vous avez presque tout misé sur Èclute et que de ce fait vous partez quasi de zéro, que cette mission est donc une occasion à ne pas rater, elle vous prend en pitié et finit par céder, bon d'accord elle veut bien être *aujourd'hui* mais en échange elle souhaiterait un week-end à New York. Aucun problème, vous avez une pensée qui habite là-bas, elle pourra l'héberger et lui montrer la ville, entre entités immatérielles elles devraient s'entendre à merveille.

Vous poussez un soupir de soulagement et entreprenez de réviser votre terminologie du droit matrimonial, en effet votre mission consistera à assister des Lutringeois conviés à un mariage célébré à Budapest. Les futurs époux sont hongrois mais le mari a effectué ses études à Èclute, d'où les amis étrangers qui auront besoin de votre aide pour comprendre la cérémonie, les discours, et pouvoir échanger avec les autres invités. Vous examinez aussi la documentation envoyée par l'agence d'interprétation qui vous a confié ce travail, cependant ils se sont visiblement trompés de fichier car devant vos yeux s'affiche non pas les discours qui seront prononcés au moment du dîner mais un texte consacré à la sécurité incendie dans les salles de spectacles. Vos pensées encyclopédistes insistent pour que vous lisiez quand même, vous leur accordez une demi-heure pour découvrir le monde enchanté des portes coupe-feu et des éclairages d'évacuation, puis vous téléphonez à l'agence afin de leur signaler leur erreur. Votre interlocutrice ne retrouve pas le bon document, attendez attendez elle cherche, de mémoire c'est un mariage sur le thème de la forêt avec des discours bourrés de métaphores complètement kitsch sur les sangliers et les champignons sauvages, vous savez comment c'est les discours de mariage, ah non la forêt c'était une fête d'entreprise le mois dernier, euh alors pour tout vous dire elle ne sait plus mais elle continue à farfouiller et revient vers vous au plus vite.

Trois heures plus tard vous n'avez toujours rien reçu, par contre les extincteurs portatifs à mousse carbonique n'ont plus de secrets pour vous. Vous rappelez la fille de l'agence, hélas elle n'a pas retrouvé le fichier mais bonne nouvelle, elle s'est souvenue du fait que le thème du mariage c'était le voyage aérien, elle voit ça d'ici, des cartons d'invitation en forme de ridicules petites valises, des menus ressemblant à des cartes d'embarquement, des tables recouvertes d'avions en papier, bref elle vous a préparé une liste de vocabulaire sur le thème des transports longue distance, les discours assurément puiseront dans ce champ lexical-là, croyez-en son expérience, les gens sont horriblement prévisibles.

Vous mettez à profit le temps qu'il vous reste pour visionner quelques vidéos de mariage. Vous constatez que dans l'ensemble c'est extrêmement sommaire, bonjour les fiancés, consentez-vous à vous prendre pour époux, oui non, félicitations vous êtes mariés. En d'autres termes, les officiers d'état civil ne font nulle lecture de la loi et les gens convolent en ignorant absolument les effets juridiques de leur union, rendez-vous dans quelques années au tribunal. Nonobstant ces inquiétudes légalistes vous partez de chez vous le sourire aux lèvres, un mariage c'est gai, c'est joyeux, vous serez une assistante de bonheur, une vectrice d'allégresse, vous n'êtes donc pas cantonnée aux affaires sordides.

Arrivée devant la mairie vous repérez immédiatement vos clients, ou plutôt les amis lutringeois du futur marié lequel est le client de l'agence laquelle est votre cliente, qu'on vous pardonne ce raccourci un brin cavalier, les policiers aussi disent client pour un gardé à vue, l'analogie certes n'est pas excessivement pertinente toutefois vous vous comprenez fort bien, tant mieux c'est l'essentiel, eh oui eh oui. Ils sont deux, chemise entrouverte, gel dans les cheveux, lunettes de soleil qu'ils gardent sur le nez lorsque vous les saluez.

La cérémonie civile se déroule sans heurts, tout comme sur les vidéos l'échange des consentements est très rapide et vous êtes fluide, la seule chose qui vous ennuie un brin c'est que les deux zigotos à côté de vous s'en fichent totalement de ce que vous leur chuchotez, ils sont en train de jouer sur leur smartphone, du coup vous interprétez dans le vide, par amour de l'art, et également parce qu'on vous paie pour ça – assez peu il est vrai, mais un contrat est un contrat.

Une fois le mariage conclu la foule en liesse se translate sur le parvis de la mairie où pendant un temps il ne se passe rien, vous ne comprenez pas trop ce trou dans le programme et vous avez mal aux pieds à force de piétiner, quoi qu'il en soit vous patientez sagement à proximité d'Ullier et de Jurlin, ce sont les prénoms que vous avez choisi d'attribuer aux deux Lutringeois. Vous leur expliquez gentiment que vous êtes à leur disposition s'ils désirent discuter avec les autres invités, voire éventuellement pourquoi pas c'est une bête suggestion aller féliciter les mariés, cependant ils préfèrent apparemment discuter entre eux du string de la témoin de Madame qu'on devine à travers le tissu de sa robe, sans doute sont-ils intimidés de se retrouver parmi tant de Hongrois, des descendants de nomades chamanistes ça fait peur c'est sûr.

Après une heure de surplace, vous avez le loisir d'activer votre circulation sanguine grâce à une vivifiante marche de trente minutes jusqu'au restaurant où se poursuivent les festivités, et sans surprise cela commence par un cocktail. Ullier et Jurlin ne cessent de s'agiter, ils vont se servir un verre, puis un autre, puis se rendent aux toilettes, puis visitent les cuisines, puis montent à l'étage, puis sortent dans la rue, puis reviennent, vous avez le plus grand mal du monde à les suivre, on dirait qu'ils cherchent à vous semer, pourtant il faut bien que vous restiez près d'eux pour le cas où ils seraient subitement saisis de l'envie de converser avec leur prochain hungarophone. Au bout d'une demi-heure de ce jeu de cache-cache ils vous notifient que vous les importunez, arrêtez donc de les coller de la sorte c'est agaçant, on va croire que vous êtes en couple avec l'un d'entre eux, ils aimeraient avoir une allure célibataire, et pour communiquer ils se débrouilleront au moyen de l'*international langage del corporale*, ils le disent avec un accent italien. Vous les fixez droit dans leurs lunettes de soleil, vous y apercevez votre reflet déformé, votre visage ressemble à une cuillère à soupe, eh bien aucun souci, ils voient cette chaise, là ? Vous allez vous asseoir dessus, vous ne bougerez pas, et si d'aventure ils ont besoin de vous ils sauront où vous trouver.

Depuis la chaise où vous êtes moralement enchaînée vous comptez les cent vingt-huit avions en papier suspendus au plafond, vous effectuez des exercices de gymnastique podale, vous battez votre record personnel d'apnée statique. À un moment donné, une invitée vous prend en pitié et s'approche de vous, ben alors pourquoi vous êtes assise comme ça sans bouger, vous avez reçu un gage, il y a un jeu et elle n'est pas au courant ? C'est-à-dire que ce n'est pas très flagrant de prime abord mais vous êtes en pleine activité professionnelle, cela s'appelle la mise à disposition, c'est quand le client se passe momentanément de vos services mais que vous devez être présente tout de même, en l'occurrence votre mission se termine à minuit, au pire dans cinq heures vous serez libre de vous lever. La fille vous apporte un verre de vin blanc puis vous abandonne à votre chaise. Une sympathique chaise au demeurant, vous avez le temps de tisser des liens très étroits.

Vos gais lurons finissent par réapparaître, tout compte fait un coup de main linguistique ne serait pas de refus, lorsqu'ils parlent anglais bizarrement personne ne les comprend. Et là débute le tour des convives de sexe féminin âgées de dix-huit à vingt-cinq ans, qu'Ullier et Jurlin, procédant avec rigueur et méthode, accostent les unes après les autres par ordre décroissant de taille de poitrine. Vous aimeriez inscrire sur votre front une mention précisant que vous ne les connaissez pas, que vous n'êtes pas leur amie, que vous les détestez, mais en l'absence d'une telle option vous vous contentez de restituer fidèlement leurs approches lourdingues. Néanmoins vous faites œuvre d'une discrète résistance, quand vous vous adressez à eux vous adoptez un léger accent histoire qu'ils entendent bien que le lutringeois n'est pas votre langue maternelle et que vous n'avez rien en commun eux et vous.

S'ouvre le dîner, hormis vos clients il ne se trouve que des mémés autour de vous, vous avez une vague idée de ce qui a motivé les mariés dans le choix d'une telle répartition. Vous abandonnez là votre analyse sémiologique des plans de table, n'est-ce pas là une cruelle répudiation qui justifierait qu'elle vous réclame des dommages et intérêts, en effet vous subissez un abominable choc thématique, apprenant que la jeune épouse est dentiste, que la moitié des invités est dentiste, que vous êtes cernée par les dentistes. Si une conversation dérive vers la médecine de l'intérieur de la bouche vous êtes foutue. Vous pestez contre la fille de l'agence, quelle épine de poinçon, que ses paupières se fendent en quatre, au lieu de persifler sur les mariages elle aurait pu se renseigner, et vous tentez de vous rassurer en vous récitant douze fois molaires canines incisives, vous espérez que la liste est complète, la science évolue si vite de nos jours, une nouvelle espèce de dent aurait très bien pu être découverte récemment, pour les poissons cela arrive sans cesse. Dans la mesure où l'on sait déjà que vous êtes ceinture noire en masque facial neutre, il ne sera pas utile de préciser que vous ne laissez rien paraître de votre panique, félicitations pour cette magnifique prétérition.

Ullier et Jurlin attisent la curiosité des mémés à votre table, elles les bombardent de questions, qui sont donc ces beaux jeunes hommes de l'Ouest, comment connaissent-ils les mariés, ont-ils déjà goûté le vin tokay. Dans leur grande miséricorde les individus précités consentent à répondre, ils ont manifestement assoupli la définition de la catégorie statistique des personnes auxquelles ils acceptent d'adresser la parole, et leur font savoir qu'ils habitent dans le plus beau pays de l'univers mais que là tout de suite ils se demandaient s'il n'y aurait pas un réseau wi-fi. La salle est très bruyante, vous devez sans cesse jeter hors de votre cerveau les éclats de voix en provenance des tables voisines afin de nettoyer votre canal réception de tous ces signaux parasites. Mis à part cette désagréable sensation d'être devenue un centre de tri pour déchets auditifs, il n'y a pour l'heure aucune difficulté particulière.

Tandis qu'on vous sert les entrées, Ullier et Jurlin entreprennent de complimenter les mémés sur leur tenue, quelles ravissantes robes à fleurs, quels flamboyants chapeaux à voilette, parole de Lutringeois elles sont dignes d'un podium de haute couture à Èclute. Traduire leurs propos vous brûle la gorge, ils se moquent d'elles et loin de s'en douter elles sont flattées, elles sont heureuses. Et vous êtes contrainte de collaborer à cette entreprise, vous n'avez pas le droit d'expliciter, de signaler, de mettre la puce à l'oreille. Juste le devoir de traduire le message tel qu'il est énoncé. Quelle bassesse, s'en prendre à des mémés. Si ce n'était pas puni par la loi vous leur arracheriez les yeux sur-le-champ, comme quoi ceux qui soutiennent que les sanctions pénales ont un effet dissuasif n'ont pas entièrement tort, mais qu'on n'aille rien en conclure concernant un éventuel rétablissement de la peine de mort, c'est hors de question. Ligotée par votre Code de déontologie vous

vous contentez de forcer un peu plus votre accent hongrois en lutringeois, cela dans l'espoir vain de mettre une plus grande distance entre *Eux* et vous.

Là-dessus à une table voisine un homme se lève, fait tinter son verre avec sa fourchette, c'est l'inévitable étape des discours. L'intervenant relate la rencontre des mariés, un coup de foudre dans un colloque consacré aux brosses à dents. Ullier et Jurlin dressent l'oreille, vous demandent s'il est vrai qu'ici les dentistes ce n'est pas cher, ils devraient peut-être profiter de leur séjour pour consulter. Vous leur signifiez que s'ils vous parlent pendant que vous interprétez cela ne va pas être possible, vous êtes dotée d'un seul canal réception. Ils se taisent de mauvaise grâce et vous vous reconnectez au discours, il est à présent question de la demande en mariage, Monsieur a dissimulé la bague de fiançailles dans le truc mou qui ensuite durcit et qui sert à prendre l'empreinte d'une dentition. Vous devenez un cygne qui glisse sur les langues, c'est-à-dire qu'en apparence vous évoluez avec grâce et fluidité, mais par en dessous vous moulinez comme une folle, vous palmez à toute vapeur avec vos pattes, cela non seulement à cause du bruit qui vous donne la migraine mais également parce que vous êtes sans cesse au bord de la noyade car sans cesse il est question de choses bucco-dentaires, vous parvenez à deviner le sens des mots que vous ignorez grâce au contexte, pour les exprimer vous vous en sortez avec des périphrases, votre syntaxe n'est pas irréprochable mais dans l'ensemble vous sauvez les meubles. Or loin de vous en être reconnaissants, vos clients vous demandent d'arrêter, les discours en fait c'est chiant, ils s'en foutent. Vous protestez, vous êtes payée pour cela, sous-entendu leur ami le marié a payé une interprète pour qu'ils se sentent à l'aise, et vous continuez quelques minutes, puis vous songez qu'il est ridicule de poursuivre, que ça fait vraiment robot psychorigide qui exécute son programme, et vous vous contentez d'écouter les interventions qui s'enchaînent.

À la toute fin du repas, les deux Lutringeois s'éclipsent, les mémés en profitent pour échanger leurs impressions à leur sujet. C'est qu'elles sont polies, même s'ils ne comprennent pas le hongrois, elles n'auraient pas parlé d'eux à la troisième personne tant qu'ils étaient à table. Elles les trouvent charmants et néanmoins quelque peu bizarres, et ces compliments, était-ce sérieux ou plutôt une mauvaise plaisanterie ? Elles vous jettent un œil, et vous petite chérie interprète, qu'est-ce que vous en pensez ? Vous les regardez avec impuissance, vous n'en pensez rien, vous n'êtes pas ici pour penser mais pour traduire, vous n'avez aucune opinion, qu'elles fassent une libre-lecture de la situation. Elles en concluent que c'était sincère, elles n'imaginent pas que vous auriez pu ne pas les prévenir dans le cas contraire. Au retour des affreux, elles les remercient chaleureusement pour leurs compliments, et ils tapent sur la table, et ils éclatent d'un rire gras, non mais elles se sont vues, elles sont trop moches, c'était pour déconner, elles n'avaient pas compris ? Les mémés vous fixent médusées, vous tâchez de ne pas blêmir, de ne pas rougir, comment on fait pour maintenir la circulation sanguine du visage à un débit normal, vous voudriez vous cacher sous la table, vous mettre des crottes de pigeon dans les cheveux, vous êtes morte de honte, et déjà vous regrettez votre neutralité, après tout en contexte extrajudiciaire les règles sont plus souples, vous auriez pu leur donner quelques indices, oui, vous auriez pu.

Après le dîner, vous vous retrouvez seule avec vos deux olibrius, ils sont tellement insupportables que plus personne ne veut leur parler. Encore une fois vous êtes au chômage technique, du moins le croyez-vous un instant, parce que non, au lieu de vous laisser en paix sur votre amie la chaise, ils éprouvent brusquement l'envie de faire votre connaissance, et partant de là vous vous transformez en dame de compagnie pour play-boys alcoolisés. Et ces courgettes en slip ne trouvent rien de mieux à faire que de critiquer la Hongrie, alors il paraît que tout le monde est hypernationaliste ici, vous aussi vous êtes nationaliste ? Non, toutefois s'ils continuent à ricaner, vous allez le devenir très prochainement. Et le racisme, c'est vrai que le racisme est hyperdécomplexé ici ? Vous serrez la mâchoire, que dans un passé lointain vous ayez pu avoir des pensées semblables est une chose, que des étrangers se permettent de l'énoncer sous vos yeux en est une autre, de quoi se mêlent-ils, c'est trop facile, juger c'est trop facile, la Hongrie a mille plaies, et les autres, là, comme si les Lutringeois avaient des leçons d'antiracisme à donner aux Hongrois, qu'ils se lavent les pieds avant d'ouvrir leur grande bouche universaliste.

Vous vous concentrez sur une idée à deux faces,

recto l'être humain n'est pas un monolithe, verso vous avez encore quatre-vingt-dix-huit minutes à tenir en leur compagnie, et vous enfilez votre costume d'ange doté de superpouvoirs en patience et en pédagogie. Vous répondez courtoisement à leurs questions. Vous vous efforcez de leur expliquer le contexte culturel, historique. Trianon les rend hilares, vous restez ange, vous leur exposez aimablement que le déni attise le feu, que leurs railleries sont pain bénit pour les nationalistes, que s'ils estiment que les Hongrois ont tort de ne pas encore avoir oublié Trianon, qu'ils militent pour une reconnaissance officielle. Tout en le formulant vous en êtes autoéblouie, par le phytoplancton des mers polaires, mais oui, si cela se trouve une bête reconnaissance officielle suffirait à calmer les esprits, en plus ce serait ultraéconomique, aux anciennes Forces de l'Entente cela ne coûterait rien de déclarer officiellement, pardon il y a peut-être des endroits où on aurait dû tracer la frontière autrement, nous admettons qu'ici ou là le droit des nationalités à disposer d'elles-mêmes n'a pas exactement été respecté, et peut-être qu'ensuite ce serait enfin une affaire classée. Wow, si un jour vous êtes élue présidente du monde vous saurez par quoi commencer. Cependant les énergumènes se bidonnent toujours, dès lors vous laissez tomber l'ange et leur annoncez que pour votre part vous êtes persuadée que Trianon a été orchestré par des extraterrestres proto-nazis dans la perspective de la Seconde Guerre mondiale, en effet ces fins psychologues avaient compris qu'une Hongrie profondément humiliée ferait une excellente alliée pour Hitler.

Vous avez à peine achevé votre phrase que l'attitude des Lutringeois change, ils se regardent, ils vous regardent, quelque chose a pivoté dans leur visage, s'est recomposé, s'est restructuré, vous avez dû appuyer sur un interrupteur caché, déclencher un programme secret, lancer une métamorphose, en tous les cas ils se mettent soudain à vous plaindre, mais c'est atroce, vous êtes endoctrinée, vous êtes aliénée du cerveau, vous ne pouvez pas rester comme ça, attendez attendez ils vont vous libérer, vous sauver grâce à l'esprit critique des grands philosophes lutringeois. Une fois qu'ils vous ont exposé leurs soixante-douze arguments visant à mettre en cause l'existence d'extraterrestres proto-nazis, vous ouvrez de grands yeux ronds, ohoho, vous voyez le monde autrement tout d'un coup, c'est comme s'ils venaient d'ôter le voile qui depuis des années vous obstruait la vue, c'est incroyable, vous vous sentez totalement transformée. Ils se penchent sur vous, ça va vous êtes certaine que ça va, vous ne croyez plus aux extraterrestres proto-nazis c'est sûr c'est promis ? Vous reniflez, oui oui c'est juste que maintenant vous songez à votre pauvre maman qui habite toujours au village, là-bas il n'y a pas l'eau courante, le puits est à dix kilomètres et il vient de se tarir. Ils sont catastrophés, mais c'est terrible, ils vont de ce pas monter une association caritative pour apporter l'accès à l'eau potable aux habitants de votre village natal. L'aventure s'arrête là, les douze coups de minuit ont sonné, vous les remerciez avec des yeux humides et vous vous enfuyez en courant.

Ils vous rattrapent, et déjà c'est leur autre visage

qu'ils ont, la fonction compassion humanitaire probablement a une durée de vie limitée, elle s'éteint automatiquement au bout d'une heure, attendez attendez, ils ne veulent pas moisir ici, vous n'auriez pas des copines de votre village qui seraient contentes de gagner un peu d'argent ce soir ? Et à ce propos, c'est vrai que Budapest est la plaque tournante du porno ? Mais qu'est-ce que vous en savez, vous, enfin, ça ne va pas la tête ? Puis vous vous radoucissez, oui bien sûr, vous comprenez, ils cherchent un endroit pour sortir, pour s'amuser, vous connaissez un bar avec des strip-teaseuses très ouvertes d'esprit. Ils sont ravis, ah oui carrément ça les intéresse. Sur un papier vous notez l'adresse d'une décharge publique de lointaine banlieue et vous leur souhaitez de passer une agréable soirée. Au moins, vous aurez vengé l'honneur bafoué des mémés.

Peut-être auriez-vous été mieux avisée de laisser la journée timide refuser la charge d'être *aujourd'hui* – c'est ce que paraît suggérer le basilic qui vous contemple avec désolation lorsque vous rentrez et que vous vous cachez sous votre lit pour ne pas le voir. Bon, vous auriez pu vous en douter, que c'était un plan foireux. Mais vous voulez tellement vous enraciner, et pour vous enraciner il faut que vous travailliez, sinon de l'extérieur vous aurez l'air d'être en vacances. Vous consultez vos messageries électroniques, vous avez reçu plusieurs demandes de devis en provenance de Lutringie. Vous songez qu'après tout, traduire dans votre appartement de Budapest techniquement revient à travailler en Hongrie, qu'importe si le client est étranger. Plusieurs de vos pensées agitent le spectre de la realpolitik sans foi ni loi, toutefois comme elles n'ont rien de mieux à vous proposer, vous décidez d'accepter les commandes.

28

La veille et le lendemain, ainsi que les jours d'avant et ceux d'après, soit au cours de votre deuxième semaine à Budapest, vous continuez à pratiquer le jeu des objets avec votre grand-mère. Vous découvrez que Péter n'avait pas absolument tort, elle semble prendre quelques libertés avec le passé. Par exemple, lorsque vous dénichez une ravissante princesse-licorne en haut d'un placard et que vous la lui montrez, elle vous explique d'abord que la créature à la crinière perle a été acquise dans un magasin à dollars en 1987 : afin de pouvoir vous l'offrir, votre grand mère a passé trois heures dans la rue à accoster l'intégralité des touristes occidentaux qui passaient par là jusqu'à ce qu'enfin elle en trouve un qui accepte d'aller l'acheter pour son compte à elle avec son passeport à lui, ce qui était totalement absurde, en Lutringie où vous viviez la même princesse-licorne était en vente dans tous les magasins, mais vous vouliez celle-là coûte que coûte parce que vous vouliez une princesse-licorne parlant hongrois et non lutringeois, et vous la vouliez tout de suite immédiatement, vous refusiez d'attendre le retour de vos parents qui faisaient la fête au Balaton, ah vous aviez du caractère il n'y a pas à dire. Deux jours plus tard, la princesse-licorne qui pourtant n'a pas bougé du haut de son placard a rajeuni de trois ans et s'est notablement occidentalisée : ce sont vos parents qui l'ont rapportée pour l'anniversaire de votre cousine Bori, au demeurant vous étiez folle de rage, vous avez trépigné jaune, vous auriez donné vos prunelles pour une princesse-licorne, c'était votre rêve le plus cher une princesse-licorne, et toujours vos père et mère avaient refusé au motif que votre vie lutringeoise était en elle-même un luxe, qu'il n'y avait aucune raison de vous acheter des cadeaux en sus. À moins qu'on ne soit parti en voyage dans un pays lointain où il est actuellement 3 heures du matin, auquel cas on sera vraisemblablement en train de dormir, on devinera aisément laquelle des deux versions a votre préférence.

Quand vous posez la question à tata Magdi, à savoir la grande rousse qui vous avait sauté dessus après votre première visite chez votre grand-mère, sauf que désormais elle s'appelle tata Magdi, ce sont des choses qui arrivent, des gens anonymes soudain se singularisent nominativement, en l'espèce vous avez délicatement déposé le signifiant sur le signifié au moment exact où vous avez reconnu la grande rousse en passe de devenir tata Magdi sur une photographie représentant tata Magdi qui était dans votre ordinateur, pas tata Magdi mais la photographie, et c'est de cette façon qu'en vertu d'une opération banale et néanmoins émouvante, le bonheur est simple comme un coup d'agrafe, tata Magdi s'est incarnée en tata Magdi, mais où est donc passé votre prédicat principal ? Vous cherchez dans votre tête, vous ne trouvez rien, toutefois vous mettez la main sur la cause de son absence, c'est que vous n'avez pas encore eu le loisir de poser votre question à tata Magdi, état de fait qui vous empêche rigoureusement de terminer votre réflexion. Et vous attendez quoi au juste ? Eh bien qu'elle ait fini sa phrase, vous n'allez pas la couper, ce serait malpoli, vous êtes dans son salon, elle vient de vous offrir une eau pétillante, elle vous entretient de son fils qui envisage d'émigrer en Lutringie, il pourrait multiplier son salaire par quatre, vous qui connaissez le pays, auriez-vous des conseils ? Vous levez les mains en signe de reddition, vous êtes l'interprète, vous n'avez pas d'opinion, vous devez rester neutre, euh pardon vous vous êtes trompée de réplique, un bête réflexe professionnel, qu'elle ne fasse pas attention. Là-dessus vous vous appliquez à la dégoûter de la Lutringie, sur les plages il y a des méduses transgéniques porteuses de la peste bubonique, en guise de douche les gens s'appliquent du caviar sous les aisselles, la loi oblige la population à porter un badge mentionnant le niveau d'études, cela pour éviter aux diplômés de perdre leur temps à socialiser avec des personnes sans intérêt, vous caricaturez un brin mais ce n'est que justice, vous n'allez pas vanter les mérites d'un pays qui vous a foutue dehors. Tata Magdi est rudement déçue, et vous savez pertinemment que ce n'est pas à cause du tableau noirci, son fils a déjà pris sa décision, mais parce qu'elle tentait un pied-dans-la-porte, solliciter vos conseils n'était que l'étape numéro un, ensuite elle avait prévu de vous demander d'héberger l'émigrant, de relire sa lettre de motivation ou de traduire ses papiers gratuitement, vous avez bien compris son manège cependant c'est hors de question, vous n'aiderez personne à s'installer là-bas, qu'ils dégénèrent entre Lutringeois de souche ces coquilles de morue. Quant à la princesse-licorne, c'était là l'objet de votre question, tata Magdi estime qu'il est peu probable que sous le communisme quiconque ait osé accoster des touristes occidentaux de la sorte, la police traînait près des magasins à dollars, une telle manœuvre aurait été extrêmement risquée, sans compter que l'étranger abordé pouvait parfaitement se révéler être un agent en civil, baraque la plus gaie du camp socialiste oui peut-être mais on restait méfiant, la paranoïa était une seconde nature. Pour autant, elle reconnaît que votre grand-mère cela aurait été complètement son genre, elle était casse-cou, elle aimait les défis, alors pourquoi pas après tout, oui après tout cela lui ressemblerait bien.

Vous apprenez donc à relativiser les récits de votre aïeule, vous l'écoutez toujours avec attention mais sans accorder un excessif crédit à son propos. Voilà qui convient fort bien à la situation du moment. Dans le cadre d'une conversation ayant pour point de départ les Jeux olympiques de Melbourne, inutile de chercher le rapport avec la suite il n'est que très lointain, allez un indice quand même les Jeux ont eu lieu en 1956, date à laquelle beaucoup de Hongrois ont fait dissidence, pas vos parents qui n'étaient qu'en primaire mais les associations d'idées ne reculent pas devant ce type de détail, votre grand-mère évoque les démarches administratives effectuées pour aider vos père et mère à récupérer leur citoyenneté hongroise après la chute du régime, ajoutant que votre cas était différent dans la mesure où vous ne l'aviez jamais eue. La citoyenneté hongroise. Vous protestez, quand vous êtes née vous étiez hongroise, vous n'avez été naturalisée lutringeoise qu'à l'âge de cinq ans, vous avez étudié les papiers, or par élimination si vous n'étiez pas lutringeoise vous étiez forcément hongroise, et puis la filiation, le droit du sang, née de parents hongrois vous étiez nécessairement hongroise, c'est un mécanisme automatique, vous en avez même discuté avec un avocat. Mais votre grand-mère n'est pas d'accord, pour le versant occidental de l'affaire elle ne saurait se prononcer toutefois hongroise à votre naissance vous ne l'étiez pas, cela elle en est certaine, comment auriez-vous pu l'être puisque pour les autorités d'ici vous n'existiez pas, elles n'avaient pas été informées de votre naissance, laquelle n'a été inscrite à l'état civil hongrois que dans les années 1990. Armée de votre opportun recul vous demeurez impassible face à l'idée de cette béance administrative durant les cinq premières années de votre vie, elle se trompe indubitablement, si vous n'étiez pas lutringeoise vous étiez hongroise, c'est le principe du tiers exclu, on ne laisse pas un nourrisson sans nationalité tout de même, d'ailleurs apatride c'est un statut spécial, vous auriez trouvé des papiers à ce sujet. Bonne question. Plaît-il ? Non rien.

*

Êtes chez votre grand-mère. Encore ? Avez développé dépendance à thérapie familiale par objets médiateurs ? Chut. Regardez Péter. Dans le vestibule. Il tend une liasse de billets. À Ilonka. Qu'est-ce qu'il trafique ? Vous n'osez imaginer. Han. Vous avez osé. Bon sang d'hémistiche.

Lynx furtive vous feignez d'aller aux toilettes en rasant les murs, vous vérifiez que personne n'est caché derrière les rideaux, vous vous approchez d'Ilonka et lui chuchotez votre inquiétude à l'oreille.

Elle rit de bon cœur, mais non mais non elle ne se prostitue pas du tout, elle a cinquante-six ans, Péter est marié et il en a trente-cinq, vous avez vraiment une imagination débordante, ne vous affolez donc pas de la sorte, cet argent c'était son salaire tout bonnement.

Vos yeux écarquillés herse rotative dans la cornée, une stupeur chasse l'autre, ici sous ce toit en cette maison sur ce parquet que vos pieds aussi foulent habite un emploi au noir illégal illicite non déclaré, Code du travail bafoué ? Alors au noir ? Vraiment ? Ilonka : bah oui.

O.K. Péter. Où est Péter ? Demi-tour ordre serré, cadence rapide, gauche, droite, gauche, droite, avancée couloir, salon en vue, ouverture porte, cible localisée, piétinement, halte. Prête confrontation ? Armez !

L'ennemi, soupirant : vous n'allez pas recommencer ? À chaque fois c'est la même chose, à chaque nouvelle dame vous faites le même cinéma, pour mémoire Ilonka est payée avec les économies de votre grand-mère, c'est déjà une bonne partie de votre héritage commun qui s'envole en fumée, il convient de rationaliser les dépenses, déclarer Ilonka coûterait deux fois plus cher pour un service identique, c'est quoi l'intérêt ?

Vous : Péter enfin Péter et la protection sociale les points pour la retraite elle a cinquante-six ans ce n'est pas un âge pour travailler au noir, comment elle fera plus tard ? Et en cas d'accident, si elle chute de l'échelle si elle glisse sur le carrelage si elle se coupe pendant la vaisselle, elle sera blessée handicapée estropiée et la qualification sera le simple accident domestique, tous les droits dont elle sera privée est-ce qu'il y pense ?

L'ennemi, uppercut droit : oh ça va votre couplet sur les prestations sociales il le connaît par cœur, vous avez trop vécu en Lutringie vous hein, vous ne comprenez rien, vous êtes tellement naïve, comme si l'argent dans les caisses publiques profitait réellement à la population, mais réveillez-vous, vous êtes en Hongrie, la redistribution c'est du vent, les caisses publiques c'est du vent, l'argent y fait un tour et abracadabra il atterrit dans la poche de l'association de malfaiteurs qui dirige ce pays, si en Lutringie c'est le paradis de l'État-providence tant mieux profitez-en mais gardez donc votre angélisme pour là-bas, ici c'est ici et ici c'est différent, et puis de quel droit vous en mêlez-vous ? qui s'est occupé de passer une petite annonce ? de recruter Ilonka ? de lui montrer la maison ? c'est vous peut-être ? vous ne faites rien, vous débarquez entre deux missions, vous jouez au rami, vous feuilletez trois albums photo et ensuite vous disparaissez pendant plusieurs semaines, et pendant ce temps les problèmes c'est lui qui se les tape, tout seul, parce que quand il faut s'occuper de la réparation de la chaudière ou de l'assurance habitation bizarrement vous n'êtes jamais en Hongrie, c'est bien pratique, c'est bien confortable, ah ben continuez, pas de souci, il gère tout ça volontiers mais ne venez pas lui donner de leçons, vous êtes vraiment mal placée.

Vous : vous entendez, vous entendez, ce sont là de légitimes reproches, toutefois vous serez beaucoup plus présente désormais, vous changerez les ampoules, vous effectuerez les déclarations fiscales, vous attendrez les réparateurs. Aucun problème. Mais la loi. Le travail au noir c'est interdit par la loi, c'est de la délinquance, c'est du mensonge, c'est se cracher soi-même à la figure. Quand on est hongrois on est droit, on est honnête, on ne fraude pas, y compris si c'est absurde, si on y perd, si ça fait mal. Ça fait combien de temps qu'il n'a pas relu le texte de l'hymne national ?

L'ennemi, uppercut gauche : non, le Hongrois moyen s'en tape du respect de la loi, le truc psychorigide légaliste c'est vous rien que vous, depuis que vous êtes petite vous êtes comme ça, jouer avec vous était un enfer vous passiez deux heures à rédiger le règlement, et vos parents c'était le même genre, ils avaient tellement honte d'avoir menti au service des réfugiés là-bas que ça les a rendus obsédés juridiques, ça vous a contaminée sûrement, alors ne faites pas de votre cas une généralité, vous êtes plutôt une exception, ouvrez les yeux, la Hongrie c'est le royaume des combines et des petites portes, tout le monde cherche à gruger. De toute manière la Roumaine était d'accord, c'est l'offre et la demande, la rencontre de deux volontés, elle a accepté que ce soit au noir.

Vous : la Roumaine ? la Roumaine ? Elle n'est pas roumaine elle est hongroise de Transylvanie et elle est persécutée par des coupoles orthodoxes aux plantes de pied poilues.

L'ennemi, reverse-kick : stop, il a l'impression d'entendre sa femme, vous avez viré nationaliste ou quoi ?

Vous : on peut s'intéresser au sort des Hongrois d'outre-frontière sans être nationaliste, non ?

L'ennemi, sweeping final : mouais. Difficile, quand même.

Vous partez, vous vous enfuyez, vous courez dans la rue, vous êtes hors d'haleine, la Roumaine la Roumaine comment il peut dire ça, l'enfoiré il roule en Mercedes il travaille dans la finance et déclarer une employée de maison il ne veut pas, salaud de yuppie, racaille d'open office, vous le détestez vous le détestez, vous avez la poitrine qui se déboutonne, qui se dégrafe, votre cœur coule sur le trottoir, la Roumaine la Roumaine comment il peut dire ça ?

Vous reprenez votre souffle, vous sortez votre téléphone pour appeler Dóri, au secours vous venez de découvrir qu'Ilonka était payée au noir. Dóri n'est pas étonnée, c'est plutôt banal comme configuration. Oui oui vous le savez bien que c'est banal (vous avez retenu la leçon) mais moralement, elle en pense quoi ? Bah ce n'est pas idéal toutefois c'est la vie, vous savez son mari lui-même est payé au noir, enfin à moitié, il est déclaré au SMIC et le reste de son salaire c'est de la main à la main. Et le fait que Péter dise *la Roumaine*, est-ce que ce n'est pas révoltant ? Dóri trouve que si mais elle n'est pas étonnée non plus. Comment cela, pas étonnée non plus ? Vous vous rappelez Melinda, une brune très maigre qui était avec elle au lycée ? Oui ? Non ? Euh si si, vaguement. Melinda était transylvaine, eh bien pendant les quatre années du lycée, tous les jours elle se prenait des remarques, genre sale Roumaine qui pue, Roumaine à la plante de pied poilue, et par-derrière certains accusaient ses parents d'être venus en Hongrie uniquement pour voler le travail des Hongrois. Votre téléphone vous brûle l'oreille et la main, mais ce n'est pas possible, les Hongrois de Transylvanie sont hongrois, ils sont fous les gens, ça veut dire que cette Melinda, les autres l'appréhendaient comme, comme une *immigrée* ? Dóri confirme, oui c'est moche hein, les Transylvains là-bas on les traite de sales Hongrois, et ici de sales Roumains, pas toujours heureusement mais ça existe, les pauvres, ils ne sont tranquilles nulle part, c'est assez horrible quand on y songe, bon elle doit raccrocher, il lui reste une heure pour terminer de coudre un costume de pirate.

Vous êtes totalement sonnée, vous montez machinalement dans un bus en direction de chez vous, vous êtes secouée par le bus qui secoue vos pensées, d'abord vous imaginez le pire, la Hongrie serait un pays fictif, un pays que vous vous seriez fabriqué à partir des récits familiaux, d'où votre côté vieux jeu, votre goût pour les meubles de l'époque communiste et votre attirance pour les mémés, dans votre tête vous vivriez dans la Hongrie des années 1970, celle que vos parents ont connue avant de partir et qu'ils auraient rigidifiée, momifiée avant de vous la retransmettre, et partant de là vous vous seriez confectionné une petite salade personnelle, prenant vos père et mère pour des archétypes, croyant qu'ils incarnaient le pays à eux seuls, après tout en contexte lutringeois la Hongrie c'était eux, ils étaient la référence, l'étalon, comment auriez-vous pu faire le tri entre psychologie individuelle et traits de caractère nationaux ? Néanmoins vous parvenez à vous calmer, déjà il y a vos nombreux séjours ici, vous n'étiez pas enfermée dans une bulle, et puis regardez Dóri, elle est du même avis que vous concernant les Hongrois d'outre-frontière, pour elle aussi ils sont hongrois, vraiment hongrois, vous n'êtes pas la seule à le penser, il faut simplement accepter que certains aient une autre interprétation, la Hongrie est un pays de taille moyenne, ça fait du monde, il est normal qu'y fleurissent des opinions divergentes. Quant au légalisme, ce n'est pas si grave, au sein de la population il y a bien une modeste place pour une rigoriste de votre espèce, cela n'enlève rien à votre identité, ce sera votre attendrissante singularité, votre variation originale. À ce propos, avez-vous composté votre ticket ? Bah évidemment que non, vous avez besoin de le garder intact, c'est un genre de ticket universel, vous l'utilisez pour tous vos trajets, si un jour il y a des contrôleurs vous l'oblitérerez mais en l'espèce ce n'est pas le cas, donc ce serait du gâchis. Vous voudriez sauter de joie dans le bus, vous resquillez, vous resquillez ! Vous aussi êtes une filoute, une grugeuse, une vilaine combinarde qui fraude dès que l'État a le dos tourné, tout va bien. Quelle citrouille, vous vous êtes inquiétée sans raison.

Le soir, vous achevez d'égayer votre boîte crânienne en consultant l'impressionnante liste des inventions hongroises qui ont bouleversé le cours de l'Histoire. L'eau pétillante, le stylo à bille, la vitamine C, l'hélicoptère, le principe de la dynamo, l'allumette, l'accélérateur de particules, l'holographie, le langage Basic, le Rubik's Cube, il y en a tant, vous ne savez plus où donner des yeux, cela vous fait des guilis de fierté dans le cou. Bon, il y a également eu la bombe atomique mais c'était une équipe internationale, les savants hongrois ont juste donné quelques idées en passant. (Et pour les autres inventions, ils étaient seuls ?) (Naturellement.) (Vous avez vérifié ?) (Non.) En somme, vous êtes définitivement rassérénée.

*

Considérant que vous fréquentez beaucoup la maison de la mère de votre père, que c'est à bon droit que votre grand-mère *maternelle* pourrait être froissée du peu d'intérêt que vous lui manifestez, que la circonstance que cette dernière soit morte depuis plus de vingt ans ne constitue pas une excuse, vous vous ordonnez, au nom de la symétrie généalogique qui exige qu'on ne soigne pas plus une branche que l'autre, d'aller sans délai rendre visite à votre aïeule négligée. Non pas au cimetière, vous ignorez où elle a été enterrée, mais dans l'immeuble où elle a vécu. Son appartement a été vendu à des étrangers, il ne vous sera donc pas possible d'y entrer, toutefois vous regarderez la cage d'escalier, vous contemplerez la façade du bâtiment, avec un peu de chance il n'aura pas trop changé. Après tout, c'est aussi un des lieux de votre enfance, quand vous étiez petite vous alliez chez vos deux grands-mères, c'est juste qu'il y en a une qui est morte relativement tôt. Quant à vos grands-pères, vous n'avez connu aucun des deux. Du coup, vous vous estimez déchargée de toute obligation à leur endroit.

Vous consultez un plan, votre grand-mère maternelle habitait à Buda dans le XIe arrondissement, c'est un coin où vous n'êtes encore jamais allée, ce n'est pas un hasard, vous préférez nettement Pest à Buda, c'est que Pest est objectivement mieux que Buda. Tout comme, par exemple, Pythagore est mieux que Thalès, le violon mieux que le piano, la curatelle mieux que la tutelle, le bridge mieux que le tarot, Barcelone mieux que Madrid, le citron mieux que le vinaigre, le constructivisme mieux que l'essentialisme, ah non pas encore les inégalités, les zips mieux que les boutons, l'heure d'été mieux que l'heure d'hiver, stop, stop, arrêtez-vous. C'est bon ? En route.

Après une heure, peut-être deux heures de marche vous débouchez sur une place, plutôt un square en fait, en ce sens qu'on y trouve une aire de jeu avec balançoires, animaux sur ressort, structures à escalader. Avez-vous joué ici dans les années 1980 ? Jusqu'à quel âge ça joue à la balançoire une petite fille, d'ailleurs ? Les équipements sont trop neufs pour être d'époque, mais c'était peut-être déjà un espace pour les enfants.

Vous cherchez des yeux les numéros des bâtiments afin d'identifier le bon immeuble. Vous le repérez, vous vous approchez, il y a une plaque vissée sur la façade, vous n'y prêtez pas excessivement attention, vous vous approchez encore, vous jetez un œil distrait en direction de la plaque. Et là. Par l'encre sur les pages des feuilles des livres de l'univers observable, la plaque ! la plaque ! C'est une plaque pour votre grand-père, dans cette maison a vécu la pop star de la science des bibliothèques, chef des armées classificatoires, héros rénovateur des systèmes bibliographiques, intrépide gardien des archives et fonds documentaires du pays. Le texte naturellement est un tantinet moins martial, un tantinet plus conventionnel, cependant il s'agit bien d'une plaque à la mémoire de votre grand-père, avec son nom et tous ses titres de gloire.

De l'air de l'air de l'air, votre souffle vite vite reprenez-le retrouvez-le, d'accord mais il est où, vous le cherchez sous vos semelles dans vos poches sur votre tête derrière vos genoux, attention l'asphyxie vous guette concentrez-vous, ne rendez pas l'âme pour une plaque tout de même. Vous tâchez de vous ressaisir, vous ventilez vous ventilez, vous faites le petit chien, tout va bien c'est simplement que les chocs de joie vous n'avez pas trop l'habitude.

Dans ce contexte l'objet originel de votre venue

passe à la trappe, gloutz, vous n'entrez pas dans l'immeuble, la cage d'escalier vous vous en fichez, et c'est à peine si vous avez une pensée pour votre grand-mère maternelle, depuis le néant où erre son âme elle appréciera. C'est que la plaque vous obnubile, mille fois vous la relisez, vous l'apprenez par cœur, vous en fixez tous les détails, la forme des vis la disposition des taches sur le marbre gris la police des lettres d'or. Elles sont en or ! Vous défaillez, des lettres d'or, des lettres en or, le nom de votre grand-père inscrit en or dans un espace public. C'est du vrai au moins ? Du vrai or ? Ils n'auraient pas mis du toc, une imitation, un vulgaire alliage jaune pour faire des économies ? Mais non, c'est de l'or, ça se voit, du calme.

Une plaque pour le père de votre mère, père de votre mère c'est tout proche, il n'y a que deux maillons, c'est une fierté fabuleuse qui vous saisit, qui vous envahit, vous voudriez arrêter les passants dans la rue, hep hep hep information de la plus fantastique importance, l'homme de la plaque c'est le papa de la maman de vous, deux maillons ce n'est rien, est-ce qu'ils se rendent compte ? Vous n'aviez pas réalisé qu'il était si célèbre, si important, c'est une fierté idiote évidemment, vous n'avez aucun mérite, sa gloire vous en héritez à titre gratuit, gloire qui du reste est assurément limitée à des cercles restreints, bibliothécologue ce n'est pas comme comédien ou chanteur cependant cela vous est égal, ce qui compte c'est la plaque, il existe une putain de PLAQUE COMMÉMORATIVE dans VOTRE FAMILLE, pardon les prostituées. Et cette fois-ci il n'y a pas de vice caché, ce n'est pas comme quand vous avez cru être la fille de Salman Rushdie et qu'en réalité vos parents étaient des réfugiés de complaisance, là c'est sûr c'est sûr c'est sûr, c'est une vraie plaque, solide, réelle, tangible.

Vous vous asseyez sur un banc dans le square. Vous dressez inventaire de vos pensées, vous les étirez, vous les épluchez, vous lissez leurs écailles. Quand vous avez terminé votre opération démêlante, vous constatez que votre sentiment de plénitude est troublé par une légère angoisse. La plaque, c'est comme si votre rêve le plus fou s'était réalisé, que vous étiez arrivée en haut de la montagne. Ne vaut-il pas mieux mourir maintenant, au faîte de votre magnificence ? La suite ne sera que déclin, c'est lorsqu'on triomphe qu'il faut quitter la scène.

Vous regardez les balançoires, les animaux sur ressort, les arbres et les tourterelles dans les arbres. Votre vue se brouille, c'est la mort qui vient probablement, cela vous ennuie un peu quand même, ces histoires de triomphe et de scène à quitter c'était sans doute un peu hâtif, déjà vous voyez du sang sur les petits animaux du square qui s'animent, déjà les tourterelles dans les arbres tombent au sol, déjà des plumes volent au-dessus du bac à sable, car désormais c'est un bac à sable devant vous et vous y êtes, vous jouez dans le bac à sable – nom d'une manivelle à pois, vous n'êtes absolument pas au bord de la mort, vous êtes en train de retrouver un souvenir.

Vous avez six ou sept ans, vous jouez dans le bac à sable en bas de chez vous, vous avez des préoccupations de petite fille, est-ce que mon château sera le plus beau des châteaux, est-ce que demain mon exposé sur les volcans va bien se passer, vous êtes très mignonne au demeurant, cheveux bruns coupés au carré, robe en velours côtelé rouge, collants de laine noirs. Soudain arrive un char, son canon est tourné vers vous, on aurait plutôt attendu *braqué* sur vous, mais à six ou sept ans on pense tourné pas braqué, oh non pas un char, votre exposé sur les volcans, il va être annulé, s'il y a des chars dans la ville demain il n'y aura pas école et votre exposé, vous avez tant travaillé, c'est tellement injuste, et vous pleurez, et de rage vous détruisez votre beau château. Vous penchez la tête, pour autant c'est mignon un char, on dirait un grand insecte nonchalant, est-ce que les chars, comme les coccinelles, parfois se retrouvent sur le dos et agitent leurs pattes dans tous les sens dans l'espoir de parvenir à se remettre à l'endroit ?

Vous rouvrez les yeux, ils étaient déjà ouverts toutefois vous les rouvrez sur le square d'aujourd'hui, le bac à sable a disparu, les équipements modernes l'ont remplacé. Vous vous mordez les lèvres. La petite fille était brune, ce qui à la rigueur pourrait s'expliquer d'une manière ou d'une autre, vos parents vous auraient teint les cheveux, ou bien vous vous seriez capillairement éclaircie au fil des années. Non, l'insurmontable problème est qu'en 1956 vous n'étiez pas née, et que la petite fille en bas de chez elle c'était votre mère, forcément votre mère, qui était brune, qui habitait dans l'immeuble de la plaque, qui avait précisément l'âge d'être en primaire lorsque les blindés soviétiques sont entrés dans Budapest.

Vous vous levez, vous quittez le square en pleurant, ce sont de grosses larmes tellement nombreuses qu'une famille de souris marines aurait de quoi se désaltérer pendant plusieurs mois, vous resongez à la plaque dans la station de métro à Èclute, la première fois que vous l'avez aperçue vous avez été prise d'un malaise, vous avez eu un flash avec un char d'assaut, et d'autres fois aussi c'est arrivé, en vérité l'engin militaire à intervalles réguliers visite votre esprit, du moins depuis que vous vous êtes rencontrée à l'aéroport. Ainsi donc le char, et à présent cette scène dans le bac à sable, dont le char était une citation, un extrait, une capture d'écran, et peut-être même votre émotion en écoutant les appels radio des insurgés de 1956, tout cela n'a rien de personnel, ce n'est pas votre vie mais une mémoire héritée, le souvenir d'un souvenir, le souvenir incorporé du récit que votre mère vous aura fait de l'épisode. L'amnésie ne vous dérange plus, vous vous êtes habituée, cependant que l'unique souvenir qui ait émergé, qui ait été suffisamment puissant pour vaincre le voile, ne soit pas le vôtre mais celui de l'un de vos parents, cela vous désespère au plus haut point, vous vous sentez fondamentalement misérable, comme si vous n'étiez personne, que tout en vous n'était que truchement et procuration, que vous n'aviez pas d'histoire propre, que votre vie ne vous appartenait pas, qu'elle était tout entière prêtée, concédée par ceux qui vous ont précédée. Et votre désarroi lui-même vous perturbe, être hongroise n'est-ce pas précisément recevoir les plaies du passé en héritage, oui mais non, pas comme ça, ce n'est pas comme ça que vous voulez, là c'est comme si on vous touchait mais pas au bon endroit, comme si on vous avait trafiquée de l'intérieur.

29

Vous ne comprenez pas. Et non vous ne savez pas quel jour on est, laissez-vous tranquille avec ça, vous êtes énervée maintenant. Contre les gens. Dans leurs messages, ils vous réclamaient, se plaignaient de vos absences, et à présent que vous êtes ici on dirait que cela ne leur fait ni chaud ni froid. Ils ont leurs problèmes de divorce, de chômage, de maladie, d'enfants et de cochon d'Inde des enfants qui a rendu l'âme. Et pour vous voir c'est toujours la semaine prochaine. Est-ce qu'ils se rendent compte de ce que vous avez fait pour eux durant toutes ces années ? Vous êtes née là-bas, vous auriez pu tout renier tout oublier, devenir une Lutringeoise normale, même la loi sur la double citoyenneté vous l'auriez acceptée, cela vous aurait été égal. Or cette fidélité, qui la récompense, qui vous en félicite ? Vos absences les arrangeaient bien il faut croire, votre soudaine disponibilité visiblement les embarrasse, ils n'ont pas le temps, ils ont leur vie.

Pour autant, votre quotidien ne vous déplaît pas. Vous flânez, vous prenez soin de vous. Vous avez l'habitude de cette solitude finalement. Vous allez aux bains Széchenyi, vous infusez dans l'eau thermale, vous sautillez dans les bulles, vous transpirez au sauna. Quand vous rentrez, vous offrez une séance de spa au basilic, massant ses feuilles avec des huiles essentielles, versant de l'eau pétillante dans son pot afin d'activer la circulation de la sève dans ses racines – il n'y a pas de raisons que vous soyez la seule à vous détendre. Le reste du temps, vous vous promenez au centre commercial, vous vous achetez des collants fantaisie, vous essayez des robes de mariée, ou bien vous vous rendez à des concerts acoustiques afin d'avancer sur le terrain de votre autoéducation musicale. À dire vrai cela ne fonctionne guère, Liszt vous endort, Bartók vous désorganise, Ligeti vous terrorise, son requiem en particulier vous inquiète notablement, il faut qu'une nation soit gravement malade pour engendrer une telle musique. Pour vous récompenser de vos efforts vous vous achetez une place pour un concert de rock folklorique qui aura lieu dans une dizaine de jours, c'est moins distingué assurément, mais plus adapté à votre niveau. Une fois, vous tentez aussi le musée des Beaux-Arts mais c'est compliqué, au début vous croyez que tout ce qui est exposé est hongrois, vous êtes bouleversée face aux statuettes antiques, vous songez à vos ancêtres qui les ont sculptées, puis réalisant que vous avez affaire à des pièces étrusques vous devenez méfiante, cela vous ennuie quand même de gaspiller vos larmes pour des machins étrusques, et vous vous mettez à vérifier les étiquettes, toutes les étiquettes, cherchant frénétiquement les œuvres nationales, et au final vous ne faites plus que cela, vous ne regardez plus que les étiquettes, vous vous émouvez devant les étiquettes hongroises, rien que les étiquettes, et convenant qu'à ce compte-là vous pourriez aussi bien vous fabriquer des étiquettes et les contempler dans votre cuisine vous laissez tomber, le musée ce n'est pas pour vous.

Vous en revenez à votre aigreur. Vous faites les comptes. Hormis la soirée d'anniversaire dans le bar avec Nia, votre vie sociale se résume pour l'heure à des visites chez votre grand-mère et à une entrevue avec Dóri. Ah. Votre grande amie Dóri. Lorsque vous êtes allée la voir, parce que vous vous êtes déplacée à domicile il va sans dire, l'extirper de son foyer mission impossible, l'échange verbal que vous avez eu, c'était tout sauf une conversation. La confrontation avec ses trois fils a constitué une rude épreuve mais vous avez triomphé : tâchant de vous convaincre qu'il était sûrement normal que de jeunes humains passent leur après-midi à hurler en courant partout et qu'ils s'adonnent à diverses expérimentations telles que placer le hamster dans le panier à couverts du lave-vaisselle, vous verser du ketchup dans les cheveux ou peindre le roi Mátyás sur le mur du salon, vous avez résisté à l'envie de les assommer avec une poêle à frire. En revanche, que Dóri ait constamment été à l'affût de leurs faits et gestes, qu'elle ne vous ait jamais regardée dans les yeux, qu'elle ait pour ainsi dire été absente d'elle-même car entièrement projetée vers ses enfants, cela, oui, vous a agacée et même blessée. Vous vous faisiez une joie, vous vous sentiez proche, et en fait non.

Du coup, vous avez renoncé à lui raconter votre amnésie entre deux hurlements d'enfant. Tant pis. Le point positif, tout de même, est que chez Dóri on enlève ses chaussures en arrivant ; chez votre grand-mère il en va autrement, sur le parquet du dedans on marche avec des semelles ayant touché le dehors, comme quoi la vieillesse c'est vraiment moche.

Vous en êtes là quand vous recevez un appel de Nia, soyez reconnaissante, de l'aigreur intérieure aux profondes rides sur le visage il n'y a qu'un pas, grâce à elle vous échappez au vieillissement facial prématuré, hello elle vient de rentrer de Lisbonne ce soir un ami organise une petite fête si ça vous dit de venir venez, évidemment que ça vous dit et vous le lui dites évidemment, oh c'est nul comme chiasme franchement. Et hop hop hop vous vous préparez, vous êtes contente, vous allez rencontrer du monde, quel superbe rebondissement. Avant de partir, vous envoyez un message à Ursula qui s'enquérait de vos disponibilités actuelles, c'est qu'elle a vraiment du mal à mobiliser les gens pour protester contre la loi, elle sait que vous croulez sous le travail mais une petite réunion ce serait bien. Vous grimacez, il faudrait lui dire la vérité un de ces jours, bon la prochaine fois, la prochaine fois.

Vous retrouvez Nia devant la statue de Ferenc Liszt qui joue toujours sur son piano invisible. Après les salutations d'usage vous racontez à votre cousine, qui comme on l'aura compris si l'on est un fin limier se trouve être votre parente utérine, voilà pourquoi vous ne la croisez jamais chez votre grand-mère paternelle, que vous êtes allée voir la plaque de votre grand-père commun. Vous l'énoncez en prenant garde à ne dire ni *retournée voir*, ni *voir pour la première fois*, en effet vous avez peut-être assisté ensemble à son inauguration, vous ne pouvez pas savoir. Elle replie sa lèvre inférieure, ouais les trucs de bibliothécologie elle n'a jamais saisi l'intérêt honnêtement. Certes, toutefois une plaque, une plaque en marbre avec des lettres d'or, c'est classe, non ? Bof, cela ne l'impressionne plus trop ce genre de choses, son nom à elle figure à la fin de plein de génériques de films, du coup elle est blasée de la célébrité nominale. Mais pour vous qui ne signez jamais vos traductions, qui en substance ne laisserez aucune trace de votre passage en ce bas monde, oui pour vous cela doit être différent, elle conçoit sans peine que vous ayez besoin de cette forme de reconnaissance par procuration. Euh oui, certainement, certainement.

Dès que vous avez franchi le seuil de l'immense loft où a lieu la soirée, Nia s'enfonce dans la foule et disparaît. De votre côté vous êtes toujours là cependant vous n'êtes pas sûre que ce soit une très bonne nouvelle : il vous semble que vous venez de vous métamorphoser en grosse nulle. Par contraste. Non que vous soyez venue en jogging, non quand même pas, encore que cela aurait pu passer pour une tenue ultratendance, les élites toujours pillent les codes des pauvres, transformant leur *mauvais goût* en audace vestimentaire, c'est comme les indécents bleus de travail dans les boutiques de jeunes créateurs, les élites être des élites cela ne leur suffit pas, il faut en plus qu'elles friment en arborant des marqueurs de statut populaire, regardez je suis tellement détendu de la classe sociale que je n'ai aucunement peur d'avoir l'air plouc, mais plutôt parce que les gens autour de vous ont des tas de choses passionnantes à se raconter, ils rentrent tous de New York ou de Berlin, ils sont tous cinéastes ou architectes ou designers, tandis que vous, vous n'êtes qu'une traductrice à moitié au chômage. C'est qu'ici tout le monde est résolument cool et branché, les gens portent des habits dont vous n'imaginiez même pas l'existence, que vous ne sauriez même pas où chercher si vous vouliez vous les acheter, et le fait même que vous employiez ces termes, *cool* et *branché*, prouve que vous ne l'êtes pas, car ces mots incontestablement sont déjà des mots ringards, des mots dépassés, eux ne les utiliseraient pas, eux utilisent des termes dont vous entendrez parler dans cinq ou dix ans, lorsqu'ils les auront abandonnés aux filles de votre espèce, celles qui se fournissent auprès des grandes chaînes de prêt-à-porter, qui préfèrent le rock folklorique à la musique expérimentale, qui s'intéressent à Trianon. Parce que Trianon, vous n'avez pas besoin de poser la question pour le savoir, pour le sentir, ici n'est pas un sujet de conversation. De raillerie, tout au plus. Oui, si vous avouiez que Trianon vous préoccupe, vous travaille, que vous y pensez parfois ou peut-être même souvent, ce seraient des ricanements, et immédiatement vous deviendriez une affreuse nationaliste. Regards horrifiés, mépris unanime. Et vous savez également, les deux ne sont pas sans lien, s'agit-il d'un rapport de cause à effet, ou bien de deux effets découlant d'une cause commune, vous ne pourriez vous prononcer là-dessus, ou sans doute le pourriez-vous mais cela ne vous intéresse pas beaucoup, quoi qu'il en soit vous savez également, simplement en humant l'air, en attrapant au vol des bribes de conversation, de quel bord politique sont ces gens, tous sans exception, ce qui ne fait qu'accroître votre malaise, non pas à cause des opinions qui ont cours ici, il n'est du reste pas exclu que vous en partagiez un certain nombre, sous réserve d'examen approfondi bien entendu, mais parce que cette homogénéité triomphante vous révulse, vous avez l'impression qu'il est interdit de penser certaines choses, des choses que vous ne penseriez probablement pas mais que par principe vous voudriez avoir le droit de penser.

Vous errez autour du buffet, vous essayez d'approcher Nia mais elle est accaparée par ses quarante-deux amis, alors vous continuez à errer, complètement encombrée par vous-même. Vous voudriez vous troquer contre une autre fille, celle-ci a une vie d'une platitude affligeante, vous préféreriez un modèle qui a de fabuleuses anecdotes à raconter, qui est drôle et spirituel, vous n'allez quand même pas parler de votre basilic ou des parties de rami avec votre grand-mère. Vous tentez malgré tout de participer aux conversations, toutefois en raison de votre malaise, ou peut-être à cause des nombreux verres que vous buvez dans l'espoir de vous détendre, vous perdez progressivement vos moyens verbaux, votre bouche devient molle et embouteillée, vos mots ne sonnent pas comme ils devraient, vos phrases serpentent bizarrement, au point que plusieurs fois vous êtes obligée de vous reprendre, votre syntaxe vous paraît devenir un paysage accidenté, vous butez contre des bosses, vous tombez dans des crevasses, parler vous demande une concentration extrême, à chaque instant vous frôlez l'incorrection. Partant de là vous prenez le parti d'en dire le moins possible et uniquement sous forme de niveau rédaction de primaire, cela afin d'être certaine de ne commettre aucune faute, ce serait horrible, ce serait comme si vous n'étiez pas une vraie Hongroise, la nation habite dans la langue quand même, c'est quelqu'un qui l'a dit vous ne savez pas qui mais il ou elle l'a dit.

Ces mesures de restrictions discursives évidemment ne sont pas de nature à favoriser votre insertion au sein de la faune locale, on doit vous prendre pour une grande timide, ou plus vraisemblablement pour une demeurée, en effet vous n'avez d'avis sur rien, ou bien un avis qui se présente sous la forme d'un oui ou d'un non, prise de position qu'on ne peut décemment qualifier d'avis puisqu'un avis toujours se doit d'être justifié. À votre décharge, la majorité des conversations est constituée de ragots professionnels, de récits d'exposition d'art contemporain ou de débats du type, pour des vacances *roots* vaut-il mieux choisir le Costa Rica ou la Nouvelle-Zélande, forcément vous avez un peu de mal à vous impliquer, en même temps on ne vous implique pas trop non plus, on tolère votre présence, vous ne dérangez personne en restant plantée là à écouter autrui avec votre sourire imbécile.

À une unique occasion vous sortez de votre

réserve, ainsi lorsqu'une fille qui vous a entendue refuser une pâtisserie fromagère au motif que vous étiez végétalienne se tourne vers vous afin de vous interroger sur votre régime, elle trouve ça très *healthy*, elle-même pratique les cures detox, vous ne pouvez vous empêcher de répondre que vous vous en fichez absolument que ce soit *healthy*, qu'il y a d'autres raisons, ah oui lesquelles, et c'est là que les ennuis commencent. Vous avez la sensation que votre cerveau a rétréci, que le propos que vous essayez de former en réponse vous dépasse totalement, à peu près comme si vous étiez une maçonne qui, s'étant lancée avec enthousiasme dans la construction d'un gratte-ciel, doit admettre au bout de quelques briques que terminer le chantier seule risque d'être un tantinet compliqué. Du coup, vous accouchez d'un argumentaire montagne-souris, tuer les animaux n'est pas gentil, les humains peuvent vivre sans les manger, donc ne pas les manger c'est mieux, oui parce que donner de l'argent pour qu'on les tue c'est pareil que les tuer, enfin pas pareil mais ça se ressemble, et les œufs et le lait c'est aussi beaucoup de souffrances et de morts, bref participer à tout ça ne vous dit trop rien – que la sainte patronne du véganisme vous pardonne, vous auriez mieux fait de vous taire plutôt que de ridiculiser la cause de la sorte.

Plus tard, un type vous drague vaguement, il ne vous plaît que modérément mais au moins quelqu'un vous adresse la parole dès lors vous acceptez sa compagnie. Il est photographe, il travaille sur un *project* de livre, c'est sur un festival en Thaïlande, maintenant c'est devenu hypercommercial mais heureusement il existe encore des aspects *underground*, avec des trucs authentiques, il fait ça avec un écrivain américain qui va écrire des *short stories* pour illustrer ses clichés. Vous devinez que l'écrivain il conviendrait de le connaître, vous faites donc mine de le connaître, vous ne voulez pas aggraver votre cas. Il poursuit, bon et la Thaïlande c'était sympathique, étant précisé qu'il y a trop de touristes quand même, lui ce qu'il aime c'est la nature vraiment *wild*, il en a profité pour plonger, c'est triste à dire mais après les fonds marins de la mer Rouge plus rien ne l'impressionne, et vous vous plongez ? Euh non, cependant vous aimez bien les bulles des bains Széchenyi. Ainsi que la thalassothérapie en Bretagne mais c'est un intérêt d'ordre purement théorique, lorsque vous viviez *là-bas* vous passiez l'intégralité de vos vacances *ici*, et la Bretagne par voie de conséquence vous n'avez jamais pratiqué. Vous regrettez immédiatement cette référence à l'Ouest en effet aussitôt il trouve cela génial que vous ayez grandi là-bas, d'ailleurs il s'en doutait, il a tout de suite vu que vous étiez différente, que vous aviez un truc exotique. Intérieurement vous criez au secours, et vous êtes effarée par la réaction des individus à proximité, dans leurs yeux distinctement vous voyez votre personne remonter de deux ou trois crans dans la hiérarchie sociale, votre passé occidental vous rend subitement beaucoup plus intéressante, pas autant que si vous étiez scénariste pour Hollywood ou chanteuse de punk électronique mais l'ascension est nette. Vous aimeriez leur dire que non justement vivre là-bas n'était aucunement génial et que de toute manière vous n'avez aucun mérite, toutefois vous êtes occupée à réaliser que si la seule chose qui vous donne de la valeur prend sa source dans une décision qui n'est pas la vôtre mais celle de vos parents, il convient d'en déduire que vous êtes définitivement une grosse nulle : votre autodiagnostic initial était correct, fuyez sur-le-champ.

Au moment d'aller dire au revoir à Nia, que naturellement vous avez à peine vue depuis votre arrivée, au demeurant vous avez bien compris que si elle consentait à vous servir de ticket d'entrée dans ses soirées, il ne fallait pas trop compter sur elle pour vous y tenir compagnie, vous passez près d'un groupe, les membres en sont passablement alcoolisés, et vous entendez l'un d'entre eux déclarer, ah la Slovaquie ma grand-mère est plus vieille que la Slovaquie. Et tous éclatent de rire, d'un rire bruyant et entendu, car tous savent ce que cela signifie. Vous aussi : des saillies de ce genre il y en a à la pelle sur internet, parmi les commentaires sous les vidéos consacrées à la Grande Hongrie. Mais c'est la première fois que vous en entendez une dans une bouche, ça vous fait drôle, vous auriez presque envie de demander un autographe. Quant au sens de ladite saillie, en gros il s'agit de suggérer, au moyen d'un savant comparatif de supériorité portant sur l'âge d'un proche parent, que parce que la Slovaquie comme État indépendant n'existe que depuis la fin du XXe siècle, les Slovaques n'auraient pas d'Histoire, pas de culture, pas d'identité propres. Sous-entendu : Hongrie multiséculaire, Slovaques étaient nos sujets, aujourd'hui leur pays une vaste blague.

Vous souriez, non pas à cause de ce ridicule raisonnement, mais parce que ces gens cool et branchés, vous venez de les surprendre en flagrant délit de Trianon. Et pour vous c'est comme une petite victoire, vous les avez vus nus, vous avez entraperçu le dessous du vernis, ils ont beau feindre le détachement, ils ont beau condamner les lamentations sur 1920 au nom de la lutte contre le nationalisme, eux aussi sont travaillés par le grand démantèlement. Sans compter que cela vous rassure beaucoup, depuis la dispute avec Péter vous aviez des doutes, vous vous demandiez si d'aventure il n'existerait pas des Hongrois que Trianon laisserait de marbre.

Sur le chemin du retour votre moral remonte en flèche, vous jetez votre statut de grosse nulle au caniveau. Le mépris dont vous avez été victime, ou cru être victime, vous devez admettre que personne n'a été ouvertement grossier à votre endroit, vous le retournez aux envoyeurs en vertu d'une savante prise d'aïkido mentale, et shlurps, vous siphonnez l'énergie de vos assaillants, et klaff, vous les éclaboussez d'une puissante déconsidération, ils étaient creux, ils étaient vides, rien que des emballages pochards, des sachets à bulles, des carcasses au plat, à quoi ça sert d'être à la pointe du design ou de plonger en Thaïlande si l'on ignore tout du quotidien des prostituées, des clochards ou des poules pondeuses, vous valez mille fois mieux qu'eux, vous êtes en prise avec la vraie vie des vrais gens. Par suite, vous avez une bouffée d'affection à l'endroit de Dóri et de son existence ménagère, voilà l'authentique destin des femmes hongroises, des Hongroises moyennes, un destin qui n'est pas marrant, ce n'est pas pour rien que vous autres Hongrois êtes champions du monde de suicide. Donnée obsolète, vous venez de vérifier, c'est qu'entre-temps vous êtes rentrée chez vous, il semblerait que l'âge d'or de l'homicide pronominal réfléchi soit révolu, vous n'êtes plus qu'au dixième rang mondial. Encore un mythe qui s'effondre. Ça commence à faire beaucoup, non ?

ALLER SIMPLE

« Sans le secours de la narration, le problème de l'identité personnelle est en effet voué à une antinomie sans solution : ou bien l'on pose un sujet identique à lui-même dans la diversité de ses états, ou bien l'on tient, à la suite de Hume et de Nietzsche, que ce sujet identique n'est qu'une illusion substantialiste, dont l'élimination ne laisse apparaître qu'un pur divers de cognitions, d'émotions, de volitions. »

Paul Ricœur[1]

1. Paul Ricœur, *Temps et récit III. Le temps raconté*, Seuil, 1985, p. 355.

30

Mardi, en japonais, se dit *jour du feu*. Oui d'accord, passionnant, mais n'essayez pas de vous dérober, peu importe qu'on soit un mardi, allez concentrez-vous, vous étiez en train de mettre à jour votre cahier. Vous reprenez docilement votre rédaction, tâchant de résumer l'essentiel de votre deuxième semaine à Budapest, ce dont on déduira perspicacement que vous venez d'entamer la troisième – sauf, bien entendu, si l'on est actuellement occupé à autre chose, les exemples qui suivent n'ont qu'un caractère illustratif, tel que prendre connaissance d'une décision de refus de visa, attendre la fin d'un bombardement dans la pénombre d'une cave ou encore négocier le prix d'une traversée de la Méditerranée, auquel cas on n'en déduira rien du tout puisqu'on aura, fort légitimement du reste, d'autres priorités cérébrales.

Vous relisez votre récit, ainsi que les pages précédentes, et malgré vos efforts pour détourner le regard, pour vous protéger le visage, certains éléments sautent en dehors des pages et se recombinent devant vous sous la forme d'un désagréable bilan linguistique. 1) Les nuances des mots de l'amour physique vous échappent, entre *je nique* et *je baise* vous ne percevez pas franchement la différence. 2) Vous pensiez qu'on disait *Roumains en chaussons à moumoute* alors qu'en fait c'est *Roumains aux plantes de pied poilues*. 3) Vous ne connaissiez pas le terme *collocation* en hongrois, vous avez été obligée de consulter un dictionnaire bilingue. 4) Face à la fille *healthy*, vous n'avez pas su construire un argumentaire digne de ce nom ; la situation était certes socialement stressante mais ce n'est pas une excuse. Conclusion : vous avez un problème.

Vous aimeriez croire que votre hongrois est simplement un peu rouillé. Que parce que vous étiez en Lutringie il n'y a pas si longtemps, vous avez perdu en agilité. Qu'avec le temps il se réparera de lui-même. Mais c'est plus grave que cela. En vous interrogeant sur des sujets auxquels vous n'êtes habituellement pas confrontée, vous découvrez des anfractuosités dans votre langue hongroise. Des zones où le tissu se fait moins épais, où les mailles sont étirées. Qui sont inconfortables, instables, périlleuses. Où vous êtes prise de sueurs froides, où chaque phrase nécessite un effort, où vous n'êtes plus en mesure de vous exprimer comme la femme que vous voudriez être. Comme si vous n'étiez pas à votre propre hauteur. D'autres contrées en revanche sont dotées d'un plancher irréprochablement solide. C'est ce qui vous a induite en erreur. Le droit notamment est une province accueillante, vous pilotez le verbe juridique avec dextérité et griserie, dès lors vous avez imaginé qu'il en allait de même pour tout. À quoi bon être en mesure de disserter sur les procédures civiles d'exécution si en parallèle vous ne savez pas dire boulette de réjection, montage en dérivation, précipité de carbonate de calcium ? Ah ben si vous savez, vous voyez bien, ces termes vous venez de les énoncer dans votre tête. Non mais évidemment. C'était des exemples. De faux exemples. Comment pourriez-vous penser ce que vous êtes incapable de penser ?

Vous auriez dû vous en douter : excès de temps passé en territoire non hungarophone. Tout séjour à l'étranger constitue une attaque en règle, une pernicieuse invasion, la langue maternelle étouffe et rétrécit sous les assauts répétés du contexte, qui domine, qui malmène, qui écrase. Il suffit de vivre une expérience nouvelle pour qu'aussitôt celle-ci se colore de l'idiome étranger ; pour la Finlandaise qui prépare son permis de conduire à Athènes toujours les termes *embrayage* et *angle mort* seront premièrement grecs, pour la Polonaise qui étudie la sociologie à Copenhague toujours les termes *éthique protestante* et *suicide anomique* seront premièrement danois. Oui, chaque jour, même un seul jour ailleurs altère une langue, la déstabilise, la malmène et la troue, il n'y a qu'à voir les touristes, un week-end à Berlin ou une semaine en Italie déjà l'ont vaciller leur discours, ils en reviennent en racontant, j'ai pris de délicieux *frühstück*, la *spiaggia* était définitivement paradisiaque, les touristes s'en foutent comme d'une marmite en fonte naturellement, ils ne s'entendent pas, ils ne réalisent pas, ils pratiquent le sabir avec candeur et désinvolture, tout comme les amis de Nia probablement n'avaient nulle conscience de l'anglais dont étaient truffées leurs phrases. Mais vous c'est différent, vous jamais vous n'intercaleriez un terme étranger dans une phrase hongroise, plutôt mourir que de mal parler, oh ne dramatisez pas trop non plus, la mort dans de tels cas n'est pas nécessaire, se taire est amplement suffisant. Bah c'est la mort du cerveau que de se taire, c'est pareil, non ?

Surgit en vous une pensée, elle affirme que personne ne maîtrise parfaitement sa langue maternelle, que celle-ci est nécessairement incomplète, non exhaustive, avec des faiblesses et des creux, que les monolingues vraisemblablement en ont moins conscience que les bilingues mais que c'est le lot commun, et à l'appui d'elle-même elle ajoute que depuis que vous êtes à Budapest tous ceux qui ignoraient votre histoire vous ont prise pour une native, qu'avoir parfois du mal à s'exprimer cela arrive à tout le monde, bref qu'il conviendrait peut-être de ne pas verser dans le totalitarisme idiomatique. Cependant cette pensée vous déplaît fortement, elle manque d'ambition, vous valez plus, vous valez mieux, vous êtes une fille exigeante, et le hongrois, le hongrois c'est la nation ; de toute manière il est trop tard, vous avez entrevu l'imperfection, les régions branlantes, cela vous humilie, vous vous sentez estropiée, vous voulez coûte que coûte y remédier. Alors vous réunissez vos pensées les plus fidèles, celles qui vous sont rigoureusement obéissantes, et vous leur ordonnez de vous débarrasser de cette odieuse laxiste. Aussitôt elles se jettent sur leur consœur trop permissive, la déchiquettent et la dévorent, et bientôt il n'en reste plus rien. À compter de là, plus aucune opposition ne se manifeste, c'est un authentique consensus et non l'effet d'une terreur que vous auriez semée bien entendu, et l'intégralité de vous-même est d'accord pour travailler à perfectionner votre hongrois. Or s'il y a un camp qui s'en réjouit c'est bien celui des encyclopédistes, face à cette perspective elles explosent de joie, parmi elles c'est l'effervescence et la liesse, chacune y va de son idée géniale, de sa proposition hautement prioritaire, il faut absolument que vous appreniez par cœur le vocabulaire de l'industrie pétrochimique de l'architecture cistercienne de la reproduction des ovipares de la science des réseaux, du calme du calme chacune son tour, qu'elles soient assurées que vous notez consciencieusement leurs suggestions, ce n'est pas la peine de hurler de la sorte. Au final, vous vous retrouvez avec une bonne centaine de thématiques à étudier. Il vous semble que vous n'aurez pas le temps d'aller aux bains thermaux aujourd'hui.

Vous attaquez par les chevaux. C'est idiot certainement mais vous avez la conviction qu'une vraie Hongroise connaît forcément le vocabulaire des chevaux. Vous êtes une nation équestre. Les nomades, tout ça. Vous consultez le site internet d'un haras, vous vous confectionnez un glossaire, vous apprenez corde du jarret brouette à fumier commissaire d'obstacle robe bai pangaré attelage de limonière, la liste n'est pas exhaustive. Vous êtes effarée de rencontrer tous ces groupes nominaux dont vous ne soupçonniez pas l'existence. Puis vous vous rendez compte que vous ne les connaissiez pas non plus en lutringeois. Donc ça va, c'est juste que vous êtes sous-instruite. Il ne s'agissait pas d'une lacune linguistique. Encore que séparer langue et connaissances soit extrêmement artificiel.

Au demeurant, brouette à fumier et attelage de limonière, est-ce que ce ne serait pas un tantinet trop pointu ? Vous regardez votre parquet, vous comptez les lattes. Oui, il faudrait définir une ligne directrice sinon vous allez vous égarer en cours de route. Vous convenez qu'il est peu utile de vous spécialiser à outrance, l'objectif n'est pas d'acquérir des savoirs ultra-spécialisés mais d'être en mesure de soutenir toute conversation avec aisance et naturel, sans avoir à craindre de tomber sur un désert linguistique. Bref, oubliez l'industrie pétrochimique, jamais personne ne vous reprochera de ne pas savoir dire molécule machin ou composé truc, et privilégiez la culture générale, la polyvalence. Vos pensées encyclopédistes sont révoltées, si c'est pour rester à la surface des choses c'est nul, c'est instrumental, eh bien oui peut-être mais on n'a pas toujours ce qu'on veut dans la vie, elles ont envie d'en discuter avec votre garde rapprochée peut-être ?

Vous songez que les programmes scolaires pourraient constituer un excellent fil rouge. Après tout, votre scolarité hongroise incomplète est indubitablement une des causes du problème. Si vous passiez en revue les éléments enseignés depuis la primaire jusqu'au baccalauréat, vous seriez en mesure de cartographier l'étendue de votre ignorance et de rafraîchir vos connaissances, ou encore d'assimiler celles qui vous font défaut. La langue suivra : ce que vous connaîtrez, vous saurez en parler comme si vous aviez grandi ici. Au fond c'est bien cela le but, rééquilibrer a posteriori les effets néfastes de votre enfance occidentale.

Plus tard, soit maintenant, c'est déjà le soir, c'est déjà la nuit, vous êtes restée toute la journée dans votre appartement, vous avez épluché les programmes scolaires hongrois, vous vous êtes perdue sur des sites d'aide aux révisions pour le baccalauréat, vous avez dressé inventaire des notions dont vous n'avez qu'une maîtrise insuffisante. Vous avez découvert que vos savoirs possédaient la forme d'un archipel, certains sujets vous sont extrêmement familiers tandis que d'autres, lesquels pourtant semblent revêtir une identique importance, vous sont quasi inconnus. Des îlots, voilà votre topographie interne, dans votre entendement se dressent des récifs et béent des trous, beaucoup de trous au demeurant. Certains trous sont bilingues, si l'on peut dire – choses que vous ne savez exprimer dans aucune langue. D'autres sont monolingues – choses que vous ne savez exprimer que dans une seule langue. Lorsque c'est le hongrois qui est lacunaire cela vous rend folle, vous détestez cette sensation d'entrer en territoire cérébral occidental, où tout ce que vous pourriez énoncer ne serait qu'autotraduction des termes, des tournures, des phrases lutringeois qui vous viennent en tête, quelle honte, quelle infamie, plutôt ne pas savoir du tout que de savoir dans l'autre idiome, l'ignorance est pardonnable, mais le décalage, l'écart de niveau vous paraissent inadmissibles. A contrario les manques lutringeois ne vous font ni chaud ni froid, cette langue n'est qu'un outil de travail, inutile de vous en soucier outre mesure.

Vous inspectez le contenu de votre bibliothèque, vous avez chez vous de nombreux romans et recueils de poésie hongrois, certains sont au programme de ce qui est désormais *votre* programme, ils vous seront utiles. En feuilletant ces ouvrages vous êtes forcée de constater, c'est assez contrariant à dire vrai, que souvent les textes vous sont inconnus. Autrement dit, vous êtes l'heureuse propriétaire de livres que vous n'avez pas lus, qui ne sont que décoration, dont la fonction n'est qu'ostentatoire. Bravo la consommatrice de signes, la frimeuse qui relègue la littérature au rang d'ornement social.

Vous continuez à fureter, sur l'une de vos étagères vous repérez un livre différent des autres, en lieu et place d'une élégante reliure il est doté d'une couverture bon marché, qui est toute molle, qui est en carton. Ce livre, il est lutringeois. Et le plus étonnant est qu'il traite de la guerre d'Algérie. Vous vous êtes donc intéressée à cette question dans le passé. À bien y réfléchir ce n'est guère étonnant, à Èclute la plaque de la station de métro vous avez dû la voir régulièrement, cela a dû vous interpeller, vous intriguer, et un jour vous aurez éprouvé le désir d'en savoir plus. Mais pourquoi ici à Budapest ? Ce livre, il aurait été plus logique qu'il se trouve là-bas.

Vous contemplez l'intrus avec curiosité, il est assez récent, il a été rédigé par un journaliste ayant recueilli des témoignages d'appelés ou d'engagés, vous ne savez pas ce que cela veut dire exactement, *appelés* et *engagés*, toutefois vous devinez qu'il s'agit des militaires, de ceux qui ont fait partie des forces armées lutringeoises. Vous ricanez, évidemment c'est un texte lutringeois, il ne faut pas trop leur en demander, ils n'allaient pas se pencher sur le versant algérien de l'histoire, ils s'en foutent du versant algérien de l'histoire, les Lutringeois ne s'intéressent qu'à eux-mêmes comme d'habitude, c'est que l'examen de leur reflet dans le miroir les occupe à plein temps, du coup les points de vue des autres ils ne peuvent pas, ce serait beaucoup trop fatigant, ils ne vont pas non plus faire des heures supplémentaires et risquer de rater l'apéro.

Nonobstant les réserves que l'on voit vous ouvrez le livre, vous le parcourez, et presque sans vous en rendre compte, sans vous en apercevoir, vous vous mettez à le lire, et bientôt vous ne ricanez plus du tout. Vous le lisez avec effroi et avec passion, il vous brûle les mains et il vous brûle les yeux, vous y passez de longues heures, vous y passez la nuit, régulièrement vous vous interrompez, vous faites des pauses pour reprendre votre souffle, c'est trop c'est trop c'est trop.

Vous êtes loin, très loin de tout comprendre, encore une fois il vous manque des références, il vous manque du contexte, néanmoins le déroulé des événements un tout petit peu se clarifie, un tout petit peu s'affine, vous entrevoyez la complexité, l'enchaînement, les problématiques. Et la surprise, c'est que l'horreur n'était pas que d'un seul côté, cela vous l'ignoriez totalement, dans votre tête c'était affreux colonisateurs contre gentils Algériens, bien sûr que des Algériens si ce n'est gentils, parce que la gentillesse en fin de compte on s'en fout, qu'importe si les Algériens concernés étaient du genre à s'occuper d'une vieille voisine malade, à offrir des confitures aux visiteurs, à recueillir un animal blessé, donc bien sûr que des Algériens si ce n'est gentils, mais en tous les cas innocents, il y en avait des tas, cependant lorsqu'ils sont devenus des victimes, parfois ils étaient victimes d'autres Algériens, lesquels n'étaient pas très innocents, et sans doute pas excessivement gentils non plus, quoique rien ne soit assuré, l'être humain n'est pas un monolithe comme on sait que vous savez. En somme, ce n'est pas simplement que des colonisateurs racistes et sadiques ont débarqué pour torturer la population, pour réprimer aveuglément, pour procéder à des arrestations au hasard, certains peut-être étaient sadiques, certains peut-être étaient racistes, vous n'en savez rien, mais dans le livre ce sont des jeunes gens parachutés là, ou bien des types qui arrivent avec des intentions qui ne sont pas particulièrement malveillantes, et ensuite ça déraille, ça dévie, ça se tord, cela devient une folie, mais une folie logique, une folie qui se veut être réponse aux horreurs perpétrées par l'autre camp. Sans les admettre, car il est absolument exclu d'admettre, vous saisissez mieux le chemin qui a mené aux exactions commises par les Lutringeois : à la barbarie, quelle était son ampleur exacte vous n'êtes pas en mesure de le déterminer, mais il y a eu des actes de barbarie, ils ont répondu par la barbarie.

Vous posez le livre sur le canapé où vous vous

étiez assise et vous tombez sur votre parquet. Vous êtes dans un état second, un état que vous ne vous connaissez pas, vous avez froid, vous avez chaud, votre corps s'est alourdi, vos os comme de l'acier, votre sang comme du mercure, vous êtes dense et surpeuplée, est-ce une crise mystique, est-ce une expérience transcendantale, vous êtes une fille blême dans un appartement à Budapest et pourtant vous vous dépassez, vous vous débordez, vous êtes une ambassadrice sous surveillance, le sort de l'humanité est entre vos mains, ce que vous penserez à compter de maintenant engagera le monde, vous n'avez pas droit à l'erreur. Vous regardez le basilic en frissonnant, c'est la torture hein c'est ça, il sera question de torture vous vous en doutiez, la torture est le problème total, il concentre tout, est inclus dans tout, s'il n'existait qu'une seule affaire humaine à régler ce serait la torture. Et vous savez votre mission, la torture on vous l'a montrée, vous l'avez vue dans le livre, elle s'étalait à longueur de pages, à présent vous devez prendre position, vous devez vous prononcer. Vous levez la main droite, ce n'est pas votre serment mais celui de l'air autour de vous, de vos meubles et de vos murs, des arbres et des faucons, des chevaux et des humains, et vous jurez d'une voix épaisse : la torture, jamais. Même face à la barbarie, même face à l'horreur, il faut tenir ses chiens en laisse, la seule voie possible est la justice. Justice imparfaite, défaillante, qui laissera certains s'en tirer à bon compte, qui permettra à d'autres de récidiver, oui sans doute. Mais il n'y a aucune alternative.

Vous croyez que cela suffit néanmoins cela ne

suffit pas, c'est trop facile, cela ne vous coûte rien, les grands mots, les beaux mots, n'ont qu'un caractère esthétique si l'on s'en tient à des déclarations de principe, allez allez au charbon, au feu, on vous regarde, éprouvez-vous et aguerrissez-vous, votre *jamais* est-il solide, est-il bien accroché ? Ce sont sur les exceptions, les cas particuliers, que les serments trébuchent, personne n'est pour la torture dans l'absolu, en revanche dans certaines situations les engagements s'assouplissent, se font flexibles. Par exemple, si un individu soupçonné de séquestrer de jeunes enfants se trouvait entre les mains de la police, ne pourrait-on pas accepter la torture, à titre exceptionnel, pour sauver ces enfants ? Attention vous n'êtes pas seule, les parents des enfants disparus sont devant vous, ils sont nombreux, ils sont agglutinés, familles éplorées, pères et mères consumés par l'angoisse. Ils tremblent, ils supplient, ils prient – tous, y compris ceux qui ne sont pas croyants –, voilà des jours qu'ils n'ont pas dormi, aujourd'hui enfin un suspect arrêté. Ils vous regardent, ils vous conjurent, il suffirait que ce salaud parle, qu'il révèle l'emplacement de sa planque, on retrouverait les enfants, ce serait la fin du cauchemar. Une femme gémit, son bébé, son petit bébé dans le noir, dans une cave, en train de mourir. Un homme chuchote, quelques petites brutalités, en comparaison du calvaire des enfants ce n'est rien, dans la balance morale ce n'est rien. Tous murmurent, le suspect doit parler, à tout prix, quel que soit le prix, les enfants n'ont pas de prix, la République et les droits de l'homme pour les enfants. Et vous, poitrine d'acier et bouche mécanique, automate froide et insensible, vous leur ôtez leur dernier espoir : la torture, jamais.

Bien. Toutefois d'enfants vous n'en avez pas, votre position était confortable, et puis il faut dire ce qui est, l'âge d'or de la pédophilie est révolu : à chaque époque sa figure du mal absolu, le violeur d'enfants encore très en vogue il y a quelques années a été ringardisé par les terroristes dernièrement, lesquels sont désormais les seuls à porter le costume de l'horreur ultime. Du coup la question forcément, vous avez vu venir n'est-ce pas, est de savoir si en vue d'éviter un attentat, de sauver des dizaines, peut-être des centaines de vie, il ne serait pas acceptable, à titre parfaitement exceptionnel, de faire usage de la torture face à des individus dont on saurait avec certitude qu'ils détiennent des informations essentielles. Une torture encadrée et raisonnable, qui ne laisserait aucune séquelle. Une torture propre, si l'on peut dire, ah non on ne peut pas. Devant vous des familles endeuillées, chaque jour le temps qui s'est arrêté refuse de se remettre en route. Devant vous des survivants, chaque nuit dans leur tête l'explosion, les armes, le sang et la sidération. Devant vous des hommes et des femmes qui se terrent chez eux, ils sont la population apeurée, ils sont l'opinion publique révulsée, et ce sont peut-être eux les plus virulents, les plus vindicatifs, eux ne craignent pas d'employer le terme, ils disent ouvertement que oui, si c'est pour éviter un attentat, la torture est admissible : les terroristes, ils ont des scrupules à massacrer les gens peut-être ? Notez bien que la population apeurée vous en faites partie, vous aussi redoutez les bombes et les tirs, c'est statistiquement idiot car vous avez beaucoup plus de chances de mourir dans un accident de la circulation que dans un attentat mais la peur précisément échappe aux calculs de probabilités, comme quoi le terrorisme ça terrorise efficacement. Vous réfléchissez avec votre peur, il est vrai que céder sur une torture pour sauver plusieurs vies paraît être une bonne affaire, en termes de réduction de la souffrance globale de l'humanité vous êtes gagnante. D'un autre côté, ce serait injuste pour les enfants, si vous avez dit non pour les enfants rien ne justifie de dire oui pour les attentats, les enfants très légitimement pourraient vous opposer que leur calvaire n'a pas été moins douloureux que celui de victimes d'attentats. En outre, si vous dites oui pour les attentats pourquoi dire non pour les homicides ? les viols ? la fraude fiscale ? Où est la limite, la frontière, aujourd'hui ce sont les terroristes, mais demain qui incarnera le mal absolu ? Et si un jour c'était les traductrices ? Toute catégorisation serait arbitraire, si vous dites oui une fois on pourra étendre, on pourra toujours étendre. Ce serait sans fin. Donc non. Et vous jurez encore : la torture, jamais.

Vous avez trouvé l'ancrage, la poignée. Ce n'est pas par esprit de contradiction, ce n'est pas un principe buté. Et bien que la torture ne donne que rarement accès à la vérité, ce n'est pas non plus la raison. La torture c'est le visage sanglant. Il faut être irréprochable face à la barbarie. Ne pas lui offrir de prise. Sinon elle pourra dire : regardez ces salauds, ils ont torturé, j'ai donc raison d'être barbarie. Et ce sera une conversation entre deux barbaries, chacune pointant la barbarie de l'autre, chacune expliquant son existence par celle de l'autre, chacune se dédouanant, se justifiant, se disculpant grâce à sa jumelle. Viendront d'autres générations, elles auront de la mémoire. La torture pour déjouer un attentat c'est trop cher payé. Vous êtes désolée pour les victimes, profondément désolée, et que leurs proches vous haïssent en toute liberté, vraiment vous comprenez, mais c'est trop cher payé. La torture pour éviter un attentat, c'est le meilleur moyen de susciter des vocations.

Soudain dans cet étrange délire de philosophie morale en vertu duquel, faut-il le rappeler, vous vous prenez pour l'ambassadrice de l'humanité, Ulysse vous revient en mémoire. Ulysse, tant de fois vous avez songé à Ulysse, tant de fois vous avez cherché dans ses aventures des repères, des conseils, des idées pour les vôtres, et jamais vous ne vous êtes interrogée sur la cause de son errance. Sur ce qu'il y avait eu avant. Vous avez vu le navigateur sur le retour, le héros qui lutte pour ne pas s'oublier, mais vous avez occulté la guerre. Troie, la chute de Troie, et le comportement des Grecs, qui ne se sont pas contentés de triompher, qui ont abusé de leur position de vainqueurs. Or si Ulysse et les autres ont eu tant de mal à regagner leurs terres c'est que Zeus était en colère, il souhaitait pour eux un funeste retour, et Athéna également était furieuse, pour une raison qui vous échappe du reste, cependant les détails n'ont aucune importance, le sens général est clair, Troie, les exactions, et le retour semé d'embûches comme punition, comme sanction à l'endroit des Grecs qui avaient commis des fautes graves, bon il n'est pas certain que devant un parterre de spécialistes votre interprétation tienne le coup mais c'est la vôtre et vous l'autovalidez, et partant de là vous êtes convaincue que les dieux grecs sont avec vous, qu'eux aussi condamnent fermement la torture. Sur cette pensée rassérénante, ce n'est pas tous les jours que des divinités antiques vous font part de leur soutien moral, vous vous endormez, à genoux, la tête posée sur votre canapé. Tiens donc.

31

Le lendemain, et si l'on a été attentif on saura non seulement que c'est un mercredi, ou *jour de l'eau* en japonais, mais aussi que le savoir est la preuve qu'on n'a ni problème de visa, ni problème de cave, ni problème de navigation, vous avez la sensation d'émerger d'un rêve étrange. Quelle théière vous a-t-elle mordue ? La guerre d'Algérie c'est triste mais l'événement ne vous concerne pas, ne vous regarde pas. Vous protestez, la torture est une question universelle. Oui, bon, certes. Toutefois. Lire un ouvrage lutringeois alors que vous entamez précisément une phase de consolidation en langue et civilisation hongroises est stupide voire irresponsable, prenez garde à la contamination intracérébrale. Dans le même sens, laissez tomber le japonais, ce n'est pas du tout le moment de vous lancer dans l'apprentissage d'une nouvelle langue.

Quand vous avez fini de vous recadrer, le gang des encyclopédistes évidemment ronchonne, elles trouvaient cela intéressant l'étude multilingue des jours de la semaine, vous vous attelez au travail.

Votre objectif : combler les lacunes dues à votre scolarité hongroise partielle. Dans la mesure où vous ne partez pas non plus de zéro et que le programme de primaire a l'air d'un ennui mortel, vous vous faites sauter plusieurs classes et entrez directement au lycée. Afin de mettre une ambiance de cycle secondaire dans votre tête, vous parcourez quelques blogs d'adolescentes, vous instruisant au passage sur l'esthétique des zombies, les techniques de spiritisme qui marchent réellement ou encore les régimes à 1 000 calories par jour. Ensuite, vous inscrivez le libellé des différentes matières enseignées en filière générale sur des bouts de papier que vous disposez dans un bol. Vous piochez : cette première demi-journée sera consacrée à la géographie. Le tirage aléatoire, est-il besoin de le préciser, est un bouclier méthodologique contre votre subjectivité, vos actes manqués et toutes ces horribles choses qui sont les ennemies de la pédagogie rationnelle.

Vous passez la matinée à apprendre par cœur des superficies, des altitudes, des distances, des températures moyennes, des toponymes. Dans l'ensemble vous étiez déjà plutôt au point, cependant affiner vos connaissances est un heureux rafraîchissement pour votre esprit, savoir qu'en Hongrie 444 kilomètres du fleuve Tisza sont navigables ou que le parc national de Kiskunság a été créé en 1976 resserre les rubans de velours qui vous unissent à moyenne-patrie-chérie : l'air autour de vous devient plus doux, le soleil dehors plus brillant, et le sol sous vos pieds plus accueillant. Euh sous vos pieds c'est le parquet et en dessous il y a des voisins, la terre hongroise est quatre étages plus bas, n'en faites pas trop non plus.

En parallèle, vous rencontrez tout de même quelques problèmes de discipline. Ainsi, à plusieurs reprises vous vous surprenez en train de lire un article sur la chirurgie esthétique des stars ou de regarder une vidéo mettant en scène des chatons mignons, si bien que vous vous voyez contrainte de vous menacer de sanctions, si vous ne refermez pas immédiatement cet onglet vous serez privée de bains thermaux, essayez donc de vous concentrer. Vexée, vous vous précipitez dans votre chambre à coucher en claquant la porte, vous vouliez simplement recréer les conditions réelles d'un apprentissage par une adolescente mais forcément vous êtes trop bête pour le comprendre. Vous finissez par vous réconcilier, et pour éviter que ce genre d'incident ne se reproduise, vous décidez que vous irez vous acheter des manuels scolaires, ce sera plus adapté qu'internet où les tentations sont trop nombreuses.

Une fois que vous vous sentez prête, vous vous attaquez à des annales de baccalauréat trouvées en ligne. Le premier exercice est extrêmement facile, sur une carte vierge de la région du Balaton il faut nommer quelques communes alentour, vous triomphez aisément et obtenez 7 points sur 7. Après, cela se corse avec des questions sur les montagnes de Norvège, la composition de la croûte terrestre, la production pétrolière de la Chine, la circulation des vents entre l'équateur et les pôles, c'est la catastrophe pandémique, vous ignoriez absolument qu'il fallait réviser toutes ces choses parfaitement étrangères à la

Hongrie. Au final, vous ratez lamentablement votre épreuve de géographie avec 22 points sur 100.

Vous êtes prise de vertige, vous n'aviez pas mesuré l'ampleur de la tâche, ne devriez-vous pas restreindre votre programme à ce qui concerne directement votre pays ? Aussitôt vous êtes scandalisée par cette proposition, vous autres Hongrois êtes un peuple curieux et ouvert sur le monde, il vous tient à cœur de savoir que Caracas est la capitale du Venezuela ou que la vallée du grand rift africain s'est formée il y a quatre millions d'années, et qu'en l'espèce vous ayez dû vous renseigner sur internet avant d'être capable de l'énoncer dans votre tête ne change rien à l'affaire. D'aucuns soutiendront perfidement que vous n'avez pas exactement le choix, que le monde ne s'intéressant à la Hongrie qu'assez modérément, si vous ne faites pas le premier pas nulle communication ne sera possible, qu'en somme il serait de bon ton que vous cessiez de faire de nécessité vertu, toutefois ces méchants d'aucuns vous n'en avez cure, qu'ils aillent contracter la syphilis, que des cafards pondent des œufs dans leurs boyaux, si vous étiez un grand pays puissant vous conserveriez cet intérêt pour la géographie étrangère. Par contre la preuve scientifique de cette affirmation est actuellement indisponible, désolée.

L'après-midi, vous vous rendez dans une librairie afin de vous procurer des manuels scolaires. Vous ne savez pas trop où chercher, vous parcourez les allées, vous balayez du regard les ouvrages exposés. Vous apercevez un rayon lutringeois, vous ne pouvez vous empêcher d'y jeter un œil, et voilà qu'il se produit un étrange phénomène, ou plutôt que vous effectuez une curieuse découverte, vous êtes le sujet agissant de la scène ne l'oubliez pas : s'y trouve le livre sur la guerre d'Algérie. Le même que le vôtre. Pas le même exemplaire, encore que, n'étant hélas pas dotée du don d'ubiquité vous êtes dans l'impossibilité absolue de vérifier si votre exemplaire est toujours dans votre appartement cependant il ne vous paraît pas absurde de supposer que oui, mais une autre reproduction du même texte. Cela explique la présence de cet ouvrage chez vous ici à Budapest : vous serez venue dans cette librairie, et voyant le livre vous l'aurez acheté à cause de la plaque de la station de métro à Èclute. Le phénomène n'a donc rien de bizarre. Il n'empêche que cela vous trouble, vous donne une sensation d'inversion de la courbe du temps, en effet si vous n'aviez pas déjà découvert le livre dans votre bibliothèque, venant aujourd'hui dans cette librairie vous en auriez probablement fait l'acquisition, et partant de là c'est comme si vous aviez lu hier soir un ouvrage du futur, un ouvrage que dans une réalité potentielle vous êtes en train d'acheter à l'instant précis de maintenant.

Vous êtes sur le point de repartir en quête du rayonnage des manuels scolaires quand votre épaule droite vous notifie qu'on lui tapote dessus. Vous vous retournez. Un jeune homme. Il est grand, il est beau, il porte un t-shirt représentant une équation différentielle. C'est totalement inespéré. Et en plus, il vous annonce qu'il est transylvain. Vous tombez à la renverse, vous tentez de vous rattraper à une étagère, des livres dégringolent, il vous aide à les ramasser, vous riez ensemble de votre maladresse. Vous le détaillez discrètement, il a un regard franc, à la fois humble et volontaire, pour convoler il est trop jeune c'est sûr, il doit avoir vingt-cinq ou vingt-six ans, cependant vous n'êtes pas obligée de l'appréhender dans une perspective strictement matrimoniale, le poste de tendre amant de passage est également vacant. Il vous fait penser à un elfe des forêts merveilleuses, il a un charme qui éclate sans arrogance, il ne s'en rengorge pas, il ne s'en gargarise pas – à lui peut-être que vous oseriez avouer que vous ignorez les mots de l'amour physique, il vous initierait à la sensualité discursive, il vous enseignerait les intonations des soupirs hongrois, et en échange vous lui apprendriez quelques trucs vous aussi, des trucs de femme de plus de trente ans.

Le profil administratif du garçon-fée se précise, il est originaire de la ville de Cluj et il s'appelle Vajk. Vous en êtes éblouie dans votre cœur, il porte donc le prénom de naissance, le prénom païen du roi Étienne, fondateur du royaume de Hongrie. Il vous fixe avec de grands yeux très vivants, s'il s'est permis de vous déranger c'est qu'il y a quelques années il a connu une fille lutringeoise, pour être sincère il a d'abord cru que vous étiez elle, à présent il constate que non, il y a certes une ressemblance toutefois elle avait des pieds, comment le formuler, moins surprenants que les vôtres. Vous le fusillez des pupilles, aussitôt il vous présente ses excuses, oh là là il est maladroit, pardon il ne voulait pas vous offenser. Non mais ce n'est pas pour vous c'est pour vos pieds, ils sont en reconstruction psychothérapeutique depuis plusieurs semaines, maintenant ils vont être complètement déprimés et il faudra repartir de zéro.

Il reprend avec une pointe d'embarras, il vous a observée, vous feuilletiez un livre lutringeois, si vous connaissez la langue, voire le pays, sans doute pourrez-vous le renseigner. La fille lutringeoise dont il vous parlait, il l'a rencontrée à Cluj, elle y séjournait en vue de préparer l'écriture d'un scénario sur la Transylvanie, sur les Hongrois de Transylvanie. Elle comptait les tombes dans les cimetières, elle photographiait les rubans tricolores sur les monuments funéraires, elle établissait des statistiques sur les morts et les vivants, il y a plus de Hongrois dans les cercueils que dans la ville, disait-elle, c'est bizarre non ? Il avait répondu à ses questions, lors d'un match de football Hongrie-Roumanie quelle équipe soutiendrait-il, devant la statue du roi Mátyás est-il ému un peu beaucoup nullement, se marier avec une Roumaine l'envisagerait-il ou serait-ce une ignoble trahison, lorsqu'il mange du pain acheté dans une boulangerie roumaine craint-il le poison anti-Hongrois parfois souvent jamais de la vie. Il lui avait montré la ville, les journées ils se promenaient ensemble, ils s'introduisaient en douce dans des églises fermées au public, ils s'amusaient à parler roumain aux Hongrois et hongrois aux Roumains, ils intervertissaient les étiquettes dans les musées pour voir si les gens remarquaient que les œuvres avaient changé de nationalité, et le soir ils se laissaient enfermer dans le jardin botanique pour boire de l'eau-de-vie parmi les plantes exotiques. Elle maîtrisait mal le hongrois mais suffisamment pour qu'ils se comprennent, par contre elle n'avait jamais voulu lui révéler son nom, elle avait une curieuse superstition, elle pensait que quiconque connaît votre nom a le pouvoir de vous détruire. Bon et donc il a perdu son numéro de téléphone, il n'a aucun moyen de la retrouver, sauf éventuellement grâce au film, est-ce qu'un film lutringeois consacré à la Transylvanie, aux Hongrois de Transylvanie, cela vous dirait quelque chose ? Vous haussez les épaules, non cela ne vous dit rien, qu'il vous interroge sur la jurisprudence en matière de proxénétisme plutôt, ou sur les champignons sauvages à la rigueur, vous n'êtes pas experte en cinéma. Vous avez répondu sèchement, pourquoi vous accoster si c'est pour vous entretenir d'une autre fille, vous êtes un petit cœur sensible, il est cruel de vous avoir ainsi donné de faux espoirs.

Vous poursuivez la conversation dans un café, c'est Vajk qui a proposé, la partie n'est donc peut-être pas perdue. Il vous confie son smartphone afin que vous effectuiez une recherche en ligne concernant ce film qu'il essaie d'identifier, et cela c'était votre suggestion à vous, vous teniez à lui faire savoir que vous n'étiez aucunement jalouse des filles cinéastes qui ont une vie trépidante et qui sillonnent le monde pour écrire des scénarios. Sur internet vous ne trouvez rien, vous avancez que le projet a aussi bien pu tomber à l'eau, vendre un tel sujet à des producteurs lutringeois ne doit pas être évident, là-bas ce qui les intéresse ce sont les drames avec des bourgeois dépressifs qui s'expriment sous forme d'aphorismes, ou encore les grosses comédies dégoulinantes d'autovalorisation adipeuse, alors la Transylvanie, les Hongrois de Transylvanie, vous n'êtes pas persuadée que ce soit très adapté au public lutringeois. Vajk ne semble pas excessivement déçu, il demandait à tout hasard, il pose la question chaque fois qu'il croise un ou une lutringeophone, un jour ou l'autre il retrouvera la fille, il fait confiance au destin, et en attendant il est content de discuter avec vous. Il vous traverse l'esprit que cela pourrait avoir été un prétexte, la scénariste anonyme n'aurait jamais existé, il aurait inventé cette histoire afin d'avoir quelque chose à vous raconter, quelque chose de compliqué qui nécessite du temps, qui justifie d'aller en discuter autour d'un verre, et vous vous sentez rougir, vite vite un sujet de conversation.

Vous entreprenez de l'interroger sur sa vie transylvaine, songeant avec ravissement que ne possédant qu'un passeport roumain, il est en quelque sorte comme une essence précieuse d'identité hongroise : débarrassée de l'habillage administratif, sa nationalité disjointe de sa citoyenneté resplendit toute nue, dans son plus simple appareil. Il va sans dire que vous dissimulez votre enthousiasme, vous savez que pour lui cela doit être une terrible souffrance. Ah non raté, il a la double citoyenneté roumaine et hongroise. Tandis qu'il vous l'annonce, il vous revient qu'en effet, depuis quelques années, les minorités nationales des pays voisins peuvent obtenir un passeport hongrois assez facilement, cela peu ou prou grâce à l'amoureux de votre grand-mère. À la fois vous en êtes enchantée, n'est-il pas fabuleux d'avoir ainsi tendu la main à vos frères et sœurs d'outre-frontière, c'est un geste fort et somme toute naturel, une manière de leur dire Trianon nous a séparés mais on ne vous oublie pas, vous êtes importants et nous vous envoyons plein de bisous nationaux, et à la fois vous en êtes éperdument révulsée, vous y voyez une abjecte confusion sémantique, octroyer la citoyenneté sur le fondement de la nationalité c'est n'avoir rien compris à la différence entre ces deux termes, et à ce stade vous réalisez avec irritation que dans cette perspective lexicalement ultraorthodoxe vous-même n'auriez jamais dû recevoir la citoyenneté hongroise, du moins pas tant que vous grandissiez en Lutringie et que de fait vous ne participiez pas à la vie de la cité politique hongroise. De son côté, Vajk vous explique qu'il a effectué la démarche pour des raisons symboliques, cela lui plaisait d'avoir un papier officiel, un document attestant de son identité hongroise, mais que pour autant il est hors de question de voter aux élections de Hongrie, choisir le gouvernement d'un pays dans lequel il n'habite pas serait absurde, lui ce qui a un impact direct sur son quotidien c'est la politique intérieure roumaine – quel garçon sensationnel, sans même en avoir conscience il vous range votre cerveau, il vous synthétise vos discordances internes.

Vous le questionnez encore, d'un air grave vous lui demandez, et les églises orthodoxes, les sinistres coupoles de ces Roumains aux plantes de pied poilues ça va, ce n'est pas trop dur à supporter dans le paysage ? Qu'il n'hésite pas, vous êtes au courant de ce dramatique problème, il peut vous parler en toute confiance de l'oppression dont il est victime. Vajk manque de recracher la gorgée qu'il avait dans la bouche. Quoi ? Il s'en fiche des églises orthodoxes, chacun fait ce qu'il veut avec sa religion, et il n'est pas du tout opprimé, en revanche ne le prenez pas mal mais il a horreur de cette expression raciste, Roumains aux plantes de pied poilues, cela le heurte, le vocabulaire des hooligans ultranationalistes ce n'est pas trop son truc, ce n'est pas parce que certains Roumains traitent les Hongrois de débiles des steppes d'Asie centrale qu'il faut se mettre à leur niveau, en outre sa sœur est mariée avec un Roumain dès lors il aimerait bien si c'est possible que vous arrêtiez d'insulter son beau-frère.

Le sol s'ouvre sous vos pieds, vous plongez dans un puits blanc aux parois neigeuses, des bourrasques glacées vous giflent violemment, vos os sont gelés jusqu'à la moelle. Quand la sensation de chute cesse, vous vous retrouvez accroupie sous la table du café. Vajk s'est baissé pour négocier une sortie de crise, non mais ce n'est pas si grave, sortez donc de votre cachette, il vous a donné son point de vue vous n'êtes ni la première ni la dernière à employer cette expression, et c'est embarrassant là, tout le monde doit croire qu'il vous a menacée d'une chose atroce pour que vous vous réfugiiez ainsi sous la table. Vous vous excusez trente-cinq fois, vous êtes tellement si désolée vous ne vous rendiez pas compte, vous pensiez que c'était un sobriquet taquin, est-ce qu'il vous pardonne ? C'est sûr ? Vraiment ? Après qu'il vous a accordé son pardon trente-cinq fois vous quittez votre abri et vous vous rasseyez sur la chaise en face de lui, cela en prenant soin de rire bien fort afin que dans le café tout un chacun comprenne qu'il s'agissait d'une simple plaisanterie.

Vous regardez Vajk timidement, tout à l'heure il a dit, il a dit qu'il n'était pas du tout opprimé, c'est vrai ? Il sourit, on voit que vous êtes une Hongroise de Hongrie qui n'a jamais mis les pieds en Transylvanie vous hein, *opprimé* cela ne signifie rien, parfois ça va, parfois il y a des tensions, toutefois si vous imaginez qu'il vit sous le joug des cruels Roumains alors clairement vous êtes à côté de la plaque. Oui, dans le passé à Cluj il y a eu un maire ultranationaliste, un fou furieux qui enchaînait les provocations, qui s'attaquait à la vie culturelle hongroise, qui rêvait d'une ville purement roumaine, ah et son grand truc c'était de faire repeindre les équipements urbains aux couleurs de la Roumanie, dans les rues tout était devenu bleu-jaune-rouge, les plots, les bancs, même les poubelles, comme si les poubelles étaient un grand symbole de l'identité nationale roumaine, il paraît que les Roumains eux-mêmes avaient honte à force. Mais c'est fini depuis longtemps et Cluj c'est cool, c'est détendu, c'est jeune, avec plein de cafés et de festivals, il n'est aucunement malheureux d'y habiter. Et à certains égards, concernant certains sujets, la ligne de fracture est moins entre Roumains et Hongrois qu'entre la Transylvanie et Bucarest, entre les régions et le pouvoir central. Bref, lui trouve ça chouette d'être transylvain, il est bilingue de naissance, vous réalisez la chance qu'il a ? À la maison le hongrois, dehors le roumain, pour la scolarité il avait le choix entre les deux, lui a pris le hongrois car pour avoir un cerveau bien formé l'éducation dans la langue maternelle c'est essentiel, mais il parle parfaitement le roumain, et côtoyer ainsi une autre langue dès l'enfance eh bien ça ouvre l'esprit, ça oblige à prendre conscience du fait qu'il existe d'autres vérités que la sienne. Parce qu'une langue c'est une vérité, une autre langue une autre vérité. Bon après, il vous parle de Cluj, c'est une grande ville, on respire, on se respecte, dans la campagne profonde du pays sicule l'ambiance est différente c'est sûr, parce que les Sicules ils sont un peu frappadingues vous savez, ils sont hypersusceptibles, ils partent au quart de tour, et certains refusent farouchement d'apprendre le roumain, ils préfèrent rester entre eux, ne pas se mélanger. Du coup, lorsqu'une fois par an ils descendent en ville ils sont absolument paumés, faute de maîtriser les rudiments de la langue majoritaire ils ne sont même pas capables de s'acheter un kilo de pain dans une boulangerie roumaine.

Vous clignez des yeux, vous vous réjouissez dans l'ahurissement, vous vous désolez dans l'admiration, ses mots sur les Sicules vous blessent et vous révoltent, vous voudriez les défendre, ils ont déjà assez de problèmes avec les Roumains si les coups viennent aussi du camp hongrois ils ne s'en sortiront jamais, cependant que vous trouvez également merveilleuse cette enfance aux deux vérités, cette Cluj culturellement brassée qu'il vous décrit, ces réactions sont-elles compatibles, avez-vous le droit d'être incohérente à ce point, en tous les cas dans votre tête c'est un cimetière de certitudes, de stéréotypes peut-être, votre plafond mental vient de s'effondrer. Un, les Sicules vos idoles ne sont pas unanimement admirés, leur belle résistance lui qui vit là-bas l'interprète en termes de repli. Deux, les Hongrois de Transylvanie sont pluriels, au lieu de former un gentil bloc solidaire ils ont parfois des opinions divergentes. Trois, ce garçon indubitablement n'a pas mal à Trianon, ce garçon indubitablement est hongrois, conclusion tous les Hongrois n'ont pas mal à Trianon, face au syllogisme falsificateur vous ne pouvez que rendre les armes.

Estimant que votre quota de choc traumatique journalier a été atteint vous remerciez Vajk pour ses explications et donnez à la conversation un brutal coup de volant thématique, bon et il fait quoi à Budapest, il est en vacances, à moins qu'il n'effectue un repérage pour s'installer prochainement dans la mère-patrie ? Il éclate de rire, vous n'avez toujours pas compris qu'il était content de sa vie à Cluj, qu'il ne se sentait ni lésé, ni inférieur aux Hongrois de Hongrie ? Et puis Budapest à visiter c'est sympa mais y habiter au secours, sauf votre respect il ne supporterait pas le climat, il est un placide Transylvain voyez-vous, ici les gens sont complètement surexcités de la politique, ils s'étripent pour des broutilles, ils critiquent les Tsiganes et les Juifs pour se rassurer sur leur propre identité, bon il force le trait évidemment et pourtant, oui pourtant il perçoit un truc aigri dans l'air, comme un accablement collectif, pour l'énoncer très simplement il lui semble que les gens ne sont pas heureux. Enfin, pour répondre à votre question, il est venu rendre visite à un ami, et comme il a un exposé à préparer sur l'*Exhortation*, il en profitait pour chercher de la documentation, d'où sa présence dans la librairie. Vous froncez les sourcils, un exposé sur l'exhortation, c'est-à-dire ? Bah il doit faire un commentaire de texte. Ah oui naturellement – cela c'est ce que vous lui dites mais en réalité ce n'est pas naturellement du tout, vous n'avez aucune idée de ce qu'est cette exhortation, ou *Exhortation*, toutefois vous ne vous attardez pas outre mesure, le terme qui vous préoccupe présentement est *exposé*. Un exposé ? Comment cela un exposé ? Un exposé pour la fac, il étudie la littérature hongroise à l'Université de Cluj. Votre préoccupation devient inquiétude. Il prépare un doctorat sans doute ? Ah non du tout, il est en deuxième année. Votre inquiétude devient crainte. En deuxième année ? Hum, et il a quel âge au juste ? Et là, un nouveau choc, mais d'un autre ordre que les précédents : il a vingt ans. Vous mettez votre main sur votre bouche, votre respiration se bloque, han c'est affreux, il est excessivement jeune, définitivement trop jeune pour vous, ce ne sera pas possible, un amant de vingt ans ce ne sera pas possible, vous auriez l'impression de, de, d'abuser de lui.

Vous l'interrogez sur ses études, désormais vous vous adressez à lui en adoptant un ridicule ton à la guimauve, alors il fera quoi quand il sera grand ? Journaliste, il voudrait être journaliste. Vous opinez de la tête, ah excellent choix, en voilà un beau métier. Et il ne doit pas encore rentrer en Roumanie, il n'est pas en train de rater l'école ? Eh bien il aurait dû prendre le train hier matin mais il n'a pas pu accéder à la gare comme vous imaginez, ce qui en fin de compte est un mal pour un bien, il a décidé de rester quelques jours de plus pour écrire un reportage sur les événements, c'est une occasion en or, avec un peu de chance il pourra vendre le papier à un journal transylvain. Vous plissez les yeux. Les événements ? Mais quels événements ? Il vous regarde genre vous êtes une extraterrestre en maillot de bain supersonique. Vous n'écoutez donc jamais les informations ? Vous ne lisez donc jamais les journaux ? Vous êtes forcée de répondre par la négative. Dans ce cas il vous suggère d'aller faire un tour du côté de la gare de l'Est, il vous laisse la surprise. Là-dessus vous vous quittez, il vous note ses coordonnées sur un bout de papier, si un jour vous venez à Cluj contactez-le, cela lui fera plaisir de vous revoir.

Vous vous éloignez en égrenant diverses combinaisons, vingt ans et trente et un ans impossible, trente et quarante et un difficile également, vingt-cinq et trente-six par contre passerait encore. Comme vous savez qu'il est peu probable que vous réussissiez à conserver le bout de papier pendant cinq ans, vous le jetez dans une poubelle, tant pis. Vous vous en auto-scandalisez sur-le-champ, espèce de sotte patriarcale, d'idiote emplafonnée, un homme de trente et un ans n'aurait pas hésité une seconde face à une femme de vingt ans, et vous, et vous, vous faites des manières, cela vous traumatise des normes sociales, il est trop jeune vous pourriez être sa mère pédophile, ce serait malséant et pervers. Dire qu'en 1975 Dalida chantait *Il venait d'avoir dix-huit ans.*

Mais Dalida vous ne l'écoutez plus, vous êtes trop occupée avec le rock folklorique hongrois, alors forcément vous ne risquez pas d'écouter ses conseils.

Tout en vous dirigeant vers la gare de l'Est, vous repensez à Ilonka ; lorsque devant elle vous avez prononcé *Roumains en chaussons à moumoute* elle s'est contentée de vous reprendre, de vous indiquer la formulation correcte, mais à aucun moment elle n'a paru considérer que l'expression, l'usage d'une telle expression posaient problème. Votre esprit se contracte violemment, vous ne pouvez admettre qu'une personne aussi gentille puisse prononcer des mots méchants sans manifester sa désapprobation. Dites voir, ce ne serait pas vous, la fille qui répète à l'envi que l'être humain n'est pas un monolithe ? Vous reniflez, vous vous grattez le bras, oui exact mais non mais oui mais non, crotte de caféine.

Subitement apparaît en vous une question, elle brille de mille feux, elle a une lumière très puissante, elle illumine littéralement votre entendement : et si vous arrêtiez de vous mêler des affaires des Hongrois de Transylvanie ? La question éblouissante n'est pas venue seule, elle est accompagnée de quelques caméristes : ne voyez-vous pas que vous les étouffez ? que vous les colonisez ? que vous n'avez aucune légitimité ? Laissez-les donc se penser comme ils l'entendent, laissez-les débattre entre eux, ils sont à la fois les premiers concernés et les mieux placés pour réfléchir à leur condition, pour élaborer une position, pour décider si elle sera commune ou non, si certains se réjouissent de côtoyer une autre vérité dès l'enfance c'est leur droit, si d'autres refusent le bilinguisme c'est leur droit, et même, et même, s'il en existe qui se sentent roumains c'est leur droit aussi, renoncez à les enfermer, à les figer, ils sont nombreux, ils sont vivants. Et par la même occasion, foutez également la paix aux Roumains, cessez de les persécuter dans votre tête, de les accuser des pires horreurs, et faites vôtre cette maxime populaire très simple et néanmoins porteuse d'une grande sagesse : il y a des cons partout. Chez les Hongrois. Chez les Roumains. Lâchez-leur les baskets. Ce n'est pas parce que les minorités de Transylvanie n'ont pas choisi de naître à l'extérieur des frontières de la Hongrie (tout comme vous n'avez pas choisi de voir le jour en Lutringie), qu'elles parlent hongrois à la maison tandis qu'à l'extérieur domine le roumain (tout comme vous parliez hongrois avec vos parents tandis qu'à l'extérieur dominait le lutringeois) et qu'en plus le roumain est une langue latine (est-il besoin d'expliciter) que vous devez confondre leur situation avec la vôtre. Ah ben si quand même, ça se tient vachement bien comme analogie. NON. Votre attirance, votre fascination ne sont rien d'autre qu'un trip narcissique, vous n'êtes ni ouverte ni curieuse, ce qui vous intéresse c'est de vous projeter, de les instrumentaliser, de vous servir d'eux comme d'un miroir, réfléchir à eux c'est penser à vous-même l'air de ne pas y toucher, mais c'est raté, ils sont différents, ça suffit.

32

Vous êtes arrivée au niveau de la gare de l'Est. Ce que vous découvrez alors, il vous faut plusieurs minutes pour l'assimiler, le décoder, le décrypter. Tant de personnes se trouvent sur le parvis que vous imaginez d'abord qu'il y a une manifestation de rue, une grève des chemins de fer, un spectacle en préparation. En tous les cas, il se passe quelque chose. Vous vous approchez, les détails se dessinent, devant vous une masse comprenant des sacs à dos, des couvertures, des tentes, des poussettes, des papiers, des pommes, des téléphones, des jeans, des marcels, des survêtements, des casquettes, des hijabs, des biberons, des peluches, et bien sûr ces objets sont portés ou utilisés par des gens, ils sont assis, ils sont debout, ils mangent un sandwich, ils manipulent leur smartphone, ils jouent à la poupée. Vous vous frottez les yeux, vous appuyez sur vos tempes, soudain vous croyez voir des dizaines, des centaines de répliques de vos parents. Des hommes et des femmes qui ne sont certes pas tous en jogging mais qui, mais qui,

la dégaine de ploucs
les coupes de cheveux ringardes
les muscles du cou contractés
on dirait votre père et votre mère
sur les vieilles photographies
de vieilles photographies prenant vie
devant la gare de l'Est de Budapest.

Vous voyez les gens
les gens vous voient
vous les voyez vous voir
ils ne vous voient pas.

Leurs yeux ahuris
ont l'intensité des yeux de comédiens
leurs yeux ahuris
sont stressés mais pas du tout comme ça : au secours chéri ce soir quel menu pour recevoir ton boss
leurs yeux ahuris
sont joyeux mais pas du tout comme ça : quel week-end magnifique et si on allait faire du vélo en forêt
car ils sont fondamentalement
ahuris.

Vous avez compris. Et à dire vrai, la réception de l'information ne se déroule pas sans heurts, vous manquez d'avaler votre langue laquelle se met à effectuer des rotations latérales, des torsades, des ruades, et simultanément vos joues se gonflent d'air, vous frôlez l'explosion buccale. Au final, vous dénichez des escaliers où vous asseoir, vous parvenez à redonner à votre langue sa forme habituelle, vous reprenez vos esprits. Vous avez compris, donc, ce que probablement on avait déjà compris, sauf si à votre instar on passe sa vie dans les bulles des bains thermaux, sauf si à votre instar on a choisi de ne plus écouter les actualités : ce sont des gens de loin, des gens du lointain, qui ont voyagé, pas des touristes, qui sont venus, pas des explorateurs, qui sont arrivés, pas des chercheurs invités, et avant cela ils sont partis, ils ont quitté, ils ont empaqueté, pensant ou ne pensant pas, en tous les cas n'ignorant pas, ne pouvant ignorer que ce qu'ils voyaient en empaquetant, c'était peut-être la dernière fois qu'ils le voyaient. Vous avez compris cependant vous ne comprenez pas : pourquoi ces gens en ce lieu amassés ? Et quel désordre, oui quel anormal désordre en plein milieu de la ville, de votre si belle ville.

Vous êtes toujours assise sur les marches, il s'agit d'escaliers conduisant à la partie souterraine de la gare. Du linge sèche sur les rampes métalliques. Du linge ? Vous vous relevez, vous descendez. En bas c'est une succession de tentes, de sacs de couchage, de couvertures, de tapis de camping, de cartons, et de gens évidemment, des hommes, des femmes, des enfants – plus de femmes et d'enfants ici qu'en haut. Vous remarquez des pancartes bricolées, des inscriptions sur les murs : « Peace for Syria », « I want go to Germany », « Please help us », « S.O.S. », « Angela Merkel ». Vous enjambez, vous bifurquez, personne ne semble spécialement prêter attention à votre présence. La vie suit son cours : une petite fille dessine ; un petit garçon serre son nounours ; des hommes discutent ; une femme change la couche de son bébé. Tout est normal. Mis à part le fait, éventuellement, que ces scènes se déroulent à même le sol, dans la partie souterraine de la gare d'une capitale européenne.

Vous repérez un type qui distribue des bouteilles d'eau, il est hongrois, quand il a fini sa distribution vous l'accostez, vous lui demandez de vous expliquer, et comme vous avez honte de votre ignorance, vous lui racontez que vous débarquez tout juste de l'étranger, que vous n'aviez pas internet, que vous viviez coupée du monde. Le bénévole, car c'est un bénévole, et d'après ses dires sans les bénévoles ce serait la catastrophe humanitaire, les autorités ne font rien, pensez à l'hygiène, aux toilettes, aux soins médicaux, c'est très compliqué, bref le bénévole vous résume aimablement la situation. Budapest est une étape sur la route migratoire vers l'Europe de l'Ouest, et ce qu'il se passe là tout de suite, c'est que ces gens originaires de Syrie, d'Afghanistan, d'Irak, du Pakistan, ou autres, on les retient contre leur gré, pas au sens on les emprisonne mais ce n'est pas loin, eux voudraient continuer leur périple, beaucoup ont des billets de train pour l'Allemagne, des billets valides qu'ils ont achetés légalement avec leur argent, c'est assez cher au demeurant, et malgré leurs billets valides on leur interdit de monter à bord des trains, alors ils sont bloqués, ils sont coincés, espérant chaque jour pouvoir repartir, espérant chaque jour qu'il se produise quelque chose. Mais c'est mal engagé, maintenant il n'y a plus du tout de trains pour l'Ouest, ils ont été supprimés. Supprimés ? Comment ça supprimés ? Oui supprimés, il n'y a plus aucune liaison ferroviaire vers l'Autriche ou l'Allemagne, si vous n'étiez au courant de rien cela doit vous faire un choc en effet. Il ajoute qu'aujourd'hui l'ambiance est plutôt calme mais qu'hier c'était extrêmement tendu, cela aurait pu dégénérer, parce qu'hier la gare a carrément été fermée, les migrants qui voulaient monter dans des trains ont été évacués, ils se sont mis à manifester en brandissant leurs billets valides, c'était un chaos pas possible, ça va mal finir, ça va mal finir, les êtres humains c'est comme les animaux, si on les met en cage ils deviennent fous, il va y avoir des morts un jour ou l'autre. Il conclut, désormais la gare a rouvert mais *Eux* n'ont pas le droit d'y entrer. Seuls les Hongrois ou les étrangers en situation régulière y sont autorisés. La cause, ou la justification officielle de tout ce bordel, à vous de choisir votre interprétation, c'est qu'il y a un règlement européen qui impose que le dossier d'un migrant soit traité dans le pays membre où il est entré en premier, donc le gouvernement affirme ne pas avoir le droit de laisser ces personnes quitter le territoire hongrois.

Le bénévole est un grand type assez moche, avec le nez de travers et des oreilles décollées. Et puisque vous avez fait vœu de sincérité, vous n'avez d'autre choix que d'admettre que le voyant si moche, vous avez songé que le bénévolat, l'aide aux autres étaient une manière de donner un sens à sa vie assurément merdique, avec les filles cela ne doit pas être facile. Han. Mais quelle eugéniste. Oh ça va c'était une pensée furtive, tout le monde a de vilaines pensées de ce genre parfois. Ah bon ? Vous êtes sûre ? Non vous n'êtes pas sûre, c'était ce qu'on appelle une supposition. Et si vous étiez dotée d'un minimum de clairvoyance psychologique, vous auriez deviné que c'était une pensée compensatrice, une pensée de défense. Focalisation sur un détail. Pour se protéger de la forêt maléfique. Face à une maison en ruine on se dit, whaou il est trop joli ce canapé rouge ils avaient bon goût les propriétaires. Face au cadavre d'une femme dans une voiture calcinée on se dit, tiens son vernis à ongles est écaillé elle se négligeait la pauvre. Et lorsqu'on réalise que la gare de l'Est est devenue un camp de réfugiés, on se moque des oreilles décollées d'un bénévole.

Vous remerciez ledit bénévole et retournez vous asseoir sur les escaliers. Sidération, science-fiction, mains qui tremblent. Ce n'est pas en cas de guerre qu'on supprime des trains ? qu'on ferme une gare ? Vous êtes parfaitement ignare en histoire ferroviaire toutefois vous convenez que la question est légitime, la dernière fois que l'intégralité des liaisons vers un pays donné a été suspendue peut-être que c'était effectivement la guerre. Cela vous fige, vous vitrifie, vous tétanise, c'est si bizarre, anormal, fermer une gare, supprimer des trains, le message c'est attention danger, menace grave, péril imminent, on dirait la guerre, merci on avait bien noté que cela vous évoquait la guerre. Et la science-fiction. Vos excuses, c'est l'impuissance cérébrale, vos pensées se planquent, elles disent c'est la guerre et le chaos, elles refusent de travailler. Du coup vous êtes bloquée sur la guerre, c'est idiot, en vrai ce n'est pas la guerre, ces gens fuient la guerre et ils se retrouvent dans la gare qu'on a fermée comme si c'était la guerre, il y a un truc qui cloche, non ?

Vous ressortez, vous jetez un œil à l'entrée principale de la gare, elle est barrée par une trentaine de policiers. Ça fait comme un mur, un barrage. Vous notez aussi la présence de photographes, de cameramans. Pour Vajk cela fera un beau sujet pas de doute. Vous commencez à vous éloigner, vous avez besoin de réfléchir au calme. Pourquoi ces gens veulent-ils tous aller en Allemagne ? Certes, si la Hongrie les contraint à rester contre leur volonté, il est normal que le pays ne leur soit pas immédiatement sympathique. Mais s'ils avaient eu envie de s'installer ici, le problème ne se serait pas posé. Alors pourquoi ? Ce n'est pas assez bien pour eux ici ? Ils ont fui leur pays, ils ont pris des risques inimaginables, ils ont dépensé des fortunes, ils ont failli mourir dans des bateaux tout pourris, ils sont enfin en Europe, ici c'est la paix et l'État de droit, mais non, cela ne leur plaît pas ? Ce n'est pas assez joli la Hongrie, c'est ça ? Il n'y a pas la mer ? La langue est trop bizarre ? Non mais c'est vexant à la fin. L'Ouest, toujours l'Ouest, le Mur est tombé en 1989 mais virtuellement il est toujours là, les gens du lointain la Hongrie ils s'en foutent, ils veulent aller à l'Ouest.

Vous revenez sur vos pas, vous vous approchez d'un groupe de cinq personnes, elles sont debout sur le parvis de la gare, elles discutent entre elles. Pardon, juste quelques questions. Bien sûr avec plaisir.

Vous êtes journaliste ? Non ? Dommage. Mais vous le direz n'est-ce pas, vous le direz sur internet, sur les réseaux sociaux, ce qu'il se passe ici ? Le monde doit savoir. Vous grimacez, hélas vous n'êtes pas sur les réseaux sociaux – une page sur un réseau social implique de tenir un unique discours, de proposer une seule version de son existence à l'intégralité de son entourage, ce qui n'est pas exactement l'option que vous avez choisie ces dernières années. Ils sont déçus mais vous répondent de bonne grâce. Où souhaitent-ils aller ? Allemagne (1), Suède (1). Certains glissent quelques mots sur leur parcours, insistant toujours, toujours sur le fait qu'ils menaient une existence normale, avaient logement et travail, sont partis contraints et forcés, quand une bombe tombe sur la maison on n'a pas le choix, quand les proches meurent les uns après les autres on n'a pas le choix. Et donc pourquoi l'Allemagne, la Suède ? Parce qu'Angela Merkel a dit bienvenue, parce que là-bas il y a du travail, parce que là-bas refaire sa vie est possible. Et pour trois d'entre eux, également parce qu'ils ont déjà sur place un frère, un cousin, un ami. D'abord cela vous agace, c'est trop facile, ils ont toujours un bon prétexte, la vérité c'est qu'à aucun moment ils n'ont appréhendé la Hongrie autrement que comme un pays de transit, s'y installer jamais ils ne l'ont envisagé. Puis vous songez à vos parents : la Lutringie, ils l'ont choisie sans connaître le pays, sur la base de quelques stéréotypes et des rumeurs qui couraient, à l'époque il se disait qu'obtenir l'asile là-bas était plus facile qu'ailleurs. Vous poursuivez, bon et la Hongrie, à présent qu'ils sont ici, ce ne serait pas plus simple d'y rester ? Pourquoi ne pas revoir leurs projets ? C'est un très joli pays de taille moyenne, il y a le Balaton, il y a le Danube et la Tisza, il y a des sources thermales à foison, bref si c'est une question d'eau il y a de quoi faire. Ils s'étranglent, ils rient jaune, ici les barbelés, la police, les coups, traités comme des chiens ils sont, tout ce qu'ils demandent c'est qu'on les laisse prendre le train, pourquoi leur vendre un billet si ensuite on ne les laisse pas prendre le train, ils ne demandent rien d'autre, juste partir, partir, partir, et au lieu de cela l'escroquerie au billet de train, la vie dans les souterrains, les tensions, les vols, la saleté, plus vite ils partiront et mieux ils se porteront. Ils parlent des autorités, hein, sinon les bénévoles sont formidables. Vous leur dites que vous comprenez, et vous ne mentez pas, et vous êtes mal à l'aise, et vous êtes tellement désolée. Mais vous n'avez pas la force, ou le courage, ou la présence d'esprit de leur demander pardon. Vous leur souhaitez bonne chance et vous quittez la gare, pour de bon cette fois-ci. En vous éloignant, vous passez près d'un couple de Hongrois, la cinquantaine. La femme : quand je vois ces migrants, je me dis que je préfère encore les Tsiganes. L'homme : ouais, les Tsiganes au moins on les connaît, ils sont d'ici après tout.

*

Vous êtes assise dans un square. Vos yeux sont ouverts et pourtant défilent sur votre rétine les centaines de visages que vous venez de voir, auxquels peu à peu se mêlent d'autres visages, c'est le cortège des gens du lointain du monde entier, ils sont dans des camps, ils sont dans des gares, ils sont sur des plages, il y en a qui étaient persécutés, il y en a qui ont fui la guerre, il y en a qui ont fui la faim, il y en a qui étaient pauvres, il y en a qui étaient au chômage, il y en a qui avaient du travail mais pas celui qu'ils voulaient, situations plus ou moins graves, urgences plus ou moins urgentes, oui indéniablement, cependant tous veulent mener une vie, une bonne vie, une vie comme la vôtre, ou même moins bonne, votre appartement par exemple, trois pièces pour une fille seule, est-ce que ce ne serait pas un brin excessif ? Or à cet égard, c'est-à-dire en termes de chances de mener une bonne vie, être hongroise, vivre en Hongrie, c'est incontestablement être dans le camp des privilégiés, des dominants, des vainqueurs – satellite du G7, vous êtes.

Vous fermez les yeux.

Très fort : paupières serrées, crispées.

Bientôt ils seront triés.

Réfugiés, migrants économiques.

Bientôt ils seront triés.

Gentils persécutés, vilains parasites.

Bientôt ils seront triés.

Tendres agneaux, sangsues dégueulasses.

Il y aura des erreurs : certains qui réellement étaient dans une situation d'urgence n'obtiendront pas l'asile. Il y aura des rejets juridiquement corrects : à ceux qui ne correspondent pas aux critères, on dira de retourner vivre leur existence pourrie dans leur pays pourri. Tous ces refusés, la plupart de ces refusés, ont beaucoup risqué pour venir en Europe. Ils n'avaient pas de Lada, ils n'avaient pas de visa de trente jours pour l'Ouest. Ils ne se sont pas contentés de partir en vacances et d'oublier de rentrer. Ils vous regardent, ils vous demandent : et pourquoi pas nous, et pourquoi pas nous ? Vous n'avez rien à leur répondre, parce que rien ne justifie que vos parents, qui n'étaient pas persécutés, qui ne mouraient pas de faim, aient obtenu le droit de vivre à l'Ouest tandis qu'aujourd'hui ce même Ouest rejettera des personnes ayant un dossier identique. Rappelez-vous les paroles de votre avocat imaginaire : aujourd'hui, une telle demande ne passerait plus.

33

Intérieur soir, vous devant ordinateur, visage stupéfait. Sur l'écran, des dizaines de fenêtres et autant d'articles consacrés à la gare de l'Est. La presse occidentale ne parle que de cela, elle en raffole, elle s'en régale, la Hongrie xénophobe a encore frappé. C'est toujours un plaisir que de servir de repoussoir aux puissants, qu'ils n'hésitent pas, qu'ils continuent, vous êtes flattée, vous êtes honorée, il n'est pas si fréquent qu'entre une partie de golf et la signature d'une vente d'armes les maîtres du monde s'intéressent à vous, et puis ce sera peut-être l'occasion pour eux de retenir une bonne fois pour toutes que votre capitale se nomme Budapest et non Bucarest ? La publicité négative n'en reste pas moins publicité comme on ne l'ignore pas, et bizarrement vous êtes réellement heureuse, sincèrement excitée par cette subite célébrité. Est-ce que les habitants des banlieues pourries d'Èclute ressentent la même chose quand les voitures qu'ils brûlent font les gros titres ? Bien sûr il y a le stigmate, mais quand même, on parle d'eux, certes pour les traiter de sauvages, de racailles, mais au moins on parle d'eux, parce que sinon jamais.

L'avantage, aussi, de ces articles assassins, et à cet égard les journalistes lutringeois experts en politique intérieure des pays où ils n'ont jamais mis les pieds sont évidemment les premiers de la classe, c'est qu'ils vous font gagner un temps précieux : vous qui aviez prévu de réfléchir à la question ce soir, d'essayer de vous forger une opinion éclairée, ben en fin de compte pas besoin, ils s'en occupent, ils s'en chargent, c'est vraiment trop sympa. Dire qu'après consultation des sites d'information hongrois, en effet vous avez commencé par lire les médias de votre pays, qu'on n'aille donc pas s'imaginer que vous êtes obsédée par l'opinion des Occidentaux, vous en aviez conclu au fait que globalement personne n'y voyait réellement clair, que c'était le bordel et le chaos, qu'il allait sûrement falloir du temps pour démêler les événements. C'est là qu'on voit la différence de développement intellectuel : vous autres Hongrois n'êtes même pas capables d'analyser un phénomène à chaud. Tandis que les Lutringeois, pilotant leur cerveau extralucide depuis le canapé de leur salon, ont instantanément tout compris tout digéré. Grâce à eux, vous savez que tout s'explique par votre xénophobie. Vous voulez une Hongrie blanche et chrétienne, même les Syriens vous vous en foutez, pourtant ils ont le teint plutôt clair, pourtant ils sont parfois chrétiens, mais pour vous ce n'est pas assez. C'est pratique et reposant, le problème est réglé, affaire suivante. Et cela vous déleste de toute honte : puisqu'ils l'éprouvent pour vous, qu'ils réclament déjà votre exclusion de l'Union européenne dont vous êtes indignes, pourquoi vous fatiguer à la ressentir également ?

Le seul petit défaut du procédé, tout de même, c'est qu'étant nationaliste et xénophobe comme tous les Hongrois, vous réagissez en vieille rageuse. Ainsi, quand vous lisez que les Hongrois ces salauds ont la mémoire courte, qu'ils oublient que lorsque suite à l'insurrection de 1956 ils ont émigré en masse, l'Ouest les a généreusement accueillis, qu'en somme ils se rendent coupables d'une grave faute maussienne, ils ont accepté le don mais refusent le contre-don, ils maltraitent les Syriens fuyant la guerre, ils les martyrisent dans des conditions contraires à la dignité humaine, vous ne pouvez vous empêcher de songer au joli petit camp de migrants situé au nord de la Lutringie. Eh oui, vous êtes contrariante. Alors naturellement, le joli petit camp est au bord de la mer, le paysage est magnifique, on entend le bruit de la houle le soir quand on s'endort dans sa tente. Un peu froide, la mer. Mais c'est la mer quand même. Presque une station balnéaire, ce camp. On peut se baigner, bouquiner sur la plage en attendant que passe un ferry sur lequel on pourrait sauter en marche. Ben ici vous n'avez pas la mer. Désolée. Vous avez des gares. Des camps sans la mer. Et vous faites comme vous pouvez. Les gens qui débarquent en masse, vous n'avez pas trop l'habitude. Par conséquent c'est la panique. C'est très mal géré. Et c'est un vrai problème. Un problème grave. Pas de doute. Cependant il y a le règlement aussi, vous avez vérifié, il existe ce règlement européen qui dit que ces gens devraient formuler leur demande d'asile ici, donc vous êtes censés faire comment ? Il est moisi ce règlement toutefois c'est le règlement et si vous ne le respectiez pas ce serait le scandale aussi, ah là là ces Hongrois laxistes comme des passoires grecques, ils ont encore trop mangé de paprika. De toute manière c'est toujours la même histoire : dans les années 2000, la Hongrie était la *bonne élève* de l'Europe centrale ; depuis que l'amoureux de votre grand-mère est au pouvoir, vous en êtes devenus les *mauvais élèves*. Mais vous ne voulez être les élèves de personne, nom d'une cuillère en bois. Ou alors il faut l'écrire noir sur blanc dans les traités européens, que certains pays membres sont plus égaux que d'autres. Bref. L'autre chose, car non vous n'avez pas terminé, c'est que si le monde n'est que guerres et famines, vous autres Hongrois n'y êtes pour rien. Ou disons, pour être conciliante, pour pas grand-chose. Déjà, vous ne fabriquez pas d'armes. Ça paraît idiot comme argument cependant un conflit armé sans armes curieusement fait moins de dégâts. Ensuite, vous n'avez pas eu d'empire colonial, vous n'avez pas siphonné les richesses des peuples extra-européens, vous n'avez pas joué à redessinons les frontières sur le globe terrestre. Autant de merveilleuses actions civilisatrices qui ont favorisé la paix et la fin des rapports de domination, et qui donc n'ont aucun lien avec les mouvements migratoires actuels. Enfin, la générosité de l'Ouest en 1956, qu'on vous permette de vous esclaffer. Vous êtes profondément navrée mais vous ne ressentez aucune, absolument aucune reconnaissance pour ça. C'était le minimum.

Les chantres de la liberté et de la démocratie qui contemplent les blindés avec une si charitable désolation. Si les États-Unis n'avaient pas chuchoté à l'oreille des Soviétiques qu'ils pouvaient y aller parce que pour leur part ils n'interviendraient pas, l'issue aurait pu être différente. En substance, vous ne devez rien à personne. Sauf aux Tsiganes et aux Juifs pour les déportations dans les camps nazis, et aussi aux victimes du communisme, mais ce sont des affaires internes. Quant aux pressions assimilatrices sur les minorités de l'Empire austro-hongrois, lesdites minorités se sont vengées par la suite, vous êtes quittes. Donc à l'échelle internationale votre ardoise est vierge. Lorsqu'on vous donnera quelque chose, vous voudrez bien contre-donner. En attendant, vous refusez de faire compte commun avec les pays du G7, qu'ils n'essaient pas de vous refourguer leurs dettes morales, ce ne sont pas vos histoires.

À présent que vous vous êtes bien défoulée, que vous avez bien persiflé, vous pourriez peut-être réellement essayer de vous construire un point de vue sur la gare de l'Est, qu'en dites-vous ? Afin de vous porter secours à vous-même dans cette périlleuse entreprise, vous réalisez une enquête téléphonique auprès d'un échantillon non représentatif de la population hongroise.

Répondant n° 1 – *Dóra K., 31 ans, mère au foyer.* Ne s'était encore jamais exprimée sur le sujet. Est paniquée mais n'ose en parler à personne. Et s'il y avait des terroristes parmi ces migrants ? Bien sûr bien sûr elle plaint ces malheureux qui ont fui la guerre. Mais son cœur de maman lui dicte d'être vigilante. Et s'ils attaquaient une école primaire ? Bien sûr bien sûr c'est irrationnel comme peur. Vous ne la jugez pas hein ? Toutefois il y a déjà eu des altercations. Il suffit d'un leader violent. Des gens à bout sont si faciles à manipuler. Quand elle pense à tout ce qu'ils ont traversé. Et la photographie de ce petit garçon mort sur la plage. Quelle misère. Le pire c'est que les vrais responsables ne paieront jamais. Ce sont toujours les petits gens qui trinquent. Bon il faut qu'elle aille passer l'aspirateur.

Répondant n° 2 – *Antónia J., 28 ans, scripte cinéma.* Est justement allée à la gare ce matin pour voir de ses propres yeux. A été hyperchoquée. Trouve inadmissible que des êtres humains vivent dans de telles conditions. Il n'y a que huit toilettes pour deux mille personnes ! Par contre ils sont agités quand même. Avait apporté des biscuits et des bananes pour les enfants, ça a été la cohue, ils se bousculaient, ils étaient comme des petits animaux. S'attendait à plus de reconnaissance. Estime néanmoins qu'au regard de leur parcours traumatisant c'est sûrement normal. Était surtout déçue de n'avoir pas réussi à tisser de petits liens. S'envole demain pour Amsterdam. Sinon aurait fait du bénévolat. Ça doit être super-enrichissant comme expérience.

Répondant n° 3 – *Péter N., 35 ans, responsable middle office.* De la provocation évidemment. Le gouvernement joue avec les nerfs des migrants, les place dans une situation intenable et attend tranquillement que ça pète. Et le jour où il y aura une émeute, le petit führer pourra déclencher l'état d'urgence, donner les pleins pouvoirs à la police et à l'armée. Et ce qu'il reste de libertés dans ce pays partira au caniveau. C'est gros comme une maison que c'est une stratégie. Ils avaient les moyens d'anticiper. D'organiser un accueil correct. S'ils ne l'ont pas fait c'est pour exacerber les tensions. Pour que les gens aient peur des migrants. Et que votre Premier ministre vénéré devienne l'homme providentiel sauveur de la sainte nation. Ah et au fait, désolé pour l'autre jour, il y est allé un peu fort. Il le sait bien que vous aussi, vous êtes une libérale.

Vous êtes bien avancée maintenant. Bon. Essayez toute seule alors. Oui mais non mais vous avez peur. Peur de quoi ? De ce que vous allez penser. Il vous semble que vous êtes raciste. Plaît-il ? Ah, raciste ? Pas du tout, seulement xénophobe. Comme tout un chacun. La crainte spontanée de l'inconnu est une affection bénigne, cela se supporte aisément. Objection, il existe des personnes curieuses qui aiment rencontrer leur prochain culturellement différent. Oui d'accord mais pas vous. Enfin ça dépend. Vous avez des sortes de préférences. Par exemple les Syriens. Ils ont un air plus gentil que les autres. Un air plus clair, vous voulez dire ? ou plus diplômé ? Genre élite intellectuelle en jogging ? Mais chut, c'est horriblement gênant. Préférer les Syriens est compréhensible, la Syrie c'est prestigieux, c'est méditerranéen, c'est une riche civilisation. C'est presque l'Europe, la Syrie. Peut-être même plus l'Europe que le Kosovo tout pourri. Parce que les Kosovars, alors là, personne n'en veut. Ils sont vraiment trop ploucs. Oui mais c'est injuste de préférer les Syriens. Bah la vie est injuste, hein. Et sinon, il y a autre chose qui vous tracasse ? Le désordre. Oh, vous êtes énervante à penser en chuchotant, on dirait que vous n'assumez pas vos positions. En effet, c'est exactement ça. Eh bien ce n'est pas courageux. Tant que vous ne vous exprimerez pas normalement, vous ne vous écouterez plus. Et toc.

Vous mettez vos mains derrière votre dos. Vous marchez dans votre appartement. Vous jouez à vous étrangler avec vos cheveux. Vous tirez la langue devant le miroir de votre salle de bains. Vous êtes prête ? Oui. Euh. La gare de l'Est, cela vous a déplu. Trop de monde. Trop de désordre. Il y avait des papiers par terre, des déchets, des saletés, ce n'était pas joli. Rentrez votre langue. Vous, fille de l'immigration économique, fille de squatteurs et de parasites, vous trouvez que les étrangers font désordre ? Halte là, vous avez fait l'effort d'être sincère et en réponse vous en profitez pour vous agresser ? C'était un piège, un guet-apens ? Aucunement. Votre question était une simple relance afin de vous aider à déployer votre réflexion. Donc, cela fait désordre ? Oui. Un peu. Ce n'est pas esthétique, un camp de migrants dans la ville. Vous vous gratouillez le menton. Ainsi, c'est mieux lorsque c'est invisible ? En un sens, oui. Là ils étaient là. Vraiment très là. Au moins vous comprenez mieux les Lutringeois. Vous le ressentez, leur truc de possession territoriale. Quand ils disent la Lutringie aux Lutringeois et tout ça. Vous avez l'impression que c'est *votre* gare, qu'on lui a manqué de respect, qu'on l'a violentée. Comme si des gens étaient entrés dans votre maison par effraction. Personne n'aime que des inconnus débarquent sans prévenir. Ni même des connus d'ailleurs. Une maison est un lieu d'intimité. Et les gens, si on les invite, on attend d'eux qu'ils soient sages. On leur annonce *faites comme chez vous* mais c'est une formule creuse, en vrai on déteste qu'ils dérangent les choses. Qu'ils oublient de remettre le jus d'orange au frais. Qu'ils n'enlèvent pas leurs chaussures. Qu'ils laissent traîner leur petite monnaie sur la table. Bref, qu'ils ne respectent pas les coutumes locales. Décider des règles en vigueur dans sa maison est normal, pas vrai ? Hein ? Mais répondez, quoi. C'est si méchant que ça ce que vous avez pensé ?

Vous êtes toujours devant votre miroir. Vous remontez vos cheveux, vous tournez la tête, vous essayez de vous examiner de profil. Quand vous étiez à Èclute, vous vous rangiez dans le camp des Algériens, des Thaïlandais, des Sénégalais. C'était le G7 contre le reste du monde. À présent vous êtes hongroise, vous êtes chez vous, vous êtes européenne, vous êtes du bon côté. C'est bizarre, non ? Et vous êtes en haut de la pyramide de la libre circulation, votre passeport hongrois est un passeport de l'Union européenne, il vous ouvre quantité de portes territoriales. L'Allemagne, si vous le souhaitiez, vous pourriez y émigrer très facilement. Plus facilement qu'un Syrien fuyant la guerre. Lequel lui-même aura plus de facilités qu'un clochard du Kosovo. Ou un ingénieur du Kosovo. Généreuse Allemagne, mais les Kosovars, non. Dites donc, c'est quoi cette lubie du Kosovo tout à coup ? Rien, c'est juste que le Kosovo c'est tout petit et tout pourri, les gens émigrent en masse, et les Kosovars personne n'en veut. Ça vous attendrit. Ben installez-vous au Kosovo alors. Euh non, sans façons. Bref. Le monde était plus facile à penser avant. Lorsque vous étiez une fille d'immigrés. À présent vous vous sentez embarrassée. Est-ce que l'Occident, Hongrie incluse, n'y serait pas pour quelque chose dans les inégalités mondiales ? Est-ce que vous ne seriez pas trop riches, est-ce que vous ne vivriez pas trop bien ?

Vous repensez à la brève conversation avec les personnes à la gare. Leur discours avait déjà le schéma narratif du récit du *bon réfugié*, étape numéro un nous avions un travail et une maison, étape numéro deux la guerre est arrivée, étape numéro trois nous fuyons pour retrouver des conditions de vie normales. En même temps, ils n'allaient pas vous expliquer qu'ils avaient pour projet de glander au chômage et de regarder la télévision toute la journée. Certes, et probablement que telles n'étaient pas leurs intentions, mais ne voyez-vous pas qu'ils parlaient le même langage que la Convention de Genève ? Ils n'ont pas dit, pour une vie meilleure. Pourtant en cas de guerre on pourrait le dire, il ne serait pas choquant de dire, mon pays est en guerre j'aspire à autre chose. Non, ils ont insisté sur le fait qu'il s'agissait de retrouver leur vie d'avant et qui avait été volée par la guerre. En d'autres termes, s'ils estiment qu'il est justifié qu'on les reçoive, car ils ne viendraient pas s'ils ne considéraient pas que leur démarche est légitime, moralement acceptable, personne n'agit sans croire dans le bien-fondé moral de son comportement, du moins dans votre monde à vous, toutefois il vous semble que cela se défend, il est connu que même les truands, les déviants, les amoraux ont une morale, c'est simplement qu'elle est un brin originale, un brin minoritaire, bref s'ils espèrent qu'on les accueillera, c'est au nom de la bonne vie qu'ils avaient auparavant et qu'ils ont perdue. Et ils ont raison, ils seront en effet acceptés. Tandis que le clochard du Kosovo quand il dit, j'ai une vie pourrie et j'en voudrais une meilleure, on lui répond non, retourne au Kosovo. Conclusion, mieux vaut avoir perdu sa bonne vie que n'en avoir jamais eu. On répondra la guerre, l'urgence. Vous savez bien. Mais est-ce que ce n'est pas étrange quand même ?

Vous faites la moue. Vous allez serrer le pot du basilic dans vos bras. En fait c'est très compliqué. Si on vous le proposait, vous refuseriez le poste de présidente du monde. En attendant, vous décidez de faire confiance à votre pays, cette gare de l'Est est un épisode malheureux cependant une solution sera rapidement trouvée, vous n'en doutez pas. Là-dessus, pour une raison qui vous échappe, ou qui peut-être n'existe pas, vous vous mettez à relire le livre sur la guerre d'Algérie. Parce qu'il est tellement plus facile et rassurant de prendre position quant à un événement lointain ?

34

Le lendemain est un vendredi, ce qui est impossible puisque hier était un mercredi, vous avez dû commettre une erreur quelque part. La faute aux dénominations japonaises sans doute, ou plus exactement à l'arrêt de la consultation du calendrier nippon, qui était devenu une référence. Vous êtes présentement en train de lire la presse en ligne. En attendant que vous ayez terminé, on pourra s'amuser en étudiant la notion de choix modal. Qui a été sélectionnée parfaitement au hasard bien entendu, c'est vraiment histoire de s'occuper. On est prêt ? Donc. Un *choix modal* est l'opération en vertu de laquelle un voyageur décide de la manière dont il se rendra depuis un point A vers un point B. Quand un acteur abandonne son mode de transport habituel, on parle de *report modal*. Cela se produit généralement suite à une modification des conditions de transport. Par exemple, la perte d'une place de stationnement privative pourra conduire à délaisser son beau quatre-quatre et à opter pour le métro qui pue. C'est un choix douloureux et cependant rationnel, parce qu'il faut arriver à l'heure au travail si l'on veut être augmenté et avoir de quoi se payer des vacances à Bali. Demeure toutefois une incertitude : lorsqu'une personne possédant un billet de train Budapest-Munich, et qui donc envisageait le voyage ferroviaire, décide de cesser d'attendre à la gare et de se mettre en route à pied, est-ce simplement une forme de *choix modal*, ou est-ce déjà un *report modal* ? Il s'agit là d'un cas d'école naturellement, car il est inimaginable que dans un pays européen, certes d'importance modeste mais doté d'une riche culture, il se trouve des gens à ce point désespérés qu'ils choisissent d'entamer un périple pédestre en direction du Rideau de fer, euh pardon de la frontière autrichienne, laquelle se trouve à 171 kilomètres. Certes, 171 kilomètres à pied ce n'est pas impossible, mais de nos jours personne n'opte pour la marche quand le trajet est aussi long. Par voie de conséquence, il n'est pas non plus imaginable que vous ayez actuellement sous les yeux des photographies représentant des centaines d'hommes, de femmes et d'enfants avançant sur la bande d'arrêt d'urgence d'une autoroute hongroise. Et encore moins que ces photographies datent d'aujourd'hui. Si ? Mais non mais non. Faites un effort de créativité, dégainez donc l'une de vos si fonctionnelles boîtes à clivage et rangez-y ces vilains clichés qui salissent l'honneur de votre patrie. Ah, vous n'avez pas de boîte assez grande ? Effectivement c'est un vrai souci.

Vous croisez les bras face à votre ordinateur. Il y a un léger malentendu. Ce n'est pas un problème de dimension. Ça suffit les boîtes. Les panneaux vous avez pris sur vous. Le Mur vous avez pris sur vous. La gare de l'Est vous avez pris sur vous. Mais la marche c'est non. C'est stop. Chacun a ses limites la vôtre est très exactement au niveau des gens qui se rendent à la frontière autrichienne à pied. Les gens qui marchent c'est la honte. Qu'ils soient à ce point désespérés c'est la honte. Qu'on les regarde faire c'est la honte : ils veulent marcher, grand bien leur fasse, la randonnée c'est excellent pour la santé. Par contre c'est à leurs risques et périls. Si l'un d'entre eux décède sur l'autoroute on n'y sera pour rien. Ben quoi ? Personne ne les force. Au contraire on ne cesse de les supplier d'attendre sagement dans des camps. Mais ils refusent. Ils veulent l'Allemagne. Qu'est-ce que c'est que ce gros caprice ? On veut choisir son pays de destination ? On entend librecirculer ? Mais ça ne va pas la tête ? Le droit d'aller et venir c'est uniquement si on est né avec le bon passeport. Sinon il faut oublier. De toute façon c'est chacun son tour. Nous ici pendant longtemps on a eu un passeport pourri, on ne pouvait aller nulle part. Et on se tenait tranquille, on ne cherchait pas à émigrer clandestinement.

Dans ce contexte, vous vous permettez de formuler une unique et très élémentaire question : c'est quoi ce pays ? Peu vous importe si c'est une manœuvre politicienne, une volonté délibérée de laisser pourrir pour provoquer des incidents, ou de la pure incompétence, un bordel orchestré par rien si ce n'est un sens inexistant des responsabilités. Et rien à foutre des problèmes administratifs, il y a un machin qui s'appelle le droit naturel et qui dit qu'au-dessus des lois écrites il existe des principes supérieurs, du genre Antigone qui enterre son frère même si Créon l'a interdit est une action correcte. Eh bien en l'espèce c'est pareil. Ce n'est pas la peine de fayoter avec le respect de la réglementation européenne si à l'arrivée il y a des gens qui marchent au bord d'une autoroute. La chose n'est pas tolérable. Et ce n'est pas parce qu'en Lutringie les migrants vivent dans l'infecte boue du Nord que ça dédouane, il y aura toujours pire ailleurs plus loin ou même à proximité immédiate, il ne s'agit pas d'un concours de piétinement de la dignité humaine. On ne laisse pas les gens marcher au bord d'une autoroute. Ni dépérir dans une gare avec un unique robinet et huit toilettes en tout et pour tout. Et tant qu'on y est, on s'abstient également de construire un Mur.

Vous retirez le gros scotch qui scellait la boîte cérébrale avec le Mur dedans. *Ils* disent ce n'est pas pareil. Le Mur qui coupait l'Europe en deux c'était injuste. Le Mur à la frontière serbe en revanche c'est bien, voilà une opportune ligne de démarcation pour qu'on puisse aisément repérer le tracé de l'Union européenne. Et cela ne coupe pas l'Europe en deux puisque au-delà de l'Union européenne ce n'est plus l'Europe évidemment, mais une sorte de résidu géographique, des confins, des marges, on s'en fiche. En somme, toute analogie entre les deux Murs serait entachée de mauvaise foi. La preuve, le nouveau est situé à un autre endroit que l'ancien. Quelle chance, du coup on est content, on se prélasse, on se trémousse, depuis le temps qu'on rêvait d'être du bon côté. Mais ça c'est un secret. Officiellement, le Mur est une rassurante protection. Parce que ces migrants, leur culture ici ça n'ira pas. Leur culture, au singulier, car ils ont tous la même n'est-ce pas. La Palestine, l'Afghanistan, la Syrie, l'Érythrée, c'est pareil, non ? En tous les cas ce n'est pas l'Europe. Or la culture européenne ne doit pas changer. Elle doit rester telle qu'elle est. Intacte, dans son joli écrin doré. Sous verre. Qu'on la fige, qu'elle ne bouge plus. Sinon c'est la fin du monde. Une si belle culture, qui n'a jamais engendré ni guerres, ni massacres, ni génocides. On n'est pas au Rwanda ici.

Vous auscultez votre palais avec votre langue. L'avant est dur et osseux, avec un relief qui vous évoque des écailles. L'arrière en revanche est tout mou. Flourf. Vous ne trouvez pas que la Hongrie a besoin d'être protégée, vous ? Vous n'avez pas peur peut-être ? Allez, soyez honnête, bien sûr que vous avez peur, tout le monde a peur, tout le monde redoute de se faire manger. Vous réfléchissez longtemps. Vous avez comme l'impression d'être tombée dans un autotraquenard. Oui, vous avez un peu peur. C'est vrai. Mais le Mur c'est non. Il existe d'autres solutions. Vous ignorez lesquelles toutefois vous êtes sûre. Par exemple, si ces étrangers étaient singularisés ce serait un bon début. Qu'on ne les perçoive pas comme une foule compacte. Un groupe effraie tandis qu'une personne en particulier, si on connaît son parcours, si on discute avec elle, ça change tout. On est rassuré. Ou si on a toujours peur, on se rend compte que c'est une peur qui n'est pas pire que celle qu'on éprouve à l'endroit de certains de ses compatriotes. Si l'argent du Mur avait été investi dans l'organisation d'activités avec les arrivants cela aurait été plus utile. Atelier couture, échecs, saute-mouton, water-polo. Vous auriez pu faire connaissance. Rire ensemble et tout ça. Bon, peut-être qu'après leur périple ils sont fatigués et que saute-mouton du coup ce ne serait pas très adapté mais c'est l'idée. De toute manière ce n'est pas votre travail de trouver des idées. Il y a des élus, ils sont payés pour ça, trouver des idées. Et tout ce qu'ils ont réussi à extirper de leur cerveau c'est un Mur. Aucune imagination. Alors que saute-mouton ça aurait été tellement rigolo.

Là-dessus vous songez à un truc qui est également très rigolo, quoique dans un registre différent. Le Mur. C'est si énorme. Europe, protection, frontière, ça ne vous rappelle rien ? Vous éclatez de rire, que vous êtes bête, le Mur c'est l'Ante-bidule, l'Ante-murmuralis, l'Ante-murachristianis, oh zut hein, turbliblu volcan pointu, bref c'est le rempart de la chrétienté. Vous vous tapez sur la cuisse, mais c'est formidable, la Hongrie défend l'Europe contre les infidèles, elle poursuit sa mission multiséculaire, vaillamment elle se dresse pour sauver l'Occident, que c'est beau, que c'est émouvant, et le plus drôle, ce qui vraiment vous amuse beaucoup, c'est que parmi les gens qui arrivent il y a des chrétiens : c'est un Mur pour fortifier la chrétienté cependant ils n'ont même pas pensé à faire un petit trou pour que passent les coreligionnaires. Alors même ça c'est raté, conceptuellement c'est raté, en fait c'est le pays de l'éternel échec, les guerres il les perd, les insurrections il les foire, et il est envahi, et il est occupé, et il est découpé, et quand enfin c'est un peu la démocratie, quand enfin c'est un peu la vie normale, il se pique d'ériger un Ante-bidule sauf qu'il oublie les chrétiens derrière, quitte à puiser dans l'Histoire, redevenir chamaniste pour un authentique retour aux origines aurait été plus seyant, les champignons hallucinogènes ça ouvre l'esprit, sûrement que saute-mouton en se défonçant à l'amanite tue-mouches ils auraient eu l'idée, mais non, ils voient des gens qui fuient la guerre, au secours à l'aide on dirait des Ottomans en turban, vite un Mur, vite protégeons l'Europe. Vous pouffez, cela vous chatouille irrésistiblement l'esprit, et vous applaudissez, et vous ouvrez les bras, bravo et félicitations, et de vous entendre vous bidonner toute seule vous égaie encore plus, qu'est-ce qu'on s'éclate en Hongrie, on n'a pas la mer mais on a des idées, de brillantes idées, on est des comiques, on élève des clôtures contre les étrangers parce qu'ils ont une tronche de musulmans, on ne veut pas faire leur connaissance, on n'est pas intéressé de savoir qui ils sont, c'est qu'on est très intelligent par ici, on a raflé tous les prix Nobel, même la bombe atomique c'est nous, et vous riez encore, et cela devient un ricanement, et progressivement votre ricanement se transforme en une sorte de hoquet bizarre, et paf, vous vous évanouissez.

*

Vous ouvrez les yeux. Vous voyez votre plafond. Vous êtes en étoile de mer sur votre parquet. Vous

vous levez, vous constatez que vous avez dormi très longtemps, on est déjà le lendemain matin. Vous avez d'étranges douleurs à l'intérieur de la tête, comme si vos pensées étaient courbaturées. Votre migraine et vous-même décidez d'ériger un cordon sanitaire autour de votre esprit. Ces histoires, vous n'êtes manifestement pas en mesure de les appréhender sereinement. Il vaut mieux que vous repreniez votre programme d'études, cela vous cadrera, vous canalisera. De toute façon, pour réfléchir à des questions aussi pointues il est nécessaire de maîtriser sa langue à la perfection. Ce qui n'est pas votre cas. Alors concentrez-vous sur votre apprentissage, et quand vous serez au point, vous pourrez de nouveau vous intéresser au monde.

Vous jetez néanmoins un œil à un site d'actualités. Tout est rentré dans l'ordre. Le gouvernement a affrété des bus pour conduire les marcheurs jusqu'à la frontière autrichienne où ils sont attendus de pied ferme par des associations caritatives. Les personnes restées à la gare de l'Est sont désormais autorisées à prendre le train. Si la situation s'est débloquée, c'est que les gouvernements autrichien et allemand ont annoncé que les demandeurs d'asile ne seraient pas renvoyés vers la Hongrie comme l'exige pourtant la réglementation européenne. Donc l'obstacle était bien de nature juridique. Et dès qu'il a été levé, la Hongrie a fait le nécessaire. Elle n'a rien à se reprocher. Si cela se trouve, la marche c'était une stratégie. Pas le désespoir, mais un coup de poker, un coup de pression. Ils savaient que ce serait relayé par les médias, que des cruches de votre espèce s'en scandaliseraient. Bien joué. Ils ont gagné, tout le monde est content, affaire classée.

Vous baissez les yeux, l'intérieur de vos paupières vous cuit la cornée, la Hongrie était seule, elle se débattait, elle s'efforçait de faire de son mieux, l'univers entier la pointait du doigt mais sans songer une seconde à l'aider, pourtant les grands pays de l'Ouest ils auraient pu aider au lieu de critiquer, ils sont bien tranquilles, ils ne sont pas au bord de l'Europe, à la proportionnelle il y a beaucoup, beaucoup moins de gens qui débarquent chez eux qu'ici, toutefois étant incapables de faire une règle de trois ils ne s'en rendent pas compte ces rognons de pancréas, et vous, au lieu de défendre votre pays, de le prendre dans vos bras et de le consoler, vous lui avez craché dessus, vous avez jugé, vous avez donné des leçons. De quel droit mais de quel droit, ce sont des problèmes complexes, vous n'y connaissez rien, vous n'avez aucune compétence, vous n'êtes pas experte en flux migratoires, alors profil bas. Aimer sa patrie en contexte heureux est facile, c'est dans les moments de crise qu'on éprouve la solidité d'un lien.

Vous affichez le drapeau hongrois sur l'écran de votre ordinateur et vous vous traînez à genoux sur votre parquet, pardon pardon moyenne-patrie-chérie pardon pour les mots durs d'hier pardon pardon vous avez failli vous avez trahi mais vous avez retenu la leçon vous serez toujours là dans les coups durs désormais et pour le Mur aussi pardon c'est pour protéger c'est normal c'est gentil un peu maladroit mais gentil dans l'intention pardon merci pardon merci. Afin de faire pénitence, de l'assurer de votre loyauté, vous lui promettez de mettre les bouchées doubles. Vous apprendrez tout parfaitement. La langue, la littérature, l'Histoire, tout tout tout vous saurez tout vous le jurez. Et votre récompense, en effet si vous êtes une élève assidue vous aurez droit à une récompense, c'est normal, une pédagogie pragmatique ne néglige pas ce genre de petites ficelles, ce sera le concert de rock folklorique pour lequel vous avez une place et qui a lieu dans quelques jours.

Vous réalisez que vous n'avez toujours pas de manuel scolaire. Tant pis, vous n'avez pas envie de risquer de vous perdre dans une librairie. Vous piochez dans le bol contenant les petits papiers avec le libellé des différentes matières au programme du baccalauréat. Vous tombez sur l'histoire. Vous commencez par la fondation du royaume de Hongrie, tâchant de vous familiariser avec la personnalité du roi Étienne. Vous apprenez qu'il était un fervent partisan de l'immigration, il trouvait que les étrangers rehaussaient l'éclat de la cour royale, il estimait qu'un pays monolingue était faible et fragile. Vous en êtes heureuse, si votre roi fondateur prônait le multiculturalisme c'est que vous êtes un gentil pays pas du tout xénophobe. Certes, dans les années 1000 les enjeux étaient différents, le concept de nationalité n'existait pas, cependant ça montre l'esprit d'ouverture dès les origines. Sinon, afin d'accéder au trône, Étienne a combattu son cousin, et après la victoire il l'a fait découper en quatre. Bon. Personne n'est parfait, un souverain est contraint de se montrer un brin violent parfois. Au demeurant, cela ne l'a pas empêché d'être canonisé. Oui, parce qu'en fait c'est saint Étienne. Mais vous n'aimez pas, il vous semble que cela le rend irréel. En tous les cas, grâce à Étienne, vous n'oublierez plus que christianisme et douceur de tempérament ne sont pas synonymes.

Vous quittez le roi pourfendeur de stéréotypes sur la religion et vous avancez dans le temps. À mesure que vous enjambez les siècles, votre jauge de confiance baisse dramatiquement, en fait dans votre tête ce ne sont pas uniquement des trous, des lacunes, mais aussi des connaissances erronées. Dignes d'une discussion de comptoir. Par exemple, la Seconde Guerre mondiale, ce n'est pas du tout ce que vous imaginiez. Vous pensiez que les Hongrois étaient restés fidèles à l'Allemagne hitlérienne jusqu'au bout ? Que dans cet abominable choix il y avait au moins la dignité de ne pas avoir retourné sa veste comme tant d'autres l'ont fait ? Aucunement. La Hongrie a tenté de passer dans l'autre camp. C'est simplement qu'elle n'a pas réussi. En substance, non seulement vous vous êtes alliés avec les nazis, non seulement vous avez essayé de les trahir, mais en plus, vous avez raté votre trahison. Trio gagnant, vous êtes vraiment des gros nuls. Précision, votre déception se situe sur le plan des principes, du respect de la parole donnée, si les victimes du nazisme se sentent offensées qu'elles sachent qu'elles ont tort car ce n'était pas offensant, dites donc c'est spécial votre manière de vous excuser.

L'origine des idées fausses de ce type est pour le moins mystérieuse. Vous avez néanmoins des suspects : vos parents. Qui vous auront répété ce qu'on leur avait enseigné. Autrement dit, vous vous promenez peut-être avec dans la tête un bagage de connaissances datant des années 1950-1960. Vous êtes à la pointe de l'historiographie, quoi. Ou alors ils ont carrément inventé des trucs. En émigration, il arrive qu'on enjolive son pays. À la réflexion, c'est plus probable. À l'époque communiste, on n'insistait sans doute pas sur la fidélité témoignée aux nazis. Surtout pas en la mettant en scène comme la marque d'une éthique chevaleresque. Les fiers Sicules, le respect des règles juridiques, la loyauté à toute épreuve – vos parents manifestement étaient de grands romantiques.

L'après-midi, vous vous attelez à la littérature. Repensant aux propos de Vajk lequel précisément était, est vraisemblablement toujours étudiant en lettres, vous cherchez ce que peut bien être cette exhortation, ou *Exhortation*, sur laquelle il préparait un exposé. La réponse vous perfore les joues, c'est comme un bouquet de clous enduits d'acide sur vos muqueuses, vous hurlez, c'est une douleur atroce. D'une, l'*Exhortation* est un poème signé Vörösmarty. Qui est quand même le type qui donne son nom à votre rue. De deux, l'*Exhortation* a été mis en musique, il s'agit donc aussi d'un chant, et ce chant, c'est juste le chant qui a failli devenir l'hymne national, qui du coup est le second hymne national, l'hymne suppléant en quelque sorte.

Vous cachez votre visage entre vos mains. Tentative de disparition absolument inefficace, vous êtes toujours là. Vous faites de la place dans l'armoire de votre chambre à coucher et vous vous y installez. Il y a du progrès, dans l'obscurité vous ne vous voyez pas. Mais vous continuez à entendre votre cerveau. La honte la honte la honte. En y réfléchissant très fort cela vous revient, oui c'est vrai, l'*Exhortation*, à présent vous voyez. Mais c'est trop tard et c'est insuffisant, vous êtes furieuse, vous aimeriez vous gifler, vous fouetter avec les robes qui pendent au-dessus de vous, c'est quoi cette abominable crevasse dans votre entendement, les idées bizarres sur l'Histoire vous voulez bien, la carte de la Hongrie miniaturisée dans votre tête vous voulez bien, les stéréotypes sur les minorités nationales vous voulez bien, mais ne pas savoir ce qu'est l'*Exhortation* est impardonnable, c'est un texte majeur, incontournable, tous les Hongrois le connaissent, les enfants les adultes les clochards les yuppies les cinéastes les femmes au foyer les bénévoles de la gare de l'Est, tous sans exception, il n'y a guère que les handicapés mentaux lourds qui peut-être n'en ont jamais entendu parler, et encore, et encore.

Soudain vous êtes molle, fatiguée et même épuisée, vous vous demandez si vous n'allez pas mourir dans cette armoire où vous êtes accroupie, vous êtes si accablée, vous sentez, vous découvrez, c'est assez bien dissimulé mais il se trouve au fond de vous, si l'on cherche soigneusement, si l'on pousse les voiles, les pans, les cloisons, une si profonde tristesse, si tristement profonde que l'entrevoyant vous voudriez cesser absolument d'exister, ou au moins vous endormir profondément, car cette tristesse vous leste, comme un poids, elle est lourde, elle vous entraîne, et il suffirait de vous laisser glisser, là, dans cette armoire, de céder à la pierre qui vous tire, qui vous attire, ensuite vous seriez tranquille, peut-être pas absolument puisqu'il y a des picotements aussi, des picotements dans vos yeux, c'est la solitude, vous n'avez personne en réalité, avec votre grand-mère ce sont de fausses conversations, vous êtes sur vos gardes, avec tout le monde vous êtes sur vos gardes, jamais vous ne vous reposez, ou alors quand vous êtes seule, voilà ce qu'il vous manque, pouvoir vous reposer avec quelqu'un, ou plusieurs quelqu'un. Vous rassemblez vos maigres forces, vous levez la tête douloureusement, elle est si pesante votre tête, vous n'avez plus aucun visage, vos muscles faciaux ont à ce point renoncé à effectuer leur travail que votre visage est dans le relâchement le plus total, et il tombe, et il tombe, et vous êtes serrée de partout, c'est dans les poumons et dans le ventre et dans le cœur, mais pourquoi, mais pourquoi, reprenez-vous, dynamisez-vous, vous devez retourner à votre bureau, vous devez travailler, vous devez réviser, cependant il fait si noir, vous êtes si bien dans le noir, l'armoire vous protège, allez encore quelques minutes dans le noir, juste quelques minutes.

35

Au cours des jours suivants, vous revoyez vos ambitions à la baisse. Préparer le baccalauréat, c'est encore trop pour vous. Vous avez tellement de lacunes. C'est horrible. L'étendue de votre ignorance est si vaste, chaque jour plus vaste que la veille. Tout savoir acquis, tout événement historique assimilé, toute œuvre littéraire examinée se paie d'une liste de dix, vingt, cent autres nouvelles unités à ajouter à votre programme. C'est l'Hydre tentaculaire qui repousse, qui grandit, qui vous envahit, à quoi bon passer deux heures sur un poème si c'est pour apprendre que l'auteur en a écrit cinq cents autres dont vous n'avez jamais entendu parler ? La honte souvent vous tétanise, vous empêche de vous atteler à la tâche, vous donne de terribles maux de tête. Cependant vous vous accrochez, vous continuez, vous n'avez pas le choix.

Si la culture générale est au cœur de votre apprentissage, vous ne négligez pas non plus le hongrois. Vous vous appliquez à enrichir votre vocabulaire actif, lisant quantité d'articles de presse, relevant les termes que vous n'auriez employés spontanément, vous confectionnant des fiches thématiques. Là encore vous devez en découdre avec l'Hydre qui vous ronge le moral, plus vous avancez et plus vous avez la sensation de régresser, découvrant sans cesse des fissures insoupçonnées dans votre langue, mots inconnus ou incertains, c'est-à-dire familiers mais dont vous ne sauriez pas, ou ne sauriez plus définir le sens exact – vous n'ignorez pas qu'à force de triturer, d'observer, de questionner votre hongrois, vous risquez d'abîmer vos compétences spontanées, d'alourdir votre relation à la langue, et par voie de conséquence, peut-être, d'instiller du doute là où il n'y en avait pas.

Paradoxalement, le lutringeois devient l'étalon de cette entreprise de polissage lexical. Ce qui est absent de la langue natale, vous vous pardonnez de ne pas le posséder au sein de la langue maternelle. Un matin, vous réalisez avec irritation que vous ne savez pas ce qu'est un taillandier. Le vocable vous semble proche, connu, amical, toutefois à quoi un taillandier occupe ses journées vous seriez bien incapable de le dire, il s'agit d'un artisan mais de quel genre, vous n'en avez pas la moindre vapeur verte. Vous vous répétez, taillandier taillandier taillandier, vous secouez le mot dans votre boîte crânienne, vous le tournez, le retournez, le compressez, l'étirez, une profession manuelle, probablement assez ancienne, un nom de famille également, d'accord mais il fait quoi il fabrique quoi il sert à quoi le taillandier ? Lorsqu'à votre corps défendant vous consultez un dictionnaire bilingue vous sautez de joie, vous gambadez en riant, taillandier en lutringeois non plus cela ne vous évoque rien, donc on s'en fout des taillandiers, qu'ils aillent enfiler des perles au fond du Balaton les taillandiers, si dans la langue du pays où vous avez effectué l'essentiel de votre scolarité vous ignorez le sens du terme c'est que ce n'est pas important, c'est qu'on peut vivre sans. Joyeux constat qui ne vous empêche pas de vous instruire consciencieusement quant à la vie des taillandiers, parce qu'on ne sait jamais, cela pourrait surgir dans une conversation, vous auriez l'air de quoi. Même si, à dire vrai, vous éprouvez quelque difficulté à vous représenter précisément le quotidien d'un taillandier. Est-ce que ça existe toujours, cette profession ?

Plus encore que la pauvreté de votre lexique, ce qui vous angoisse, ce sont les fautes. Vous êtes affolée à l'idée de vous tromper, de parler improprement, de commettre des erreurs, il vous semble que vous ne vous en remettriez pas, que ce serait la mort immédiate. Or cette attention portée à la correction vous intimide, vous êtes si crispée que vous vous embrouillez, vous hésitez sur tout, vous ne savez plus. Alors vous vous renvoyez à l'école primaire, vous révisez les règles de base, vous réapprenez la grammaire et l'orthographe en quelque sorte. Mais ensuite cela vous inquiète, à l'oral il n'est pas naturel de s'exprimer sans aucune faute, l'hypercorrection est artificielle, cela sonnera faux, cela vous trahira. Du coup, vous écoutez des débats, des entretiens, et vous prenez note des erreurs typiques, des erreurs usuelles, des erreurs que les natifs instruits s'autorisent dans le cadre d'un dialogue. Il vous arrive de penser que tout cela ressemble à une vaste procédure de falsification dont le but serait de vous doter de la manière de parler qui serait la vôtre, qui aurait été la vôtre si vous aviez grandi ici. Cependant vous chassez l'idée, vous n'avez pas le temps pour les questions existentielles, vous avez encore tant à apprendre.

En parallèle, vous devenez méfiante à l'endroit de votre syntaxe, de l'agencement de vos phrases, qui de plus en plus vous paraissent mal assurées, vacillantes, bizarres. Vous n'ignorez pas que ce problème d'architecture discursive, réel ou imaginaire, préexistant ou engendré par le régime de terreur linguistique qui est en train de prendre les rênes de votre esprit, qui vous ordonne de surveiller et de fliquer vos pensées avec une intensité grandissante, ne se résoudra pas à coups de théorie et de principes abstraits. Une langue est vivante, il est des énoncés corrects sur le papier mais qu'un natif ne prononcerait jamais car l'usage a imposé des collocations, des tournures semi-figées, des manières de dire qui, pour aucune raison, c'est le hasard et l'arbitraire, sont la bonne manière. Ainsi, on dit toujours traductrice-interprète. Jamais interprète-traductrice. Alors qu'en lutringeois c'est le contraire. Cela vous le savez encore. Heureusement. Et vous savez également qu'il n'y a aucune justification, aucune explication. C'est comme ça c'est tout. Or ce sont précisément ces lois invisibles, intangibles, insaisissables qui vous effraient le plus, car il n'existe pas de recueil, pas de manuel, cela ne s'apprend nulle part, cela s'apprend partout. Dès lors, chaque fois que vous vous interrogez sur une formulation, vous tâchez de repérer, au sein de sources fiables, des expressions ayant un sens équivalent. Vous les apprenez par cœur, vous constituant de cette façon une boîte à outils, une réserve d'unités sémantiques certifiées correctes, certifiées naturelles, qui sont *comme il faut*. Vous partez de loin mais vous avez de la ressource.

Il ne faudrait pas qu'on s'imagine que cette atmosphère studieuse vous prive de moments de joie. Au contraire, l'inculture des natifs vous cause de grands ravissements. Une fois, tandis qu'assise dans un café vous potassez le vocabulaire de la plomberie, osmoseur serre-tube vanne à boisseau, si un jour vous avez un dégât des eaux il conviendra que vous soyez en mesure de vous expliquer avec rigueur, un malentendu est si vite arrivé et l'assurance pourrait refuser de vous rembourser pour vice discursif, vous apercevez devant vous un couple qui bavarde. La fille évoque sa maison de campagne et pour indiquer son emplacement à son interlocuteur elle esquisse une carte de la Hongrie sur une feuille de papier, situe Budapest, puis trace le Balaton – c'est un repère classique. Or le Balaton, elle le représente à l'envers, il est penché mais pas comme sur son schéma. Vous gloussez derrière votre théière, vous qui n'êtes pas née ici le Balaton sans hésiter vous sauriez le dessiner sur une carte vierge, mais pas cette fille, pas cette fille. Toutefois cette fierté n'est que pépin de raisin à côté de celle que vous ressentez quand un soir vous entendez à la radio un enfant d'émigrés répondant aux questions d'un journaliste.

Il parle mal, mais qu'est-ce qu'il parle mal, il a un accent et se trompe dans la rection de ses verbes, et à chacune de ses fautes vous riez, vous êtes tellement supérieure, malgré votre imperfection vous êtes largement au-dessus, vous pourriez être son professeur, le reprendre et le corriger. Sans compter que vous, vous êtes exigeante et possédez un amour-propre. Vous n'iriez pas exhiber de la sorte votre verbe boiteux sur les ondes publiques. En substance, vous vous réjouissez des carences de votre prochain. Ce n'est pas ce qu'on appelle *Schadenfreude* ?

Face à l'ampleur de votre programme d'études, vous décidez de ne plus voir personne tant que vous n'êtes pas réparée. Vous annoncez à votre grand-mère que vous croulez sous le travail, ce qui n'est qu'un demi-mensonge, et lorsque Nia vous propose de sortir, vous déclinez au motif d'une traduction urgente à réaliser. Au demeurant, il n'est pas impossible que vous vous surmeniez un brin, en effet vos maux de tête se font de plus en plus forts.

*

Assise sur la chaise branlante d'une petite salle d'attente au papier peint jauni vous songez avec ravissement au fait que quoi qu'on en dise, le système de santé hongrois est proprement fabuleux. Dans les cabinets, dispensaires et hôpitaux du secteur public, les consultations sont gratuites. Nul besoin d'avancer les fonds, de débourser un seul forint, la gentille Sécurité sociale s'occupe de tout. Vraisemblablement un vestige de l'époque communiste. Quand vous pensez qu'en Lutringie, il faut attendre des années pour être remboursé. Privilège dont on jouira seulement si l'on aura réussi à se procurer le formulaire F-1845 afin de réclamer le formulaire H-1378 requis pour solliciter l'autorisation de retirer le formulaire S-9867 permettant lui-même de déposer le dossier, mais uniquement si entre-temps on ne s'est pas rendu chez un psychiatre en vue de se faire prescrire des anxiolytiques histoire d'avoir la force morale de poursuivre les démarches relatives au remboursement de ses frais médicaux antérieurs, en effet si une nouvelle consultation intervient postérieurement à la date de l'acte objet de la demande initiale c'est une autre procédure, un autre formulaire, et c'est reparti pour un tour. Il y a ainsi des gens coincés dans des sortes de boucles, on les renvoie de service en service depuis des années, ils campent devant le guichet de l'assurance maladie avec à leurs côtés un caddie débordant de pièces justificatives, photocopie certifiée conforme de l'intégralité des diplômes des quatre grands-parents, certificat de garantie de la gazinière familiale ou à défaut, déclaration sur l'honneur de cinq voisins attestant qu'il n'y a pas le gaz dans l'immeuble, liste des vingt derniers ouvrages empruntés à la bibliothèque municipale avec signature du directeur légalisée par un officier d'état civil. Pour ce type de cas, et même si vous êtes opposée à la violence physique dans son principe, personnellement vous suggéreriez le combat de lutte gréco-romaine entre la requérante et l'agente administrative chargée d'instruire son dossier : si la première l'emporte, qu'elle obtienne gain de cause sur-le-champ ; dans l'hypothèse contraire, que son affaire soit définitivement classée, sans voie de recours. Cela désengorgerait sérieusement les administrations, et il n'est pas dit que les décisions seraient moins injustes que celles qui sont rendues actuellement.

Autour de vous, quantité de mémés plus ou moins tordues, plus ou moins affalées, plus ou moins fatiguées par la vie. La bonne nouvelle, c'est qu'elles portent chacune une robe différente, vous allez pouvoir vous divertir en les examinant une à une. La moins bonne, c'est qu'elles étaient toutes là avant vous, que c'est un médecin recevant sans rendez-vous et qu'elles veillent scrupuleusement à ce que l'ordre d'arrivée soit respecté, vous n'avez aucune chance de réussir à gruger. Vous souriez, que vous ayez envisagé de doubler les mémés prouve encore une fois que vous êtes une filoute, que comme tous les Hongrois vous essayez de frauder dès que possible.

Une heure plus tard, vous avez organisé un championnat du monde des robes fleuries dans votre tête. Après avoir noté les spécimens qui vous entourent selon divers critères (originalité du motif, harmonie chromatique, réalisme végétal, etc.) auxquels vous avez attribué différents coefficients, vous procédez à la solennelle annonce des résultats : pâquerettes sur fond bleu (médaille de bronze), roses jaunes sur fond beige (médaille d'argent), coquelicots sur fond noir (médaille d'or). Vous aimeriez leur dire, les embrasser, les féliciter, mais il vous semble que ce serait vraiment trop compliqué à expliquer.

Deux heures plus tard, la vanille c'est mieux que le chocolat, les éléphants c'est mieux que les rhinocéros, les gares c'est mieux que les aéroports, les freudiens c'est mieux que les lacaniens, les tours c'est mieux que les fous, la Seconde Guerre mondiale c'est mieux que la Première, les exponentielles c'est mieux que les logarithmes, les cercueils c'est mieux que les urnes, Ulysse c'est mieux qu'Achille, les agrafes c'est mieux que le scotch, les métaphores c'est mieux que les comparaisons, la cocaïne c'est mieux que l'ecstasy, les aveugles c'est mieux que les paraplégiques, être tuée par son mari c'est mieux que par un inconnu, Primo Levi c'est mieux qu'Alexandre Soljenitsyne, le sida c'est mieux que le cancer, attention vous dérapez, les verbes factitifs c'est mieux que les réfléchis, les incendies c'est mieux que les inondations, les Syriens c'est mieux que, carton rouge payez une amende de dix pièces d'or et renoncez au jeu des dichotomies jusqu'à demain.

Trois heures plus tard, vous reçoit un jeune médecin à la mine épuisée, comparée à lui vous êtes en pleine forme. Lorsque vous lui avez décrit vos maux de tête, il vous examine, pousse des soupirs, griffonne quelque chose puis vous tend deux papiers. Le premier est une ordonnance pour des antidouleurs. Le second, un document vous autorisant à prendre rendez-vous avec un neurologue. Tandis que vous réfléchissez à la manière dont vous pourriez lui suggérer d'aller consulter avant le burn-out, en plus c'est gratuit, il devrait en profiter, il vous explique d'une voix rassurante que le neurologue ce serait bien d'y aller pour quelques examens complémentaires qui dépassent ses compétences à lui mais pas d'inquiétude c'est juste par précaution. Ensuite il vous inscrit le numéro d'un neurologue sur un papier, mais préparez-vous il y a beaucoup d'attente, vous pouvez toujours dire que c'est de sa part mais cela ne changera pas grand-chose a priori.

L'après-midi, les antidouleurs que vous vous êtes pourtant empressée d'aller vous procurer n'ont produit aucun effet, actuellement c'est comme si vous aviez un robot-mixeur programme soupe avec gros morceaux dans la boîte crânienne. Vous téléphonez au neurologue, les examens supplémentaires ne vous enchantent guère cependant vous avez bon espoir d'obtenir des médicaments plus puissants, entre le traitement du symptôme et celui de la cause vous avez choisi votre camp. On vous annonce quatre mois d'attente pour un rendez-vous. Quatre mois ? D'ici là votre cervelle aura pris la consistance d'un velouté d'asperges, vous ne tiendrez jamais. Il vous vient que Nia et son riche capital social ont le profil idéal pour devenir vos adjuvants. Jackpot à molette, trente minutes après que vous l'avez appelée elle vous recontacte, le père de la copine d'un de ses anciens camarades de lycée accepte de vous recevoir dès aujourd'hui, il s'est débrouillé pour vous caler entre deux rendez-vous, par contre il faudra payer dans les 30 000 forints, c'est un neurologue renommé, un grand professeur et tout ça. Vous la remerciez chaleureusement et vous raccrochez avec soulagement. Quant au montant à régler, vous n'en êtes nullement étonnée, les grands spécialistes de ce genre souvent ont aussi un cabinet privé, où les tarifs sont libres, on ne peut pas avoir à la fois la gratuité et le rendez-vous rapide.

Vous vous rendez à l'adresse communiquée par Nia, c'est une très grande clinique, ou un institut, ou un dispensaire, vous n'êtes pas très sûre, mais au final vous trouvez l'étage, vous vous installez dans la salle d'attente, ici personne n'a de robe fleurie, c'est moins gai. Vous réalisez que vous n'avez plus beaucoup de liquide sur vous, alors vous allez voir l'assistante, qu'elle vous excuse, Monsieur le Professeur dispose-t-il d'un terminal de paiement électronique dans son cabinet ? Elle a un haussement d'épaules et vous aboie dessus, c'est un hôpital public ici Madame les consultations sont gratuites comme chacun sait, vous débarquez d'une autre planète ou quoi ? Vous la remerciez, bon bon très bien désolée vous ne vouliez pas la contrarier, et vous vous rasseyez en songeant que Nia a dû mal comprendre, en fait il vous reçoit à l'hôpital public et non dans son cabinet privé. Quelle chance. En plus, au bout de dix minutes à peine c'est votre tour.

Vous remerciez le grand professeur de vous avoir reçue sans délai, vous lui êtes extrêmement reconnaissante, vraiment vous êtes très touchée. Et vous en êtes si émue que vous avez les larmes aux yeux, dès lors vous sortez un mouchoir de votre sac, vous essuyez vos yeux, vous vous mouchez. Il a suivi du regard le mouvement de votre main et maintenant il vous fixe bizarrement, c'est interdit de se moucher chez le médecin ? C'est une nouvelle règle d'hygiène ? Ou bien c'est malpoli ?

Vous lui racontez vos problèmes d'électroménager

cérébral, il vous écoute attentivement, il vous pose de multiples questions. Avez-vous reçu des chocs au niveau de la tête, des cervicales récemment ? Non, mais il est vrai que vous ne dormez pas toujours dans votre lit. Vous arrive-t-il de vous mordre la langue ? Non. Ah si, une fois, mais c'était volontaire, vous alliez dire une bêtise à votre grand-mère et vous avez voulu vous empêcher, donc ça ne compte pas. Avez-vous l'impression d'oublier des choses, de ne pas bien vous souvenir de ce que vous avez fait la veille ? Vous manquez de vous étrangler. Alors ça, oui. Et vous lui déballez tout. Le réveil à l'aéroport, votre passé oublié, les contours exacts de votre amnésie. Le secret médical vous protège, vous ne risquez rien. Il est sidéré. Vous êtes dans cet état depuis six semaines environ et vous n'avez jamais consulté ? C'est la première fois que vous voyez un médecin ? Euh oui, à part le généraliste ce matin. C'est que, comment expliquer, vous avez été très occupée, vous aviez toujours plus urgent, et puis en fin de compte l'amnésie, ça se vit très bien au quotidien, il faudrait lutter contre les stéréotypes sur l'amnésie qui est loin d'être une affection aussi handicapante qu'on croit qu'elle est. Et vous n'aspirez pas à retrouver la mémoire ? Ah non surtout pas, surtout pas. En effet, vous, disons que vous avez pris une décision identitaire importante récemment et vous n'aimeriez pas découvrir qu'elle n'est pas en accord avec ce que vous pensiez être avant, le risque est faible mais ce serait une expérience très désagréable que vous préférez vous épargner. Pour être claire vous voulez des médicaments, ou n'importe quoi qui fasse cesser vos maux de tête, vous avez beaucoup de travail et cela vous empêche de vous concentrer. Il fronce les sourcils, bon, d'accord, c'est votre choix, vous êtes libre. Il recommande néanmoins des examens complémentaires, scanner, radio des cervicales, prise de sang, analyses d'urine, il peut y avoir plusieurs causes donc mieux vaut balayer large. Par contre comme vous ne l'ignorez sûrement pas, il a un emploi du temps excessivement chargé. Il serait ravi de vous suivre toutefois – il arrête là sa phrase.

Il croise les bras. Vous le regardez. Il vous regarde. Vous coincez votre lèvre supérieure entre vos dents. Vous resserrez votre mâchoire. Vous cherchez le point de douleur. Et shtock, le jeton est tombé, vous avez décrypté son message. Il veut, mais bien sûr, il veut les 30 000 forints, Nia a dit, il faudra payer 30 000 forints, elle n'a pas prononcé prix de la consultation, en vérité c'est le prix mais dans l'enveloppe, à glisser dans une enveloppe, un dessous-de-table. Votre gorge se contracte, votre pouls s'accélère, nom d'une crosse frigorifique c'est une tentative de corruption médicale, d'abus de confiance pathologique, au secours police gendarmerie c'est une urgence absolue on essaie de vous soudoyer de vous suborner on outrage votre honneur juridique, mais non enfin ce n'est pas vous qu'il s'agit d'acheter, c'est lui qui aurait besoin d'une motivation financière pour s'occuper de votre cas. Vous êtes scandalisée, hors de question, et les pauvres alors, c'est gratuit mais ce n'est pas gratuit et les gens qui n'ont pas les moyens qu'ils aillent mourir dans le caniveau, ah non ah non ah non si vous payez vous cautionnez ce système inique.

Vous lui décochez un sourire hypocrite, désolée vous avez oublié votre portefeuille chez vous. Son visage se ferme. Vous parvenez tout de même à lui extorquer une ordonnance pour des antidouleurs qu'il vous assure être très efficaces. Sur ce, vous ne lui serrez pas la main et vous quittez fièrement l'hôpital, vous avez refusé, vous avez été droite, vous avez triomphé de l'épreuve morale, félicitations vous obtenez le grade de maîtresse sauterelle des steppes d'Asie centrale.

Vous êtes toute chamboulée, qu'est-ce que c'est que ces manières de procéder, le pire étant que vous étiez au courant, vous le saviez cependant vous n'y pensiez plus, vous aviez fait abstraction comme d'habitude. Toutefois au bout de quelques minutes votre analyse de la situation, cette girouette infidèle, cette ramollie sans principes, vous dicte d'éprouver des remords, d'abord vis-à-vis de Nia, elle vous avait donné une consigne et vous ne l'avez pas respectée, à cause de vous la prochaine fois ce même praticien refusera de recevoir quelqu'un qu'elle voudrait lui envoyer, puis vis-à-vis du médecin lui-même, vous avez porté sur son attitude un jugement décontextualisé, ici les professionnels de la santé travaillent dans des conditions très difficiles, leurs salaires sont faibles, tant qu'ils ne seront pas augmentés les dessous-de-table perdureront. Voilà pour la gratuité, donc. Enfin. Aucun système n'est parfait. Et sinon, vous n'étiez pas supposée être une filoute, vous ?

*

Les nouveaux antidouleurs se révèlent efficaces et vos migraines n'entravent plus votre apprentissage. Autre bonne nouvelle, vous avez neutralisé le gang des encyclopédistes. Elles ne cessaient de crier, pourquoi toujours le hongrois, la littérature hongroise, l'histoire hongroise ? Elles exigeaient d'étudier la biologie marine, la Chine antique, l'invention du cinéma. Du coup, vous les avez expulsées au moyen de votre garde rapprochée de pensées fidèles. Bon débarras. À part cela, vous avez décidé de vous réinitialiser du vocabulaire. Vous consultez des sites ludo-éducatifs, sur des images représentant le corps humain vous vous entraînez à reconnaître tendon, cuisse, coude, rate, foie. Face à des photographies de paysage vous égrenez, neige, montagne, glace, rivière, brouillard. Vous connaissiez tout ça mais de la sorte c'est bien ancré, c'est vérifié. Il s'agit d'une refondation lexicale.

Parfois vous piquez de terribles colères contre le lutringeois, cette langue qui toujours vous semble dominer, qui toujours vous semble plus forte. Alors vous courez dans votre salle de bains, vous vous postez devant votre miroir et vous lacérez l'idiome occidental. Qui n'est pas dans votre bouche. Pas *naturellement* dans votre bouche. Ce n'est pas votre langue maternelle et vous voulez que cela s'entende, vous vous entraînez à discourir avec un gros accent, à rouler les R, à commettre des fautes, pas des fautes de Lutringeoise peu instruite mais des fautes d'étrangère, des fautes de Hongroise, je vais me laver mes mains, je coiffe mon cheveu, allô j'entends mal je suis assise sur le tramway. Le lutringeois vous voudriez le déchiqueter, y injecter impuretés, souillures, torsions, éclaboussures, si j'aurais su je ne serais pas venu, il monte en haut malgré que c'est interdit, et vous y allez, et vous la perforez cette langue étrangère, vous l'endommagez, vous l'abîmez, vous la grattez jusqu'au sang – pas un meurtre volontaire à proprement parler, mais une volonté meurtrière de ne plus parler proprement.

D'autres fois vous êtes à ce point stressée que c'est la cohue dans votre tête, pour chaque mot formulé mentalement vous vous obligez à vous réciter sa définition complète, pour chaque phrase énoncée vous vous ordonnez de procéder aussitôt à son analyse grammaticale, résultat votre réflexion est complètement encombrée, terminer la plus banale des pensées vous prend une heure. Dans ces cas-là vous mettez la main sur votre ventre, vous prenez de grandes inspirations, vous contemplez une feuille précise du basilic. La technique de l'hindi ne fonctionne plus, vous êtes tellement en surrégime cérébral que vous vous mettez à inventer des mots, labtù marnau naknam dévamai jalekà dasdas vishnu, et le plus bizarre est que vous vous comprenez assez bien. Vous songez qu'à force de converser avec vous-même vous allez finir par inventer votre propre langage, un charabia personnel destiné à votre usage unique, vous vous emmurerez, et loin de vous inquiéter la perspective vous plaît, vous serez libre et indocile, vous ne serez assujettie à aucune structure prédéfinie, vos idées s'émanciperont, vous serez surpuissante, des connexions incroyables se feront dans votre esprit, vous ferez des découvertes fascinantes. Immédiatement vous vous renvoyez dans le droit chemin pédagogique, vous avez encore trois romans et vingt-deux biographies à étudier aujourd'hui, alors arrêtez de rêvasser et au travail espèce de salicorne des marais putrides.

Vous qui aimiez tant vous promener, vous quittez à peine votre appartement désormais. La rue vous paraît effroyablement dangereuse, vous êtes terrorisée à l'idée qu'un passant vous accoste, qu'il vous demande en quelle année a été conclu le Compromis austro-hongrois et que vous ayez oublié la réponse. Vous n'osez plus vous rendre dans les magasins d'alimentation que vous fréquentiez habituellement, vous redoutez le regard des caissières, ah tiens voilà la fille qui n'achète jamais ni salami ni rillons, la nation pourtant est dans la charcuterie. Du coup, vous vous nourrissez exclusivement de frites et de salades achetées au McDonald's de la place Oktogon, lieu où au moins personne ne vous connaît. En apnée dans l'atroce odeur de friture vous passez commande en anglais, dans un anglais que vous chargez d'un curieux accent indien – si vous craignez de parler hongrois de peur de commettre une incorrection, vous ne voulez pas non plus qu'on vous prenne pour une Lutringeoise. Ensuite, vous rentrez chez vous en vous efforçant de prendre un air expressément renfrogné afin de décourager toute personne qui aurait le projet d'engager la conversation avec vous. Mais bientôt même ces brèves excursions deviennent impossibles. Un jour, vous avez à peine mis le pied dehors que la plaque de votre rue se met à vous dévisager, alors comme ça on habite rue Vörösmarty et on ne connaît pas l'*Exhortation* ? Vous tournez les talons et courez jusqu'à l'avenue Andrássy, vous vous récitez comte Gyula Andrássy né en 1823 mort en 1890 ancien condamné à la peine capitale devenu chef de gouvernement excessivement beau garçon rumeurs de liaison avec Élisabeth d'Autriche mais probablement infondées, c'est bon vous avez le droit de passer, vous ralentissez l'allure et vous vous retrouvez place Ferenc-Liszt. Et là commence le cauchemar, le compositeur de bronze en vous apercevant devient hilare, il rit à gorge déployée, il se tient les côtes, ainsi donc il massacrerait la langue hongroise, il aurait tort de se prétendre hongrois, mais vous vous êtes entendue, pauvre rutabaga vérolé ? Il vous fixe, il vous pointe du doigt, vous êtes la honte de la nation, vous n'avez aucun droit d'être ici, vous critiquez la politique de votre pays alors que vous n'y êtes même pas née, vous croyez pouvoir faire illusion mais jamais, jamais on ne s'y trompera, les gens par courtoisie feignent de ne pas entendre vos fautes de grammaire, de ne pas remarquer votre syntaxe bancale. N'avez-vous donc pas compris que lorsque votre grand-mère fustige le déclin de la langue hongroise, c'est un message à votre intention ? N'avez-vous donc pas saisi que si Péter vous accuse d'avoir une mentalité de Lutringeoise c'est parce que tout dans votre expression orale, dans le choix de vos mots et dans l'architecture de vos phrases, suinte la pensée occidentale ? Vous pleurez d'épouvante, non non non méchante statue ce n'est pas vrai, c'est seulement que vous êtes perfectionniste, en vérité vous parlez mieux qu'un Hongrois moyen, vous êtes interprète-traductrice double A. Elle vous lance un regard noir, et pourquoi travaillez-vous quasi exclusivement pour des Lutringeois ? N'est-ce pas parce que devant eux vous êtes aisément en mesure de dissimuler vos faiblesses en hongrois ? Vous prenez vos jambes à votre cou, vous partez dans un sens, horreur c'est l'Académie de musique Ferenc-Liszt avec une autre statue de lui sur la façade, vous partez dans un autre sens, horreur c'est l'Opéra avec là encore une statue du compositeur, au secours vous êtes cernée vous êtes coincée c'est le triangle des Ferenc Liszt ce quartier, vous sprintez jusqu'à chez vous en fermant les yeux histoire de vous prémunir contre la plaque Vörösmarty, vous échappez à la mort sur la chaussée par percussion automobile, et quand, hors d'haleine, vous arrivez enfin dans votre appartement, vous vous barricadez et décidez de ne plus sortir du tout.

Vous vous installez sur votre canapé, vous entreprenez de compter vos cheveux, à dix-neuf mille trois cent onze vous déclarez forfait. La statue raconte n'importe quoi. Lors de votre séjour au Balaton, mémé Rózsika vous a explicitement dit que vous n'aviez pas d'accent, qu'elle était étonnée d'apprendre que vous aviez grandi ailleurs. Certes, mais la conversation était d'un niveau élémentaire. Et vous étiez en confiance, c'était un moment de grâce. Comment savoir ? Qui vous le dirait dans les yeux, si réellement vous parliez comme une étrangère ?

*

Vous êtes roulée en boule dans un endroit inconnu. Il fait noir, ça sent le bois. Vous fermez les yeux, vous les rouvrez, c'est pareil. Un pull-over qu'on étire, ce n'est pas la réponse à la question et pour cause, il n'y avait pas de question, on ne saurait trouver motif plus légitime pour ne pas y répondre, mais l'image qui s'affiche sur votre écran mental. Oui, votre hongrois est un pull-over que vous étirez, que vous étirez, vous l'écartez et vous l'agrandissez, vous tirez sur les manches de toutes vos forces et pourtant sans cesse il vous serre la poitrine, il vous comprime le ventre. C'est tant de travail, chaque territoire auquel vous vous attaquez nécessite tant de travail, par exemple expliquer le végétarisme suppose la philosophie animale l'industrie agroalimentaire l'éthologie porcine la diététique humaine, ça fait tellement de mots, tellement de mots que vous n'avez pas, vous n'avez rien, vous ne savez rien, vous ignorez tout et vous n'êtes rien, et néanmoins vous creusez votre chemin dans la langue, vous creusez avec vos yeux et avec vos ongles, vous n'êtes rien et vous construisez, vous vous fabriquez, c'est la langue qui se torsade, vous vous enroulez et vous glissez, vous vous faufilez jusqu'à son cœur, vous anticipez situations et dialogues, les répliques toutes vos répliques vous les préparez jamais prise au dépourvu ne serez, une vie fausse peut-être ce que vous bâtissez, une vie mimée feinte et alors, quand comprendra-t-on que tout est faux, vous êtes fausse, le monde est faux, qu'il veuille bien agréer vos salutations distinguées.

36

Un matin, vous vous réveillez avec la surprenante sensation d'aller mieux. Vous convoquez une pensée relativement élémentaire, vous lui enjoignez de s'étirer, de pivoter sur elle-même, d'effectuer une roulade. Elle s'exécute sans peine. Vous en appelez une autre, plus complexe, plus théorique, il s'agit d'une pensée physicienne qui bûche sur l'expérience de la gomme quantique, et vous lui demandez d'improviser un enchaînement. Elle danse, elle galope, elle cabriole, salto arrière saut de biche double axel demi-flip, elle fait voler rubans et massues, elle est tonique et agile. Alors tout va bien. Vous êtes réparée. En fait, c'était une mue linguistique. Longue et douloureuse. Certes. Mais voilà c'est fini, vous vous êtes glissée dans votre peau, votre nouvelle peau hongroise.

Sur votre bureau vous découvrez huit fiches de vocabulaire. C'est curieux. Où sont passées les autres ? Vous en avez confectionné des centaines. Vous allumez votre ordinateur. Face à la date qui s'affiche sur l'écran vous vous frottez énergiquement les yeux, vous ôtez vos lunettes imaginaires, vous les remettez, toujours pareil. Vous consultez plusieurs sites d'actualités, l'information partout est identique. La marche vers la frontière autrichienne a eu lieu un vendredi, vous vous êtes remise à étudier le lendemain samedi, et aujourd'hui, on serait seulement le mercredi suivant. Votre apprentissage n'aurait duré que quatre jours. C'est incroyable. Libre à vous de ne pas y croire, la vérité se remettra sans peine de votre défiance, elle n'a pas besoin de votre adhésion pour exister. Et n'essayez pas de postuler le complot chronologique international, vous n'avez aucune chance de l'emporter.

Plus tard, quand vous ouvrez votre armoire, vous voyez que le fond en est tapissé d'une couverture. Vous passez la main le long de votre cou. Aucune douleur ressentie, mais une indubitable inclinaison latérale gauche. Au vu de ces éléments, il n'est pas difficile de deviner où vous avez passé vos nuits. Vous mettez également la main sur l'ordonnance du neurologue. Elle date de lundi. Avant-hier. Vous examinez la boîte d'antidouleurs, il reste un unique comprimé sur trente-six. Vous poussez un soupir. Bon. D'accord. Surdosage. Effets secondaires. Vous aurez confondu vos rêves et vos journées. D'où les fiches de vocabulaire manquantes. Qu'importe. À présent tout est rentré dans l'ordre. C'est l'essentiel. Et dans la mesure où les Parques du temps sont de chic filles, aujourd'hui, vingt-deuxième journée à Budapest, quarante-cinquième journée mémorielle, a lieu le concert de rock folklorique pour lequel vous avez acheté une place il y a un peu plus d'une semaine si l'on s'en souvient, espérons qu'on s'en souvienne, cela dit qu'on s'en souvienne ou non c'est indifférent, dans un cas comme dans l'autre vous irez.

Munie d'un ravissant baluchon contenant maillot de bain, tongs et gant de crin, soit autant d'indices forts quant à votre programme de la journée, vous descendez prudemment dans la rue. Vous jetez un œil à la plaque Vörösmarty. Vous poussez jusqu'à la place Liszt. Rien à signaler. C'est le calme et la sérénité. Vous repartez dans l'autre direction, vous marchez gaiement jusqu'au Bois de Ville, vous saluez les arbres hongrois, vous lancez un clin d'œil à la statue d'Anonymus, qui était un chroniqueur, un des premiers chroniqueurs hongrois, lequel dans sa grande modestie a refusé de signer ses écrits, raison pour laquelle, se trouvant dans l'ignorance de son état civil, la postérité l'a baptisé Anonymus, puis vous pénétrez dans un grand bâtiment dont vous ressortez cinq heures plus tard.

Une fois rentrée des bains thermaux, eh oui le mini-jeu des indices est déjà clôturé, il convenait d'être réactif, de se dépêcher de chercher, vous téléphonez à Nia afin de lui proposer de vous accompagner au concert. Vous n'avez qu'une place mais s'en procurer une deuxième n'est sûrement pas impossible. Elle rit, non ça va ce n'est pas trop son truc. Vous tentez Dóri pour la forme, réponse habituelle. Vous hésitez à lui suggérer l'insurrection domestique, les structures sociales si on ne les secoue pas un minimum elles restent en place, cependant vous vous avisez qu'elle est peut-être heureuse ainsi, que libérer les gens contre leur gré cela ne marche généralement pas très bien. Tant pis, vous serez une franche-tireuse, une auditrice autonome, d'ailleurs vous êtes dotée de deux oreilles, elles se tiendront compagnie.

Après avoir passé en revue vos robes et accessoires vous enfilez une minijupe, un joli chemisier et des bracelets de force retrouvés au fond d'un tiroir. Aujourd'hui vous êtes une guerrière, vous n'avez besoin de personne, vous êtes en pleine forme. Dans rock folklorique il y a rock, et au pire si vous voyez que vous détonnez vous pourrez toujours les retirer. Vous arrosez le basilic, nettoyez ses feuilles avec un chiffon doux, vérifiez qu'elles sont fermes et bien irriguées, et vous vous mettez en route.

Salle de concert de taille moyenne, capacité d'accueil atteinte, taux élevé d'humidité de l'air. Vous repérez deux grands types et vous vous calez derrière leur dos musclé, en cas de piétinement ils constitueront un utile rempart, ils paraissent fermement enracinés dans le sol. Le groupe entre en scène, salutations à la foule, applaudissements, premières notes. Vous connaissez le morceau, effectuez gracieuses rotations d'épaules et élégantes flexions des bras. En rythme, naturellement. Non loin de vous, vous apercevez une brune à frange avec des avant-bras tatoués. Lancement requête identification, traitement des données en cours, résultat : individu favorablement connu de vos services cérébraux, Saline fille québécoise de l'avion. Vous interrompez vos alertes ondulations et lui faites de grands signes, youhou Saline youhou. Elle finit par vous voir, slalome pour vous rejoindre, vous embrasse en souriant. À cause de la musique vous devez crier à pleins poumons, ça alors mais qu'est-ce qu'elle fabrique dans un concert de rock folklorique hongrois ? Elle hurle en retour, figurez-vous qu'elle a modifié son projet consacré aux anciennes dictatures, elle a laissé tomber l'aspect jeune démocratie et a décidé d'explorer les liens entre passé dictatorial et nationalisme du présent. Un des types devant vous se retourne et émet une sorte de grognement, sans doute le gênez-vous à brailler de la sorte. Vous continuez néanmoins, ah super c'est intéressant toutefois quel rapport avec ce concert ? Bah un disquaire lui a dit que certains nationalistes aimaient bien ce groupe. Vous vous figez un instant, balayez la salle du regard, il est vrai que le public est vestimentairement parlant assez sombre. Enfin. Le t-shirt noir est un basique intemporel que tout un chacun se doit de posséder dans sa garde-robe. Et quand bien même. Les nationalistes font ce qu'ils veulent de leurs soirées, chacun ses goûts musicaux et si d'aventure vous en partagez certains ce n'est pas une perceuse à avaler, des points communs vous en avez probablement des tas, eux aussi prennent le tramway dorment pour se reposer souhaitent bon anniversaire à leurs amis, et de toute manière vous respirez le même air. Saline s'époumone encore, c'est génial cette rencontre inattendue, elle est contente, par contre vous avez un accent en lutringeois maintenant, dans l'avion vous parliez normalement, comment ça se fait ? Vous éludez, maux de tête, effets secondaires médicaments, rien de grave, ça va passer.

Un morceau vient de se terminer, vous entendez distinctement le type devant vous dire à son voisin, elles ont de la chance d'être des filles franchement. Vous gratouillez son épaule avec le bout de votre ongle, cher grand monsieur excessivement musclé, qui a de la chance d'être une fille et pour quelle raison ? Il vous considère avec dégoût, et en plus vous êtes hongroise ? Bah oui, ce n'est pas parce que vous parlez lutringeois avec une amie que vous ne pouvez pas être hongroise. Il vous attrape le bras, il est un patriote venu afin de savourer la musique hongroise avec fierté nationale et non pour entendre des gens parler dans la langue des chiens baveux qui ont imposé le diktat de Trianon. Vous écarquillez les yeux, vous avez l'impression qu'il est un personnage de cinéma, ça vous fait tout drôle d'entendre quelqu'un dire ça en vrai. Il vous secoue, allez traduisez traduisez, dites-le à votre copine lutringeoise qu'ici on ne parle pas la langue de Trianon, et ensuite débarrassez le plancher. Vous protestez d'une petite voix, elle n'est pas lutringeoise votre copine, elle est québécoise, et en plus elle est une minorité linguistique dans son pays. L'argument ne semble pas l'émouvoir outre mesure, il vous serre toujours fermement le bras. L'atmosphère déjà moite devient lourde, caniculaire, écrasante. Autour de vous les autres spectateurs se meuvent avec une extrême lenteur. Saline vous interroge muettement, elle a senti la tension. Vous vous sonnez les cloches, grouillez-vous de vous extirper de ce film engourdi, de cette séquence ankylosée, et partant de là vous inventez une idiotie, vous annoncez à Saline que vous vous sentez mal, qu'il faudrait qu'elle vous accompagne prendre l'air, et vous quittez la salle en vous appuyant sur elle.

Dehors vous expliquez à votre ancienne voisine de l'air que vous devez rentrer chez vous de toute urgence, et sans lui laisser le temps de répondre vous la plantez sur le trottoir. Vous partez, vous errez, vous dérivez dans les rues de Budapest, vous êtes en proie à l'écœurement le plus total mais pas pour la raison qu'on imagine, à supposer bien entendu qu'on imagine ce que vous croyez qu'on imagine, soit que c'est l'agressivité, la violence verbales qui vous indignent, vous révulsent et vous soulèvent le cœur, en revanche si l'on imagine plutôt, ce serait étonnant, vous en tout cas en seriez étonnée dans la mesure où vous-même, si vous aviez été spectatrice passive de la scène, jamais vous n'auriez imaginé ce que vous ne croyez pas vraiment qu'on puisse imaginer, cependant on est peut-être plus malin que vous, ce n'est pas impossible, vous n'êtes pas nécessairement une référence, mais donc, si l'on imagine que c'est d'avoir trahi, mal traduit, saboté l'échange qui vous dégoûte, vous répugne et vous scandalise, alors oui, dans ce cas la source de votre écœurement est effectivement ce qu'on présume qu'elle est. Qui avez-vous voulu protéger ? Saline, pour qu'elle ne soit pas blessée, ou la Hongrie, pour que dans les yeux d'une étrangère sa renommée ne soit pas écornée ? Vous ne faites pas cela normalement. À la rigueur, refuser de traduire. Mais déformer sciemment, truquer, plastiquer le dialogue. Déposséder absolument les gens de leur maîtrise de la situation. Leur voler la clef, leur barrer définitivement la voie de la compréhension. Vous avez la sensation que c'est horriblement grave, est-ce réellement si grave, oui, non, un peu, susceptible de prêter le flanc à la critique assurément mais ce n'est pas le problème, vu le contexte, et l'on aura maintes fois eu l'occasion de méditer sur l'importance du contexte, si autrui avait opté pour la même réaction vous n'auriez sans doute rien trouvé à y redire, ou pas grand-chose. Toutefois vous n'êtes pas autrui, vous avez commis quelque chose qui n'est pas vous. Et c'est très exactement ce qui vous retourne l'estomac et vous déplace les viscères, si vous aviez été vous jamais vous ne l'auriez fait donc si vous l'avez fait c'est que vous n'êtes pas vous.

Vous commencez à vous diriger vers votre domicile, vous passez devant le McDonald's de la place Oktogon, vous sentez encore une fois cette atroce odeur de friture. Et subitement vous êtes saisie d'un ravissement harmonique, vous êtes une feuille qui vibre dans la brise automnale, vous êtes un triangle entre les mains d'un chef d'orchestre, cette odeur est l'incarnation parfaite de votre état d'esprit, il n'existe au sein de l'univers observable nul parfum, tissu, couleur ou son qui seraient à même de l'exprimer si admirablement. Vous entrez sans réfléchir, vous faites la queue, vous n'avez pas faim mais vous êtes aimantée par l'odeur écœurante, c'est l'odeur de l'exploitation et de la rentabilité, c'est l'odeur du capitalisme le plus dégueulasse, c'est l'odeur de la nourriture jetée et du gaspillage, c'est l'odeur du G7 dans toute sa splendeur, et une fois arrivée à la caisse vous commandez trois boîtes de poulet pané, six sandwiches, quatre glaces, cinq grandes frites, huit cookies, un litre de soda bien sucré. Vous vous asseyez, c'est que vous avez opté pour la dégustation sur place, autant profiter du charme du lieu, autant baigner dans l'odeur, et vous vous mettez à manger. Vous vous empiffrez, vous vous gavez, étant donné que vous n'aviez pas faim en commençant ce que vous ressentez ne saurait se nommer satiété, il s'agirait plutôt d'une sorte d'anti-faim qui s'accroît, qui gonfle, qui enfle de plus en plus, et c'est de pire en pire, vous vous gavez encore et encore, gobant et avalant ce que vous savez pertinemment être des morceaux d'animaux morts, mais cela vous laisse radicalement indifférente, rien à foutre des poulets difformes et des vaches maltraitées, rien à foutre des poissons asphyxiés et des poussins broyés, tous à l'abattoir, qu'ils crèvent en rang, les animaux, les Hongrois, les Lutringeois, vous vous en cognez les pommettes.

Quand vous avez tout bien ingurgité, c'est important, c'est essentiel, il ne faudrait pas gâcher de si délicates victuailles, vous vous traînez jusqu'à votre appartement, vous arrivez à peine à marcher. Vous vous écroulez sur votre canapé, vous avez des sueurs froides, vous respirez avec difficulté. Il vous revient en tête un vieux film dans lequel les gens se suicident en mangeant trop, et vous songez que ça y est, sauf que non, vous êtes simplement malade, épouvantablement malade, mais la mort refuse de venir vous délivrer. Vous vous levez péniblement, vous attrapez une bouteille d'eau-de-vie, vous en descendez la moitié, ça devrait aider. Effectivement, ça aide. Des fluides granuleux se mettent à jaillir de tous vos orifices, vous vous tordez assise sur vos toilettes cependant que vous vomissez dans la bassine qu'ingénieusement vous avez coincée entre vos avant-bras.

À mesure que vous vous videz, vos idées se clarifient. Une bonne purge et l'esprit s'illumine comme un sapin de Noël. Dans cet éblouissement intérieur vous prenez conscience d'une chose rigoureusement stupéfiante on s'en réjouira fortement, il aurait été dommage que ces nouveaux luminaires cérébraux ne servent à rien. Vous avez toujours cru, toujours supposé que votre amnésie avait englouti l'entièreté de votre identité. Pourtant, non. Il est un élément personnel dont vous avez connaissance depuis le début, depuis le tout début, que vous aviez sous les yeux, mais que vous n'avez pas identifié comme un souvenir car il ne se rattachait à aucune image précise, à aucun événement concret : ce n'était pas la mémoire d'une scène vécue mais celle d'un choix, des conséquences d'un choix. Dès le premier jour à Èclute, vous avez spontanément su, rien qu'en apercevant vos chaussures en faux cuir, que vous ne mangiez ni n'utilisiez de produits animaux. Vous aviez tout oublié de vous-même, votre nom, votre âge, votre profession, votre nationalité bien sûr, mais pas le végétarisme, pour fluidifier votre expression mentale vous englobez dans ce terme tout ce qui se rapporte à un refus, mis en pratique de manière plus ou moins exhaustive, de consommer des articles dont la fabrication implique souffrance ou mort animales. Or être végétarienne, ce choix d'être végétarienne que vous avez effectué, c'est le choix de tracer la frontière, la ligne de démarcation qui sépare *Eux* et *Nous* entre les êtres susceptibles de souffrir et les autres – un Allemand, un orang-outan, une chèvre et vous-même avez en commun la capacité à vivre des expériences subjectives. Voilà pourquoi vous ne mangez ni les Allemands, ni les orangs-outans, ni les chèvres.

Vous décidez de relire intégralement votre cahier. Face au récit de vos premières semaines, vous réalisez en frissonnant que sur quatre possibles vérités identitaires, vous n'en avez envisagé que trois. Comme quoi réellement installer l'électricité ça change tout, vous auriez dû vous moderniser plus tôt, vous auriez gagné du temps. Au commencement, vous avez cherché à déterminer laquelle des deux filles était la vraie. L'une OU l'autre. Soit deux possibilités. Ensuite est apparue une troisième hypothèse, l'une ET l'autre. Mais vous avez oublié qu'il existait encore une autre option, une autre combinaison. À savoir que vous ne soyez NI l'une NI l'autre.

Ni l'une ni l'autre. À Èclute vous vous êtes comportée comme une étrangère. La guerre d'Algérie ce n'était pas votre Histoire, vous vous en laviez les mains. Et c'est toujours le cas, votre intérêt pour le livre n'était pas un intérêt de Lutringeoise. En parallèle, la loi sur la double citoyenneté, qui est une loi contre les étrangers, vous l'avez prise pour vous. À raison, car vous n'étiez pas lutringeoise. Pas une vraie en tout cas. Une fois à Budapest, vous avez adopté l'attitude de ces immigrés zélés qui souhaitent démontrer par tous moyens qu'ils sont dignes de leur terre d'accueil. La fille dans le café qui dessinait le Balaton de travers était plus hongroise que vous, la sérénité identitaire s'accommode aisément d'une géographie approximative. Vous avez entendu devenir la plus irréprochable des Hongroises et c'est la preuve éclatante du fait que vous ne l'êtes pas. Sinon, vous n'auriez pas cassé votre lionne polaire, vous n'auriez pas ignoré la question du marchand de pêches, vous ne vous seriez pas traînée à genoux devant le drapeau pour demander pardon d'avoir critiqué le Mur. Péter vitupère sans cesse contre le gouvernement, il n'en reste pas moins hongrois. Ici vous avez progressivement abdiqué, renié, oublié. Non pas que la Hongrie soit pire qu'un autre pays, assurément pas. C'est ce que se racontent les Lutringeois, parce qu'eux ont appris à planquer leur racisme, à le cacher dans le placard, mais ça se craquelle, ça sort de partout, ils ne valent pas mieux. Quant au Mur, le pays a simplement pris un peu d'avance, bientôt tous fermeront leurs frontières, certains le font déjà. La Hongrie n'est pas responsable de vos compromissions. C'est vous, rien que vous et votre crispation, votre obsession, et pour finir, votre tentative d'instaurer dans votre tête une dictature nationale-linguistique. Or ce soir, vous avez bafoué la seule chose qui vous était personnelle, qui vous appartenait en propre, par rapport à toute la misère du monde le geste végétarien ce n'est rien mais c'était votre geste à vous. Dans l'absolu ce n'est pas grave, le végétarisme n'est pas une loi, pas une religion mais l'expression d'une libre volonté, et on a résolument le droit de ne pas toujours s'y conformer, ce n'est pas le problème. Le problème, c'est que vous êtes en train de devenir une personne moins bonne que celle que vous étiez, que vous pourriez être.

Ni l'une ni l'autre. Sur les cartes de séjour lutringeoises il était écrit, *nationalité : réfugié hongrois*. Pour eux là-bas vous étiez des réfugiés, cela leur suffisait comme qualification juridique, votre situation vis-à-vis de votre pays d'origine sans doute qu'ils s'en fichaient. Et même si vous avez préféré ne pas croire votre grand-mère, il est plus que probable que les autorités hongroises n'aient été informées de votre existence que tardivement. Pourquoi des dissidents auraient-ils recontacté leur pays toujours communiste pour signaler la naissance d'un enfant ? Vous n'avez jamais été apatride, du moins pas officiellement, rien dans les archives de vos parents ne le suggérait, cependant au cours des cinq premières années de votre vie, *de facto* vous n'étiez ni hongroise ni lutringeoise, tombée dans un bizarre trou juridique. Une fille née sans nationalité, sans citoyenneté, voilà ce que vous êtes.

Ni l'une ni l'autre. Vous n'êtes personne. Vous êtes Personne. Vous êtes Ulysse resté bloqué au stade du Cyclope, Ulysse qui n'aurait pas révélé son identité. La révéler lui a coûté cher, la colère de Poséidon. Mais il est resté Ulysse. Pas vous. Vous c'est Personne.

Ni l'une ni l'autre. C'est encore trop simple. Plutôt un peu l'une, un peu l'autre, parfois l'une et l'autre, parfois aucune, en tous les cas là-bas toujours trop d'ici et ici toujours trop de là-bas. Identité à l'image de vos langues imparfaites, vous êtes tissée de deux moitiés idiomatiques, de deux verbes incomplets qui fonctionnent ensemble, qui dialoguent continuellement, si l'une s'agrandit l'autre rétrécit, jamais vous ne posséderez totalement l'une sans devoir sacrifier l'autre. Regardez votre cahier. D'une phrase à l'autre vous changez de langue, vous êtes incapable d'écrire un paragraphe monolingue. C'est une forme de diglossie peut-être, ou bien vous êtes une double B, une double C, une double Z. Qu'importe à ce stade.

La solution s'impose rapidement. Malgré les liens qui vous unissent aux deux pays vous ne serez jamais vraiment chez vous ni en Lutringie ni en Hongrie. Quitte à vivre à l'étranger, autant que ce soit un choix. Vous devez partir. Essayer ailleurs. Pour exporter votre bizarrerie. Vous extirper de l'éternelle alternative. Vous délester de la Lutringie. Vous délester de la Hongrie. Tenter d'être libre. D'être vous-même. Idéalement vous aimeriez quitter la Terre, quel repos ce serait. Plus de G7. Plus de guerre en Syrie. Plus de Rideau de fer qui est tombé, au passage le bruit exact on l'attend toujours, mais pas absolument. Vous pensez avec des larmes dans les yeux à Petite-taupe-chérie qui construisait sa fusée, c'était donc cela son message. Que la seule voie praticable était l'ailleurs, le lointain.

Vous examinez une carte du monde. Émergent

trois destinations. Beyrouth, Cluj, Montréal. Oui, uniquement des capitales, vous êtes une urbaine quand même. Le Liban multilingue et multiconfessionnel vous attire toutefois le moment semble mal choisi, le pays compte déjà des millions de réfugiés syriens, il a plus urgent à faire que de vous accueillir. Cluj aux deux vérités vous enchanterait, vous êtes certaine que vous vous y plairiez, mais c'est encore trop l'Europe, trop à proximité de la Hongrie. Alors Montréal. Petit Québec complexé comme la Hongrie. Dans grand Canada puissant comme la Lutringie. Vous seriez une minoritaire chez les majoritaires. Cela vous correspondrait plutôt bien. Et le bilinguisme encore une fois. Sans compter qu'il y a la mer, la thalassothérapie, ainsi qu'un rude climat – le grand froid limite notablement les occasions de montrer ses pieds. Votre pensée new-yorkaise soutient vigoureusement l'option montréalaise, cela vous rapprocherait, vous pourriez lui rendre visite facilement. Lorsque vous découvrez que la devise du Québec est *Je me souviens* vous êtes définitivement convaincue. Pour une amnésique. Quelle magnifique ironie. Vous n'avez pas les coordonnées de Saline hélas. Ne savez quasi rien d'elle, seulement qu'elle prépare un projet aux contours flous. Vous serez comme Vajk qui cherche sa Lutringeoise cinéaste, vous demanderez de temps à autre aux gens si une Québécoise ayant effectué un tour du monde des anciennes dictatures, cela ne leur dirait pas quelque chose.

Il est 4 heures du matin. Vous repérez un avion qui décolle demain à 14 heures. C'est court mais jouable. Le vol n'est pas direct, il inclut une escale à Èclute. La chose vous agace, Budapest-Montréal cela n'existe pas évidemment, il faut transiter par l'Ouest. Un reste d'orgueil hongrois. Qui bientôt sera orgueil québécois. Peut-être. Saline avait l'air réellement douée, dans le genre énervée de la dignité. Une fois sur place, vous ferez votre salade. Bref, vous vous achetez un billet en ligne, autant brûler la soupe tant qu'elle est encore sur le feu.

Vous faites votre valise n'importe comment, vous y fourrez ce qui vous tombe sous la main, vous vous achèterez des vêtements là-bas. Quant à votre appartement, votre grand-mère a un double des clefs, il suffira de mandater une agence immobilière qui se chargera de le vendre. Vous n'avez pas le cœur à dire à votre grand-mère que vous ne vous reverrez sans doute plus jamais. Lors de votre prochaine visite en Europe, si jamais vous revenez un jour, elle sera probablement morte. En vérité, c'est plutôt lorsque vous pensez à Ilonka que vous avez les côtes qui se serrent. Vous pourriez passer lui dire au revoir demain matin, avant d'aller à l'aéroport. Mais Ilonka. C'est trop facile d'aimer Ilonka. Vous l'aimez, l'avez aimée d'un amour asymétrique, d'un amour qui n'est que l'expression d'une odieuse condescendance. Elle se rabaissait spontanément, elle était gentille et humble, l'aimer ça ne coûtait pas cher, elle ne risquait pas de vous contredire. Et au fond, vous n'aviez pas grand-chose à lui raconter. C'était juste une tendresse idiote, comme si elle était une jolie vache, paisible et docile. Alors tant pis.

Vous n'irez pas. Vous préviendrez tout le monde quand vous serez de l'autre côté de l'Atlantique.

Quelques heures plus tard, vous êtes totalement prête. Vous savez que grâce à votre passeport lutringeois vous n'avez pas besoin de visa pour entrer au Canada. Vous ignorez s'il en va de même pour votre passeport hongrois, probablement que oui, la Hongrie c'est l'Union européenne tout de même. Donc aucune formalité à accomplir. Par contre, il est interdit d'importer des végétaux. Vous grimacez. Vous vous approchez du basilic. Vos chemins vont se séparer. Que préfère-t-il ? Vous l'examinez. Il a vraiment grandi. Est-ce qu'il ne serait pas temps de le relâcher dans la nature ? Il n'a pas choisi de vivre dans un pot après tout.

Vous appelez un taxi. Vous inspectez une dernière fois votre appartement. Vous avez les billets d'avion, enfin pas les billets mais les papiers avec un code-barres, billet électronique que ça s'appelle, oui exact. Vous avez vos passeports, vos téléphones. Au moment où vous vous apprêtez à refermer votre porte, vous vous rendez compte que votre cahier est sur votre canapé. Vous courez l'attraper, vous le serrez fort contre vous, s'il y avait un objet à ne pas oublier c'était bien celui-là.

Vous demandez au taxi de marquer deux arrêts avant l'aéroport. Le premier devant un magasin de jardinage où vous faites une rapide course. L'autre au niveau du Bois de Ville. Vous priez le chauffeur de vous attendre un quart d'heure, par sécurité vous lui donnez de l'argent, de la sorte il est soudoyé, il fera comme vous avez dit. Vous avez le basilic dans vos bras ainsi qu'une pelle achetée au magasin de jardinage. Vous regardez autour de vous, vous cherchez un endroit approprié. Vous passez à côté de la statue d'Anonymus. Cela vous fait rire. Sous l'égide d'Anonymus ce sera bien. Vous avez quelque peu le même genre de problèmes lui et vous. Non loin de la statue vous dénichez un coin avec des plantes aromatiques. Il y a de la coriandre, du persil, du thym à l'état semi-sauvage. Parfait. Vous creusez un trou, vous cassez le pot du basilic et vous le replantez en pleine terre. Et voilà. Il est un basilic libre désormais. Vous lui souhaitez bonne chance pour ses nouvelles aventures et lui promettez que vous essaierez d'être une femme libre vous aussi. Ce sera compliqué sûrement mais vous vous appliquerez. Vous lui caressez le bout des feuilles et vous retournez jusqu'au taxi.

Une fois dans l'enceinte de l'aéroport, vous constatez que vous avez beaucoup de temps devant vous. Vous tournicotez, vous faites les cent pas, ici pour effectuer cent pas à la suite il y a la place. Vous vous achetez une bouteille d'eau. Vous allez aux toilettes. Quelle dégaine vous avez. Vous ne vous êtes pas changée depuis le concert. Minijupe, chemisier, bracelets de force. Vous rectifiez votre maquillage, vous ajoutez quelques paillettes bleues, c'est un grand jour aujourd'hui. C'est à peu près à cet instant que vous réalisez que vous n'avez plus votre cahier. Les murs de l'aéroport se balancent, vous suffoquez, le cahier il y a toute votre vie dedans, vous avez la sensation qu'on vient de vous arracher une jambe. Oublié dans le taxi ? À la caisse où vous avez réglé la bouteille d'eau ? Sur un siège ? Vous courez courez partout ne trouvez rien. Désespoir. Vous parlementez avec vous-même, tâchant de vous convaincre de le prendre avec philosophie. Après tout. C'est ça aussi la liberté. Le cahier c'était votre passé récent, le registre de ces dernières semaines. Vous êtes arrivée à un tournant. Peut-être qu'inconsciemment vous avez voulu vous en débarrasser. À dire vrai vous êtes partagée, cette interprétation en théorie se défend à merveille toutefois dans la pratique vous avez une brique de verre dans l'estomac. Chez un marchand de journaux vous vous rachetez un cahier. Vous en profitez aussi pour prendre un petit guide du Québec. Nouvelle vie, nouveau cahier, vous y consignerez votre histoire québécoise. Oui, d'accord, ça sonne bien, mais perdre votre cahier de la sorte était assez brutal.

Vous glissez le nouveau cahier dans votre valise, vous fourrez le petit guide dans votre sac à main et vous vous rendez au niveau du comptoir d'enregistrement des bagages. Vous êtes un brin inquiète concernant le sort de votre valise, et s'ils se trompaient quelque part ? Les Lutringeois seraient bien capables de l'expédier à Pékin ou à Tahiti. Votre interlocuteur vous rassure, regardez l'étiquette, il y a deux parties, Budapest-Èclute, Èclute-Montréal, et maintenant regardez vos cartes d'embarquement, Budapest-Èclute, Èclute-Montréal, donc vous voyez, votre valise effectuera exactement le même voyage que vous, il n'y a aucune raison qu'à l'aéroport d'Èclute ils l'expédient en Chine, ils sont étourdis les Lutringeois mais pas à ce point.

Vous passez les horribles contrôles où il faut se mettre presque nu devant le personnel aéroportuaire en songeant à cette phrase de quelqu'un, vous ne savez plus qui, vous vérifierez, renoncer à la liberté au nom de la sécurité revient à perdre les deux, et le Québec c'est comment d'ailleurs, sécuritaire ou pas trop ? Vous traverse l'esprit que vous partez dans un pays dont vous ignorez absolument tout, que ce n'est pas excessivement raisonnable comme comportement. Bah, vos parents non plus ne connaissaient pas la Lutringie. Au pire si c'est affreux vous reviendrez, vous ne serez pas territorialement captive, vous n'aurez pas le problème du 31e jour.

En attendant d'embarquer vous regardez les boutiques, vous découvrez une fantastique bijouterie avec colliers, bracelets, boucles d'oreilles et montres qui scintillent de mille feux. C'est ravissant, c'est étincelant, c'est original. Vous examinez diverses pièces, procédez à des essayages. Les prix sont relativement élevés cependant c'est si beau. Soudain vous apercevez le coin des diadèmes. Voilà d'où venait le vôtre. Aucun doute n'est permis. C'est exactement le même style. Étant toujours chamboulée par la perte de votre cahier, estimant aussi, d'une manière plus générale, qu'après tout ce que vous avez subi, ou vécu, ou traversé, vous méritez bien un cadeau, vous vous choisissez un diadème scintillant. Vous le posez sur votre tête, vous vous admirez dans le miroir, princesse québécoise, princesse des glaces, tout de suite vous vous sentez dans le rôle. Vous ne pouvez pas ne pas l'acheter. Impossible. En outre, vous avez beaucoup trop de liquide sur vous, les forints au Québec ne vous serviront à rien. Quand la vendeuse vous propose de l'emballer vous refusez catégoriquement, ah non vous êtes une princesse, vous le gardez sur votre tête.

Au décollage de l'avion, étant précisé que vous n'avez pas omis d'embarquer, vous êtes installée à l'intérieur et avez consciencieusement bouclé votre ceinture, vos oreilles se bouchent et une de ces insupportables migraines refait son apparition. Afin de vous distraire de la machine à coudre qui perfore vos tympans, vous feuilletez le petit guide sur le Québec. Vous commencez par la fin, là où sont décrites les spécificités du lutringeois local, et notamment les sacres, c'est-à-dire les jurons. Ne parvenant pas à vous concentrer, vous marquez la page avec vos deux cartes d'embarquement et glissez le guide dans le filet, la poche à filet, cette chose dans le dos du siège devant vous.

Quand l'appareil s'est stabilisé dans les airs ça va mieux, votre mal de tête cesse. Vous jetez un œil à la femme assise à côté de vous, elle est plongée dans un ouvrage de Paul Ricœur. Vous essayez de lire par-dessus son épaule toutefois vous sentez que vous êtes épuisée, ce n'est pas étonnant, vous n'avez pas dormi cette nuit. Vous fermez les yeux, vous vous abandonnez à un doux sommeil, vous avisant avec bonheur que le diadème est toujours sur votre tête. Ce n'est certes pas très discret mais vous êtes une femme libre et choisir d'être une princesse fait partie de vos droits fondamentaux.

Vous êtes parfaitement endormie à présent. Une hôtesse de l'air, petit panier à la main, s'avance dans votre allée. Tandis qu'un bagagiste hongrois, remontant sa fermeture éclair après avoir uriné, remarque que sur son pantalon est collée une moitié d'étiquette ; tandis qu'un clochard parisien consulte son calendrier, songeant que la folle qui environ tous les deux mois lui offre un diadème ne devrait pas tarder à débouler ; tandis qu'allongé sur le divan de son psychanalyste, un neurologue budapestois pleure à chaudes larmes, il est un si vilain garçon à sa maman pour preuve pas plus tard que ce lundi il a refusé de prendre en charge une patiente amnésique qui présentait tous les symptômes d'une rechute imminente cela parce qu'elle ne lui avait pas donné d'enveloppe ; tandis qu'un restaurateur libanais raconte en riant à un ami qu'une de ses clientes, qui vient rarement mais régulièrement, semble exulter chaque fois qu'il mentionne la guerre civile ; tandis qu'enfin, doucement, avec une très grande délicatesse, de votre mémoire s'effacent un à un les souvenirs des quarante-six derniers jours, vingt-trois français, vingt-trois hongrois, l'hôtesse, arrivée à votre niveau, voyant que vous êtes endormie, profondément endormie, glisse une lingette rince-doigts dans votre sac à main entrouvert.

ANNEXES

MANUEL DE YAZIGE À L'USAGE DES FRANCOPHONES
(extrait)

Notre parler mathématique fascine les linguistes du monde entier, ils organisent des colloques spécialement pour s'étriper au sujet de sa mystérieuse filiation, cet idiome sorti de nulle part les rend hystériques car son existence remet en cause tout leur système classificatoire. Pour ma part, ce que je peux en dire en tant qu'usagère est qu'il s'agit d'une langue facile, rigoureusement polie et obéissante. Une langue qui n'exige de ses locuteurs rien d'autre que de la constance et de la méthode, et qui en contrepartie met à leur disposition une matière extraordinairement plastique. Mais elle rebute les étrangers, qui la trouvent hermétique, font des crises cardiaques lorsqu'ils réalisent qu'il va falloir réviser sa table de multiplications ou tracer des droites sur une feuille à carreaux. Ce côté citadelle imprenable est un mythe : c'est juste un pli à prendre, une autre manière de penser. En comparaison avec le français, c'est vite vu, n'importe quel extraterrestre sain d'esprit choisirait d'apprendre plutôt notre langue que la vôtre, il faut être tordu pour avoir envie de se battre contre une soixantaine de prépositions sournoises, des h aspirés et une orthographe bipolaire.

La morphologie, comme le reste, est d'une régularité d'horloge. Tous les mots se forment à partir de radicaux archaïques composés de deux chiffres, lesquels renvoient aux réalités simples et rustiques de la vie de nos ancêtres nomades, comme l'eau (03), le feu (04), le soleil (05), le ciel (06), l'herbe (14), la mûre sauvage (15), le cheval (36), la selle sans arçon (37), le pas (48), le galop (49), le vol avec effraction (72), la trahison (73) ou encore la nation (99). Afin de forger d'autres substantifs correspondant à des concepts plus complexes ou à des inventions récentes, il suffit de dériver ces radicaux en les soumettant à des opérations algébriques relativement élémentaires. Par exemple, l'activité professionnelle consistant à produire x étant exprimée par la fonction $f(x) = 12x$, artisan-boulanger se dira tout bonnement $12 \times$ pain $= 10\,272$. Naturellement, il est également possible de combiner ces radicaux entre eux grâce à des fonctions de deux variables, notamment la fonction puissance, qui est notre équivalent du génitif, ou la fonction produit, qui permet de fusionner plusieurs unités de sens. De la sorte, trahison de la nation se dira nation exposant trahison soit 99^{73}, cependant que défaite militaire × bande de salauds soit 598 895 signifiera armistice injuste. Et c'est le même système pour confectionner des verbes, des adjectifs et des adverbes, puis pour conjuguer, décliner ou exprimer les modalités de l'action, sachant qu'il est permis de recombiner à l'infini les résultats obtenus grâce à des fonctions de fonctions : toutes les fantaisies sont autorisées du moment que le calcul est juste, l'idée de néologisme nous est parfaitement inconnue car la question n'est pas de savoir si les mots employés figurent dans le dictionnaire mais si le résultat mathématique est vrai ou faux. Au demeurant, il va de soi que pour les termes les plus courants, on n'entend plus à l'oreille le calcul qu'il y a derrière chaque mot, cela devient un automatisme. Par exemple, chacun sait que fraisier ardent se dit 1 049 565 603, et il faudra faire un effort de décomposition pour se rappeler que cela correspond à l'image de (12 × fraise) par un polynôme d'Hermite de degré feu.

Lorsqu'il nous faut nommer une nouvelle réalité venue de l'extérieur, par exemple char d'assaut ou camp de vacances marxiste-léniniste, nous nous efforçons systématiquement de créer un équivalent mathématique à partir de nos radicaux ancestraux. Au XIXe siècle, une grande réforme linguistique a du reste permis d'expurger notre vocabulaire de tous les calques et emprunts qui ruinaient notre syntaxe, c'était un tel bordel que nos arrière-grands-parents en étaient réduits à s'exprimer sous forme d'équations à trois inconnues, et depuis lors nous veillons scrupuleusement à la pureté mathématique de notre langue. Toutefois il arrive malgré tout que, pris de court, nous devions constater la présence de termes exogènes au sein de notre vocabulaire. Ainsi, en dépit des peines d'amende prévues par l'Académie linguistique, *internet* et *computer* sont entrés tels quels dans le langage courant, et il faut bien dire que dans la pratique, les contrevenants sont rarement sanctionnés. Et puis il y a le cas des émigrés. Souvent la langue se rouille au cours des années passées à chercher de l'or dans les rivières américaines, et quand ils reviennent pour les vacances en roulant des mécaniques, ils parlent à peu près comme ceci : 17 826 876 hey guy 1 898 come on euh squared. Ils se trompent dans leurs racines carrées et fabriquent des mots rigolos, compréhensibles mais incongrus, comme sucre à étirer pour sirop ou racisme pour amour de la mère-patrie. Les enfants aussi commettent des fautes bien entendu, mais ils assimilent rapidement les fonctions de base, et à la fin du cycle élémentaire, ils ont tous appris à parler sans calculatrice. Au collège et au lycée, ils s'adonnent comme tous les adolescents du monde à des jeux discursifs idiots, s'amusent à parler en base 12, croyant avoir découvert un langage secret que les adultes ne comprendront pas, ou encore s'envoient des graphiques salaces représentant deux droites sécantes avec un point d'intersection aux coordonnées renvoyant, en abscisse ou en ordonnée, à des positions sexuelles. Il convient toutefois de reconnaître que d'une manière générale, le respect de l'algèbre et de la géométrie, ce n'est plus ce que c'était. Beaucoup de gens ne connaissent plus leurs exponentielles, les trissectrices tombent en désuétude. Le langage SMS y est pour beaucoup : à force d'utiliser des arrondis et des exposants, certains jeunes ne savent plus développer les mots sous forme décimale. Vous avez le même genre de problème en France il me semble. Pour vous, ce n'est pas très grave : vous avez toujours la tour Eiffel, Louis de Funès et le Code Napoléon. Mais nous, nous n'avons d'autre trésor que notre langue, vous avez bombardé le reste.

PETITE HISTOIRE DE LA LUTRINGIE
(cours élémentaire 1)

Autrefois, notre pays était habité par des vignerons aux grosses joues rouges, des guerriers blonds chaussés de casques ailés et des philosophes déconstructivistes. Au Xe siècle, ces trois castes passèrent une alliance et fondèrent un royaume unifié. S'ouvrit alors une ère de paix et de prospérité : le blé poussait doré, les faons sautillaient dans les forêts, les étoiles se faisaient des bisous dans le ciel.

Les **vignerons** inventèrent l'assolement triennal, le moulin à eau et les appellations d'origine contrôlée. Leur chiffre d'affaires à l'export connut une croissance exponentielle : les rois et les princes des contrées voisines s'arrachaient le vin lutringeois, désormais considéré comme le meilleur du monde.

Les **guerriers** jetèrent leurs armes au tri sélectif, enfilèrent des collants de couleur verte et se transformèrent en diplomates à l'expertise internationalement reconnue. Forts de leur connaissance approfondie du droit médiéval des conflits armés, ils dispensèrent à nos voisins leurs précieux conseils.

Les **philosophes** élaborèrent une théorie postmédiévale de la domination masculine. Après avoir consacré cinquante-deux colloques à la question, ils déclarèrent que le fichu des femmes vigneronnes était un signe d'oppression. Celles-ci l'enlevèrent et aussitôt elles devinrent les égales des hommes.

Durant l'époque dite moderne (XVe-XVIIIe siècle), la société lutringeoise accomplit de fulgurants progrès moraux. Les vignerons, qui souhaitaient lutter contre la segmentation de leur clientèle par confession, créèrent le **Festival de la Saint-Barthélemy** : le 24 août de chaque année, le champagne coulait à flots, on trinquait et on s'embrassait pour célébrer la tolérance religieuse. Les diplomates, qui effectuaient de multiples missions exploratoires aux quatre coins du globe, en revenaient avec l'ardent désir d'en finir avec l'ethnocentrisme. On créa un **musée de l'Exotisme** où les Lutringeois purent s'ouvrir l'esprit en découvrant des sociétés qui, bien qu'horriblement sous-développées sur le plan vestimentaire, n'en restaient pas moins très attendrissantes. De leur côté, les philosophes organisaient des flashmobs devant l'ambassade des États-Unis afin de dénoncer la misérable condition des esclaves des champs de canne à sucre. Mue par un immense élan de solidarité, la population lutringeoise expédia des centaines de milliers de colis contenant du foie gras, du camembert et des viennoiseries à l'intention de ces malheureux.

En **1789**, les philosophes découvrirent la psychanalyse et l'inconscient. Ils signifièrent à leurs compatriotes qu'il était grand temps de tuer le père c'est-à-dire le roi, d'abolir les privilèges et de devenir de fervents démocrates. Les Lutringeois étaient désormais des citoyens égaux entre eux : les origines, la religion, la couleur de peau n'avaient plus aucune importance du moment qu'on aimait le bon vin. Depuis ce jour, il n'existe plus de discrimination en Lutringie. Ainsi, une personne noire de peau subissant une injustice n'est pas une personne noire de peau subissant une injustice mais un être humain subissant une injustice.

Au cours de la seconde moitié du XIXᵉ siècle, un terrible fléau frappa notre patrie : **le phylloxéra**. Ce petit insecte détruisit près de 75 % des vignes. Les Lutringeois n'avaient plus de vin. Plus assez de vin. Ce fut la panique, la guerre civile, on s'entre-tuait pour un ballon de rouge. Les vignes furent finalement sauvées. Mais bientôt un étrange mal saisit la population : l'incapacité à parler une autre langue que le lutringeois.

Pour remédier à ce problème, la guilde des viticulteurs publia un encart dans les principaux quotidiens des pays de l'Est. L'annonce stipulait que les grandes jeunes femmes blondes désireuses de se marier avec un agriculteur lutringeois étaient les bienvenues dans notre beau pays, cela à condition qu'elles maîtrisent l'anglais et acceptent d'exercer la profession de traductrice-interprète. Les diplomates sillonnèrent le monde afin de bâtir des instituts culturels lutringeois dans les capitales étrangères : puisque nous n'étions plus capables d'apprendre une autre langue, il était crucial que les étrangers parlent la nôtre. Enfin, le gouvernement mena une énergique politique culturelle dont le but était d'attirer cinéastes, écrivains et artistes étrangers.

La Lutringie devint donc une **terre d'immigration**. Les nouveaux venus, bien que parfois déconcertés par certaines de nos coutumes, et notamment celle en vertu de laquelle un vrai repas ne saurait durer moins de trois heures, s'acclimatèrent dans la joie et la bonne humeur. On découvrit que leurs enfants étaient également immunisés contre la maladie du monolinguisme. Toutefois, à la génération suivante, cette protection cessait. Les scientifiques finirent par comprendre que cette curieuse affection, contre laquelle il n'existe à ce jour ni vaccin ni remède, frappe tous les individus dont les deux parents sont nés en Lutringie. Partant de là, il est crucial de continuer, très régulièrement, à faire venir des étrangers, cela de manière à renouveler les effectifs des traducteurs et interprètes sans lesquels notre économie se trouverait rapidement paralysée. Dès lors, les guerres et famines qui ravagent le monde constituent en quelque sorte une aubaine pour notre pays, et nos dirigeants ne manquent jamais de rappeler à qui veut l'entendre que chez nous les candidats à une vie meilleure sont attendus à bras ouverts.

Aujourd'hui, la Lutringie et son alliée l'Allemagne gouvernent ensemble cet imposant navire qu'est l'**Union européenne**. Les rôles sont bien répartis : nous sommes les artistes, les créatifs, nous nous occupons du cinéma et de la gastronomie, tandis que les méticuleux Allemands se chargent des affaires administratives et politiques auxquelles nous n'entendons rien. L'Union est un vaste ensemble incluant de nombreux pays. Il n'est toutefois pas utile de retenir leur nom, en effet nos amis allemands se chargent d'en tenir registre.

REMERCIEMENTS

Je remercie chaleureusement mon éditeur, Paul Otchakovsky-Laurens, ainsi que toutes les personnes qui, d'une manière ou d'une autre, m'ont aidée à mener à bien ce travail, notamment Armelle B., Éva B., Lise Ch. et son amie Manon, Emese F., Laurence F., Pierre-Alexandre F., Anna K. et Kati S., j'espère n'avoir oublié personne, si c'est le cas pardon.

J'en profite aussi pour renouveler mes remerciements à l'endroit de l'équipe de l'Institut français de Cluj.

DU MÊME AUTEUR

Aux Éditions P.O.L

TUER CATHERINE, 2009

VOUS SEREZ MES TÉMOINS, 2011

DOUBLE NATIONALITÉ, 2016 (Folio n° 6508). Prix de Flore

Composition Nord compo
Impression Grafica Veneta
à Trebaseleghe, le 18 mai 2018
Dépôt légal : mai 2018

ISBN 978-2-07-276522-3./Imprimé en Italie.